Corporatismo y cambio

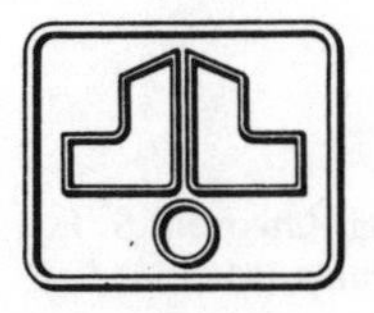

COLECCION ECONOMIA DEL TRABAJO

Título original: «Corporatism and Change. Austria, Switzerland, and the Politics of Industry».
Peter J. Katzenstein.

Publicado en 1984 por Cornell University Press

Traducción: Elvira Cortés

Revisión: Juan José Castillo

La presente edición ha sido autorizada por Cornell University Press. Ithaca and London.

Edita y distribuye:
Centro de Publicaciones
Ministerio de Trabajo y Seguridad Social
Huertas, 73. 28014 Madrid

NIPO: 201-87-009-6
ISBN: 84-7434-403-4
Depósito legal: M. 15.875-1987

Fotocomposición e impresión: Closas-Orcoyen, S. L.
Polígono Igarsa. Paracuellos de Jarama (Madrid)

Corporatismo y cambio

Austria, Suiza y las políticas industriales

Peter J. Katzenstein

MINISTERIO DE TRABAJO
Y SEGURIDAD SOCIAL

A Johnny

INDICE GENERAL

CUADROS

Pág.

SIGLAS

ASUAG	Sociedad General de Relojes Suizos (Allgemeine Schweizerische Uhrenindustrie Aktiengesellschaft).
CNG	Federación Nacional Suiza de Sindicatos Cristianos (Christlich-Nationaler Gewerkschaftsbund der Schweiz).
COMECON	Comisión de Ayuda Económica Mutua.
DAC	Comisión de Ayuda al Desarrollo de la OCDE.
CEE	Comunidad Económica Europea.
EFTA	Asociación Europea de Libre Comercio.
FH	Federación Suiza de Fabricantes de Relojes (Fèdèration Horlogère).
GATT	Acuerdo General sobre Aranceles y Comercio.
PIB	Producto Interior Bruto.
PNB	Producto Nacional Bruto.
GSBI	Asociación Suiza del Sector de Confección (Gesamtverband der Schweizerischen Bekleidungsindustrie).
GWC	Sociedad General Relojera (subdivisión de la ASUAG).
FMI	Fondo Monetario Internacional.
LTA	Acuerdo a Largo Plazo sobre Tejidos de Algodón.
MFA	Acuerdo Multi-Fibras.
OTAN	Organización del Tratado del Atlántico Norte.
ÖAAB	Federación Austríaca de Empleados y Trabajadores (división del ÖVP).
OCDE	Organización para la Cooperación y el Desarrollo Económico.
ÖGB	Federación de Sindicatos Austríacos (Österreichischer Gewerkschaftsbund).
ÖIAG	Sociedad Austríaca para la Administración Industrial (Österreichische Industrieverwaltung, AG).

ÖIG Sociedad Industrial Austríaca (predecesora de la ÖIAG).
OPEP Organización de Países Exportadores de Petróleo.
ÖVP Partido Popular Austríaco (Österreichische Volkspartei).
SGB Federación de Sindicatos Suiza (Schweizerischer Gewerkschaftsbund).
SHIV Federación Suiza de Comercio e Industria (Schweizerischer Handels- und Industrie-Verein).
SMUV Sindicato Suizo de Trabajadores del Metal y Fabricantes de Relojes (Schweizerischer Metall- und Uhrenarbeitnehemer-Verband).
SPÖ Partido Socialista Austríaco (Sozialistische Partei Österreichs).
SSIH Sociedad Anónima de Relojes Suiza (Société Suisse pour l'Industrie Horlogère).
NU Naciones Unidas.
UNCTAD Conferencia de las Naciones Unidas sobre Comercio y Desarrollo.
VATI Asociación Suiza de Empleados del Sector Textil) (Verband der Arbeitgeber del Textilindustrie).
VEW Unión Austríaca de Especialistas de los Trabajadores del Acero (Vereinigte Edelstahlwerke).
VOEST Unión Austríaca de Trabajadores del Hierro y del Acero (Vereinigte Österreichische Eisen- und Stahlwerke).

PREFACIO

Las pequeñas democracias europeas de la Europa occidental plantean un problema interesante a las ciencias sociales. Los científicos políticos regresan de sus viajes destacando la estabilidad que han descubierto esos Estados a través de sus acuerdos corporatistas. Incluso la opinión típica de los economistas es que estos mismos países constituyen modelos de flexibilidad económica y competencia de mercado. A lo largo de los últimos cinco años he estado intentando desarrollar un argumento que resolviera este enigma. El argumento que avanzo es provisional. Se aplica principalmente a los pequeños Estados corporatistas de Europa que, debido a sus economías abiertas, han sido vulnerables a los cambios de la economía mundial durante el siglo XX. En mi opinión la estabilidad política y la flexibilidad económica no son contradictorias, sino que están mutuamente supeditadas.

Los grandes países industriales están empezando a experimentar una apertura y vulnerabilidad económicas cada vez mayores, condiciones que son nuevas para ellos pero familiares para sus pequeños vecinos a lo largo de la historia moderna. En los pequeños Estados europeos la apertura y vulnerabilidad económicas han posibilitado los acuerdos corporatistas que son menos comunes entre los países grandes. Los Estados pequeños proporcionan así una especie de modelo a través del cual podemos valorar los desarrollos de los grandes.

Este es uno de los dos volúmenes que investigan la economía política de las grandes democracias europeas. *Los pequeños Estados en los mercados mundiales* desarrolla el argumento en términos generales para Escandinavia, Países Bajos y Europa central. *Corporatismo y cambio* lo aplica a Austria y Suiza en particular. Estos dos volúmenes muestran cómo la apertura económica y el corporatismo democrático conforman la Política y las políticas del ajuste industrial en los pequeños Estados europeos.

Los pequeños Estados en los mercados mundiales argumenta que las crisis de ajuste de los años 30 y 40 —depresión, fascismo y segunda guerra mundial— reorganizaron fundamentalmente las políticas de los pequeños Estados europeos. El corporatismo democrático que surgió entonces se ha fortalecido desde los años 50 debido a las presiones de una economía internacional liberal. El resultado ha sido un ajuste económico flexible y unas políticas estables. La historia nos explica por qué el potencial para alcanzar un compromiso político entre el mundo de los negocios y los trabajadores durante los años 30 y 40 fue mayor en los pequeños países que en los grandes. Las medidas en materias de agricultura y religión anteriores a la Revolución Industrial explican por qué, en contraste con los grandes países, los pequeños Estados experimentaron una disgregada política de derechas y una política reformista de izquierda en los siglos XIX y XX. En los dos últimos siglos, además, los pequeños Estados europeos han adoptado una estrategia de especialización en las exportaciones que ha tendido a reducir las diferencias entre los diversos sectores de cada sociedad. Y con la adopción del sufragio universal estos Estados optaron por sistemas de representación proporcional antes que por reglas mayoritarias, mostrando así una disposición decididamente positiva al reparto del poder entre actores políticos dispares.

Aunque los pequeños Estados europeos se asemejan unos a otros en cuanto a sus acuerdos corporatistas y en cuanto a la sustancia de sus estrategias de ajuste industrial, muestran, por el contrario, marcadas diferencias en la forma de sus políticas y en el estilo de sus medidas. Hoy existen dos variedades de corporatismo, uno «liberal» y otro «social». El *tempo* de la industrialización, su experiencia en tiempos de guerra y la demarcación de divisiones en la sociedad ayudan a explicar esas diferencias entre los pequeños Estados europeos. En algunos de estos Estados el ajuste tiene lugar en una esfera global y se organiza privadamente; en otros, el ajuste es nacional y público. Los pequeños Estados europeos eligen así diferentes caminos de combinar la flexibilidad económica y la estabilidad política para hacer compatibles las exigencias de la política internacional con las exigencias de las políticas nacionales.

Mi argumento mantiene la idea de que es en Austria y Suiza, de entre los Estados europeos pequeños, donde es mayor la diferencia entre estas dos variantes del corporatismo. Escribí *Corporatismo y cambio* esperando que los extranjeros pudieran pintar buenos retratos de familia, ya que esbozando los rasgos característicos de Austria y Suiza se obtiene la imagen de dos primos lejanos, con diferencias predecibles y similitudes imprevisibles. Los socialdemócratas austríacos aludían con orgullo a la extensión de su *welfare state* durante los años 70, mientras que los hombres de negocios suizos alababan su economía liberal de mercado. Sin embargo, en ambos países la búsqueda del consenso es una pasión nacional. He intentado resistir a la tentación de contrastar supuestos rasgos característicos, por ejemplo, la laboriosidad suiza con la indolencia austriaca, y construir un argumento alrededor de tales presunciones. Más bien, la descripción sistemática que he elegido permite hacerse una idea de las motivaciones y estructuras políticas que conforman la búsqueda del consenso de marcos diferentes y determinantes. Tal idea es central para entender cómo los pequeños Estados europeos salen adelante en la economía internacional. Es, además, un modesto avance hacia una interpretación de la sustancia y estilo de las políticas centroeuropeas.

Los pequeños Estados en los mercados mundiales establece el argumento en términos generales. Comparando a los pequeños con los grandes Estados industriales resalta cómo las estructuras históricamente conformadas hacen posible una estrategia particular de ajuste industrial. Puesto que este argumento cae en el riesgo de una excesiva generalización, *Corporatismo y cambio* añade un análisis detallado de Austria y Suiza. Para una mejor comprensión de las políticas austríaca y suiza he seguido la historia reciente de cuatro industriales con problemas: los relojes en Suiza, el acero en Austria y el textil en ambas. Estas industrias difieren en una serie de dimensiones, incluyendo la del origen del cambio, el proceso de diferenciación interna, el actor económico típico, la organización política de la industria y sus vínculos políticos con otros sectores. Contemplados como cuatro marcos diferentes de la política industrial, esta historia reciente varía en el sentido de que ayuda a identificar algunos modelos de Política y de políticas.

Estos dos libros muestran cómo la estructura y el proceso interactúan en la política. Yo he elegido reflexionar sobre las implicaciones de esta interacción con diferentes grados de abstracción, realizando estas incursiones en algunas de las convenciones establecidas en la ciencia política. La especialización por áreas consigue la claridad intelectual y permite examinar con gran profundidad una realidad política compleja. Los amplios estudios comparativos tratan, en general, de imponer un orden intelectual contemplando la realidad desde puntos de vista elegidos, a menudo deliberadamente, para contradecir los supuestos esenciales de una cultura racional. Puesto que ambos métodos sirven a sus propósitos, los cánones de la investigación en ciencias sociales han expresado en los últimos años la esperanza de que, a largo plazo, ambos métodos sean combinados. Al final de mi propio esfuerzo estoy sinceramente convencido de ello.

He intentado aprender cómo vincular lo específico con lo general. La familiaridad con el detalle es necesaria para dibujar las conexiones entre las diferentes partes de la vida política austríaca y suiza, para discernir cómo estas partes conforman una estructura distintiva y para entender cómo esa estructura se regenera a sí misma en la política diaria. La afinidad en los subtítulos de los dos libros intenta así comunicar mis intereses en la vinculación de los niveles macro y micro del análisis. Las políticas industriales de los pequeños Estados europeos provienen de distintas limitaciones y oportunidades. Las políticas industriales en Austria y Suiza vuelven a confirmar, en base a la experiencia diaria, la lógica que da forma a las opciones particulares. Así, ambos libros señalan que en la vinculación estrecha entre las políticas y la Política, los pequeños Estados europeos han hecho compatible la flexibilidad económica con la estabilidad política.

En la elaboración de este proyecto me he servido de los métodos ya probados de la ciencia política. Las comparaciones entre pequeños y grandes Estados, entre Austria y Suiza, y entre diferentes industrias han sido esenciales para desarrollar mi argumento. Debido a que yo quería comprender las limitaciones y oportunidades ofrecidas por las estructuras corporatistas de los pequeños Estados europeos, he dedicado gran cantidad de tiempo a trazar el proceso político en Austria y Suiza. He leído intensamente, he visitado Austria y Suiza repetidas veces y he entrevistado a más de ochenta políticos, hombres de negocios, sindicalistas, periodistas y académicos durante un período de cinco años. He utilizado las entrevistas no tanto como una fuente de datos, sino como una forma de aprender de los demás, cuestionándome mis propias ideas e intentando elaborar otras nuevas. Pero cuando no podía encontrar una muestra significativa de la evidencia en el material escrito, las entrevistas me ayudaron a llenar el vacío. Los archivos de recortes de periódicos en Austria, Suiza y Alemania Occidental me han sido de gran utilidad al ofrecerme la historia posbélica de diferentes industrias. La utilización de los periódicos no está exenta de riesgos. Schopenhauer dijo una vez que los periódicos no son otra cosa que la historia de segunda mano —siempre hablan de un tiempo erróneo. Pero los periódicos ofrecen una información suficientemente buena para lanzar a los investigadores al momento de tener que comprobar el significado político de la vida económica.

Este proyecto se ha beneficiado enormemente de la ayuda de un gran número de colegas y amigos. Durante un período de cinco años han estado hablando, escuchando y haciendo comentarios sobre los diversos borradores. A menudo les he explotado abiertamente, he utilizado sus ideas y agotado su paciencia. Incluso cuando discrepábamos, sus reacciones hacia mi trabajo han agudizado mis ideas. Su presencia intelectual ha dado sentido a los inevitables trabajos pesados del saber. Mi mayor deuda intelectual va dirigida hacia aquellos que realmente se sentaron y leyeron uno o dos borradores del manuscrito que abarcaba los dos volúmenes ahora publidados por separado: Francis Castles, William Diebold, Gösta Esping-Andersen, Peter Gourevitch, Jeffrey Hart, Thomas Ilgen, Mary Katzenstein, Robert Keohane, Stephen Krasner, David Laitin, Peter Lange, Gerhard Lehmbruch, Arend Lijphart, Bernd Marin, T. J. Pempel, Richard Rosencrance, Charles Sabel, Martin Shefter, Margret Sieber, Sidney Tarrow y John Zysman. He recibido también útiles comentarios de colegas que leyeron artículos que desarrollaban el argumento general de los dos libros: Ronald Brickman, David Cameron, Miriam Golden, Peter Hall, Steven Jackson, Jeanne Laux, Martin Lipset, Theodore Lowi, Henrik Madsen, Peter McClelland, Sandra Peterson, Ronald Rogowski, Michael Shalev, Gabriel Sheffer, Charles Tilly y Harold Willensky; de un grupo de eruditos a quienes conocí en una serie de coloquios convocados por John Ruggie: Barry Buzan, Helge Hueem, Gerd Junne y Alberto Martinelli, y de mis colegas del *Center for Advanced Study:* Alfred Kahn, Natalie Ramsoy y William Wilson.

Este proyecto ha sido financiado por los miembros del *German Marshall Fund* de los Estados Unidos (Concesión núm. 3-51025) y de la *Rockefeller Foundation* (Concesión núm. RF 77020-87). Un primer borrador de ambos volúmenes fue preparado mientras pasaba un año en el *Center for Advanced Study in the Behavioral Sciences,* en Stanford, California, en 1981-1982. Estoy agradecido por el apoyo económico que me proporcionó la *National Science Foundation Grant* (núm. BNS 76-22943).

A lo largo de los últimos cinco años, un grupo de estudiantes de Cornell me ha ayudado en mi investigación. Me gustaría expresar mi agradecimiento, en particular, a Mark Hansen, Gretchen Ritter y Rhonda Wassermann. Dorothy Hong, Bruce Levine y Diane Sousa también me han ayudado.

En el *Center for Advanced Study,* Deanna Dejan, Barbara Homestead y Anna Towers mecanografiaron un primer borrador del manuscrito del cual surgieron eventualmente estos dos libros. El personal del Departamento de Gobierno de la Universidad de Cornell, más allá de todas las expectativas razonables, continuó comentando ciertos aspectos conmigo mientras se volvían a mecanografiar algunas versiones posteriores.

Walter Lippincott mostró desde el principio su interés en este proyecto. En sus últimas etapas sugirió un formato de publicación que he encontrado conveniente: dos libros separados, dos subtítulos similares y un prefacio. John Ackerman leyó los borradores de la introducción y la conclusión para ambos volúmenes y me dio útiles consejos editoriales. Pero mi deuda más grande de gratitud va para Roger Haydon. En la edición de estos dos volúmenes, sin queja alguna, aprendió más de lo que nunca quiso saber sobre los países pequeños. Tuvo un excelente juicio sobre cómo debería organizarse el material de un gran manuscrito en dos libros. Su tenacidad me empujó a clarificar mi pensamiento; su lápiz ordenó mi prosa; su diplomacia consintió en el acabado demasiado liso de mi texto, y su humor hizo divertida la mayor parte del trabajo duro.

Una parte del material de este libro apareció previamente en dos volúmenes editados. Partes de los capítulos 2 y 3 se han publicado en «Political Compensation for Economic Openess: Incomes Policy and Public Spending im Austria and Other Small European States», en Kurt Steiner, ed., *Tradition and Innovation in Contemporary Austria,* pp. 99-108, copyright 1982, SPOSS Inc., y están reproducidos con la debida autorización; parte del capítulo 3 apareció en «The Small European States in the International Economy: Economic Dependence and Corporatist Politics», en John G. Ruggie, ed., *The Antinomies of Independence: National Welfare and the International Division of Labor* (Nueva York, Columbia University Press, 1983), pp. 91-130, y se ha utilizado con autorización.

En mi hogar he recibido todo el apoyo que razonablemente podía esperar. Sospecho que Tai y Suzanne disfrutaron con este proyecto. Cuando viajaba a Europa su consumo de *pizza* aumentaba y cuando regresaba esperaban con ansia los *dirndls* austríacos o los chocolates suizos. He dedicado el segundo de estos libros a Mary, quien es parte de un dinámico dúo intergeneracional que ha transformado mi vida.

PETER J. KATZENSTEIN

Ithaca, Nueva York.

1. INTRODUCCION

Suiza y Austria poseen ambas una población y territorio reducidos. Al igual que otros Estados europeos pequeños, nunca han ejercido una gran influencia sobre la política internacional. Podría decirse, sin duda, que Suiza y Austria son países tan lejanos y poco importantes que no llegan a justificar análisis continuados. Pero estos dos pequeños Estados, en condiciones desventajosas, han conseguido superar la crisis de los años 70 con mayor éxito que Estados Unidos y que la mayoría de los demás Estados industriales. No es, pues, la insignificancia de estos dos países, sino nuestra propia ignorancia, la que nos ha cegado con dos historias de éxito como las de Alemania Occidental y Japón [1].

La magnitud del éxito suizo y austríaco es impresionante a todos los efectos. Austria y Suiza frenaron la inflación en los años 70 y registraron simultáneamente dos de las menores tasas de desempleo del mundo industrializado.

Pero debido a las diferencias en cuanto a definición y presentación, las estadísticas del desempleo son difíciles de comparar entre países. El

[1] Cualquier análisis comparativo de Austria y Suiza debe verse en Gerhard Lehmbruch, *Proporzdemokratie: Politisches System und politische Kultur in der Schweiz und in Österreich* [Tübingen: J. C. B. Mohr (Paul Siebeck), 1967]. Véase también Murray Luck, ed., *Modern Switzerland* (Palo Alto, Calif.: SPOSS, 1978); Kurt Steiner, ed., *Modern Austria* (Palo Alto, Calif.: SPOSS, 1981); Walter S. G. Kohn, *Governments and Politics of the German-Speaking Countries* (Chicago: Nelson-Hall, 1981); Anton Pelinka, «Die österreichische Sozialpartnerschaft im internationalen Vergleich», *Österreichische Zeitschrift für Politikwisenschaft,* núm. 3, 1982, pp. 355-64, y Edgar Grande y Werner Lang, «Zur politischen Steuerung Kapitalistischer Ökonomien», *ibid,* pp. 341-54. En esta lista habrá que incluir en breve una disertación de Joachim Glasmeier, «Durchstaatlichung und Selbstorganisierung der Gesellschaft: Ein System vergleich von Macht und Herrschaft in Österreich und Schweiz» (Ph. D. diss. proposal, Universidad de Göttingen, 1981).

desempleo se ve afectado no sólo por los cambios en el empleo actual que se recogen en el cuadro 1, sino también por las transformaciones demográficas, los cambios en la participación de los trabajadores y las migraciones internacionales, ninguna de las cuales constituyen medidas válidas del éxito económico. Pero si pasamos por alto estas dificultades metodológicas por un momento, no podemos dejar de advertir la convergencia entre la baja inflación y el bajo desempleo en ambos países. Finalmente, en los años 70, Austria (no así Suiza) consiguió una de las más altas tasas de crecimiento en el occidente industrializado.

Aunque ambas son modelos de éxito económico, Austria y Suiza actúan de maneras diferentes en una serie de aspectos. La baja inflación en Austria y Suiza correlaciona con el alto crecimiento de Austria y el bajo crecimiento de Suiza. El bajo desempleo en ambos países está en correlación con el crecimiento del empleo en Austria y su declive en Suiza. Como observó Fritz Scharf, «aparentemente las economías nacionales pueden realizar opciones separadas considerando sus triunfos relativos en las dimensiones del crecimiento del empleo y del control de la inflación» [2]. Si ordenamos a los ocho países por su actividad económica en los años 70 (cuadro 1) se reafirma la impresión de que, cualquiera que fueran sus opciones, Austria y Suiza han triunfado. Esta breve estadística del éxito económico sitúa a Austria en primer lugar, seguida por Japón, Suiza y Alemania Occidental.

Los éxitos de Suiza y Austria podrían medirse en términos políticos y económicos. Los líderes políticos en ambos países han elaborado unas políticas que han dejado ampliamente sin cuestionar la legitimidad de sus instituciones y prácticas políticas. En los dos países son infrecuentes los signos de amplio desencanto popular. Los partidos políticos, y en el caso de Suiza la institución de la democracia directa, continúan siendo un camino incuestionable para la participación política masiva. Aunque en las elecciones de abril de 1983 los votantes suizos reemplazaron el gobierno socialista por una coalición encabezada por los socialistas, los cambios electorales han sido pequeños en los dos países. Los grupos de interés no han perdido su autoridad sobre los sectores sociales a los que intentan representar políticamente. Los nuevos movimientos sociales y formas políticas, que han crecido en importancia en todos lados, son insignificantes en Suiza y Austria. Si la legitimidad se ha visto en peligro en los años 70 ha sido por apatía más que por protestas públicas importantes. En definitiva, Suiza y Austria constituyen ejemplos destacables de éxito político.

[2] Fritz W. Sharpf, «The political Economy of Inflation and Unemployment in Western Europe: An Outline», documento de discusión IIMV, Arbeitsmarktpolitik (Wissenschaftszentrum Berlin, IIM/LMP, 81-21), p. 9.

CUADRO 1. *Actividad económica de los Estados industriales, 1961-79 (porcentajes)*

País	*Incremento en los índices de precios al consumo*		*Incremento del PIB real*		*Tasa media de desempleo*		*Incremento en el empleo total*
	1961-70	*1970-79*	*1961-70*	*1970-79*	*1961-70*	*1970-79*	*1970-79*
1. Austria	37	73	51	42	2,7	2,0	3,4
2. Suiza	37	56	47	8	0,0	0,4	– 4,9
3. Suecia	38	112	48	19	1,7	2,1	8,5
4. Alemania	28	56	51	30	1,0	3,0	– 1,4
5. Francia	44	121	63	41	1,5	3,7	7,6
6. Japón	—	119	151	61	1,3	1,7	8,6
7. Gran Bretaña	38	203	28	22	2,0	4,1	4,3
8. Estados Unidos	30	87	43	33	5,3	6,2	22,2

Fuentes: Organización para la Cooperación y el Desarrollo Europeo (OCDE), *Main Economic Indicators: Historical Statistics* (París, 1980); *National Accounts Statistics, 1950-1979,* vol. 1 (París, 1981); *Labour Force Statistics, 1960-1971* (París, 1973); *Labour Force Statistics, 1968-1979* (París, 1981), y Oficina Internacional del Trabajo, *Year Book of Labour Statistics, 1980* (Ginebra, 1981).

El éxito suizo ha tenido a menudo una mala prensa. Ya en 1797 Chateaubriand observó con amargura que los suizos han sido «neutrales en las grandes revoluciones de los Estados circundantes; se enriquecieron con las desgracias de los otros y fundaron un banco con las calamidades humanas» [3]. Un desdeñoso Friedrich Engels caracterizaba a los suizos en 1847 no como oportunistas, sino como «pobres pero limpios de corazón, estúpidos pero piadosos y satisfechos ante el señor, brutales pero de anchas espaldas, con poco cerebro pero mucha fuerza... Se ocupaban en todas las beaterías y decoros mientras ordeñaban las vacas, fabricaban el queso con caridad y cantando canciones tirolesas» [4]. Knut Hamsun, el novelista noruego, se refería a los suizos pocos años antes de la primera guerra mundial como «las pequeñas *cacas* * de los Alpes, cuya historia no significa nada y que nunca han creado nada importante» [5]. Y Hermann Keyserling escribía en 1928 que «el comercio turístico, definido en sentido amplio, es la ocupación a la que están predestinados; las otras cosas en las que se ocupan son, en general, insignificantes» [6]. En 1951, Max Beerbohm los caracterizaba sin compasión como «una pequeña raza de hombres pagados de sí mismo, aburridos, astutos, taciturnos y mercenarios» [7]. Se dice que a la cuestión de qué es lo que el mundo debe a los suizos, Graham Greene contestó despreciativamente: «El reloj de cuco» Y en los años 70 los franceses acuñaron la expresión de *faire suisse* como la forma coloquial del actuar egoístamente.

El sorprendente comportamiento de Austria contrasta fuertemente con la afectuosa condescendencia con la que muchos observadores extranjeros se refieren a ella. En sus reflexiones sobre la tradición austríaca de antimodernismo (que hoy todavía perdura), Napoleón señalaba que Austria fue siempre una idea olvidada. Y Clemenceau consideraba desdeñosamente a la Austria moderna —*c'est ce qui reste*— como un Estado sobrante y un Estado de sobras, tras la caída del imperio de los Habsburgo al finalizar la primera guerra mundial. La impresión que tienen generalmente los extranjeros de la Austria contemporánea es la de la idílica manifestación de las «cinco M»: montañas, música, María Theresa, Mozart y Metternich [8]. Austria, después de todo, es la tierra no sólo de las

* *Little shits* en el original. (N. del T.).

[3] Citado en Jonathan Steinberg, *Why Switzerland?* (Cambridge: Cambridge University Press, 1976), p. 4.

[4] Friedrich Engels, «The Civil War in Switzerland», en Karl Marx y Engels, *Collected Works,* vol. 6 (Nueva York: International Publischers, 1976), p. 369.

[5] Citado en Peter Durrenmatt, *Sonderfall oder Endstation: Die Schweiz im sozialistischen Zeitalter* (Zurich: Flamberg, 1979), p. 89.

[6] Citado en *ibid.,* p. 109.

[7] Max Beerbohm, *Yet Again* (Nueva York: Knopf, 1951), p. 42.

[8] Steiner, *Moder Austria,* p. XIX.

sachertorte, sino también del *Schlamperei*, definido en un artículo reciente como «desorden, inestabilidad y confusión, todo hecho uno» [9]. Austria es, en el cáustico lenguaje de un popular escritor alemán, Wolfgang Biermann, un mero apéndice económico de la República Federal. Y aunque se reconocen completamente los innegables logros políticos y económicos de la Segunda República, éstos se atribuyen a menudo a la extraordinaria suerte que tienen los austríacos. Un país del que la Unión Soviética se retiró voluntariamente tras la victoria militar ha triunfado a pesar de sí mismo. Austria contempla con nostalgia su pasado imperial al tiempo que el tren de la historia le conduce hacia un futuro industrial [10].

En un tono de modesta autofelicitación, el Departamento Federal de Prensa austríaco realizaba la sensible pregunta de «¿Cómo lo consigue Austria?» [11]. Al otro lado de su frontera común, la seguridad suiza es tan grande que no necesita una felicitación pública, pero una y otra vez los visitantes en Suiza han destacado que el país ofrece «la combinación más sorprendente entre un país pobre y una población rica» [12]. En la búsqueda de posibles soluciones a los problemas de Estados Unidos, los políticos de Washington han advertido recientemente que en los años 70 Suiza y Austria han protagonizado verdaderos milagros. En 1978, el *American Enterprise Institute* publicó dos breves monografías que analizaban las causas, consecuencias y concordancias de la política suiza de baja inflación [13]. En la primavera de 1981, por primera vez, el *Joint Economic Committee* del Congreso de los Estados Unidos escuchó el testimonio de un importante funcionario extranjero, el secretario de Estado del ministerio austríaco de Finanzas, el profesor Hans Seidel [14]. Y después de aquel año, el *American Enterprise Institute* organizó una conferencia que evaluaba el milagro económico de Austria [15].

Hace veinticinco años, Uwe Kitzinger señalaba que «un estudio más profundo de los sistemas suizo y austríaco valdría la pena intentarlo en

---

[9] Chris Cviic, «Therir Own Kind of Miracle», *Economist,* 28 julio 1973, estudio, p. 4.

[10] *Der Spiegel,* 26 mayo 1980, p. 129.

[11] Departamento Federal de Prensa, República de Austria, «How Does Austria Do It? Reflections on the Austrian National Day», 26 octubre 1981.

[12] Albert C. Hunod, *The Industrial Development of Switzeeland* (El Cairo: Banco Nacional de Egipto, 1954), p. 10.

[13] Emil Küng, *The secret of Switzerland's Economic Success* (Washington, D. C.: American Enterprise Institute, 1978), y Fritz Leutwiler, *Swiss Monetary and Exchange Rate Policy in an inflationary World* (Washington, D. C.: American Enterprise Institute, 1978).

[14] Congreso de los Estados Unidos, Comité Económico Conjunto, *Austrian Incomes Policy: Lesson for The United States,* 97.° Congreso, 1.ª sesión, 2 junio 1981.

[15] Sven W. Arndt, *The Political Economy of Austria* (Washington, D. C.: American Enterprise Institute, 1981), y «Making a Miracle is a Hard Work», *Wall Street Journal,* 6 octubre, 1981, p. 23.

su debido momento por la caricatura que ofrecen de unas condiciones bien conocidas en los países anglosajones» [16]. Al habernos acostumbrado muy recientemente a los fracasos de los Estados Unidos, comenzamos ahora a interesarnos por los éxitos de otros países. Cierto es que Viena y Zurich están fuera de los caminos que conducen frecuentemente a Bonn y Tokio. Para aquellos con un gusto por lo exótico, este libro no ofrece ninguna receta; pero intenta ofrecer claridad a aquellos que gusten de ampliar su imaginación.

Similitudes y diferencias

Suiza y Austria ofrecen al mundo unas imágenes algo confusas. Sus similitudes y diferencias combinan formas que a veces desconciertan a los mismos suizos y austríacos. Esta mezcla puede verse fácilmente en el área de la política económica. En Suiza, mantener la estabilidad de precios es más importante que defender los niveles de empleo; en Austria, el empleo va por delante de la estabilidad de precios. Las diferencias parecen simples, pero en cierta medida están ocultas bajo las formas en que esos dos países han explotado las oportunidades que les ofrece la economía internacional. Suiza ha exportado la mayor parte de su desempleo despidiendo a los trabajadores extranjeros; Austria ha importado la estabilidad de precios ligando el valor del schilling al del marco alemán. A grandes rasgos, los dos países reaccionaron de formas notablemente diferentes a las crisis de los años 70. Austria eligió en primer lugar contrarrestar los avances del mercado a través de un masivo déficit del gasto antes de tomar más seriamente en consideración sus limitadas posibilidades de elaborar una política estructural. Suiza, por el contrario, aceptó los avances del mercado de interés de una racionalización estructural antes de llevar a cabo un cauteloso fomento de la demanda agregada. Como señala Christian Smekal, «el hecho de que Suiza adoptara una solución "suiza" y Austria una solución "austríaca" a sus problemas económicos es un signo de que una teoría de la estabilización económica debe ir ligada a una teoría política» [17].

---

[16] Uwe Kitzinger, «The Austrian Election of 1959», *Political Studies?* (junio 1961), p. 119. Véase también Leland G. Stauber, «Roads to Democratic Socialism in America: Lessons from the Market-Planning Experience in Austria» (Universidad Sur de Illinois en Carbondale, n. d. mimeo).

[17] Christian Smekal, «Korreferat zu Budgetpolitik in der Schweiz», en *Budgetpolitik in der Bunderre publik Deutschland, in der Schweiz und in Österreich* (Viena: Zental Saarkasse und Kommerzialbank, 1980), p. 58.

Pero también en cuanto a las cuestiones de política económica las experiencias de Suiza y Austria convergen de manera tal que plantean un verdadero *puzzle* intelectual a los análisis políticos comparativos. Por ejemplo, con la ola de proteccionismo que se extendió por toda Europa en el año 1981 encontramos a Suiza y Austria duplicando sus esfuerzos por promover el libre comercio [18]. Cuando los hombres de negocios franceses intentaron apartar su capital del gobierno socialista del presidente Mitterrand, recientemente elegido, volvieron su mirada a Suiza como el centro europeo de la prosperidad económica, de la armonía social y de la estabilidad política. Una valoración similar realizaron los directivos capitalistas de la General Motors cuando decidieron construir una planta en Austria a finales de los años 70. Estos rasgos tan admirados florecieron en los 70 en dos Estados pequeños con economías abiertas y vulnerables que limitaban sus opciones políticas.

Es esta vulnerabilidad económica la que conduce a una convergencia parcial en la política económica, convergencia que se hace totalmente obvia en las políticas de los tipos de cambio en los dos Estados. Debido a su dependencia económica con respecto a Alemania Occidental, ambos países han defendido la estabilidad monetaria siguiendo la estrategia de su vecino más grande de establecer una moneda fuerte.

Los austríacos fijaron el valor del schilling con el del fuerte marco alemán, de esa manera el valor de la moneda austríaca ha descansado en frecuentes intervenciones por parte del Banco Nacional Austríaco (Österreichische National Bank) en los mercados de intercambio extranjeros. Los suizos, por otra parte, dejaron que el franco se revalorizara autónomamente con respecto a otras monedas, al tiempo que el sistema monetario internacional avanzaba desde unos tipos de cambio fijos a otros más flexibles. Sin embargo, desde finales de los años 70, incluso Suiza, siempre favorable al mercado, ha intervenido en algunas ocasiones para mantener un vínculo informal entre el franco y el marco alemán.

Vista en solitario, Suiza es un país repleto de contradicciones; hogar de la Cruz Roja, Suiza es un bastión alpino neutral que sirve a la comunidad internacional con su «buen funcionamiento» y organiza su política exterior en torno a los principios de la «neutralidad y la solidaridad» [19]. Suiza, la Meca del turismo, es también el país que en los años 50 y 60 importó proletariado extranjero para satisfacer las demandas de su industria de exportación. Suiza es un pilar de la democracia que hasta los

---

[18] World Bussiness Weckly, 6 julio 1981, p. 27.

[19] Véase, Konrad W. Stamm, *Die guten Dienste der Schweiz: active Neutralitatspolitik Zwischan Tradition, Diskussion und Integration* (Berna: Lang, 1974).

años 70 negaba el derecho al voto a más de la mitad de la población. Es un país pequeño y sin acceso al mar, que no posee casi materias primas y que es completamente dependiente de otros, pero también es un gigante económico si se le compara con los países gigantes, pero enanos económicos, del tercer mundo. Suiza es la patria de la competencia económica y de innumerables cárteles; modelo para el análisis de Marx sobre el capitalismo artesanal, es también sede de algunas de las mayores sociedades europeas. Aunque Víctor Hugo hubiera acertado en su predicción de que «la Suisse, dans l'Histoire, aura le dernier mot», podríamos incluso preguntar: «Qué Suiza?» [20].

Creada por Stalin y Hitler, la moderna Austria abunda también en imágenes contradictorias. Representa el pasado espléndido de un gran poder y el presente modesto de un país pequeño. Destrozada por una sangrienta guerra civil en los años 30, Austria es hoy una nación en paz consigo misma. Debido a que sus gentes han empezado a apreciar la diferencia entre lo alemán y lo austríaco en las últimas cuatro décadas, la segunda República ostenta la distinción de ser la nación más joven de Europa [21]. Como refleja una broma austríaca, el milagro económico alemán fue insignificante comparado con el de Austria, ya que los alemanes trabajaron. Pero aunque no parezca que lo han intentado con gran esfuerzo, la actividad austríaca durante los años 70 casi los convirtió en el «Número Uno» dentro del mundo industrializado. En esta encarnación europea inverosímil del industrialismo japonés, «el socialismo y la industria estatal se han superpuesto en una sociedad posimperialista» [22]. Sin embargo, es un país con un socialismo muy conservador. Austria refleja tanto una mentalidad burguesa como la reelección sucesiva de gobiernos socialistas. En base a la diferencia de salarios entre el canciller de la República y el director de la Opera de Viena, los austríacos valoran el sonido de la música al menos tres veces más que el liderazgo político. ¿Y qué otro país con un fuerte pasado antisemita ha elegido a un canciller judío que defiende la causa de los palestinos? Las esperanzas optimistas de Federico III encontraron su expresión en unas siglas del siglo XV, AEIOU

---

[20] Hugo está citado en J. R. De Salis, *Switzerland and Europe: Essays and Reflections* (Londres: Wolff, 1971), p. 69. Un amplio y detallado informe de la experiencia histórica de la que derivan nuestras diferentes concepciones de Suiza se halla en Karl W. Deutsch y Herbert Wilenmann, «Switzerland: Exception or Example?» (Unversidad de Harvard, Cambridge, Mass., n. d. mimeo).

[21] Peter Katzenstein, «The Last Old Nation: Austrian National Consciousness since 1945», *Comparative Politics,* 9 (enero 1977), pp. 147-71, y Disjoined Partners, *Austria and Germany since, 1815* (Berkeley: University of California Press, 1976).

[22] Srah Hogg, «A Small House in Order», *Economist,* 15 marzo 1980, estudio, p. 8.

(Austria erit in orbe ultima) [23]. Pero incluso si fuera a existir una Austria hasta el final de los tiempos tendríamos que preguntarnos: «¿Qué Austria?»

Para el análisis político nos encontramos con una confusa mezcla de similitudes y diferencias, convergencias y divergencias. Suiza persigue objetivos liberales mediante la insistencia en la estabilidad económica. Su experiencia es instructiva en lo que respecta a las posibilidades y limitaciones del capitalismo liberal en la economía mundial. Naturalmente, la excepción suiza a los desarrollos de los demás países del mundo no es un fenómeno reciente. Para un observador perspicaz como James Bryce, la Suiza democrática era ya en el siglo XIX una excepción política a las fuertes y extensas monarquías europeas y al autoritarismo cesarista y burocrático. Por el contrario, a finales de los años 40, las páginas introductorias del aplaudido estudio de André Sigfried sobre la Suiza moderna dan al lector la impresión de visitar un siglo pasado y un continente diferente [24]. Debido a la existencia de importantes tensiones en las políticas precedentes al surgimiento del Estado moderno, Herbert Lüthy ha visto a Suiza como la «antítesis» y «el país más arcaico de occidente». En otro artículo Lüthy señala que «los pocos extranjeros que han afrentado el problema de ofrecer estudios aproximados de nuestras instituciones y su funcionamiento han chocado con su arcaicismo, que no anacronismo» [25]. Los suizos de todas las convicciones políticas niegan que el país se halle dividido por diferencias fundamentales e insisten en la integridad y distinción de su comunidad nacional. En sus mentes cosmopolitas, la posición de Suiza en el centro de Europa simboliza las soluciones políticas centristas que surgen de un sistema consensual que reparte pragmáticamente el poder a la vez que busca el compromiso estable; Jana Kramer expresa acertadamente este punto: «Han basado muchas de sus instituciones —desde la familia hasta la democracia suizas— en la convicción de que esas instituciones no reflejaban los compromisos de individuos que viven juntos, sino una especie de acuerdo superior» [26].

Austria persigue objetivos sociales a través del crecimiento económico. Su experiencia es reveladora en cuanto a las posibilidades y limita-

---

[23] Kurt Steiner, *Politics in Austria* (Boston: Little, Brown, 1972), p. VII.

[24] James Bryce, *Modern Democracies,* 2 vols. (Nueva York: Macmillan, 1921), y André Siegfried, *Switzerland: A Democratic Way of Life* (Londres: Cape, 1950).

[25] Herbert Lüthy, *Die Schweiz als Antithese* (Zurich: Arche), p. 14, y Lüthy, «Has Switzerland a Future? The Dilema of The Small Nation», *Encounter*, 19 (diciembre 1962), p. 27.

[26] Jane Kramer, «A Reporter in Europe: Zurich», *New Yorker,* 15 diciembre 1981, p. 130.

ciones del socialismo democrático en la economía mundial. Se dice que Lenin afirmaba que «aquel que cena con un capitalista necesita una gran cuchara». El líder del sindicato austríaco más importante, Anton Benya, decía, por el contrario, que «lo que necesita, por encima de todo, es sopa en el plato» [27]. En opinión de la izquierda austríaca la guerra de clases todavía divide a las clases en la sociedad capitalista; pero a diferencia de los años 30, los contrincantes han elegido armas diferentes. El canciller Kreisky ha caracterizado a la afiliación económica y social de Austria como un «matrimonio sin amor que funciona» [28]. Las partes de ese matrimonio han puesto en orden la pequeña casa austríaca, título del admirable artículo del *Economist,* asegurando de esta forma a Austria un lugar distintivo en la galería del socialismo democrático [29]. Como escribía Paul Lewis recientemente, «los mismos austríacos atribuyen en seguida sus logros a un destacado consenso social; un encuentro casi completo de pareceres sobre asuntos económicos entre socialistas y conservadores, directivos y trabajadores, ricos y pobres, que protege a este minúsculo país de los hirientes enfrentamientos que interfieren en la política de la mayoría de las naciones occidentales... Ha desarrollado una política ecléctica propia que combina lo mejor de las teorías keynesianas y el monetarismo de Friedman, pero que sólo funciona porque Austria posee a su vez un fuerte sentido de la unidad» [30]. El amplio sector nacionalizado austríaco no ha creado islas de producción socialista en un mar capitalista. Por el contrario, su presencia ha debilitado la posición de la comunidad empresarial sin incrementar demasiado el poder del Estado. El desplazamiento de la comunidad empresarial y la burocracia estatal por la afiliación económica y social y los partidos políticos es, en palabras de Andrew Shonfiel, «un serio intento de mantener la conducta emprendedora, que forma parte del patrimonio público, bajo algún tipo de vigilancia política» [31].

El corporatismo democrático en Austria y Suiza

En sus autopercepciones, los austríacos y los suizos hacen hincapié en su «excepcionalidad» y «unicidad». A pesar de tales afirmaciones este li-

---

[27] *World Business Weekly,* 17 marzo 198, p. 31.

[28] Citado en «Their Own Kind of Miracle», estudio, p. 10.

[29] *Economist,* 15 marzo 1980.

[30] Paul Lewis, «The Austrian Economy is a Strauss Waltz», *New York Times,* 22 marzo 1981, p. 8F.

[31] Andrew Shonfield, *Modern Capitalism: The Changing Balance of Public and Private Power* (Londres: Oxford University Press), p. 195.

bro trata de mostrar que el éxito suizo y austríaco, tanto político como económico, puede ser comprendido en una perspectiva comparativa. En resumen, mi tesis se basa en que el corporatismo democrático es central en el éxito de estos dos países. Este «corporatismo democrático» posee tres características definitorias: una ideología del interés social expresada a nivel nacional; un sistema de grupos de interés relativamente centralizado y concentrado, y una coordinación voluntaria e informal de los objetivos en conflicto a través de continuas negociaciones políticas entre los grupos de interés, la burocracia estatal y los partidos políticos. Esta forma de corporatismo que conforma la vida política de ambos países socava sus afirmaciones de unicidad. El estudio comparativo del corporatismo es un correctivo útil para la estrechez de miras intelectual, paradójicamente en liza con los profundos lazos de estas dos sociedades con respecto al mundo exterior.

Habría que señalar que esta definición de corporatismo difiere de otras [32]. Para algunos, el corporatismo connota las políticas autoritarias de Austria, Italia, Portugal y algunos Estados de la Europa del Este en los años 30. Para otros se refiere a la organización del capitalismo contemporáneo corporatista o de Estado, ejemplificado por Estados Unidos o Japón. El corporatismo a que hace referencia este libro es, sin embargo, una variedad enteramente diferente. Desarrolla una política democrática más que autoritaria y responde a las contradicciones políticas más que a las económicas.

La primera de las tres características del corporatismo democrático, la ideología del interés social (y no el conflicto de clases), domina la política diaria en sociedades como Austria y Suiza. La cohesión ideológica que resulta no conduce al fin del conflicto político. Por el contrario, el conflicto está enmarcado en nociones difusas, pero frecuentemente compartidas, del bien público. Tales nociones impregnan los acuerdos políticos, pero se encuentran en particular en los grandes grupos de interés, a la vez centralizados e inclusivos. El liderazgo de las asociaciones de élite empresariales en Suiza o del movimiento sindical en Austria posee amplios poderes sobre unos miembros bastante acomodaticios. Y las asocia-

---

[32] Los dos párrafos siguientes condensan el material discutido con mayor detalle en mi libro *Small States in World Markets: Industrial Policy in Europe* (Ithaca: Cornell University Press, en imprenta). Los principales estudios de corporatismo incluyen: Philippe C. Schmitter y Gerhard Lehmbruch, eds., *Trends Toward Corporatist Intermediation* (Beverly Hills, California: Sage, 1979). Suzanne D. Berger, ed., *Organizing Interest in Western Europe* (Cambridge: Cambridge University Press, 1981). Gerhard Lehmbruch y Philippe C. Schmitter, eds., *Patterns of Corporatist Policy - Making* (Beverly Hills, California: Sage, 1982). Francis G. Castles, ed. *The impact of Parties* (Beverly Hills, California: Sage, 1982).

ciones de élite y los sindicatos organizan una gran parte de las empresas productoras y de los trabajadores. Por supuesto, la imagen de orden y simetría que transmite este sistema de grupos de interés es, hasta cierto punto, errónea, ya que las luchas políticas dentro de las organizaciones son intensas. Pero el hecho de que sean decididas dentro, y no entre organizaciones, evita la confusión que en la actuación pública supondrían las luchas entre los diferentes segmentos de la empresa y los trabajadores. Esta forma de corporatismo, sin embargo, mantiene el carácter democrático mediante sus estrechos vínculos con los partidos políticos. La competencia electoral constituye un choque periódico y una interrupción del funcionamiento del consenso potencialmente peligrosos. La tercera característica definitoria del corporatismo democrático es un estilo particular de negociación política. Es voluntario, informal y continuo, coordina los objetos en conflicto de los actores políticos, permitiendo los intercambios entre los diferentes sectores de medidas, y favorece una previsibilidad en el proceso político que conduce a su vez a la flexibilidad en la parte de los actores.

El corporatismo democrático de Austria y Suiza tiene unas raíces históricas que parten del siglo XIX, cuando las diferencias entre los dos países eran mayores de lo que son en la actualidad. En términos del tamaño total, el imperio austrohúngaro redujo a su vecina Suiza, pero incluso en sus provincias más avanzadas quedaba retrasada en cuanto a industrialización con respecto a la mayoría de los cantones suizos. Debido a que controlaba un mercado grande y protegido, Austria-Hungría carecía de la energía suiza para perseguir oportunidades de comercio e inversiones en el extranjero. Además, como ha señalado Gerhard Lehrmbruch, el siglo XIX contempló en ambos países el nacimiento de las prácticas políticas que explican por qué es común allí, más que en Alemania, Francia o Italia, hablar de un «compromiso austríaco (suizo) típico» [33].

La inclinación suiza por el compromiso deriva de las numerosas divisiones sociales del país. El temor a la implicación en la guerra de religión europea en los siglos XVII y XVIII ayudó a establecer el principio de la paridad entre protestantes y católicos en algunos cantones importantes. El principio se vio reforzado por la fuerte representación de las regiones suizas del centro, que aparecía como mandato constitucional. De manera informal, se observa también una representación proporcional similar de las diferentes comunidades lingüísticas suizas. Las prácticas políticas desde mediados del siglo XIX han seguido un camino similar desde la regla mayoritaria hacia la proporcionalidad. A partir de 1854 se produjo un re-

[33] Lehmbruch, *Proporzdemokratie*, p. 15. En esta discusión de las pp. 15-26.

parto voluntario del poder en todos los gabinetes multipartidistas en un número cada vez mayor de cantones. A nivel federal, la Constitución de 1848 contenía provisiones para una rama ejecutiva del gobierno «colegial» más que basada en la mayoría. El ejecutivo se adaptó así con facilidad, entre 1891 y 1943, a la posterior inclusión de los partidos políticos que representaban a los católicos, los agricultores y los obreros.

De forma similar, la inclinación austríaca por el compromiso puede retrotraerse al siglo XIX. Sus raíces descansan en los conflictos nacionalistas de un imperio multiétnico más que en su débil tradición parlamentaria. El «Compromiso» entre Austria y Hungría alcanzado en 1867 sentó el precedente para un sistema negociado de legislación entre ambas partes del imperio. Favoreció también la representación proporcional de diferentes grupos étnicos en los gobiernos provinciales de la mitad austríaca. Se pensó que los compromisos sólo podrían alcanzarse resistiendo a las tentaciones del gobierno mayoritario. La fuerte presión indígena en Austria de la teoría corporatista fomentó aún más la cooperación. Afectó profundamente no sólo a las nociones sindicalistas de democracia del marxismo austríaco, sino también a las prácticas políticas del régimen de Dolfuss de los años 30 y de la Segunda República.

Los orígenes históricos aproximados del corporatismo democrático de Austria y Suiza descansan en la experiencia de los años 30 y 40. Enfrentados a la Gran Depresión y a la expansión del fascismo por los países vecinos, los empresarios y trabajadores suizos firmaron un «Acuerdo de Paz» en 1937 que ha perdurado casi cinco décadas. Las implicaciones de la experiencia política de los años 30 se hicieron explícitas en la importante enmienda constitucional de 1948, que actualmente marca los procedimientos del corporatismo al estilo suizo. En el caso de Austria, los años 30 no trajeron la paz, sino la guerra civil de 1934 y la ocupación alemana en 1938. Las memorias del período más negro de la historia austríaca moderna empujaron a los fundadores de la Segunda República a la adopción de un corporatismo al estilo austríaco. También ofrecieron poderosos símbolos para generaciones triunfantes de líderes políticos. Por tanto, en Austria como en Suiza, la fundación histórica del corporatismo democrático descansa en una percepción de vulnerabilidad extrema.

Comparado con los años 30 y 40, el período posbélico ha sido mucho más benigno. Las crisis que atravesaron esos años 30 y 40 pueden explicar por qué el corporatismo democrático surgió en estas dos sociedades, pero desde que se desvaneció la memoria negra, ¿por qué persisten las instituciones y prácticas políticas corporatistas? Se han sugerido dos respuestas: una se centra en el contexto internacional, la otra en la política interior. Aunque fue benigna, la liberalización de la economía internacional a partir de finales de los 50 recuerda constantemente a todos los actores políticos las presiones de la competencia internacional que las economías abiertas y vulnerables deben plantear en los acuerdos políticos internos. Las prácticas corporatistas que fomentan el consenso son valoradas por todos los grupos importantes como herramientas esenciales para elaborar una estrategia nacional en la economía internacional. La apertura económica impone en todos los actores políticos centrales el sentido de ser objetos de un desarrollo internacional que ellos no pueden controlar. La segunda razón para la pervivencia de las estructuras corporatistas de Austria y Suiza, como se desarrolla con más detalle en capítulos subsiguientes, descansa en la forma en que las instituciones corporatistas se relegitiman constantemente a través de un proceso de elaboración e implantación de políticas para compensar a los grupos en desventaja.

Según Leo Panitch, el análisis del corporatismo se ha convertido en una industria en crecimiento [34]. Al igual que gran parte de las industrias, sus productores están concentrados en una región particular, Austria y Escandinavia. Los acuerdos corporatistas poseen una amplia base donde un fuerte partido socialdemócrata y socialista forma una alianza con un sindicato fuerte y centralizado, para ofrecer un intercambio de acuerdos políticos estrechamente ligados entre los partidos políticos, los grupos de interés y la burocracia gubernamental. Si Austria constituye el lugar paradigmático, los problemas económicos y sociales son las cuestiones paradigmáticas de las negociaciones corporatistas. El acuerdo más frecuentemente citado en los años 60 y 70 incluía un acuerdo entre los mercados de trabajo y la arena política. Los líderes sindicales acordaron imponer restricciones salariales en las demandas de sus trabajadores a cambio de concesiones en cuestión de política social. Desde finales de los 50, la restricción de salarios a cambio de logros sociales ha sido un ingrediente importante en la fórmula que une los cambios económicos en el exterior con los acuerdos corporatistas internos, y que refuerza esos acuerdos a través del proceso político.

Los sindicatos suizos son débiles si se comparan con los de otros Estados europeos pequeños, y el sistema de relaciones industriales suizas se halla descentralizado. Como resultado, algunos autores han llegado a la conclusión de que Suiza no debería incluirse entre los Estados que se distinguen por un corporatismo fuerte [35]. Y han llegado a ella porque defi-

---

[34] Leo Panitch, «Recent Theorizations of Corporatism: Reflections on a Growth Industry», *British journal of Sociology* (1980), pp. 161-87.

[35] Por ejemplo, John D. Stephens, *The transition from Capitalism to Socialism* (Londres: Mac Millan, 1979), pp. 112-28; Harold L. Wilensky, *The «New Corporatism» Centralization and the welfare State* (Beverly Hills, California: Sage, 1976), y Wilensky, «Leftism,

nen al corporatismo democrático como parte de la implantación institucional de un movimiento obrero fuerte y de una izquierda política fuerte. En consecuencia, Suiza es única y Austria es paradigmática [36]. Pero este libro trata de establecer una interpretación diferente. El corporatismo democrático es un método de movilizar el consenso en sociedades en las que se da en nombre del socialismo democrático, como Austria, y del capitalismo liberal en Suiza. El argumento que atribuye a Suiza un corporatismo débil, a cuenta de un sistema descentralizado de negociación colectiva y de un movimiento obrero débil, está pasando por alto algunos rasgos importantes de la política suiza [37]. Por supuesto, Suiza carece de una política de rentas, de un sistema centralizado de negociación colectiva y de una izquierda fuerte. Pero el pequeño tamaño de Suiza y su apertura económica contribuyen a que se dé una considerable centralización tanto del sistema de grupos de interés que determina el proceso político como de la poderosa comunidad empresarial suiza. La ideología del interés social une a empresarios y trabajadores a nivel nacional y un proceso distintivo coordina los objetivos en conflicto. Así, Hanspeter Kriesi afirma en el estudio más comprensivo publicado sobre el tema hasta hoy que Suiza caracteriza un tipo de corporatismo diferente al de Austria y de los países escandinavos, pero que mantiene aspectos esenciales del consenso ideológico, de la centralización institucional y del proceso político colaborador que define al corporatismo democrático [38].

Catholicism and Democratic Corporatism: The Role of Political Parties in Recent Welfare State Development»; en Peter Flora y Arnold J. Heidenheimer, eds., *The Development of Welfare States in Europe and America* (New Brunswick, N. J.: Transaction, 1981), pp. 345-82.

[36] Michele Salvati y Giorgio Brosio, «The Rise of Market Politics: Industrial Relations in the seventies», *Daedalus* (primavera de 1979), p. 50.

[37] Holanda ofrece unos problemas analíticos similares aunque menos extremos. Véanse, por ejemplo, Stephens, *Transition from Capitalism to Socialism,* p. 124; Norbert Lepszy, *Regierung, Partein und Gewerkschaften in den Niederlanden: Entwicklung und Strukturen* (Dusseldorf: Droste, 1979); Erwin Zimmermann, «Entwicklungstendenzen des Korporatismus und die Industrie politik in den Niederlanden», en Klaus Armingeon *et. al., Neokorporatistische Politik in West Europa,* Diskussionsbeiträge, 1/1983 (Universidad de Constance, Sozialwissenschaftliche Fakultät, 1983), pp. 107-33; Steven B. Wolinetz, «Neo-Corporatism and Industrial Policy in the Netherlands» (documento preparado para la reunión anual de la Asociación Canadiense de Ciencia Política, Universidad de British Columbia, Vancuver, B. C., 6-8 junio 1983).

[38] Haspeter Kriesi, *Entscheidungsstrukturen und Entscheidungsprozesse in der schweizer Politik* (Frankfurt: Campus, 1980), pp. 377-78 y 689-90. Hanspeter Kriesi, «The Structure of The Swiss Political System», en Lehmbruch y Schmitter, *Patterns of Corporatist Policy-Making,* pp. 155-57.

Las líneas generales del argumento

Todos los países ricos de Occidente son Estados capitalistas y democracias industriales guiadas por los objetivos de poder y abundancia [39]. Las teorías generales de las economías capitalistas, de las sociedades industriales y de las democracias políticas postulan similitudes englobadoras en cuanto a estrategia y estructura —similitudes que, aunque son útiles para algunos propósitos analíticos, avanzan en dirección contraria a la de las tendencias políticas dominantes en los años 70. El análisis de la economía política intenta explicar las estrategias políticas y, en la medida de lo posible, los resultados económicos y políticos, mostrando en qué manera resultan estas estrategias y resultados de los intereses establecidos por los actores. Por ello, la elección de Suiza y Austria, paradigmas del capitalismo liberal y del socialismo democrático, es particularmente prometedora. A pesar de que estos dos países difieren significativamente en cuanto a sus estrategias políticas y sus estructuras nacionales, la política en ambos contribuye a reducir esas diferencias. La convergencia resultante es, a mi entender, la consecuencia más importante de la política corporatista.

¿Cómo podemos analizar las variantes austríaca y suiza del corporatismo? Los trabajos existentes sugieren tres caminos diferentes [40]. La interpretación neomarxista centra su atención en las fuerzas sociales. Insiste en que el corporatismo incluye a la izquierda europea en la tarea de estabilización de un orden capitalista inherentemente inestable. Cuando la presión comenzó a endurecerse en los años de entreguerras, la mano de hierro del capitalismo utilizó el guante de piel marrón del fascismo para su defensa; a partir de 1943, la mano se había ocultado bajo el guante de seda rojo de la socialdemocracia. Los estudios neoweberianos se centran en la estructura institucional de la intermediación de intereses. Desde el siglo XIX, señalan, esta estructura ha constituido el principal determinante y manifestación del corporatismo. Bajo su perspectiva, fueron las depresiones económicas y las guerras las que empujaron a la formación de grupos de interés económicos centralizados. La tercera interpretación del corporatismo apunta primariamente al proceso político y a los acuerdos entre los actores políticos de los diferentes sectores de actividad.

---

[39] Peter J. Katzenstein, ed., *Between Power and Plenty: Foreign Economic Policies of Adanced Industrial States* (Madison: University of Wisconsin Press, 1978).

[40] Schmitter y Lehmbruch, *Trends Toward Corporatist Intermediation.*

En este libro se analiza el corporatismo de Suiza y Austria a los tres niveles que informan las interpretaciones existentes del corporatismo: las coaliciones sociales que dominan las dos sociedades y el efecto que tienen esas coaliciones en la sustancia de las opciones políticas; las estructuras institucionales de la política, y el proceso político. Tomadas a la vez, la estructura institucional de la política y el proceso político constituyen la red política, es decir, una interrelación ya establecida entre Estado y sociedad dentro de una estructura nacional. «Los actores que en la sociedad y el Estado influyen en la definición de (...) objetivos políticos están compuestos por los principales grupos de interés y de acción política. Los primeros representan las relaciones de producción (incluyendo a la industria, las finanzas, el comercio, obreros y agricultores); el último deriva de la estructura de autoridad política (principalmente la burocracia estatal y los partidos políticos). Las coaliciones gobernantes de las fuerzas sociales en cada uno de los Estados industriales avanzados encuentran su expresión institucional en diferentes redes políticas que vinculan el sector público y el privado...» [41]. En nombre del capitalismo liberal y del socialismo democrático, Suiza y Austria son ambas corporatistas, aunque en diferentes contextos. Cada una ha desarrollado un corporatismo bien adaptado a la movilización del consenso político que combina la estabilidad política con la flexibilidad económica.

Normalmente, los análisis comparativos explotan objetivos que para los no iniciados parecen similares en su apariencia, tales como la vida en las fábricas en Gran Bretaña y Japón; o señalan continuidades en objetos que parecen muy diferentes en una primera ojeada, como ocurre con Francia antes y después de la Revolución [42]. Este libro adopta ambas perspectivas. Los capítulos 2 y 3 ilustran las diferencias en las estructuras nacionales y estrategias políticas de Austria y Suiza. El socialismo democrático en Austria se distingue por un partido socialista fuerte, un movimiento sindical poderoso y centralizado, instituciones políticas extremadamente centralizadas y políticas de adaptación nacional y de compensación pública. Por el contrario, el capitalismo liberal de Suiza se caracteriza por una comunidad empresarial de orientación internacional, fuertes partidos conservadores, instituciones políticas menos centralizadas y políticas de adaptación internacional y de compensación privada. Pero a pesar de estas diferencias, el capítulo 4 desarrolla la idea de que Austria y

[41] Peter Katzenstein, «Introduction: Domestic and International Forces and Strategies of Foreign Economic Policy», en Katzenstein, *Between Power and Plenty,* p. 19.

[42] Ronald Dore, *British Factory - Japonese Factory: The origins of National Diversity in Industrial Relations* (Berkeley: University of California Press, 1973); Alexis de Tocqueville, *The Old Regime and the French Revolution* (Garden City, Nueva York: Double Day, 1955).

Suiza son, ambas, variantes del corporatismo democrático. En ambos países observamos una disminución de las diferencias políticas y, por tanto, una sorprendente convergencia de las políticas.

Los capítulos 5 y 6 ilustran cómo la variante social del corporatismo en Austria y la variante liberal en Suiza establecen una compatibilidad entre la flexibilidad económica y la estabilidad política de cuatro sectores industriales: los textiles y el acero en Austria, y los textiles y los relojes en Suiza. Estos cuatro sectores comparten la mayoría de los atributos característicos de las industrias en declive de los años 70: pérdida de mercados nacional e internacionalmente, presiones proteccionistas ante el exterior, presiones proteccionistas en el interior en la esfera de las importaciones competitivas, y baja productividad y crecimiento a pesar de una alta inversión. Sin duda, las perspectivas de crecimiento para estos cuatro sectores son menores que para cualquier otro en Suiza y Austria [43]. La gestión del declive de esas cuatro industrias, tecnológicamente maduras, ha constituido un problema político importante en ambos países.

Estos cuatro sectores difieren, sin embargo, sustancialmente entre ellos, y las diferencias pueden ser instructivas para el argumento de este libro. Las similitudes políticas observadas en una serie de sectores tan diferentes en su estructura económica o institucional apoyan el argumento de que esas similitudes no son meros artificios de los casos elegidos para el análisis. Finalmente, el último capítulo aporta ciertas reflexiones sobre algunas de las implicaciones de este análisis.

Este libro demuestra, en definitiva, que son muchos los caminos que llevan a Roma. El corporatismo democrático en Austria y el capitalismo liberal en Suiza pueden triunfar tanto económica como políticamente. En los años 60 y 70 han asegurado la legitimidad y la prosperidad. Su éxito, como más adelante se verá, está determinado de forma importante por esta política corporatista. El corporatismo democrático ofrece una fórmula política por la que las alianzas políticas, organizadas alrededor de los representantes sindicales en Austria y de los hombres de negocios en Suiza, dan lugar al consenso político. La esencia de este corporatismo democrático descansa en la reducción de las desigualdades políticas existentes entre los diversos actores. Aunque Austria prefiere la igualdad, el corporatismo democrático establece los límites a ambos tipos de preferencias. Los acuerdos corporatistas vinculan de esta forma las exigencias de estabilidad política muy de cerca con las de la flexibilidad económica. Y en ese equilibrio logran hacer compatible el corporatismo y el cambio.

---

[43] Bárbara Stuckey, «Das Babbage - Prinzip der Internationalisier ung der industriellen Produktion: Strukturwandel in der Industrieländern», en Silvio Borner, ed., *Produktionsverlagerung und industrieller Strukturwandel* (Berna: Haupt, 1980), pp. 52-53.

2. LA DEMOCRACIA SOCIAL EN AUSTRIA

Austria ejemplifica una democracia social con éxito, cuya espectacular actividad económica durante los años 70 queda reflejada en el título de un estudio reciente: *Prosperidad en plena crisis* [1]. En un contexto de crisis del petróleo y estagflación mundial, Austria se encontraba entre los países más ricos. En 1978, la renta per cápita en Austria había alcanzado los 7.520 dólares *, lo que la situaba en el décimo país más rico de Europa y en el decimosexto del mundo. Durante los años 70, la tasa de desempleo en Austria se situaba alrededor del 2 por 100, una de las menores tasas dentro de la Organización para la Cooperación y el Desarrollo Económico (OCDE), y a finales de los 70, la tasa de desempleo juvenil era en Austria de un 0,8 por 100, menos de una décima parte respecto

* A lo largo de todo el libro, las monedas austríaca y suiza han sido convertidas a dólares, de acuerdo con los tipos ofrecidos en tres libros publicados por la Organización para la Cooperación y el Desarrollo Europeo (OCDE): *National Accounts of OECD countries,* vol. 1, 1950-1978 (París: OCDE, 1980), p. 89; *National Accounts: Main Aggregates,* vol. 1, 1952-1978 (París: OCDE, 1983), p. 92, y *Main Economic Indicators* (París: OCDE, diciembre de 1982). Este libro se refiere ocasionalmente a los pequeños Estados europeos. Para mayor detalle sobre Suecia, Noruega, Dinamarca, Holanda y Bélgica, así como Austria y Suiza, véase mi libro *Small States in world Markets.*

[1] Wilhelm Hankel, *Prosperity amidst Crisis: Austria's Economic Policy and the Energy Chunch* (Boulder, Colo: Westview, 1981). Véanse también Bernd Marin, ed., *Wachstumskrisen in Osterreich,* 2 vols. (Viena: Braumüller, 1979); Antón Kausel, «Die Österreichische Wirtschaft ist Kerngesund», Quartalsheffe, núm. 1 (1979), pp. 11-34; Erich Spitäller, «Incomes Policy in Austria», *Staff Papers* del FMI, 26 (1973), pp. 191-99; Departamento de Prensa Federal Austríaco, Viena, «Austria's Economy-A European Example», 26 octubre 1981; *Austrian Information,* 33, 1 (1980), p. 1; 32, 6 (1979), p. 8; 31, 6 (1978), pp. 2-3 y 6; *News from Austria,* 12 mayo 1981, p. 3, y 5 diciembre 1980, p. 3; Organización para la Cooperación y el Desarrollo Europeo (OCDE), *Informes Económicos: Austria* (París: 1971), pp. 6-11, y Heinz Handler y Jan Stankovsky, «How to Prolong Economic Stability: Austria's Position at the Beginning of the Eighties», *Austria Today,* núm. 2 (1981), pp. 47-53.

al 11,3 por 100 de media para la OCDE. Al mismo tiempo, Austria ha conseguido defender el valor del schilling. Desde mediados de los 70, la tasa austríaca de inflación ha sido mucho menor que la de todos los demás países industrializados, excepto Suiza y Alemania Occidental, y en 1979 la tasa austríaca cayó bastante por debajo de la alemana. Con la excepción del franco suizo, todas las monedas, incluyendo el marco alemán, descendieron en su valor con relación al schilling austríaco entre 1971 y 1978. En 1979 Austria se situaba en el quinto lugar mundial en cuanto al valor absoluto de sus reservas monetarias y en tercer lugar sobre una base per cápita. Austria, junto con Noruega, consiguió la mayor tasa de crecimiento económico de Europa a lo largo de la década. Y, a diferencia de muchos otros países de la OCDE, Austria calcula en segundos, en vez de en días, la media anual de tiempo perdido por trabajador en conflictos industriales. En 1979, 800 trabajadores se vieron implicados en ocho huelgas de escasa importancia, una media de pérdida de tiempo de ocho segundos por trabajador al año.

Estos avances económicos de los años 70 son aspectos de un cambio económico a largo plazo, que han llevado a Austria del retraso económico a un papel inusual de modelo económico. En la competitividad tecnológica de sus productos de exportación, exportaciones totales, inversión real anual, productividad, crecimiento económico real y crecimiento de la renta per cápita, en todas estas áreas, Austria ha sobrepasado desde 1960, por márgenes considerables, las tasas de crecimiento de la OCDE, de la Comunidad Europea (CEE) y, lo más importante, de Alemania Occidental. En toda la OCDE, sólo Japón ha superado la tasa con la que Austria ha transformado su estructura económica. Si la historia industrial anterior de Austria estuvo marcada por «un gran esfuerzo económico que acabó fracasando, la actual ha triunfado con toda seguridad» [2]. Sin duda, a finales de los 70, la OCDE, el Fondo Monetario Internacional (FMI) y la Comisión Económica para Europa de las Naciones Unidas reflejaron su asombro ante el claro déficit del gasto en Austria y aprobación ante su éxito.

Austria tiene también una historia de éxito político. Con pocas excepciones, los austríacos consideran legítimas sus instituciones y prácticas políticas. Los partidos políticos y los grupos de interés disfrutan de una amplia base de apoyo. Y, a diferencia del período de entreguerras, los movimientos políticos no buscan derrocar al gobierno. Los años 70 han creado, ciertamente, nuevos problemas que cuestionan las ya establecidas fór-

---

[2] Alexander Gerschenkron, *An Economic Sport That Failed: Four Lectures in Austrian History* (Princeton: Princeton University Press, 1977).

mulas de gestión de las cuestiones políticas en Austria. El tema de la energía nuclear, por ejemplo, desencadenó un estancamiento desacostumbrado en la política austríaca. El desempleo, concentrado regionalmente, planteó una seria presión sobre los sindicatos, las empresas y los partidos políticos. Además, las incertidumbres en los mercados internacionales de capital, así como los altos tipos de interés, limitaron cada vez más la extensión con la que Austria podía conquistar el exterior para financiar el crecimiento interior. Pero sería un error inferir de tales ejemplos que los cambios económicos de los años 70 crearon tensiones y contradicciones que llegaran a desafiar las soluciones políticas. Nada más lejos de la realidad. Comparado con las experiencias políticas de otros Estados industrializados en los años 70, así como con su propia historia en los años 20 y 30, Austria debe considerarse en la actualidad como un gran triunfo político.

La razón de este éxito, en mi opinión, descansa en el corporatismo social austríaco. En este capítulo analizo cómo el capitalismo moviliza el consenso político, esencial para afrontar el cambio económico. He apuntado tres niveles de análisis: coaliciones sociales y opciones políticas, instituciones y proceso político. Los movimientos sindicales en Austria, poderosos y reformistas, determinan las políticas que fomentan un activo programa de empleo, un gran sector público y un generoso sistema de bienestar público, así como políticas de precios, salarios y de ajuste industrial. Debido en parte al gran sector nacionalizado austríaco, la comunidad empresarial privada es relativamente débil y ha tenido, hasta muy recientemente, una orientación nacional; busca sistemáticamente unos fuertes subsidios para la inversión y defiende con reticencias el principio del libre comercio. En las dos primeras secciones desarrollo la idea de que el carácter de coalición social dominante explica por qué Austria persigue una respuesta al cambio económico centrada alrededor de la compensación pública y la adaptación nacional. La alianza entre las fuerzas sociales austríacas y sus opciones políticas en la dirección de los problemas del cambio encuentran su expresión en una red política particular. Las últimas secciones tratan de cómo Austria moviliza el consenso y preserva así el equilibrio entre la flexibilidad y la estabilidad. Finalmente, defiendo el argumento de forma indirecta, mostrando que las políticas adoptadas por Suiza no se corresponden con la lógica política que informa el corporatismo social austríaco.

Sindicatos cada vez más conscientes

En las coaliciones sociales austríacas, los sindicatos ocupan el lugar central. Su sello característico es un interés en el crecimiento económico y una indiferencia hacia las cuestiones de redistribución. La gran fuerza política del movimiento obrero en Austria ha dado lugar a una estrecha aproximación en la Segunda República al «equilibrio de fuerzas de clase» sobre el que Otto Bauer teorizaba en la Primera República.

La estrategia austríaca de compensación pública y adaptación nacional sería impensable sin unos sindicatos fuertes. La fuerza organizativa de la Federación de Sindicatos Austríaca (Österreichischer Gewerkschaftsbund, ÖGB) es una condición previa de su influencia en la estrategia austríaca y su lugar prominente en la política austríaca. En 1980 la afiliación en la ÖGB alcanzó los 1.700.000 miembros, es decir, alrededor del 60 por 100 de los trabajadores, *blue* y *white-collar* en Austria [3]. La afiliación sindical es casi universal y en casi todas las empresas importantes en Austria. Además, los obreros y empleados de las numerosas pequeñas empresas están obligados por ley a ser miembros de la Cámara de Trabajo de Austria, la cual es ella misma parte integral del poderoso movimiento sindical austríaco. Unido a todo ello, la prominencia del movimiento obrero está asegurada a través de la penetración política de las instituciones clave en la sociedad austríaca: industrias nacionalizadas, bancos, medios de comunicación y, por supuesto, el Partido Socialista (Sozialistische Partei Österreichs, SPÖ), así como el Parlamento [4].

Los efectos de la fuerte izquierda austríaca son visibles incluso en la legislación y en el Banco Nacional Austríaco, centros de poder de difícil acceso para los sindicatos en una sociedad capitalista. Por ejemplo, desde que a la ÖGB le pertenece una parte de las acciones emitidas por el Banco Nacional, se encuentra en la comisión supervisora del banco [5]. Los

---

[3] Jack Barbash, *Trade Unions and National Economic Policy* (Baltimore: Johns Hopkins University Press, 1972), p. 45; Alexander Vodopivec, *Die Dritte Republik: Machtstrukturen in Österreich* (Viena: Molden, 1976), p. 41, y Anton Pelinka, *Gewerkschaften im Parteinstaat: Ein Vergleich zwischen dem Deutschen und dem Österreichischen Gewerkschaftbund* (Berlín: Duncker & Humblot, 1980), pp. 54-60 y 183-84. En un plano más general, véanse Fritz Klenner, *Die Österreichischen Gewerkschaften: Vergangenheit und Gegenwart probleme,* 3 vols. (Viena: Verlag des Österreichischen Gewerkschatsbundes, 1951, 1953 y 1979); Franz Traxler, *Evolution gewerkschaftlicher Interessenvertretung: Entwicklungslogik und Organisation Sdynamik gewerkschaftlichen Handelns am Beispiel Österreich* (Viena: Braumuller, 1982); Werner Lang, *Kooperative Gewekschaften und Einkemum enspolitik: Das Beispiel Österreichs* (Frankfurt: Lang, 1978); Fritz Klenner, *The Austrian Trade Union Movement* (Bruselas: Conferencia Internacional de Sindicatos Libres, 1956); Gertrud Neuhauser, «Die verbands massige Exganisation der Österreichischen Wirtschaft: Systematische Gesamtdarstellung», en Theodor Pütz, ed., *Verbände und Wirtschaftsppolitik in Österreich* (Berlín: Duncker & Humblot, 1966), pp. 19-20, y *Arbeit und Wirtschaft,* núm. 5 (1981), pp. 6-8.

[4] Vodopivec, *Die Dritte Republik,* pp. 49-50.

[5] Thomas Lachs, *Wirtschaftspartnerschaft in Österreich* (Viena: Verlag des Österreichischen Gewerkschaftsbundes, 1976), p. 81.

jueces austríacos, a pesar de sus puntos de vista socialmente más conservadores, son más liberales que los jueces suizos en cuestiones que impliquen los derechos de los trabajadores a organizarse [6]. La codeterminación a nivel de empresa, aunque es relativamente débil, se extendió en los sectores nacionalizados y esto constituyó un modelo a imitar por parte del sector privado dos décadas antes de la adopción de una legislación formal en 1973 [7]. A nivel más general, durante los años de posguerra el movimiento obrero austríaco se ha aproximado a la esfera económica, en palabras de Kurt Shell, «no como un grupo de presión intentando extraer beneficios económicos para sus miembros, sino como participante en la formación de sus decisiones» [8]. En una sociedad capitalista a la que ayudó a transformarse, la izquierda austríaca ha pasado de la teoría de la lucha de clases a la práctica de la asociación económica y social.

Debido a su tamaño e importancia, el movimiento obrero en Austria no puede ser monolítico. Pero los elementos de un pluralismo limitado que aquí existen contribuyen a su extraordinario poder, incrementando la centralización organizacional y financiera que distingue a la ÖGB de las organizaciones obreras de todos los demás países industrializados. A causa de la desastrosa experiencia política de la izquierda en el período de entreguerras, el movimiento obrero austríaco reagrupó su diversidad política de la izquierda a partir de 1945 en una organización centralizada [9]. El sindicato centralizado en Austria no refleja las diferencias ideológicas que se encuentran en Italia, Francia, Bélgica y Holanda, ni las diferencias de *status* entre los sindicatos de *blue* y *white-collars* que existen en Escandinavia y Alemania Occidental; la diversidad ideológica entre las facciones sociales, católicas y comunistas del movimiento obrero encuentra su expresión en las elecciones periódicas a los consejos de fábrica [10]. Mientras que los socialistas ostentan un poder organizativo decisivo en el movimiento sindical, la presencia de un ala católica tanto en la organización sindical como en la más globalizadora cámara Federal del Trabajo constituye el vínculo entre el Partido Popular Austríaco (Ös-

---

[6] Manfred W. Wenner, Lettie M. Wenner y Eugene V. Flango, «Austrian and Swiss Judges: A Comparative Study», *Comparative Politics,* 10 (julio 1978), pp. 499-518.

[7] Oskar Grunwald y Herbert Krämer, *Die Kerstaatlichte Österreichische Metallindustrie* (Frankfurt: Europaische Verlagsanstalt, 1966), pp. 102-103 y 105.

[8] Kurt L. Shell, *The transformation of Austrian Socialism* (Albany: Universidad del Estado de Nueva York, 1962), p. 66. Cf. Fritz Klenner, «Der Österreichische Gewerkschaftsbund», en Pütz, *Verbände und Wirtschaftspolitik,* pp. 468-69.

[9] Shell, *Transformation of Austrian Socialism,* pp. 58-71, y Vodopivec, *Die Dritle Republic,* p. 44.

[10] Barbash, *Trade Unions,* p. 46, y Klenner, «Der Österreichische Gewerkschaftsbund», pp. 446-47.

terreichische Volkspartei, ÖVP), que extiende de esa forma la base política del sindicato [11]. La diversidad ideológica ha forzado al bloque socialista dominante a superar su anticlericalismo tradicional al tratar con la facción católica, por un lado, a la vez que necesita una dependencia mayor de la retórica socialista para contener a la facción comunista, por otro [12].

La diversidad política en el seno de la ÖGB es, paradójicamente, una fuerza unificadora efectiva, que contrarresta los numerosos intereses en conflicto perseguidos por los sindicatos que la constituyen. En nombre de los intereses particularistas de sus bases en los diferentes sindicatos de la industria, la práctica de la ÖGB exige a los funcionarios medios que sigan la línea política adoptada por su agrupación política dentro del sindicato. Dado que los socialistas disfrutan de una posición predominante en la ÖGB, esta exigencia política impone unidad en el momento de afrontar los intereses económicos frecuentemente en conflicto, que dividen a los *white-collar*, al sector público y a los obreros industriales [13].

El sindicato austríaco fomenta fuertemente el ejercicio centralizado de la influencia sobre las decisiones económicas a nivel nacional, por encima de formas descentralizadas de codeterminación en el interior de las plantas [14]. Además, el sistema dual austríaco de representación de los trabajadores, tanto a través de los sindicatos como de los consejos de fábrica a nivel de plantas, refuerza la estructura y el poder organizativo centralizados del movimiento sindical. La identidad de intereses de los sindicatos y consejos está asegurada por el hecho de que las elecciones a los consejos de fábrica determinan la composición del liderazgo del sindicato local. Los que no pertenezcan al sindicato votan en estas elecciones al consejo y ayudan así a seleccionar a los funcionarios del sindicato; pero esto se considera una desigualdad que no conlleva consecuencias políticas concretas debido a la afiliación sindical casi total de los trabajadores en las grandes plantas. Finalmente, en contraste con Suiza, las tensiones políticas entre los sindicatos y el Partido Socialista se mantienen al mínimo, lo

[11] Pelinka, *Gewerkschaften in Parteienstaat,* pp. 126-127, y Fritz Klenner, *Die Österreichischen Gewerkschaften: Eine Monographie* (Viena: Verlag des Österreichischen Geweksschaftsbundes, 1967), p. 208.

[12] Barbash, *Trade Unions,* p. 55, y Lang, *Kooperative Gewerkschaften,* pp. 199-200.

[13] Lang, *Kooperative Gewerkschaften,* p. 200; Pelinka, *Gewerkschaften im Parteienstaat,* pp. 60-63, y Vodopivec, *Die Dritte Republik,* pp. 45-46, 51 y 56.

[14] Pelinka, *Gewerkschaften em Parteienstaat,* pp. 70 y 86; Anton Pelinka, «Österreich Mitbestimmung von oben: Zur Funktion von Zentralisation und Gewerkschafts demokratie», *Journal für Sozialforschung,* 21, 2 (1981), pp. 161-68, y Erich Andrlick, «The Organized Society: A study of Neocorporatis' Relations in Austria's Steel and Metal Processing Industry» (Ph. D. disc., MIT, 1983), pp. 169-241.

cual refuerza aún más el poder de la izquierda. A pesar de la autonomía formal del sindicato con respecto al sistema de partidos, existen de hecho unos fuertes vínculos, en particular entre la fracción socialista dominante de la ÖGB y el SPÖ. Cuestiones políticas importantes, tales como los problemas de empleo en la industria de la minería del carbón, por ejemplo, quedaron establecidas en unas sesiones negociadoras informales y secretas entre el canciller Bruno Kreisky y el líder del sindicato, Antón Benya. Los vínculos entre el partido y el sindicato están sostenidos por una amplia serie de veintiocho organizaciones satélites que ofrecen a los seguidores de la izquierda austríaca un sistema integrado de servicios sociales y culturales desde la cuna hasta la sepultura [15]. Además, casi la mitad de los miembros del SPÖ en el Parlamento son funcionarios sindicales, bien a tiempo completo o parcial, y desde 1971 el presidente de la ÖGB ha sido también presidente del Parlamento [16]. Esta fusión entre el liderazgo de sindicatos y partidos origina muy raramente conflictos abiertos entre las dos organizaciones. Contribuye a reforzar en alto grado al movimiento obrero cuando sus intereses se ven afectados por la amplia serie de opciones adoptadas, derivadas de la estrategia austríaca de compensación nacional [17].

En estas opciones, la ÖGB revela la posición prominente que ocupa en la política. Las iniciativas del SPÖ en materia de política social no vienen de Viena, como en la Primera República, sino de la negociación colectiva que se realiza en las industrias nacionalizadas. Por ejemplo, algunas provisiones clave incorporadas a la reforma de la seguridad social austríaca en 1956 se consiguieron a través de la negociación colectiva en los sectores nacionalizados unos pocos años antes [18]. Desde la perspectiva de la izquierda, la estrategia austríaca de compensación pública exige un control político sobre la economía, lo cual no se consigue a través de un mercado libre ni de planes políticos, sino a través de una política económica

---

[15] Melanie A. Sully, «The Socialist Party of Austria», en William E. Paterson y Alastair H. Thomas, eds., *Social Democratic Parties in Western Europe* (Nueva York: St. Martin's, 1977), pp. 218-23; Dennison I. Rusinow, «Notes toward a Political Definition of Austria», partes I-V, *Informes del AUFS*, marzo-julio de 1966, especialmente las partes II y III, y Vodopivec, *Die Drilte Republik*, pp. 151-72.

[16] Pelinka, *Gewerkschaften im Parteienstaat*, pp. 104, 108 y 195, y Shell, *Transformation of Austrian Socialism*, pp. 41-42 y 62-63.

[17] Rusinow, «Notas», las partes I y II discuten la situación de los años 60, cuando el SPÖ.

[18] Rupert Zimmermann, *Verstaalichung in Österreich: Ihre Aufgaben un Ziele* (Viena: Verlag der Wiener Volksbuchhandluung, 1964), pp. 82, 106 y 129-35; Rusinow, «Notes», parte IV, pp. 17-18, y Ferdinand Lacina, The Development of Austrian Public sector since World War II (Universidad de Texas en Austin, Instituto de Estudios Latinoamericanos, Oficina de Estudios del Sector Público, *Documentos Técnicos*, núm. 7, 1977), p. 23.

que ponga el énfasis en los puestos de trabajo, en el crecimiento, la productividad y la habilidad de ajuste al cambio. La izquierda considera que su propia importancia es al menos de la misma magnitud que la de la comunidad empresarial austríaca [19]. Así, sus opciones políticas reflejan una definición del interés de los trabajadores que, lejos de ser estrecha y específica de clase, es amplia e interclasista. En los años 50 y finales de los 70 se diseñó una política mundial de restricción deliberada de salarios para fortalecer las exportaciones austríacas en los mercados mundiales. En los años 60 y 70, la negociación sobre productividad y una política de salarios anticíclica complementaron y reforzaron la estrategia de adaptación nacional que determinaba la política gubernamental. Y el desarrollo gradual del sistema austríaco de política de rentas se remonta en cada momento a las iniciativas políticas que adoptaron los líderes del sindicato a finales de los años 40, mediados de los 50 y primeros 60 [20].

La orientación sindical hacia un bienestar general tiene sus costes. Con la esperanza de favorecer los objetivos de la democracia social a través de una estrategia de crecimiento antes que mediante luchas distributivas, el movimiento sindical austríaco se preparó a finales de los 60 y principios de los 70 para aceptar unas pérdidas sustanciales en la contribución relativa del producto interior bruto (PIB) correspondiente a los trabajadores [21]. Los *Informes Económicos* de la OCDE señalaron esto en varias ocasiones como un «desarrollo atípico» en la prolongada mejora del ciclo económico que experimentaba el mundo industrializado [22]. Las ganancias de 1974-75, provenientes de unos grandes incrementos en los salarios reales ante una recesión mundial que los economistas austríacos no previeron con precisión, se vieron compensadas por la ayuda caída en la participación de los salarios en 1978-80. Una década de gobierno socialista no ha alterado la magnitud de la participación de los salarios en la renta nacional [23] y la política de crecimiento austríaca ha dejado, en el mejor de los casos, inalterada la desigual distribución de rentas y riqueza. Sin

---

[19] Shell, *Transformation of Austrian Socialism,* pp. 62 y 189-231.

[20] Eric Schiff, *Incomes Policies Abroad,* Part II: France, West Germany, Austria, Denmark (Washington, D. C.: American Enterprise Institute, 1972), p. 32; E. März, E. Weissel y H. Reithofer, «Die Kammern für Arbeiter un Angestellte (Arbeiterkammern)», en Pütz, *Verbande und Wirtschaftspolitik,* pp. 409-10, y Gunther Chaloupek y Hannes Swoboda, «Sozialpartnerschaft y Wirtschaftsentwicklung in den funfziger Jahren», *Österreichische Zeitschrift für Politikwissenschaft*, núm. 3 (1975), pp. 333-44.

[21] Lang, *Kooperative Gewerkschaften,* pp. 77-83; Klenner, *Die Österreichischen Gewerkschaften,* p. 182; Barbash, *Trade Unions,* pp. 49 y 51, y OCDE, *Informes Económicos: Austria* (París: 1974), p. 20.

[22] OCDE. *Informes Económicos: Austria* (París: 1971), p. 11.

[23] *Austrian Information,* 34, 2-3 (1981), p. 6, y Hankel, *Prosperity amidst Crisis,* pp. 56 y 69.

duda, es más probable que la política haya reforzado una desigualdad que el movimiento sindical está encargado, al menos en principio, de borrar [24]. En lugar de subrayar la consecución de la igualdad social en las demandas programáticas y debates ideológicos, los líderes sindicales austríacos han optado por implicarse políticamente en esas arenas de la política social y económica que son las más importantes para la estrategia austríaca de compensación nacional [25]. Como señala Sarah Hogg, «los sindicatos y sus miembros saben que su poder descansa en su habilidad para negociar sin dejar que esas negociaciones lleguen al punto de una confrontación abierta. De esta forma han llegado a ser una parte indispensable de la maquinaria de la gestión económica» [26]. En definitiva, el sindicato austríaco se ha alejado del socialismo radical para orientarse hacia una democracia social conservadora.

La posición dominante que ocupa este movimiento obrero reformista en la vida política explica en gran medida el objetivo austríaco de la adaptación nacional y la compensación pública ante el cambio económico. Las políticas que se ocupan del empleo, el gasto público, el bienestar social, precios y salarios y el ajuste industrial reflejan claramente la preferencia política de los sindicatos, la cual consiste en vincular la competitividad internacional al bienestar nacional. Como decía el vicecancillar en 1977: «Para los socialdemócratas, el primer objetivo de la política económica... es asegurar y crear puestos de trabajo» [27]. Por ejemplo, el que las empresas públicas austríacas deben fomentar la estabilidad económica de la Segunda República ha sido declarado política gubernamental desde que el ministro de Transportes e Industrias Nacionalizadas, Karl Waldbrun-

---

[24] Egon Matzner, *Wolhfahrtsstaat und Wirtschaftskrise: Österreichs Sozialisten Suchen einen Ausweg* (Hamburg-Reinbok, Rowohlt, 1978), pp. 10-11 y 44-125; Günther Chaloupek y Herbert Ostleitner, «Einkommensverteilung un Verteilungspolitik in Österreich», en Heinz Fischer, ed., *Das politische System Österreichs* (Viena: Europa Verlag, 1974), pp. 453-67; Elisabeth Merth, «Die Schichtung der persönlichen Einkommen in Österreich», *Quartalshefte*, núm. 2 (1974), pp. 45-57; Hannes Suppanz, «Einkommensverteilung in Osterreich», *Journal für angewandte Sozialforschung,* 20, 3-4 (1980), pp. 40-45; Robert J. Flanagan, David W. Soskice y Lloyd Ulman, *Unionism, Economic Stabilization, and Incomes Policies: European Experience* (Washington, D. C.: Brookings, 1983), pp. 77-78; Klenner, *Die Österreichischen Gewerkschaften,* 3, pp. 27-29; Günter Chaloupek, «Die Verteilung der persönlichen Einkommen in Osterreich: I. Die hohen Einkommen», *Wirtschaft und Gesellschaft,* 3, 1 (1979), pp. 9-22, y II. «Die Arbeitsverdienste», *ibid.*, 4, 2 (1978), pp. 191-208, y Michael Wagner, «Einkommensverhältnisse», en Marina Fischer-Kowalski y Josef Bucek, eds., *Lebenverhältnisse in Österreich: Klassen und Schichten im Sozialstaat* (Nueva York, Campus, 1980), pp. 427-46.

[25] Pelinka, *Gewerkschaften im Parteinstaat,* pp. 73-91 y 119-20.

[26] Sarah Hogg, «A small House in Order», 15 marzo 1980, Informe, p. 11.

[27] Entonces vicecanciller Hannes Androch, como se cita en *Arbeitzeitung,* 9 enero 1977.

ner, distribuyó una circular a principios de los 50 pidiendo a las empresas públicas que no redujeran el empleo en tiempos de recesión [28]. En los años 50 y 60, las empresas públicas despidieron menos trabajadores en tiempos de recesión y contrataron menos en tiempos de crecimiento rápido [29]. En los años 70, las grandes compañías nacionalizadas actuaron igualmente como amortiguadores para proteger los mercados de trabajo nacionales de unas mayores tasas de desempleo [30]. A través de una serie de medidas que incluían la suspensión de la práctica de «tomar prestados» temporalmente trabajadores de otras empresas, la aceleración del movimiento de empleados hacia líneas de producción más prometedoras, recibiendo las ventajas de las provisiones del sistema de seguridad social para el retiro anticipado, y el incremento del papel de los programas de formación profesional. Las industrias nacionalizadas autríacas que operan en sectores en declive absorbieron gradualmente la gran reducción de la actividad empresarial en 1975 y distribuyeron la necesaria reducción de empleos a lo largo de varios años. En el conjunto del sector nacionalizado austríaco, sin embargo, el empleo aumentó, mientras que descendía la productividad entre 1973 y 1977. En el sector privado, la relación era opuesta [31]. Los bancos nacionalizados austríacos han cooperado también con la política de empleo del gobierno «responsable con la sociedad», apoyando a las empresas enfermas que figuran entre sus subsidiarias, así como salvando a algunas empresas privadas al borde de la bancarrota [32]. En términos generales, la política del gobierno no consiste en defender cada puesto de trabajo, sino en asegurar que el número total de puestos se mantenga constante. Así es como el cambio económico se acepta como un modo de vida, aunque reclame una política consciente de compensación.

La defensa del pleno empleo no se ha dejado sólo en manos del amplio sector nacionalizado. Entre 1970 y 1973, el empleo en el sector público aumentó en un 20 por 100, y entre 1974 y 1979, el número de puestos de trabajo en el sector público en sentido estricto (excluyendo a las empresas nacionalizadas, la educación y la salud) se incrementó en

---

[28] Reeditado en Zimmermann, *Verstaatlichung in Osterreich,* p. 84.

[29] Rusinow, parte IV, p. 16; Zimmermann, *Verstaatlichung in Österreich,* 107, y Lacina, *Development of the Austrian Public Sector,* p. 20.

[30] *New York Times,* 12 octubre 1975; sección de negocios, p. 3.

[31] Ewald Nowortny, «Verstaatlichte und private Industrie in der Rezession: Gemeinsamkeiten und Unterschiede», *WISO*, 2 (mayo, 1979), pp. 77, 83, 89 y 92-93. Sobre la base de unos datos estadísticos ligeramente diferentes, el mismo punto aparece en Ferdinand Lacina, «Development and Problems of Austrian Industry», en Kurt Steiner, ed., *Modern Austria* (Palo Alto, California: SPOSS, 1981), p. 166.

[32] Hogg, «A small House in Order». Informe, p. 10.

47.000 [33]. Félix Butschek señala que «la expansión general del empleo en el sector terciario se debió menos a una situación favorable del mercado para el personal cualificado que a la decisión política de expandir sectores públicos específicos que en Austria todavía están rezagados con respecto a los de otros países» [34]. En 1976, en relación al total de los gastos del gobierno, los gastos destinados al empleo en el sector público eran casi el doble en Austria que en Suiza [35]. Además, debido a que en algunas partes de la periferia austríaca la tasa de desempleo era del 10 por 100, la política regional (en particular en la parte este del país) fue diseñada explícitamente para proteger los puestos de trabajo existentes y para crear otros nuevos. En 1975 se introdujo una semana laboral más corta, encaminada, en parte, a extender un menor número de puestos entre más empleados. Alrededor de 33.000 trabajadores aceptaron el retiro anticipado con unas condiciones económicas ventajosas. Las vacaciones anuales mínimas se ampliaron de tres a cuatro semanas. Sin estas y muchas otras medidas específicas en las áreas de educación de formación profesional, la tasa de desempleo austríaca a finales de los 70 hubiera sido probablemente tres veces mayor al 2 por 100 registrado [36]. Los costes están medidos en mayores déficit en la balanza comercial, representando todos ellos políticas clave para el gobierno del SPÖ desde 1979.

Debido a que las industrias nacionalizadas y el sector público mantienen el objetivo gubernamental de lograr el pleno empleo, Austria posee una política del mercado de trabajo de menor alcance y menos cara que la sueca. A finales de los años 70, por ejemplo, el gobierno austríaco destinó alrededor de un 2 por 100 de su presupuesto para políticas del mercado de trabajo; el dato para Suecia es aproximadamente cuatro veces mayor. Pero la repercusión en el empleo de la política austríaca fue dos veces mayor que la de Suecia [37]. Con su énfasis en la formación profesio-

---

[33] Wolfgang Schmitz, «Diskussionsbeitrag», en *Budgetpolitik in der Bundesrepublik Deutschland, in der Schweiz und in Österreich* (Viena: Zentralsparkasse Sozialen Wandel), en Günter Endel mayer, ed., *Die Diener des Staates: Das burokratische System Österreichs* (Viena: Europa Verlag, 1977), p. 139.

[34] Félix Butschck, «Full Employment during Recession», en Sven W. Arndt, *The Political Economy of Austria* (Washington, D. C.: American Enterprise Institute for Public Policy Reseach, 1982), p. 106; August Andrac Clemens y Hubert Buchel, «Die Entwicklung deer offentlichen Personalbestände und Personalausgaben in Österreich, der Bundesrepublik Deutschland und der Schweiz seit 1950», en Werner Clement y Karl Sucher, eds., *Empirische Wirtschaftsforschung un monetäre Okonomik: Fertschrift für Stephan Koren zum 60. Geburtstag* (Berlín: Duncker & Humblot, 1979), pp. 18-19.

[35] Egon Matzner, «The Future of the Welfare State: Towards a New Pattern of State Intervention», International Institute for Management (Wisenschaftszentrum Berlín, 80-74, 1980), pp. 5-6.

[36] Schmitz, «Diskussionsbeitrag», p. 69.

[37] Butschek, «Full Employment durig Recession», pp. 105-106; Johann Wösendorfer,

nal, Austria ha desplegado sus recursos de manera selectiva. A finales de los 70, Austria era uno de los pocos Estados industrializados que podía ofrecer, a través de un extenso sistema de aprendizaje, empleo remunerado a casi toda su población joven. En 1980 se extendió un sistema comprensivo de asesoramiento profesional a 127.000 jóvenes en la decisión de sus carreras. Además, el gobierno federal dispuso aproximadamente 15.000 ayudas para el aprendizaje a un coste total de 6.180.000 dólares. Desde 1976, por otro lado, el gobierno ha subvencionado los programas de aprendizaje de las empresas que emplean a más jóvenes de los que en realidad necesitan [38].

Este compromiso de pleno empleo es más fuerte que en Suiza, incluso en el contexto de unas condiciones menos favorables del mercado laboral. En Austria, el crecimiento medio anual de la población en edad laboral se espera que aumente del 0,2 por 100 en 1960-75 a un 6,9 por 100 en 1975-90. En Suiza, las cifras correspondientes son de 14,9 y 3,1 para los dos períodos [39]. Con el fin de mantener el pleno empleo, Austria tendrá que crear aproximadamente 30.000 puestos de trabajo anualmente durante los años 80. Las políticas austríacas del mercado de trabajo seguirán, por tanto, siendo indispensables. Entre 1970 y 1979 los gastos para una política activa del mercado de trabajo aumentaron en un punto sobre diez, de 6.200.000 a 60.000.000 de dólares [40]. En contraste con la mayoría de los Estados industriales, la duración media del desempleo disminuyó entre 1974 y 1979, y el desempleo encubierto no es un problema en Austria [41]. Al presentar el programa económico del SPÖ de 1981, el secretario del partido, Karl Blecha, reafirmó que el desempleo no «sigue de forma natural» a las condiciones económicas y que la consecución del derecho al trabajo es la tarea central de la política económica del gobierno [42].

Este esfuerzo gubernamental por proteger a los austríacos de grandes fluctuaciones en la actividad económica se refleja claramente en el área del gasto público. La política fiscal se ha visto facilitada por la amplia discreción tradicional que el gobierno austríaco ha disfrutado en cuestiones

---

Arbeitsmarktpolitik: Beurteilungskriterien für das Arbeitsmarktförderungsgesetz (Linz: Österreichisches Institut für Arbeitsmarktpolitik, Universidad de Linz, 1980), pp. 38, 63, 77, 103, 120 y 124.

[38] Departamento Federal de Prensa, República de Austria, «Employment for Young People», 1981.

[39] OCDE, Manpower and social Affairs Committee, «Report to the Council of The Working Party on Migration» (París, 4 abril 1980, mimeo), p. 7.

[40] Wösendorfer, *Arbeitsmarktpolitik,* pp. 38-39.

[41] Butschek, «Full Employment during Recession», pp. 110-12.

[42] *News from Austria,* 26 mayo 1981, p. 3.

de finanzas públicas, especialmente hasta 1963 [43]. Por ejemplo, en 1953 se estableció un programa de inversión a largo plazo para modernizar y extender el sistema de carreteras austríaco, la red ferroviaria y los servicios postales; esto dotó al gobierno de unos gastos que «podían variar a juicio del ministro de Finanzas» [44]. En el intento de contener la inflación durante el fuerte crecimiento de principios de los 70, Austria adoptó una política fiscal restrictiva. Y la devolución prematura de la deuda gubernamental, la congelación de los excedentes del Tesoro Público, aplazamiento de los gastos y creación de reservas durante los años de inflación, años de principios de los 70, condujeron sólo a unos modestos incrementos de la deuda pública. Esto dio al gobierno austríaco cierta fuerza financiera, la cual permitió un déficit del gasto a mediados de los 70, en la ola de la primera crisis del petróleo y de la subsiguiente recesión mundial [45].

El gobierno austríaco se ha apoyado en una amplia serie de políticas fiscales que fortalecieran la demanda interna y mantuvieran de esa forma los altos niveles de empleo. Desde 1973, el gobierno ha aumentado los gastos de inversión pública, ha creado nuevos incentivos impositivos para el consumo privado y ha promovido generosamente la inversión privada [46]. Como resultado de todo ello, la deuda del gobierno federal se ha incrementado considerablemente [47]. En el primer trimestre de 1976, el 80 por 100 de todos los préstamos en el mercado austríaco de capital eran para el sector público, cuando un año antes era el 50 por 100 [48]. Aunque los tipos impositivos en Austria pagados como porcentaje de los ingresos brutos se incrementaron más marcadamente que en ningún otro estado miembro de la OCDE a finales de los 70, los déficits en el presupuesto

---

[43] Gunter Tichy, «Theoretische und praktische Probleme der Österreichischen Staatsverschuldung», *Avartalshefte,* núm. 4 (1976), pp. 22-24, y Stephan Koren, «Change and tradition in the Economic Development of Austria», in Kurt Steiner, ed., *Tradition and Innovation in Modern Austria* (Palo Alto, California: SPOSS, 1982), pp. 84-85.

[44] OCDE, *Economic Surveys: Austria* (París, 1963), pp. 12 y 15-16.

[45] D. Bös y B. Genser, «Die Finanzpolitische Entwicklung in Österreich 1975-78», *Finanzarchiv,* N. F. 37, 4 (1979), pp. 485-510.

[46] *Osterreich Bericht,* núm. 113 (1983), p. 2, y *Economic Surveys: Austria* (París, 1976), pp. 22-35.

[47] Nussbaumer, *Grenzen der Staatsverschuldung,* p. 23. Habría que señalar que el dato correspondiente a Austria sigue siendo bajo respecto a los niveles internacionales. La deuda pública per cápita en Suiza es de 6.000 dólares, el doble que la de Austria. Véase OCDE, *Economic Surveys: Austria* (París: 1977), p. 41, y *Austrian Information,* 33, 8 (1980), pp. 1 y 34, y 2-3 (1981), p. 7.

[48] *Jahrbuch der österreichischen Wirtschaft,* 1976/I: Tätigkeitsbericht der Bundeswirtschaftskammer (Viena: Bundeskammer der Gewerblichen Wirtschaft, 1977) p. 23.

del gobierno han seguido siendo elevados[49]. Entre 1974 y 1977 el gasto público en Austria superó sustancialmente la norma estadística entre los países de la OCDE [50].

Los déficits del presupuesto se financiaron en gran parte a través de préstamos a corto y medio plazo, tanto en el país como en el extranjero [51]. Entre 1970 y 1974, la deuda del gobierno federal casi se duplicó (desde 1,82 billones a 3,26 billones de dólares); en los siguientes cinco años, entre 1974 y 1978, la deuda se cuadruplicó (de 3,26 a 13,18 billones de dólares), y se duplicó de nuevo entre 1978 y 1982. El endeudamiento exterior de Austria aumentó en un punto respecto a siete entre 1973 y 1979, comparado con una nueva triplicación de su deuda interna. En 1981, algo menos de la mitad de la deuda gubernamental era extranjera. En apoyo de esta política la nueva ley bancaria austríaca de 1979 fue elaborada especialmente para atraer capital extranjero. En respuesta a los atractivos tipos de interés de 1980, los extranjeros que trasladaban sus fondos a Austria podían disfrutar de una mayor discreción, mayores tipos de interés y mayores exenciones fiscales que en Suiza. El influjo adicional de capital extranjero se ha dirigido en gran parte a las arcas gubernamentales, ayudando así a financiar simultáneamente los déficits de la balanza de pagos austríaca y del presupuesto del gobierno [52].

Debido a que el gobierno se vio empujado a adoptar una política de déficit del gasto prolongada, ya no temporal, el peligro de un deterioro a largo plazo de la balanza de pagos es ahora mayor, y los funcionarios del gobierno están más temerosos de que el peso de las cargas de los intereses presionen a las finanzas del gobierno. En 1980 sólo el 10 por 100 del presupuesto federal contenía apartados sobre los que el gobierno tenía cierta discreción [53]. Si se viera perjudicada la expansión exterior para financiar la prosperidad nacional en Austria, los debates políticos a largo plazo pueden centrarse perfectamente alrededor de la viabilidad y del

[49] OCDE, *The 1978 tax/Benefit Position of a Typical Worker in OCDE Member Countries* (París, 1979), pp. 21-22.

[50] Manfred G. Schmidt, «Wohlfahrtsstaaliche Politik unter burgelichen und sozialdemokratischen Regierungen» (Universidad de Constanza, 1980, multicopista), p. 218. Véase también David R. Cameron, «On the limits of the Public Economy» (artículo elaborado para el encuentro anual de la American Political Science Association, Nueva York, septiembre, 1981), p. 5A.

[51] OCDE, *Economic Surveys: Austria* (París, 1978), p. 28; Helmut H. Haschek, «Trade, Trade Finance, and capital Movements», en Ardnt, *Political Economy of Austria,* pp. 176-98, y Hankel, *Properity amidst Crisis,* pp. 36 y 51-54.

[52] *New York Times,* 15 de julio de 1979, sección 3, p. 2 y «The Austrian Lesson in Economic Harmony», *Euromoney,* mayo de 1979 (Suplemento).

[53] *News from Austria,* 4 de noviembre de 1980, p. 3.

deseo de poseer un banco nacional austríaco que financie directamente los déficits presupuestarios. A medio plazo, por lo tanto, la política fiscal austríaca se enfrenta a otro problema y está siguiendo un curso menos controvertido. Una divergencia creciente entre la propensión cada vez mayor a importar y la efectividad cada vez menor del déficit del gasto en una economía pequeña y abierta enfrenta al gobierno austríaco en los años 80 con nuevos problemas [54]. A causa de esta presión, así como de mayores niveles de deuda pública y endeudamiento externo, la política fiscal austríaca fue mucho más limitada tras la segunda crisis del petróleo de 1979-80 de lo que lo fue tras la primera crisis en 1974-75. El director del Banco Nacional austríaco llegaba a la conclusión de que «una serie de incrementos impositivos en el curso de los últimos años, así como recortes del gasto, han aliviado el problema hasta cierto punto pero no han sido capaces de proporcionar la adecuada libertad de acción para una activa política presupuestaria durante la siguiente fase de una recesión más seria» [55].

Los considerables gastos austríacos en bienestar social ofrecen estabilizadores económicos internos que ayudan al gobierno en su esfuerzo por proteger a la economía austríaca de la turbulencia internacional. Comparados con los de otros Estados industriales avanzados, tanto grandes como pequeños, y comparados especialmente con Suiza, los gastos públicos en Austria para bienestar social son muy elevados. En los años de posguerra, el gobierno austríaco ha sobrepasado a Suiza por unos márgenes notables, aunque en descenso [56]. Pero a diferencia de Suiza, Austria sólo ha expandido su maduro Estado del bienestar de forma gradual en esos años de posguerra. Un índice de la extensión de los diferentes programas de bienestar social muestra que Austria se aproxima a la norma europea desde 1945, delante de Suiza, por un margen muy sustancial, pero algo rezagada con respecto a Noruega, Suecia y Holanda en 1970 [57]. A finales de los 60 y principios de los 70, el gasto público en bienestar social en Austria era alrededor del doble con respecto a Suiza, y en el caso de las

[54] Helmut Frisch, «Macroeconomic Adjustment in small Open Economies», en Arndt, *Political Economy of Austria*, p. 51, y Peter Hull Kristensen y Jorn Levinsen, *The small country squeeze* (Roskilde, Dinamarca: Roskilde University Center, Instituto de Economía, Política y Administración, 1978), pp. 17 y 20.

[55] Stepahn Koven, «Changes in International Economic Policy and Their Impact on Austria» (Stanford, California, 1980, multicopista), p. 22.

[56] OCDE, *Public Expenditure Trends* (París: 1978), pp. 14-15. Un panorama general aparece en Rudolf Strasser, «Social Policy since 1945: Democracy and the Welfare State», en Steiner, *Modern Austria*, pp. 301-20.

[57] Peter Flora, Jens Alber y Jürgen Kohl, «Zur Entwicklung der westeuropäischen Wohlfahrtsstaaten», *Politische Vierteljahresschrift*, 18, 4 (1977), pp. 736-39 y 767.

pensiones para los ancianos, el más caro de todos los programas de bienestar social, Austria gastaba, de forma significativa, más que cualquier otro estado miembro de la OCDE [58]. Y con gran diferencia respecto a Suiza, casi toda la población trabajadora y dependiente austríaca estaba cubierta por la legislación; disposiciones tales como los pagos de catorce meses para las pensiones y el pago de ayudas por los hijos menores de veintiún años son más generosas que en Suiza, y los niveles de las pensiones están fijados según el índice salarial, permitiendo así a los beneficiados participar en los beneficios de productividad en la economía [59]. Este alto nivel de gasto público en bienestar explica por qué la diferencia entre los ingresos recibidos por los empleados y los costes de los salarios pagados por los empresarios es mucho mayor en Austria que en cualquier otro lugar de Europa. Los ingresos medios por hora que corresponden a los trabajadores normales austríacos son los más bajos de Europa, mientras que la importancia proporcional de las cargas sociales en la nómina salarial (alrededor del 90 por 100) está entre las mayores [60]. Hasta finales de los 70, los impuestos medios pagados como porcentaje de los salarios brutos eran menores en Austria que en cualquier otro país de la OCDE, pero las contribuciones a la Seguridad Social pagadas por el empleado medio austríaco eran superadas sólo por las que se pagaban en Holanda [61].

La filosofía que subyace al sistema de Seguridad Social en lo referente a salarios difiere considerablemente de las disposiciones suizas de los beneficios mínimos (los cuales, es de esperar, serán sustituidos por beneficios en seguros voluntarios y privados). La «tasa de reemplazo» de las pensiones austríacas es de más del doble que en Suiza. En Austria las pen-

---

[58] Harold L. Wilensky, *The «New Corporatism», Centralization and the Welfare State* (Beverly Hills, California: Sage, 1976), p. 11; *Public Expenditure on Income Maintenance Programmes* (París: 1976), pp. 17 y 20; Harold L. Wilensky, *The Welfare State and Equality: Structural and Ideological Roots of Public Expenditure* (Beverly: University of California Press, 1975), p. 122; Max Horlick. *Supplemental security Income for the Aged: A Comparison of Five countries* (U. S. Department of Health, Education and Welfare. Social Security Administration, Office of Research and Statistics, DHEW, Publication núm. (SSA) 74-11850, Staff Paper núm. 15), p. 64, y Alois Brusatti, Karl Gudtkas y Erika Weinzierl, *Österreich,* 1945-1970, y *Jahre Zweite Republik,* 25 (Viena: Österreichischer Bundesverlag, 1970), pp. 215-17, 241-44, 264-67, 283-86 y 314-17.

[59] Giovanni Vasella, «Arten und Ansatze der Familienzulage der EWG-Staaten, Grossbritanniens, Österreichs, und der Schweiz», *Schweizerische Zeitschrift für Sozialversicherung,* núm. 4 (1969), pp. 274.

[60] Flanagan, Soskice y Ulman, *Unionism*, pp. 54-55, y Hogg, «A small House in Order», Informe, pp. 14-15.

[61] OCDE, *The tax/Benefict Position of Selected Income Groups in OCDE Member Countries, 1972-1976* (París: 1978), pp. 20-21 y 94.

siones suman más de la mitad de las ganancias en el último año de trabajo; en Suiza representan una quinta parte [62]. Dado que las pensiones austríacas se consideran adecuadas, existen regulaciones muy estrictas para la asistencia a los necesitados, mientras que, como muestra Max Horlick, «Suiza representa el lado opuesto; dado que las pensiones para jubilados no eran suficientes y que el sistema es nuevo y los pagos reducidos, los controles sobre los beneficios medios probados son, por decirlo de alguna manera, relajados» [63]. Sólo el 7 por 100 de los gastos en Austria para las pensiones de ancianos está financiado a través de beneficios medios probados. En Suiza la proporción es dos veces mayor [64]. El enfoque restrictivo austríaco es el signo de un Estado de bienestar que, en contraste con el de Suiza, es a la vez maduro y extensivo. Pero una comparación con Suiza no favorece de forma uniforme a Austria. Por ejemplo, comparada con Suiza, Austria padece una escasez de viviendas considerable, y sólo en los años 70 alcanzó Austria a Suiza en cuanto a la proporción de población trabajadora protegida por seguros de enfermedad [65]. A pesar de estas excepciones ocasionales, la calidad y rango de las políticas austríacas de bienestar social públicas están atestiguadas por el hecho de que sólo dos años después de que el Consejo de Europa adoptara el Estatuto Social Europeo en 1961, el gobierno austríaco lo firmó. Suiza, sin embargo, todavía no está en condiciones de hacer lo mismo.

Al mismo tiempo, Austria ha demostrado que no es vulnerable, sin embargo, al desencanto general desencadenado por el crecimiento masivo de los impuestos, necesario para financiar los servicios públicos, que apareció en los años 70, especialmente en Escandinavia. Los gastos austríacos en bienestar han aumentado menos drásticamente en las últimas dos décadas que los de Escandinavia u Holanda, países que habían sobrepasado los niveles de gastos en Austria a mediados de los 70. En relación con ello, entre 1965 y 1977 los pagos e impuestos por Seguridad Social eran mucho menores en Austria que en la OCDE en conjunto. En realidad, en comparación con Alemania Occidental y Suiza, las cargas impositivas austríacas, destinadas en gran parte a Seguridad Social, ya no parecen tan fuertes como lo fueron en su momento. En 1965 y 1978, la carga fiscal media era la mayor entre esos tres países, pero su supremacía

---

[62] Horlick, *Supplemental Security Income*, p. 29. En Escandinavia estas tasas varían entre los dos tercios y las tres cuartas partes a mediados de los 70. Véanse Gösta Esping-Andersen y Walter Korpi, «From Poor Relief to Institutional Welfare States: The Development of Scandinavian Social Policy» (Stokolmo: Instituto Sueco para la Investigación Social, 30 septiembre 1981), cuadro 5.

[63] Horlick, *Supplemental Security Income*, p. 36; véase también *ibid.*, pp. 13 y 34.

[64] *Ibid.*, p. 64.

[65] Wilensky, *Welfare State and Equality*, p. 9.

se había reducido desde un 9 a un 3 por 100 en comparación con Alemania Occidental y desde un 67 a un 22 por 100 en comparación con Suiza [66]. Dado que el crecimiento en Austria de los gastos en bienestar social fue relativamente lento en los años 60 y 70, el ajuste del Estado del bienestar austríaco a unas tasas menores de crecimiento económico en los años siguientes, aunque es difícil, se conseguirá probablemente con mayor facilidad que en ningún otro país [67].

La adaptación nacional en Austria a los avances de la economía internacional queda también ilustrada por su política de rentas, ampliamente pormenorizada (incrementos de precios y salarios negociados a escala política), la cual ha ayudado a conseguir una relativa competitividad de costes en los mercados internacionales y ayuda, de esta manera, al objetivo del pleno empleo y del crecimiento económico. Aunque las estimaciones de la extensión de las regulaciones de precios en Austria varían ampliamente, la mayoría de los observadores concuerdan en que los precios están determinados por la demanda sólo en limitados segmentos del mercado. A finales de los 60, alrededor de una quinta parte de todos los bienes y servicios, una cuarta parte de la producción total y la mitad de todos los precios al consumidor estaban sujetos a un control político o administrativo [68]. Esta intervención extensiva en los mercados se ve favorecida por el alto grado de concentración que se da en la industria austríaca; alrededor de la mitad del rendimiento industrial se produce en sectores en los que las cuatro empresas más poderosas controlan al menos el 50 por 100 de las ventas [69]. La importancia atribuida a la regulación de precios está expresada ambiguamente en la legislación de los años 70. La Ley de Cárteles «liberal» de 1972, por ejemplo, señala que «debido a que es esencial para asegurar la estabilidad de precios, continuará la regulación estatal de precios en los productos agrícolas, las materias primas

---

[66] *Austrian Information,* 34, 2-3 (1981), p. 1, un estudio de la OCDE.

[67] *Das Recht der Arbeit,* 29, 4-5 (octubre, 1979), pp. 344-46; *Vereinigung Österreichischer Industrieller, Mittel fristiges Industrie programm* (Viena, 1974), p. 20; OCDE, *Public Expenditure on Income Maintenance, pp. 36 y 57, y Robert Holzmann, «Wachstumskrise und Pensionsversicherung», en Marin, Wachstumskrisen in Österreich?,* vol. 2: *Szenarios,* pp. 157-82.

[68] OCDE, Economic Surveys: *Austria* (París, 1971), p. 34; Schiff, *Incomes Policies Abroad,* Part II, p. 31; Lang, *Kooperative Gewerkschaften,* p. 105; Bernd Marin, *Die Paritatische Kommission: Aufgeklärter TechnoKorporatismus in Österreich* (Viena: Braumüller, 1982), pp. 136-37 y 147-50; *Austrian Information,* 34, 4 (1981), pp. 1 y 7; Lachs, *Wirtschaftspartnerschaft in Österreich,* pp. 49-50, y Neuhauser, «Die verbandsmassige Organisation der Österreichischen Wirtschaft», pp. 105-106.

[69] Ewald Nonotny *et al., Studien zur Weltbewerbsintensitat in der österreichischen Wirtschaft,* schriftenreihe des Ludwig Bultzmann Instituts für Wachstums forschung (Viena: Österreichische Nationalbank, 1978), p. 7.

y los bienes industriales más importantes» [70]. El sistema austríaco de administración de precios está basado no sólo en una lista de bienes y servicios enumerados en su ya antigua Ley de Regulación de Precios, sino también en una provisión de emergencia general que, desde diciembre de 1974, permite una restricción temporal de cualquier incremento de precios que se considere excesivo [71].

El que esta provisión no haya sido recurrida a finales de los 70 ilustra la autolimitación con la que el gobierno del SPÖ acometió su política antiinflacionaria. Distintivo de la política de rentas austríaca es la «ausencia virtual del gobierno... y la ausencia de obligatoriedad» [72]. El instrumento más importante de regulación de precios en Austria no es administrativo, sino político. A través de su regulación voluntaria pero efectiva sobre el incremento de precios, el Subcomité de Precios de la Comisión Mixta (Paritätische Kommission) establece de hecho un nivel de precios uniforme dentro de los niveles máximos especificados. El efecto ha sido la cartelización informal y fomentada oficialmente de una parte considerable de los segmentos competitivos de la economía austríaca [73]. Este sistema de regulación de precios se ve favorecido por la Comisión de Cártel Austríaca, en la que los principales grupos de interés pertenecientes a la Comisión Conjunta han asumido, de hecho, los poderes de la magistratura. En 1975-76, 63 cárteles cubrían aproximadamente a unos 250 productores, 700 bienes y 17 servicios [74]. Desde 1973, además, el número de recomendaciones de precios no obligatorias surgidas de asociaciones empresariales o sindicales también ha experimentado un fuerte crecimiento [75]. La mitad de la producción industrial total en Austria no experimenta más que una competencia «limitada»; esta proporción desciende a un 40 por 100 si se incluyen los bienes extranjeros en el cálculo. Los precios internacionales no determinan, pues, los niveles de precios en Austria [76].

Al mismo tiempo, sería un error sobreestimar el control político que el sistema austríaco de regulación de precios ejerce sobre los mercados.

---

[70] Hanspeter Hanreicher, «Der Wettbewerb-cin vernachlassigtes Gebiet sozialwissenschaftlicher Forschung», *Wirtschaftspolitische Blätter,* 23, 2 (1976), p. 98. Véase *ibid.*, p. 99, para la lista de bienes para los que no funcionan los mercados. Véanse también Lang, *Kooperative Gewerkschaften*, p. 105, y Schill, *Incomes Policies Abroad*, p. 33.

[71] Flanagan, Soskice y Ulman, *Unionism*, p. 61, y Karl Korinek, «Das system der Preisregelung in Österreich», *Wirtschaftspolitische Blatter,* 22, 4 (1975), p. 76.

[72] Flanagan, Soskice y Ulman, *Unionism,* p. 47.

[73] Hans Wehsely, «Nichtagrarische Marktordnungen: überblick über Wettbewerbschrankungen in Österreich», *Wirtschaftspolitische Blätter* 25, 2 (1978), p. 92.

[74] Nowotny *et al., Studien zur Wettbewebsintensität,* p. 72, notas 38-40.

[75] Wehsely, «Nichtagrarische Marktordnungen», p. 94.

[76] *Ibid.,* pp. 43 y 62, y OCDE, *Economic surveys: Austria* (París, 1973), p. 27.

En relación con el fenómeno señalado de «dirección de salarios», que supone una compensación ante algunos de los efectos de la negociación colectiva centralizada, Austria experimenta una «dirección de precios» en respuesta a sus amplios intentos por fijar los precios políticamente. Dos tercios de todas las firmas austríacas ceden a los descuentos; cuatro quintas partes establecen los precios de forma diferente en los mercados nacionales y en los extranjeros [77]. El efecto del comportamiento empresarial consiste en negar, en parte, el liderazgo de precios digopolístico de la Comisión Mixta. Sin embargo, en los años 50 y 60 las fluctuaciones de precios en Austria eran menos cíclicas que en los otros estados europeos pequeños, los cuales mostraban, en cambio, menores fluctuaciones de precios que los grandes Estados industriales [78]. Aunque la apertura de la economía austríaca a los mercados mundiales en los años 60 y 70 redujo la eficacia de su política de rentas, un estudio reciente llega a la conclusión de que entre 1965 y 1979 sólo una tercera parte de la tasa de inflación austríaca puede explicarse por su componente internacional [79]. A niveles comparativos Austria mantiene, por lo tanto, un control impresionantemente alto sobre los precios.

Igualmente importante para la política de rentas austríaca es la implantación de un sistema de contención de precios en el sistema más centralizado de negociación colectiva de todo el mundo industrial avanzado. La inclusión de los salarios bajo la jurisdicción de la política de rentas en 1962 fue debido en gran medida a la presión de los intentos de los líderes de la ÖGB por asegurar su posición frente al liderazgo de sus miembros constituyentes. El subcomité de salarios de la Comisión Mixta no interfiere en el proceso de resultado de la negociación, sino que simplemente aprueba el comienzo de las negociaciones para un nuevo acuerdo y, en ocasiones, influye en la duración de los contratos. De esta manera, el liderazgo sindical en Austria tiene un nivel impresionante de control sobre las organizaciones sindicales; el poder de convocar a los empresarios en negociaciones colectivas se halla en los líderes de la ÖGB, no en la Cámara de Trabajo o en los sindicatos individuales. Aunque en la práctica la ÖGB delega la negociación de los acuerdos a los sindicatos industriales o sus subdivisiones, no se establece ningún acuerdo sin el consentimiento de la ÖGB [80]. Además, la dirección central, no los sindicatos cons-

---

[77] Nowotny *et al.*, *Studien zur Wettbewerbsintensität*, pp. 355-57.

[78] OCDE, *Economic Surveys: Austria* (París, 1971), p. 6.

[79] Frisch, «Macroeconomic Adjustment», p. 46.

[80] Hurt Steiner, *Politics in Austria* (Boston: Little, Brown, 1972), p. 298, y Klenner, «Der Österreichische Gewerkschaftsbund», pp. 437-501.

tituyentes, ejerce el pleno control sobre todas las finanzas de los sindicatos en general y sobre los fondos para huelgas en particular [81].

Como resultado de todo ello, los acuerdos salidos de negociaciones colectivas en Austria se hallan altamente centralizados. En 1968, sólo un 3 por 100 de los 602 acuerdos se lograron a nivel de empresa, en comparación con el 32 por 100 firmados a nivel federal y el 65 por 100 a nivel provincial [82]. Las cifras para los años 50 y los 70 muestran que el paso desde el nivel de la empresa al nivel nacional es uno de los rasgos distintivos del sistema de relaciones laborales en Austria [83]. Además, esta centralización se ve reforzada por las reglas que gobiernan la política de rentas. Los incrementos de costes en que incurren las empresas a causa de los acuerdos salariales suplementarios que han negociado con sus consejos obreros a nivel de planta no constituyen razones válidas para solicitar incrementos de precios antes de que lo haga el Subcomité de Precios. Las empresas austríacas tienen, de esta forma, un gran incentivo para negociar sólo con la ÖGB [84].

Los sindicatos austríacos se suscriben al vínculo entre incrementos de productividad y salarios en el curso de un ciclo económico completo, y no intentan alcanzar sus objetivos sociales y económicos más amplios a través de negociaciones colectivas. Los sindicatos, perfectamente conscientes de las consecuencias de los niveles salariales para la posición de Austria en la economía internacional, satisfacen sus amplias demandas políticas mediante negociaciones políticas más que económicas [85]. Como ya he señalado anteriormente, el éxito de esta estrategia queda ilustrado por el hecho de que el «salario social» en Austria —beneficios que pagan los empresarios— está entre los mayores de Europa. Los empresarios austríacos pagan un 90 por 100 del salario efectivo en forma de impuestos suplementarios [86]. En palabras del líder de la ÖGB, Benya, «no puede separarse la política de rentas de la política social» [87].

Las demandas salariales de los sindicatos tienden a ser anticíclicas, los sindicatos imponen restricciones salariales en tiempos de expansión eco-

---

[81] Klenner, «Der Österreischische gewerkschaftsbund», pp. 444-45; Lang, *Kooperative Gewerkschaften,* pp. 202-204; Pelinka, *Gewekschaften im Parteienstaat,* pp. 64-67, 187 y 189, y Vodopivec, *Die Dritte Republik,* pp. 47 y 49.

[82] Lang, *Kooperative Gewerkschaten,* p. 205.

[83] Klenner, *Die Österreichischen Gewerkschaften,* p. 173, y Flanagan, Soskice y Ulman, *Unionism,* p. 80, nota 42.

[84] Flanagan, Soskice y Ulman, *Unionism*, p. 60.

[85] Barbash, *Trade Unions,* pp. 56-57.

[86] *World business Weekly*, 17 de marzo de 1980, p. 32, y Hogg, «A small House in Order», Informe, p. 15.

[87] Citado en «The Austrian Lesson in Economic Harmony», p. 29.

nómica y solicitan incrementos salariales sobre los beneficios por exceso de productividad en tiempos de recesión [88]. La reacción de Austria ante la segunda crisis del petróleo en 1979-80 ilustra las capacidades políticas que supone la política sindical centralizada de moderación salarial como un ingrediente esencial en la política de rentas austríaca. En contraste con los movimientos de salarios ascendentes y anticíclicos en 1974-75, el sindicato fortaleció su compromiso con la competitividad internacional de Austria y un clima favorable para la inversión mediante restricciones de salarios considerables. Los incrementos del salario básico en 1979 fueron los más bajos de toda la década. Y en 1980 los aumentos en el salario básico no compensaban el crecimiento de la inflación. Lo cual condujo a la caída de los ingresos reales netos por primera vez en tres décadas [89]. En palabras del, por mucho tiempo, cabeza de la ÖGB, «los sindicatos... no aumentan simplemente sus demandas... contribuyen activamente en todas las acciones necesarias para la reconsolidación de nuestra economía» [90].

Los efectos generales de la política de rentas austríaca no pueden evaluarse fácilmente. En opinión de muchos, el éxito ha sido psicológico: reduce las esperanzas inflacionarias excesivas en las decisiones sobre salarios y precios. Una investigación empírica reciente da crédito sólo en justa medida a esta afirmación y concluye todavía con la cautela: la política de rentas austríaca no ejerce una gran influencia sobre los niveles salariales [91]. La determinación nada ambigua de los efectos económicos de la política no es una tarea fácil. Todavía en los años 70, señalan los austríacos, la política de rentas constituía un pilar esencial de apoyo para la competitividad de costes austríaca en los mercados internacionales. El vínculo del schilling austríaco al fuerte marco alemán exigió cierto tipo de acuerdos nacionales para contrarrestar la devaluación del schilling con respecto a otras monedas. Utilizando las previsiones optimistas para 1975, empresarios y trabajadores convinieron en unos incrementos salariales que, vistos desde hoy, estaban lejos de ser altos; pero ambas partes adoptaron considerables restricciones desde 1976 en adelante. En el sistema austríaco de política de rentas los errores se cometen y se corrigen conjuntamente. En palabras de un líder representativo de la comunidad empresarial, la gestión política de los mercados en Austria camina muy de cerca con las necesidades políticas y económicas: «La estabilidad mone-

[88] Flanagan, Soskice y Ulman, *Unionism*, p. 53.

[89] *Austrian Information,* 34, 2-3 (1981), p. 5, citando el último informe de la OCDE.

[90] Citado en Barbash, *Trade Unions,* p. 50.

[91] Flanagan, Soskice y Ulman, *Unionism*, p. 72.

taria sin altos niveles de empleo es impensable políticamente. El pleno empleo sin estabilidad monetaria es imposible» [92].

Empresas nacionalizadas

Austria carece de una comunidad empresarial de orientación internacional y poderosa para abogar por una solución suiza al cambio, es decir, de adaptación internacional y compensación privada. Al principio de la Segunda República la comunidad de empresarios de Austria se hallaba nacionalizada en una gran parte; se distinguía por una preferencia hacia los mercados nacionales organizados, compatibles con la adaptación nacional y la compensación pública. La parte correspondiente como media, para Austria, del ingreso de capital entre 1950 y 1969 era, con mucho, la menor entre los Estados de la OCDE, menos de la mitad de la cifra correspondiente a Suiza [93]. Y, de acuerdo con un reciente informe, «Austria posee un grado mayor de propiedad pública que cualquier otra economía occidental mayor, incluso que su vecina comunista más occidental, Yugoslavia» [94].

Las raíces del amplio sector público en Austria deben buscarse no sólo en el legado de un fuerte pasado monárquico y un fuerte movimiento obrero, sino también en los caprichos de la historia. En Austria no surgió nunca una fuerte clase media. Al final de la segunda guerra mundial, el reciente Parlamento austríaco decidió unánimemente nacionalizar casi todos los bienes embargados por los alemanes tras el *Anschuluss* austríaco en 1938. Y cuando la Unión Soviética se retiró de Austria en 1955 renunció a su control sobre cientos de empresas austríacas, las cuales contribuyeron a engrandecer la economía pública del país. De esta forma, la nacionalización de una gran proporción de los medios de producción no fue tanto una expresión de la lucha de clases en una sociedad capitalista como una afirmación de la independencia nacional austríaca en el conflicto entre las naciones. En el contexto austríaco, nacionalización puede tomarse literalmente como «hacer nacional» [95]. Esta austrificación del capitalismo ha evitado la vuelta a las experiencias de los años 30, cuando las grandes empresas de acero austríacas, bajo un estrecho control de los *trusts* alemanes, redujeron drásticamente sus empleos (mientras que apoyaban activamente el fascismo y racismo austríaco), o de los años de posguerra

[92] Citado en *Jahrbuch der österreichischen Wirtschaft,* 1976/I, p. 19
[93] OCDE, *Economic Surveys: Switzerland* (París, 1972), pp. 49-50.
[94] Hogg, «A small House in order», Informe, p. 8.
[95] Rusinow, «Notes», parte IV, p. 3.

cuando la industria petrolera en Austria, controlada por la Unión Soviética, produjo únicamente para la demanda exterior (a la vez que enviaba su apoyo al Partido Comunista austríaco) [96].

El Estado austríaco es propietario de casi todos los transportes, comunicaciones e industrias de energía del país, una serie de monopolios estatales que incluyen el tabaco y la sal, los dos mayores bancos comerciales y siete de las ocho mayores sociedades anónimas. De todas las sociedades anónimas, «en 1969 las autoridades federales contaban con el 45 por 100 de la participación total, las autoridades regionales con el 12 por 100 y los bancos nacionalizados con el 10 por 100. Las sociedades multinacionales y las empresas privadas representaban un 13 por 100 cada una» [97]. Concentradas en las materias básicas y productos semifacturados, las empresas estatales austríacas representan alrededor de una quinta parte del total de la producción industrial bruta total y una tercera parte de las exportaciones totales [98]. Las empresas estatales emplean al 28 por 100 de la mano de obra industrial en Austria, la misma proporción que para las empresas extranjeras; las empresas privadas cuentan con el 44 por 100 [99]. Alrededor de una sexta parte de la mano de obra austríaca está empleada en empresas directa o indirectamente controladas por el gobierno federal. Si añadimos a los empleados en el sector público en sentido estricto —funcionarios civiles, policía y maestros—, al sector público corresponde cerca de un tercio de la producción nacional austríaca [100].

[96] *Ibid.*, p. 10, y Lacina, *Development of the Austrian Public Sector*, p. 11.

[97] Lacina, *Development of the Austrian Public Sector*, p. 8. Véanse también Antón Tantscher, *Die österreichische Wirtschaftsordnung* (Salzburgo: Pustet, 1971), p. 101; Christian Smekal, *Die verstaatliche Industrie in der Marktwirtschaft: Das österreichische Beispiel* (Colonia: Heymanns, 1963), pp. 33-34; Steiner, *Politics in Austria,* p. 85, y OCDE, *Economics Surveys: Austria* (París, 1963), p. 23. En general, véanse también Edmond Langer, *Los nationalisations en Autriche* (La Haya: Nijhoff, 1964); Andrlik, «The organized Society», pp. 174-95, y Leopold Wallner, «Staatskapitalismus in Österreich», *Politische studien,* 14 (mayo-junio de 1963), pp. 299-311. *Österreichische Zeitschrift für Politikwisenschaft*, núm. 4, 1981, es un número especial dedicado a la industria nacionalizada en Austria.

[98] Rusinow, «Notes», parte IV, p. 9; Andrew Shonfield, *Modern Capitalism: The changing Balance of Public and Private Power* (Londres: Oxford University Press, 1965), p. 193; Nowotny, «Verstaatliche und private Industrie», p. 74, y OCDE, *The industrial policy of Austria* (París, 1971), pp. 65-66 y 73-74. Las ambigüedades definitorias del término «sector público» se discuten en Albert Lauterbach, *The Austrian Public Sector in International Perspective: A Socio-Historical Evaluation* (Universidad de Texas en Austin, Institute of Latin American Studies, Office for Public Sector Studies, Technical Papers Series núm. 14, 1978), nota 1, y Christol Gaspari y Hans Millendorfer, *Prognosen für Österreich: Fakten und Formeln der Entwicklung* (Viena: Verlag für Geschichte and Politik, 1973), pp. 114-15.

[99] Oskar Grünwald, «Austrian Industrial Structure and Industrial Policy», en Arndt, *Political Economy of Austria*, p. 136.

[100] Hogg, «Small House in Order», *Survey,* p. 8. Véanse también Nowotny, «Versaat-

Además, la importancia de la propiedad pública en la economía es mayor entre las grandes empresas austríacas. Firmas como la Voest-Alpine del acero combinado juega un papel central en una economía caracterizada, por otra parte, por empresas privadas relativamente pequeñas. En realidad no importa si se mide el tamaño de las empresas por el volumen de ventas, las exportaciones o el número de empleados [101]: entre las cincuenta mayores corporaciones austríacas, las empresas nacionalizadas representan más de las dos terceras partes, las empresas privadas algo más del 10 por 100 y las empresas extranjeras alrededor de un 15 por 100 con respecto al total [102]. Las cincuenta mayores empresas de Austria aportan más de la mitad de la producción industrial total [103], a pesar de que las grandes firmas estatales austríacas son pequeñas según los estándares internacionales. Sólo dos firmas austríacas, las Voest-Alpine y la Empresa Nacional del Petróleo, pueden considerarse entre las cuatrocientas mayores del mundo [104].

Bajo todos los criterios, pues, las bases económicas del capitalismo liberal en Austria son extremadamente débiles. Las frecuentes inclinaciones proteccionistas de la industria austríaca, especialmente entre las empresas medianas y pequeñas, y el gran tamaño de la economía pública en el país constituyen un amplio apoyo y campo de maniobras entre los segmentos empresariales en la consecución de la estrategia austríaca. Además de vastos *holdings* en la industria, el gobierno posee los dos mayores bancos comerciales, las dos mayores compañías de seguros y otra larga serie de instituciones financieras. Debido a la significativa propiedad directa de bancos o el control indirecto de un gran número de filiales, el gobierno austríaco pudo controlar indirectamente una parte todavía mayor de la industria austríaca. El cálculo de la extensión de la propiedad de bancos y del control de la industria es un pasatiempo en Austria, como lo son las adivinanzas sobre los bienes ocultos de los tres mayores bancos

---

lichte und private Industrie», p. 74, y Beirat für Wirtschafts und Sozialfragen, *Vorschläge zur Industriepolitik* (Viena: Uerberreuter, 1970), p. 24.

[101] Ferdinand Lacina, «Zielsetzung und Ethzienz verstaatlichter Unternehmen», «*Wirtschaft und Gesellschaft,* 4, 2 (1978), pp. 143-54, y Herbert Durstberger, «Versuch einer Anwendung von Konzentrationsmassen in Österreich», «*Quartalshefte*, núm. 3 (1968), pp. 69-83.

[102] Tautscher, *Die österreichische Wirtschaftsordnung* , p. 101, y Manfred Drenning, «Vermögensverteilung in Österreich ihre politische Relevanz», en Fischer, *Das politische System Österreichs*, p. 481.

[103] Volker Bornschier, *Wachstum, Konzentration und Multinationalisierung von Industrieunternehmen* (Frauenfeld: Huber, 1976), p. 206.

[104] Naciones Unidas, *Transnational Corporations in World Development: A Reexamination* (Nueva York: U. N. Economic and Social Council, 1978), pp. 287-312. Las dos empresas aparecen numeradas como 170 y 320, respectivamente.

en Suiza. Se dice que los bancos nacionalizados austríacos poseen alrededor del 10 por 100 del capital nominal de todas las sociedades anónimas, y que sus filiales tienen aproximadamente 60.000 empleados [105]. Por otra parte, los bancos nacionalizados tienen a su disposición una serie de instrumentos a falta de la propiedad, los cuales, a la vez que desvían todos los intentos de cálculos exactos, favorecen su posición dominante en la vida económica austríaca [106].

La nacionalización extensiva ejerce una gran influencia sobre el carácter de la comunidad empresarial austríaca; por ejemplo, ha sido siempre cautelosa con respecto a los mercados internacionales. Esto queda ilustrado por las vacilaciones con las que se han seguido los desarrollos en el exterior hacia la internacionalización de las estructuras de producción. Aun a mediados de los 60, la escasez tradicional de capital en Austria desató un severo criticismo de las medidas políticas destinadas a facilitar la exportación de bienes y capital como intentos imprudentes para despojar al país de los recursos necesarios para acometer la modernización de la economía [107]. Pero los incrementos en las reservas monetarias a finales de los 60 y principios de los 70 hicieron preferible la exportación de capital a los ojos del gobierno, tanto bien para la inflación importada o bien para la revaluación del schilling [108]. En los años 70, el descenso de la competencia internacional en algunas partes de la industria austríaca reforzó esta tendencia. Las industrias nacionalizadas austríacas, especialmente petroquímicas, petrolíferas y del metal, comenzaron gradualmente a desarrollar las ventas y, en ocasiones, las instalaciones para la producción en países extranjeros. Sudáfrica y Grecia bajo los coroneles se hallaban entre los países donde el establecimiento de instalaciones de producción era bien considerado seriamente o bien llevado a la práctica; las preferencias políticas de la democracia social no forman parte, aparentemente, de tales decisiones [109]. En los años 70, la Sociedad Austríaca para la Administración Industrial (Österreichische Industriever wal-

---

[105] Karl Socher, «Die öffentlichen Unternehmen im österreichischen Banken-und Versicherungswese», en Wilhelm Weber, ed., *Die Verstaatlichung in Österreich* (Berlín: Duncker & Humblot, 1964), p. 400, e *ibid.*, pp. 347-411; Hogg, «A Small House in Order», Informe, p. 8; Oskar Grünwald, «Die Beteiligungsgesellschaften der verstaatlichten Grossbanken», en Weber, *Verstaatlichung in Österreich*, pp. 477-96, y Félix Spreitzhofer, «Wer dominiert die österreichische Wirtschaft?», en Fischer-Kowalski y Bucek, *Lebensverhältnisse in Österreich*, p. 334.

[106] *Socher, «Die öffentlichen Unternehmen»*, pp. 393-400.

[107] *Monatsberichte*, p. 33, 2 (febrero 1960), p. 69.

[108] *Die Presse*, 17 marzo 1973.

[109] *Die Presse*, 9 marzo 1977; véanse también Evelyn Klein, «Österreichs Kapitalexport in der Zweiten Republik», *Österreichische Zeitschrift für Politikwissenschaft*, núm. 3 (1978), pp. 305-20.

tung, AG, ÖIAG), un *holding* de empresas nacionalizadas del gobierno con 116.000 trabajadores y ventas de 3,9 billones de dólares en 1976, estableció algunas filiales más en el extranjero que en el país. La alta dirección espera explícitamente seguir el modelo suizo, reservando áreas centrales de producción, gestión, financiación e investigación y desarrollo para el país mientras que se desarrolla una organización internacional de mercado de ventas y emplazamientos de producción [110].

Dado que las empresas nacionalizadas austríacas son la insignia de la izquierda política en Austria y el primer objetivo para lograr sus objetivos sociales, este reciente cambio en la orientación refleja el enérgico efecto que los mercados internacionales han tenido sobre los arraigados hábitos políticos. Nada de esto justifica, no obstante, las prematuras conclusiones concernientes a la convergencia de dos formas de «capitalismo alpino». El valor de las inversiones austríacas en el exterior en 1980 representó sólo una cuarta parte del valor de las inversiones extranjeras en Austria [111]. Y a pesar de la creciente internacionalización, un reciente informe de la banca en Austria revela la orientación predominantemente nacional de las instituciones financieras austríacas y la inaplicabilidad del modelo suizo en el contexto austríaco [112]. Además, en sus últimas acciones, los negocios austríacos han estado centrando su atención en las organizaciones de venta, mientras que Suiza ha estado durante mucho tiempo haciendo hincapié en la producción en el extranjero. Finalmente, las inversiones austríacas en el exterior son minúsculas. En 1945 Austria había perdido casi todas sus posesiones en el extranjero. En 1971 la producción industrial nacional superaba a la producción en el extranjero por un punto respecto a más de 100; para Suiza, el factor era de 1,5 [113].

Los negocios privados juegan un papel subordinado comparándolos con el amplio sector nacionalizado en Austria y con su sindicato. Por tanto, no ha habido conflictos serios hasta la fecha en cuanto al objetivo aus-

---

[110] *ÖIAG-Journal*, núm. 3 (1979), pp. 3-4; Klein, «Österreichs Kapitalexport», pp. 312-14; Lauterbach, *The Austrian Public Sector*, p. 2, y OCDE, *The Aims and Instruments of Industrial Policy: A Comparative Study* (París, 1975), p. 24.

[111] Haschek, «Trade, Trade Finance and Capital Movements», pp. 194-95.

[112] «Austrian Lesson in Economic Harmony», pp. 3, 10, 12-13 y 17.

[113] Bornschier, *Wachstum von Industrieunternehmen*, p. 206; Naciones Unidas, *Multinational Corporations in World Development* (Nueva York: U. N. Department of Economic and Social Affairs, 1973), p. 173; M. Dillinger, O. Höll y H. Kramer, «The State and International Economic Power: The Case of Austria» (artículo preparado para el seminario del ECPE sobre «The State and International Economic Power», Lovaina, Belgica, 8-14 A, 1976), pp. 16-21, y Otmar Höll y Helmut Kramer, «Österreich im internationalen System, 1955-1975: Datenzusammenstellung, Teil I» (Viena, Institut für Höhere Studien, 1976), pp. 17-19.

tríaco de la adaptación nacional y la compensación política, como ilustran el convenio exterior y las políticas de inversión en Austria. Pero la creciente importancia de la inversión extranjera directa por parte de empresas extranjeras puede conferir una dimensión internacional a esta estrategia de adaptación nacional, así como a la comunidad empresarial, en los años 80 y 90.

Comparado con una tradición de proteccionismo que data de comienzos del siglo XX, la liberalización gradual de Austria de su comercio de importación durante las dos últimas décadas constituye un corte importante con el pasado. Además de reducir sus barreras arancelarias, Austria, igual que la mayoría de los estados industriales, ha procedido gradualmente a conceder acceso preferencial al mercado a los países en desarrollo. Por otra parte, durante las dos últimas décadas, la rapidez de las reducciones arancelarias multilaterales se ha incrementado bastante dentro de la estructura de varias instituciones internacionales, tales como el Acuerdo General sobre Aranceles y Comercio (GATT), la Asociación Europea de Libre Comercio (EFTA) y la CEE [114]. Austria ha disminuido la protección a niveles normales entre los grandes Estados europeos.

Sin embargo, comparada con la liberalización suiza, Austria se distingue por la vacilación y el retraso. A principios de los años 80, los aranceles austríacos no sólo siguieron siendo mucho más altos que los de Suiza, sino que también excedieron a los de los países del Benelux y de Escandinavia [115]. Los esfuerzos en 1953 por liberalizar las importaciones fueron diseñados meticulosamente para que los productores nacionales no se vieran afectados; en realidad, el cálculo de los aranceles austríacos, basados en el valor más que el peso de los bienes importados, dio lugar a un incremento del nivel medio de proteccionismo en 1955 [116]. A finales de los 50 sólo se liberalizó la mitad del comercio austríaco con los países de la OCDE en cuanto a bienes manufacturados de producción nacio-

[114] OCDE, *Economic Surveys: Austria* (París, 1977) p. 27, nota 23.

[115] *Monatsberische,* 26 (junio 1953), pp. 194-96; 26 (septiembre 1953), pp. 276-90; 27 (febrero 1954),, Suplemento 24; 34 (octubre 1961), pp. 431-36; 35 (enero 1962), pp. 40-43; 36 (noviembre 1963), pp. 416-22. Véanse también Curtis E. Harvey, «A Case Study of the Adaptation of a Small National Economy's Industry to Internacional Competition: Austria» (Universidad del Sur de California, 1963), pp. 106 y 264-66, y Fritz Breuss, *Komparative Vorteile im Österreichischen Aussenhandel* (Viena: Verlag der österreichischen Akademie der Wissenschaften, 1975), pp. 220-21.

[116] Franz Nemschak, «Liberalisierung und Zollpolitik in Österreich», *Vorträge und Aufsätze*, núm. 8 (Viena: Österreichisches Institut für Wirtschaftsforschung, 1954). Jan Stankovsky, «Austria's Foreing Trade: The Legal Regulations of Trade With East and West», *Journal of World Trade Law*, núm. 3 (1969). pp. 611-12, describe las importaciones preferenciales, especialmente de bienes de inversión. Véase también *Monatsberichte*, 26 (junio 1953), pp. 195; 34 (octubre 1961), pp. 435; 35 (enero 1962), pp. 41, y 48 (julio 1975), p. 314.

nal [117], y Austria había liberalizado menos de la mitad de su comercio con Estados Unidos y Canadá, las cifras más bajas entre los Estados europeos pequeños [118]. En 1965 Austria era el único Estado europeo pequeño que se reservaba el derecho de solicitar excepciones a la plena aplicación de las normas del GATT, bajo el artículo 35 del mismo, en relación con los nuevos miembros que accedan a la organización [119]. En 1963-64 se produjeron presiones norteamericanas directas en forma de procedimientos de conciliación bilateral, bajo el artículo 22, para modificar el proteccionismo austríaco en algunos productos agrícolas e industriales [120].

Aunque la liberalización se aceleró en los años 60 y 70 con el ímpetu de su pertenencia a la EFTA y la firma de un acuerdo de libre comercio con la CEE, Austria ha mantenido unos aranceles relativamente altos para los países del Tercer Mundo. La media arancelaria en Austria sobre los productos industriales superaron la media Suiza en 1976 por un punto entre cuatro y fue la mayor entre los pequeños Estados europeos. Incluso a pesar de su alto nivel de protección, el porcentaje medio en el recorte de aranceles que acordaron los negociadores austríacos en la Ronda Tokio de reducciones arancelarias en los años 70 fue la segunda entre todos los pequeños Estados europeos. Además, la diferencia entre el recorte lineal que en principio acordaron todos los gobiernos y los recortes reales que ofrecía Austria era bastante mayor que en cualquier otro pequeño Estado europeo, lo cual nos señalaba la fuerza de las fuerzas políticas proteccionistas dentro del país [121]. Con retraso respecto al resto de Europa occidental y mucho después que Suiza, Austria liberalizó el co-

---

[117] Gerard Curzon, *Multilateral Commercial Diplomacy: An Examination of The Impact of the General Agreement on Tariffs and trade on National Commercial Policies and Techniques* (Londres: Michael Joseph, 1965), pp. 161 y 240.

[118] Hans Mayrzedt, *Multilaterale Wirtschaftsdiplomatie zwischen wetlichen Industriestaaten als Instrument zur Stärkung der multilateralen und liberalen Handelspolitik* (Berna: Lang, 1979), p. 389.

[119] Gardner C. Patterson, *Discrimination in International Trade: The Policy Issues, 1945-1965* (Princeton: Princeton University Press, 1966), p. 293, nota 42.

[120] Gerald y Victoria Curzon, «The Management of Trade Relations in the GATT», en Andrew Shonfield, ed., *International Economic Relations of The Western World, 1959-1971*, vol. 1: *Politics and Trade* (Londres: Oxford University Press, 1976), pp. 209-10. Curzon y Curzon señalan que no hay evidencia de que Estados Unidos abusara de su poder dominante para forzar concesiones por parte de Austria (p. 210). A la vez, este episodio ilustra que los responsables en Estados Unidos no vacilaron en utilizar el poder.

[121] Señalado de Estados Unidos, Comité de Finanzas. Subcomité de Comercio Internacional, MTN, *Studies 5: An Economic Analysis of the Effects of the Tokyo Round of Multilateral Trade Negotiations on the United States and the Other Major Industrialized Countries* (Washington, D. C.: 1979), pp. 38, 44 y 48.

mercio con Japón en 1976 [122]. Finalmente, Austria fue mucho menos inmune que Suiza al aumento del proteccionismo a finales de los 70. Por ejemplo, el canciller Kresky atendió las demandas de los pequeños empresarios en 1977 de un apoyo público de barreras no arancelarias en sectores industriales tales como el vestido, amenazados por las importaciones a bajo coste desde Asia. Desde 1978 el gobierno autríaco ha incrementado notablemente un impuesto directo especial sobre los bienes de consumo de lujo importados, especialmente automóviles, y ha seguido a la CEE en la adopción de restricciones al libre comercio, especialmente de acero.

Hasta el punto que le permite su implicación en las relaciones económicas en el seno de la OCDE, el gobierno austríaco ha concentrado sus energías en primer lugar en el desarrollo de relaciones económicas en el seno de la OCDE y con las economías socialistas de la Europa del Este, mientras que las empresas suizas han seguido los incentivos del mercado hacia una implicación mayor en el Tercer Mundo. La orientación internacional en Suiza es global; la de Austria es regional. La posición geográfica y económica de las grandes industrias nacionalizadas austríacas, el compromiso político hacia la relajación de las tensiones en Europa y el deseo de encontrar nuevos mercados de exportación condujo en los años 70 al gobierno a mantener los fuertes lazos históricos que unen a Austria con su antiguo imperio en el Este. En los años 60 y 70, el 15 por 100 de las exportaciones austríacas con destino a la Europa del Este fue de alrededor del triple que la media de Europa occidental [123]. Las *joint ventures* con los países de la Europa del Este sumaban más de 140 a finales de 1976. Austria también se encuentra a la cabeza en cuanto a las *joint ventures*, veintisiete en total, que los gobiernos socialistas tenían localizadas en 1977 en pequeños Estados europeos; por el contrario, sólo han establecido ocho *joint ventures* en Suiza [124]. Cuando los Estados de la Europa del Este expresaron un interés creciente en el comercio, la cooperación industrial y las *joint ventures* con el Oeste a finales de los 60, la comunidad empresarial suiza, rememorando las expropiaciones de finales de los 40, reaccionó con una completa indiferencia [125].

---

[122] *Jahrbuch der Österreichischen Wirtschaft,* 1976/I.

[123] Egon Matzner, *The trade between East and West: The Case of Austria* (Stockholm: Almqvist & Wiksell, 1970). Existen también numerosos artículos e informes en el *Monatsbericht* del Österreichische Institut für Wirtschaftsforschung.

[124] *Wiener Zeitung,* 21 febrero 1976; *World Business Weekly,* 5 mayo 1980, p. 24; y Naciones Unidas, *Transnational Corporations: A Reexamination,* p. 283.

[125] Hans Naef, *Die Handelsbeziehungen der Schweiz zu den Zentralplanwietschaften von 1954-1968* (Zurich: Juris, 1971), pp. 58-59, 64, 117, 134 y 151.

Austria utilizó sus fuertes vínculos políticos con el Este para organizar su propio comercio de exportación con la Europa del Este en los años 70 [126]. En consulta con la comunidad empresarial austríaca, el gobierno federal ha ayudado a las empresas austríacas y asociaciones comerciales a firmar numerosos contratos con las organizaciones comerciales estatales del Este [127]. Y más importante es el hecho de que el gobierno extendiera ampliamente servicios crediticios para los socios comerciales del Este. Entre 1974 y 1980, las demandas netas de los bancos austríacos en los países del bloque oriental se incrementaron de 433 millones de dólares a 4,02 billones. Por otro lado, los créditos comerciales a los exportadores austríacos alcanzaron los 1,27 billones dólares en 1980 [128]. Mientras los créditos a la exportación estatal, bancos aseguradores garantizan alrededor de un 40 por 100 de las exportaciones totales austríacas, cubren casi por completo todas las exportaciones a la Europa del Este. De las garantías acumulativas de los bancos de 12,29 billones de dólares, aproximadamente 4,95 billones (41 por 100) cubren el comercio de Austria con el Este. El sistema bancario de financiación de la exportación apoya también la ofensiva comercial austríaca en el Este, para que el éxito de la promoción de la exportación en los mercados de la Europa del Este dependa de las garantías financieras. En 1979, el banco había concedido unos préstamos considerables en Europa occidental que totalizaban más de 1,9 billones de dólares, el 42 por 100 de sus créditos totales, y había ofrecido seguros de créditos por valor de 3,2 billones de dólares, el 44 por 100 de todos los seguros [129]. Dado que Polonia cuenta con aproximadamente la mitad del total, Austria se sitúa entre los principales acreedores de este país. En un esfuerzo por apoyar a las exportaciones, Austria concedió créditos totales que representaban más de 861 millones de dólares a Polonia durante la recesión mundial de 1975-76.

El banco gubernamental de exportación rompió con la práctica internacional usual de reservar los créditos a largo plazo para el comercio de bienes de inversión y extendió tales créditos a la compra de bienes de con-

[126] Sobre la orientación tradicional de Austria hacia toda Europa del Este, véase Peter J. Katzenstein, *Disjoined Partness: Austria and Germany since 1815* (Berkeley: University of California Press, 1976), pp. 199-218, y M. Koch, «Comtemporary Austrian Foreign Policy: Elite Attitudes concerning Consensus and Decisionemaking» (Ph. D. diss., Brandeis University, 1972), pp. 183-88.

[127] *Die Presse,* 19 abril 1975; *Neues Volksblatt,* 17 abril 1976, y *Wiener Zeitung,* 5 junio 1976.

[128] *News from Austria,* 26 mayo 1981, p. 3; Jan Stankovsky, «Austria's Trade with Eastern Europe in the 1980: Deficits and Briks Demand for financing», y Österreichische Länderbank, *Economic Buletin*, 7/8 (julio-agosto 1980), p. 8.

[129] Länderbank, *Economic Bulletin 7/8* (julio-agosto 1980).

sumo austríacos [130]. Además de fortalecer las exportaciones austríacas, esta táctica estaba basada en la esperanza de que en la segunda mitad de los años 80 el carbón importado desde Polonia pudiera satisfacer una parte del creciente consumo de energía en Austria.

Las esperanzas optimistas sobre el crecimiento del comercio austríaco con la Europa del Este han desaparecido. En comparación con el crecimiento del comercio total, el comercio austríaco con el Este no aumentó significativamente durante los años 70. Además, las prospecciones económicas en Europa oriental parecen tener cada vez más problemas en los años 80; se ha dicho que la profunda implicación austríaca en la Europa del Este es el talón de Aquiles de su política comercial [131]. Los austríacos, sin embargo, tienden a dejar de lado estos riesgos económicos. El gobierno está explotando en su comercio con el Este una creciente tendencia del comercio internacional hacia los grandes contratos entre Estados que permiten las ventajas por debajo de los precios del mercado a través de subsidios negociados por el gobierno en las tasas de interés. Las empresas nacionalizadas, que representan una cuarta parte del comercio total de exportación en Austria, dan al gobierno austríaco la capacidad de entablar negociaciones comerciales con los socios del Este que siempre han deseado explotar.

Austria no ha querido renunciar al control político sobre las importaciones de una vez para siempre. Por ejemplo, aunque Austria se convirtió en el primer país de la OCDE en extender las regulaciones del GATT a su comercio con la Europa del Este, en 1975 el gobierno insistió en su propia protección, ya que una cláusula de escape haría que las negociaciones bilaterales fracasaran en la resolución de las disputas referentes a los artículos de importación particularmente sensibles. A pesar de la eliminación de casi todas las cuotas en los años 60, las bases legales para la intervención gubernamental en el comercio exterior continúan existiendo en la Enmienda de 1974 a la Ley de Comercio de 1968 [132]. El gobierno austríaco tiene a su disposición una legislación que protege a los productores nacionales del *dumping* extranjero y asegura unas condiciones de orden en los mercados austríacos. La importancia de esas provisiones legales no descansa en su existencia, la cual es única de Austria, sino en que indican al mundo un compromiso de mantener el control político sobre el impacto potencial de los mercados internacionales.

---

[130] *Die Presse,* 4 noviembre 1975 y 9 febrero 1976, y *Österreichische Textilmitteilungen,* 3 octubre 1975.

[131] *New York Times,* 26 enero 1979, pp. A1 y D 4; Hogg, «A Small House in Order», Informe, pp. 16 y 22, y y Klein, «Österreichs Kapitalexport», pp. 309-10.

[132] Stankovsky, «Austria's Foreign Trade», *Internationale Wirtschaft,* 12 julio 1974.

Esta insistencia en el ejercicio del control se ve reforzada por la posición preponderante que ocupa el gobierno austríaco en los mercados financieros. El gobierno utiliza una serie de políticas que incitan a la inversión empresarial en el país hasta un grado totalmente desconocido en Suiza. Aunque casi el total de la inversión de una empresa podía quedar amortizada en el primer año a finales de los 70, la dependencia de las empresas privadas con respecto a las fuentes externas de capital de inversión ha continuado creciendo [133]. Esto ofrece al gobierno una apertura que ha estado persiguiendo con una serie de políticas diferentes. «Austria alardea actualmente de poseer uno de los sistemas de promoción de la inversión más caros en todo el mundo industrializado» [134]. Entre 1970 y 1980, los subsidios directos y otras formas de ayuda financiera aumentaron desde 96 millones de dólares hasta 548 millones, y la tasa de ahorro empresarial, debido a medidas indirectas, aumentó en más de seis veces, de 200 millones de dólares a 1,31 billones [135]. Los subsidios directos a la agricultura permanecieron constantes entre 1967 y 1974 [136]. Con un total combinado de inversiones garantizadas por el Estado de 1,6 billones de dólares en 1967 y casi diez veces más, 11,4 billones, en 1976, las empresas de responsabilidad estatal han incrementado también drásticamente sus niveles de operación [137].

Desde mediados de los 70, el gobierno ha intentado suplir sus recursos financieros con los conocimientos técnicos especializados y el capital de empresas extranjeras. El cortejo de Austria a las multinacionales ex-

---

[133] Karl Aiginger, «Die Eigenkapitalausstattung der Industrie in makroökomischer Sicht», *Quartalsheffe*, núms. 1-2 (1976), p. 38; Gunther Tichy, «Probleme der Eigenkapitalknappheit und Ansätze zu ihrer Überwindung: zum Thema dieses Heftes», *ibid.*, p. 6; Peter Swoboda *et al.*, «Zum Verschuldungsgrad und zur Verschuldungsstruktur der Österreichischen Industrieunternehmen», *Wirtschaftspolitische Blätter*, 23, I (1976), pp. 27-28; Claus J. Raidl, «Aufgaben einer modernen Industriepolitik», en Andreas Kholl y Alfred Stirnemann, eds., *Österreichisches Jahrbuch für Politik, 1978* (Munich: Oldenbourg, 1979), pp. 436-37; Beirat für Wirschafts- und Sozialfragen, *Vorschläge zur Industriepolitik* II (Viena: Ueberreuter, 1978), pp. 24 y 26-27; «Investitionspolitik und Investitionsfinanzierung in Österreich», *Wirtschaft und Gesellschaft*, 7, 2 (1981), y Ferdinand Lacina, «Ausbau oder Umbau der steuerlichen Investitionsförderung?», *Wirtschaft und Gesellschat*, 2, 3 (1976), pp. 9-25.

[134] *News from Austria*, enero 1980, p. 3.

[135] Gerhard Lehner, «Wirtschaftsförderung als Instrument des wietschaftspolitischen Kompromisses», *Wirtschaftpolitische Blätter*, 23, 2 (1976), p. 78, y *News from Austria*, enero 1980, p. 3.

[136] Sólo los programas de inversión del gobierno federal (Lehner, «Wirtschaftsförderung», pp. 80-81).

[137] Helmut Dorn, «Zur Vorgeschichte der Kapitalbeteiligungsgesellschaften in Österreich», *Wirtschaftspolitische Blatter*, 25, 3 (1978), p. 119. Una eliminación algo menor es ofrecida por Hankel, *Prosperity amidst Crisis*, p. 75.

tranjeras es un elemento nuevo, el cual, en interés de la modernización de la estructura industrial del país, puede, con el tiempo, dar a su comunidad empresarial y a su estrategia de adaptación una orientación más internacional. La desconfianza austríaca con respecto a los riesgos políticos de la presencia extranjera se endureció en los años 50 y 60. El clima político estable, los salarios comparativamente bajos y una localización estratégica cercana a los mercados de la Europa del Este trajo a Austria un flujo constante de inversión extranjera, especialmente procedente de Alemania Occidental y también de Suiza, estimada alrededor de 4,39 billones de dólares a finales de 1980 [138]. Entre 1955 y finales de los años 60, el salario diferencial con respecto a Alemania Occidental, al igual que la pertenencia de Austria a la EFTA, incitó a las empresas de Alemania Occidental a establecer una serie de filiales al otro lado de la frontera con Austria. El gobierno austríaco apoyó este desarrollo sin demasiada convicción. Pero a finales de los 60 se produjo un corte brusco en la política cuando la dirección del ÖVP permitió a las firmas extranjeras, como Siemens, cooperar con las empresas estatales y cuando el SPÖ perdió su confianza en que una economía planificada por el Estado pudiera funcionar eficazmente sin la inyección de capital extranjero. Aunque el gobierno austríaco ha ofrecido a los inversores extranjeros potencial información sobre las condiciones del mercado de trabajo desde 1956, fue sólo en 1969 cuando el ministro de Comercio e Industria comenzó a ofrecer información general diseñada para las necesidades específicas de las empresas extranjeras que pensaran instalar una filial en Austria. En una declaración realizada antes de entrar en el Parlamento en abril de 1970, el recientemente elegido gobierno del SPÖ afirmaba la importancia atribuida al capital extranjero para el éxito de sus políticas regionales y sectoriales [139]. Los años 70 vieron un cambio en la política gubernamental, has-

---

[138] Haschek, «Trade, Trade Finance and Capital Movements», p. 194. Las estimaciones varían considerablemente dependiendo de la fuente. Para los años 1960 a 1976, véase Klenner, *Die Österreichischen Gewerkschaften,* 3: 2102-3. Véase Oskar Günwald y Ferdinand Lacina, *Auslandskapital in der Österreichischen Wirtschaft* (Viena: Europa Verlag, 1970); Eckard P. Imhof, «Ausländische Investitionen in Österreich im Rahmen eines internationalen Vergleichs unter besonderer Berücksichtigung der Direktinvestitionen» (Ph. D. diss., Universidad de Viena, 1960); Wiener Arbeiterkammer, *Das Eigentum an den Österreichischen Kapitalgesellschaften* (Viena: Vorwärts, 1962); P. Schaposchnitschenko, «Stille Invasion des westdeutschen Kapitals in Österreich», *Deutsche Aussenpolitik,* 11 (diciembre 1966), pp. 1468-75, y Fritz Diwok, *Die Bedeulung des Auslandskapitals für Österreichs Wirtschaft* (Viena: Verlang für Geschichte un Politik, 1959). Además, desde principios de los 70 el Banco Nacional Austríaco ha controlado regularmente el papel de la inversión extranjera en Austria.

[139] OCDE, *Interim Report of The Industry Committee,* p. 13, y OCDE, *The Aims of industrial Policy* (París, 1975), p. 115. Véanse también «Austrian Industrial Development»,

ta el punto que se adoptó finalmente la máxima: «Si no puedes conseguir el desarrollo tecnológico del país, recurre al soborno» [140]. Las ofertas deliberadas y activas para la inversión por parte de las mayores corporaciones multinacionales se explicaban por un ayudante del canciller Kreisky: «Nuestra economía está dominada en su mayoría por las pequeñas y medianas empresas y necesitamos francamente los conocimientos técnicos especializados y las nuevas tecnologías que sólo pueden darnos las empresas muy grandes con su investigación extensiva y sus actividades de desarrollo» [141].

Además de la paz social y la estabilidad política, Austria ofrece a menudo, en competencia directa con Suiza, grandes incentivos financieros para las compañías extranjeras [142]. Estos incentivos están estructurados de forma que se presentan particularmente atractivos para las grandes firmas extranjeras una vez que la nueva planta se halla en funcionamiento; incluyen, en particular, altas deducciones por depreciación y tasas de impuestos sobre sociedades generosamente bajas y créditos con tipos subvencionados. Al igual que otros países, Austria subvenciona también los costes del comienzo, que son mayores en las empresas más pequeñas. Entre 1969 y 1977, la proporción de empleados industriales trabajando en empresas de propiedad extranjera se incrementó de un 18 a un 28 por 100 [143]. La preocupación política por el crecimiento de la inversión extranjera directa, que todavía subsiste, se ha visto compensada por las perceptibles ventajas económicas y por la protección política que ofrece la Segunda República, a diferencia de la Primera, de los grandes *holdings* del gobierno, especialmente a las mayores corporaciones de industrias básicas austríacas. Entre las veinte mayores firmas industriales en Austria sólo cuatro eran extranjeras en 1979 [144].

Financial Times, 29 agosto 1975, pp. 9-11, y Vereinigung Österreichischer Industrieller, *Zur Wirtschaftspolitik,* 2.ª ed. (Viena, 1975), p. 30.

[140] Hogg, «A Small House in Order», Informe, pp. 3-22.

[141] Citado en H. Peter Dreyer, «Austria Opening door to larger foreign Investors», *Austrian Information, 34,* 2-3 (1981), p. 2. Véase también Beirat für Wirtschafts -und Sozialfragen, *Vorschläge zur Industriepolitik 2,* p. 9.

[142] «Austrian Lesson in Economic Harmony», p. 25.

[143] Grünwald, «Austrian Industrial Structure», p. 136, y Lacina, «Development and Problems of Austrian Industry», p. 160. Véanse también *Information über Multinationale Konzerne,* núm. 1 (1979), p. 1; *ibid.,* núm. 3 (1979), p. 3; *World Business Weekly,* 22 octubre 1979, p. 51, y J. Peischer, «Auslandskapital in Österreich: Neue Studie der Nationalbank», *Informationen über Multinationale Konzerne,* núm. 2 (1979), p. 3-6. Para 1969 se dan cifras más elevadas (24 por 100) y para 1975 (37 por 100) en Haschek, «Trade, Trade Finance and Capital Movements», p. 194. Las mayores cifras registran la inversión total directa e indirecta, no la inversión directa en la industria.

[144] «Liste der grössten ausländisch beherrschten Unternehmen Österreichs», *Informa-*

Los sectores de la ingeniería eléctrica y los automóviles nos ofrecen dos ejemplos instructivos de la política austríaca en cuestiones de inversión extranjera directa. Al final de la segunda guerra mundial todas las grandes firmas en la industria de la ingeniería eléctrica estaban nacionalizadas, hoy esta industria particular se halla más dominada por las empresas extranjeras que ninguna otra [145]. Las dos principales firmas, Siemens y Philips, emplean conjuntamente aproximadamente al 70 por 100 de la fuerza de trabajo industrial [146]. La historia de este desarrollo es compleja, pero merece la pena comentarla, porque es precisamente la que traza la cambiante relación de Austria con la economía mundial durante las últimas tres décadas [147]. En esta industria, completamente nacionalizada, la vuelta de las instalaciones de producción soviéticas a mediados de los 50 originó una sobrecapacidad y una seria competencia. Incitadas por el conservador ÖVP, dos de las cuatro empresas entonces dominantes en la industria se fusionaron en 1959, y la nueva empresa realizaba la mitad de las ventas del sector. Pero la competencia excesiva entre las empresas que quedaron, tanto en los mercados nacionales como internacionales, continuó reduciendo los precios y los beneficios. Tras dos años de duras negociaciones y en cooperación con un nuevo *holding* de industrias austríacas nacionalizadas, Elin Union se fusionó en 1967 con una de las dos filiales de Siemens. En 1972 se completó el proceso de concentración industrial con la participación multinacional. Como resultado, el *holding* de propiedad pública, el ÖIAG, adquirió la participación minoritaria del 44 por 100 en las filiales de Siemens instaladas en Austria. La relación entre el líder nacional austríaco y las multinacionales dominantes en la industria es hoy altamente simbiótica y refleja una política consciente de trabajar con, más que contra, las firmas extranjeras dominantes.

La historia reciente de la industria del automóvil ilustra igualmente la actitud favorable del gobierno hacia las empresas extranjeras. Debido a

---

tionen über Multinationale Konzerne, núm. 4 (1980), p. 27. Catorce de las quince mayores empresas eran de propiedad extranjera.

[145] Naciones Unidas, *Transnational Corporations: A Reexamination,* pp. 265 y 273-74; Naciones Unidas, *Multinational Corporations in World Development,* p. 167; Gerd Junne y Alua Nour, *Internationale Abhängigkeiten, Fremdbestimung und Ausbeutung als Regelfall internationaler Beziehungen* (Frankfurt: Athenäum, 1974), p. 90, y Rudolf Kohlruss, «30 Jahre verstaatlichte Österreichische Elektroindustrie», *ÖIAG Journal,* 2 (agosto 1976), pp. 22-23.

[146] *Information über Multinationale Konzerne*, núms. 4 (1981), p. 4.

[147] Eduard März, *Österreichs Wirtschaaft zwischen Ost und West: Eine sozialistische Analyse* (Viena: Europa Verlag, 1965). pp. 62-63; Zimmermann, *Verstaatlichung in Österreich,* pp. 92-93; Lacina, *Development of the Austrian Public Sector,* pp. 15-16; Stephan Koren, «Sozialisierungsideologie und Verstaatlichungsrealität in Österreich», en Weber, *Die Verstaatlichung in Österreich,* p. 251, y Grünwald y Kramer, *Die verstaatliche Österreichische Metallindustrie,* pp. 73-80.

la influencia americana, la Austria posbélica se abstuvo de construir una industria de coches nacional, firmando en cambio un acuerdo de licencias con el mayor productor de Italia, Fiat [148]. Menos del 6 por 100 de los 1,1 millones de coches registrados en Austria en 1969 eran de producción nacional. Esta dependencia económica demostró ser costosa: los automóviles de Alemania Occidental, Francia e Italia vendidos en los mercados austríacos registraron una variación entre el 2 y el 27 por 100 [149]. A finales de los 70, cerca de una tercera parte del déficit total de la balanza comercial austríaca era debido a la importación de automóviles [150]. El gobierno austríaco incitó así a una serie de fábricas de coches extranjeros, entre ellos Daimler, BMW y Renault, a contratar con Steyr-Daimler-Puch de Austria la fabricación de un mayor número de componentes en Austria [151]. Además, el mismo canciller Kreisky y su gobierno retiraron todos los obstáculos en un intento de atraer a las empresas extranjeras para construir una planta de montaje a gran escala en Austria [152]. Tras numerosos desacuerdos, en los que estaban implicados Porsche, Volkswagen, Chrysler, Fiat, Mitsubishi y Ford, el gobierno austríaco alcanzó finalmente un acuerdo con General Motors. General Motors se comprometió a invertir 720 millones de dólares en una planta de motores y transmisiones, dejando abierta la posibilidad de pasar al ensamblaje completo en la década de los 80. El gobierno austríaco aceptó pagar no sólo la tercera parte de todos los costes inciales, sino ofrecer muchos beneficios financieros adicionales. Cada uno de los 2.800 nuevos puestos de trabajo costaron al gobierno aproximadamente 95.000 dólares, alrededor de nueve veces más, acusan algunos críticos, que la media de los nuevos puestos de trabajo creados en Austria. Pero el gobierno estaba dispuesto a pagar un precio muy alto para reducir el déficit de la balanza de pagos austríaca mediante la producción de motores y transmisiones únicamente para la exportación y para crear un gran número de puestos de trabajo.

Al igual que la exportación dirigida en los mercados del Este, el capital extranjero alivia la preocupación del gobierno por los déficits en la

---

[148] Herwig Kainz, «Produktpolitik der österreichischen Kraftfahrzeugindustrie» (Diplom, Vienna Hochschule für Welthandel, 1972), y Helmul Krackowizer, «Die österreichische Kraftfahrzeug-Industrie, ihre volkswirtschaftliche Bedeutung und ihre wirtschaftlichen Probleme» (Ph. D. diss., Universidad de Insbruck, 1952).

[149] *Arbeiterzeitung,* 14 agosto 1977 y 24 agosto 1971, y *Kurier,* 17 junio 1971.

[150] *World Business Weekly,* 17 marzo 1980, p. 34.

[151] Basadas en una larga tradición de subcontratos a finales de los 70, alrededor de 100 empresas austríacas exportaron más de 231 millones de dólares en componentes a la industria europea del automóvil. Véase Departamento de Prensa Federal, República de Austria, e/1980, p. 2; véase también Lacina, «Development and Problems», pp. 161-62.

[152] *World Business Weekly,* 3 marzo 1980, p. 13; 26 mayo 1980, p. 13, y 17 marzo 1981, pp. 34-35; *Der Spiegel,* 21 abril 1980, p. 137, y *New York Times,* 9 julio 1979, p. 5.

balanza de pagos por cuenta corriente. Sin la amplia y rentable industria turística austríaca, la balanza de pagos del país hubiera sido un serio obstáculo para el crecimiento nacional que el gobierno persiguió a lo largo de los años 70. A principios de los 70, la economía turística austríaca era alrededor del doble en tamaño que la de Suiza, y los ingresos provenientes de esta industria representaban el 30 por 100 del valor de las exportaciones austríacas de bienes y servicios. En la OCDE, sólo España superaba esta proporción [153]. Las entradas por divisas debidas al turismo son diez veces mayores en Austria que en la media de todos los países de la OCDE. Todavía durante los años 70 el déficit comercial total creció mucho más rápidamente que los excedentes en su comercio turístico. Los ingresos por turismo cubrían alrededor del 90 por 100 del déficit comercial a principios de los 70, pero sólo el 50 por 100 a finales de la década [154]. Por esta razón, el gobierno decidió también gravar con un impuesto al creciente comercio de tránsito para suplir el menor crecimiento de su comercio turístico [155]. Dado que Suiza ocupa un lugar más rentable en la división internacional del trabajo, su gobierno no tiene necesidad de gravar a los camiones extranjeros. Los bancos suizos, las compañías de seguros y las sociedades multinacionales compensan más que de sobra a una industria turística relativamente pequeña. En 1976 la balanza neta de servicios extranjeros, con un rápido crecimiento, era alrededor de cuatro veces mayor que la de Austria [156].

Instituciones políticas

La fuerte posición de los sindicatos reformistas y concienciados y el papel subordinado de una comunidad empresarial privada de orientación nacional conforman un amplio espectro de políticas que abarcan el empleo, el gasto público, el bienestar social, precios y salarios, el ajuste industrial y el comercio exterior. Aunque son necesarios sindicatos y empresarios, no son, sin embargo, suficientes; las estructuras políticas, así

---

[153] OCDE, *Regional Problems and Policies in OECD Countries,* vol. I: UK, *Belgium, Netherlands, Norway, Finland, Spain, Austria, Germany, Canadá, Switzerland* (París, 1976), p. 126; «Austrian Lesson in Economic Harmony», p. 33, y Hogg, «A Small House in Order», Informe, pp. 18-19.

[154] Österreichische Länderbank, *Economic Bulletin,* 4 (abril 1981), p. 2, y «The Strains in Consensus», *World Business Weekly,* 9 marzo 1981, p. 35.

[155] *Der Spiegel,* 10 julio 1978, pp. 95-96. Departamento de Prensa Federal, República de Austria, «Austria's Economy-A European Example», 26 octubre 1980.

[156] The Boston Consulting Group *A Framework for Swedish Industrial Policy* (Stockholm: Departamentens Offsetcentral, 1979), apéndice 9, p. 7.

como las fuerzas sociales, determinan esas políticas. Uno de los elementos definitorios del corporatismo democrático, después de todo, es que los grupos de interés, relativamente centralizados y de amplia base, forman parte de una estructura institucional que proteje al proceso de negociación política de las perturbaciones externas. Y Austria lo cumple.

La debilidad política que sufrió el gobierno austríaco entre 1945 y 1955, en el momento de la ocupación aliada, fortaleció la prominencia histórica de los grupos de interés austríacos [157]. Realmente, esos grupos de interés han estado caracterizados por constituir un «Estado corporativo no-ideológico» y un «Estado cameral disfrazado demográficamente» [158]. Distintivas de este Estado son sus cámaras económicas centralizadas y de autorización estatal, en las que es obligada la pertenencia (como media, cada trabajador austríaco pertenece directamente a tres grupos de interés económicos y, a través de su lugar de trabajo, indirectamente a dos grupos más) [159]. Aunque las cámaras económicas en Austria poseen funciones públicas y llegaron a una ley unitaria con la autoridad pública, no son estrictamente instituciones gubernamentales y carecen de poderes de coacción. Por otro lado, las cámaras sólo se asemejan parcialmente a asociaciones voluntarias. La ley define su pertenencia y misión organizativa, y aunque el gobierno no puede influir en el proceso interno de toma de decisiones en las cámaras, disfruta del derecho de la supervisión legal [160]. La Cámara Económica Federal (Bundeskammer der Gewerblichen Wirtschaft) representa a los intereses empresariales en general; la Cámara de Trabajo Federal (Kammer für Arbeiter und Angestellte) representa a los asalariados y jornaleros, así como a los intereses de los consumidores. Existen también cámaras de agricultura (Landwirtschaftskammern) a nivel provincial. Los grupos de interés privado más importantes en Austria, la Federación de Industriales Austríacos (Vereinigung Österreichischer Industrieller) y la Federación de Sindicatos Austríacos (la ÖGB), cooperan estrechamente con sus cámaras respectivas [161].

Existe, por supuesto, un amplio campo para el conflicto entre los socios «naturales» y para las alianzas temporales «perversas». Por ejemplo,

---

[157] Spitäller, «Incomes Policy in Austria», p. 171.

[158] Rusinow, «Notes», parte I, p. 2; Herbert P. Secher, «Representative Democracy or "Chamber State": The Ambiguous Role of Interest Groups in Austrian Politics», *Western Political Quartely,* 13 (diciembre 1960), pp. 890-909.

[159] Karl Ucakar, «Die Entwicklung der Interessenorganisationen», en Fischer, *Das politische System Österreichs,* p. 400.

[160] Lauterbach, *The Austrian Public Sector,* pp. 3-4.

[161] Pütz, *Verbände und Wirtschaftspolitik;* Secher, «Representative Democracy», y y Adolf Stirnemann, *Interessengegensäte und Gruppenbildungen innerhalb der österreichischen Volkspartei* (Viena: Institut für Höhere Studien, octubre 1969).

la Cámara Federal del Trabajo, como representante de los intereses de los consumidores, ha estado interesada en una liberalización del comercio que enlaza habitualmente con las demandas de la Federación de Industriales Austríacos de una política de exportación con mayor orientación internacional y visión exterior. Dado que la Cámara Económica Federal representa al amplio abanico de pequeñas empresas más propensas a verse negativamente afectadas por la competición de las importaciones, ha sido uno de los promotores menos entusiastas de la liberalización. La ley, la tradición y la experiencia garantizan a esos grupos un papel central en el desarrollo de la legislación en la aplicación de las políticas. La continuidad en su pertenencia y sus relaciones osmóticas con los partidos políticos les convierten en poderosos portavoces en la sociedad austríaca. Andrew Shonfield no exageraba apenas cuando escribía que «la forma corporatista de organización parece ser casi la segunda naturaleza de los austríacos» [162].

A petición de los sindicatos, se estableció la Cámara Federal del Trabajo mediante ley en 1920 [163]. Dado que la pertenencia a la Cámara es obligatoria para todos los trabajadores, ello fortalece la posición de la Federación de Sindicatos Austríacos entre aquellos segmentos de la fuerza de trabajo, por otra parte, con dificultades de organización [164]. La Cámara mantiene un contacto estrecho con el sindicato y ofrece información, consejo y análisis políticos sobre problemas económicos y sociales generales que tienen una relación con la postura sindical en las negociaciones colectivas. Por otra parte, los candidatos aspirantes a los cargos en las elecciones internas de la Cámara provienen de las principales organizaciones políticas, principalmente de la facción socialista, que actúan dentro de la ÖGB. Esto garantiza al SPÖ una posición dominante en la Cámara de Trabajo [165]. Desde 1945, la Cámara ha garantizado al movimiento obrero en Austria una representación formal e influyente a todos los niveles del proceso político. Su voz hace hincapié generalmente en todas las cuestiones que implican bienestar social. Por ejemplo, 73 de sus 138 enmiendas o los cambios en el proyecto original de la legislación austríaca sobre seguridad social de 1956 se tuvieron en cuenta en la versión final de la ley, y 238 de las 254 mejoras de la ley que, junto con la ÖGB, se solicitaron entre 1955 y 1961 fueron adoptadas como políticas gubernamentales [166].

---

[162] Shonfield, *Modern Capitalism,* p. 193.

[163] März, Weissel, and Reithofer, «Kammern Für Arbeiter und Angestellte», pp. 393-436.

[164] Secher, «Representative Democracy», p. 895.

[165] Barbash, *Trade Unions,* p. 48.

[166] März Weissel, y Reithofer, «Kammern für Arbeiter und Angestellte», p. 426; Theo-

A diferencia de otros Estados europeos pequeños, la Federación de Sindicatos abarca a los trabajadores de cuello azul y a los empleados en los sectores público y privado. La ÖGB controla estrictamente a los quince sindicatos constitutivos desde la dirección en negociaciones colectivas, en la estrategia, uso de las finanzas y debate político. Por ejemplo, en 1978 la organización sindical central controlaba más de las cuatro quintas partes de las cuotas de los socios, alrededor de 83 millones de dólares; los sindicatos constituyentes recibieron menos de una quinta parte [167]. Mientras las estimaciones varían según el tamaño del fondo para huelgas administrado centralmente, puede rondar en torno a los 100 millones de dólares [168]. La tarea de alcanzar acuerdos dentro de la organización sindical inclusiva austríaca es de vital importancia para la formulación y desarrollo de la estrategia austríaca. Como ya señalé, la diversidad política existente en el seno de la ÖGB ayuda a reforzar la posición dominante de los líderes sindicales socialistas sobre los intereses de otras facciones y sindicatos constituyentes y contiene los intereses particularistas de los diferentes segmentos del movimiento obrero. Y en el sistema dual austríaco de representación obrera a través de sindicatos y consejos de fábrica, los intereses en conflicto se armonizan en el interior del movimiento obrero. Los dirigentes sindicales son los responsables de resolver las numerosas quejas de sus afiliados. Un reciente análisis comparativo detallado de la estructura organizacional de las federaciones sindicales nacionales se hace eco y confirma los resultados de otros estudios al concluir que, entre todos los países industriales avanzados, Austria posee los sindicatos más centralizados [169].

La comunidad empresarial austríaca está organizada en una organización de amplia base que constituye un organismo de Derecho público más que privado, con asociación obligatoria más que voluntaria. La legislación de 1946 que estableció este sistema de representación empresarial estaba directamente vinculada a la nacionalización de una gran fracción de la industria y las finanzas austríacas. Casi todos los austríacos trabajan en plantas asociadas a la Cámara Económica Federal [170].

---

dor Pütz, «Die Bedeutung der Wirtschaftsverbände für die Gestaltung der Österreichischen Wirtschaftpolitik», en Pütz, *Verbände und Wirtschaftspolitik,* pp. 188 y 196-97.

[167] Pelinka, *Gewerkschaften im Parteienstaat,* p. 187.

[168] *Ibid.*, pp. 65 y 189, y Klenner, *Die Österreichischen Gewerkschaften,* 3, pp. 2258-63.

[169] John P. Windmuller, «Concentration Trends in Union Structure: An International Comparison», *Industrial and Labor Relations Review,* 35 (octubre 1981), pp. 43-57. Véase también Franz Traxler, «Organisationsform des ÖGB und Wirtschaftpartneschaft: Organisationsstrukturelle Bedingungen Kooperativer Gewerkschaftspolitik», *Wirtschaft und Gesellschaft,* 7, 1 (1981), pp. 29-52.

[170] Rainer Minz, «Stichwort Österreich», en Fischer-Kowalski y Bucek, *Lebensverhältnisse in Österreich,* p. 11.

Fue sólo en 1946-47 cuando las dos tradiciones históricas diferentes de representación empresarial en la política se unieron en una sola. Las cámaras económicas de Austria, que datan de 1848, han disfrutado tradicionalmente de una influencia considerable en la política nacional, pero han carecido de la presencia organizativa popular necesaria para ejercer el poder de forma efectiva. Por otro lado, las organizaciones profesionales austríacas, las cuales tienen sus orígenes en antiguos gremios, han estado siempre representadas fuertemente a nivel local pero sin acceso político al poder central de Viena. Combinando las cámaras económicas centralizadas y organizadas funcionalmente, Austria concedió a su comunidad empresarial en la posguerra una gran cohesión política [171]. La Cámara Económica Federal tiene seis secciones, que agrupan alrededor de 130 organizaciones profesionales bajo las denominaciones de comercio e industria, banca y seguros, transporte y turismo. Cubre la casi totalidad de las empresas austríacas, tanto privadas como públicas, y representa aproximadamente a los 250.000 miembros que apoyan abrumadoramente al ÖVP [172].

El pequeño tamaño y la heterogeneidad de la clientela de la Cámara permite consolidar el consenso que permite a la comunidad empresarial austríaca expresarse con una sola voz en las importantes tareas políticas [173]. Además, la tarea política de establecer un consenso duradero en el seno de la Cámara es, como señalan Max Mitic y Alfred Klose, de un significado político decisivo para el Estado [174]. Establecer tal consenso es frecuentemente muy difícil, porque los continuos «conflictos de intereses entre diferentes segmentos de la empresa son a menudo mucho mayores que entre empleados y obreros» [175]. En contra de una fuerte oposición, la formación del consenso en la Cámara Económica Federal entre muchos sectores competitivos de la empresa se ve ayudada a través de los siguientes factores: implicando el nivel popular, apoyándose, en la mayoría de las instancias, en el principio de la unanimidad más que en el de la mayoría, ofreciendo servicios amplios y sustanciales, especialmente a

[171] Johannes Koren y Manfred Ebner, eds., *Österreich auf einem Weg: Handelskammern und Sozialpartnerschaft im Wandel der Zeit* (Graz: Leopold Stocker, 1974); *Jahrbuch der österreichischen Wirtschaft,* 1976/I, pp. 233-57, y «Österreich», en Pütz, *Verbände und Wirtschaftspolitik,* pp. 505-8, 513-15 y 521.

[172] *The Economic Chambers of Austria* (Viena: Bundeskammer der Gewerblichen Wirtschaft, 1979), p. 4.

[173] *Ibid.,* p. 9; Secher, «Representative Democracy», pp. 894 y 902-6; Koren y Ebner, *Österreich auf einem Weg,* y Mitic y Klose, «Handelskammerorganisation in Österreich», pp. 505-6 y 519-20.

[174] Mitic y Klose, «Handelskammerorganisation in Österreich», p. 513.

[175] Alfred Klose, *Ein Weg zur Sozialpartnerschaft: Das österreischische Modell* (Munich: Oldenbourg, 1970), p. 81.

las pequeñas y medianas empresas, que constituyen la mayor parte de los miembros de la Cámara, incapacitando a las empresas fuertes a alejarse de la organización y, finalmente, con la presencia de cámaras centralizadas y asociaciones de élite de trabajadores y granjeros que requieren que la comunidad empresarial se una en las luchas políticas sobre la política [176]. Una vez que la Cámara elige su posición, aunque ésta sea tenue, se convierte en obligatoria para todos los miembros; esto tiende a evitar las demandas particularistas por parte de pequeños segmentos de la empresa.

La Federación de Industriales Austríacos, por el contrario, posee unos miembros mucho más reducidos, voluntarios y homogéneos, alrededor de 4.000; equilibra la escasa representación de los intereses industriales en la Cámara Económica Federal [177]. Dado que afronta unas limitaciones internas menores, la Federación es más flexible, maniobrable y transparente en cuestiones controvertidas de lo que lo es la Cámara en la práctica normal. Aun así, la Federación mantiene contactos íntimos con la Cámara, y en particular con su sección de industria. Dado que la Federación representa a grandes firmas privadas y puede generar grandes sumas de dinero para las campañas políticas, sus puntos de vista son tenidos en cuenta por los políticos y miembros de la Cámara. Los conflictos de intereses entre las dos organizaciones, aunque son escasos, parecen producirse en ciertas cuestiones económicas críticas. Por ejemplo, la Federación aprobó el esfuerzo gubernamental de finales de los 60 para crear líderes nacionales fomentando la concentración de las empresas dentro de los sectores industriales, así como su búsqueda de sociedades multinacionales a finales de los 70; la Cámara contemplaba ambas políticas bien con criticismo, bien con indiferencia. De mayor importancia es que en las últimas dos décadas el movimiento gradual hacia la liberalización económica puso a prueba seriamente el consenso en la comunidad empresarial austríaca. Un sistema de organización empresarial que ha inhibido tradicionalmente la competencia en el país ha favorecido el proteccionismo o la autarquía en sus relaciones con la economía internacional [178].

En términos generales, los conflictos entre las dos organizaciones es probable que se produzcan en materias que oponen a las grandes corporaciones contra las pequeñas empresas y que separan a los sectores de la

---

[176] Franz Geissler, «Die Bundeskammern», en Koren y Ebner, *Österreich auf einem Weg,* p. 30; Herbert Reiger, «Die Basis der Arbeit der Handelskammern», en *ibid.*, pp. 207-12, y Mitic y Klose, «Handelskammerorganisation in Österreich», pp. 521-25.

[177] Walter Riener, «Organisierte Interessen in Österreich», en *Organisierte Interessen in Europa* (Osnabrück: Fromm, 1966), p. 61.

[178] Rusinow, «Notes», parte I, p. 10.

industria con un crecimiento de orientación internacional de los sectores ya maduros o estancados con orientación nacional. La división oficial de Austria en «rojos» (socialistas) y «negros» (conservadores) oculta, así, «las muchas combinaciones de intereses que no sólo son posibles, sino que existen realmente de forma presente en la política austríaca» [179]. Estos conflictos entre los diferentes segmentos de la empresa pueden amortiguar su poder o servir de acceso al consentimiento o compromiso con las estrategias políticas propuestas por el sindicato o el gobierno. Aunque es impresionante en comparación con las asociaciones empresariales en países grandes, como Alemania Occidental, las asociaciones empresariales en Austria, comparadas con la centralización sin rival de sus sindicatos, tienen un objetivo menos uniforme y experimentan controversias públicas intermitentes.

A primera vista, la estructura organizativa del gobierno y la prominencia de la burocracia estatal parecen duplicar la centralización del poder político en el sistema austríaco de grupos de interés; la Segunda República puede recurrir a una fuerte tradición administrativa que data de la unificación mercantilista del centro alemán del Imperio de los Habsburgo bajo María Teresa y su hijo, José II, en el siglo XVIII [180]. Además, el sistema federal austríaco es débil, y Viena sigue siendo el centro indiscutible de la vida política del país. En realidad, a lo largo de las últimas tres décadas la burocracia estatal en Austria se ha expandido constantemente. En base al número de funcionarios per cápita, la burocracia de Austria es mayor que la de cualquier otro país de Europa occidental, y las pensiones del servicio civil como parte de los ingresos son las mayores de Europa [181]. La burocracia austríaca está íntimamente implicada en las relaciones políticas entre los sindicatos y las empresas, así como en la formulación y puesta en marcha de la estrategia nacional. A los ojos del público, al menos, la burocracia estatal es una institución muy poderosa [182].

Pero la realidad de la vida política austríaca es mucho más compleja. La cohesión y el *espirit de corps,* y con ellos, el poder burocrático, se ven limitados por los partidos políticos. El «ocaso de la oposición» en las es-

---

[179] Secher, «Representative Democracy», p. 905. Aunque Secher se refiere aquí a los años 50, esta cita refleja también la política austríaca de los 70.

[180] Engelmayer, *Die Diener des Staates;* R. Kneucker, «Austria: An Administrative State. The Role of Austrian bureaucracy», *Österreichische Zeitschrift für Politikwissenschaft,* núm. 2 (1973), pp. 95-127; Raoul F. Kneucher, «Public Administration: The Business of Government», en Steiner, *Modern Austria,* pp. 261-78; Heinrich Neisser, «Die Rolle der Bürokratie», en Fischer, *Das politische System Österreichs,* pp. 233-70, y Eva Kreisky, «Zur Genesis der politischen und sozialen Funktion der Bürokratie», en *ibid.,* pp. 181-231.

[181] Wilensky, *The Welfare State and Equality,* pp. 10-11.

[182] Gehmacher, «Der Beamte im sozialen Wandel», pp. 150-51.

tructuras consensuales nacionales se ha visto acompañado por un «ocaso del gobierno» [183]. En vez de una burocracia estatal poderosa que domina la política y que orquesta las medidas adoptadas, Austria posee una red política de amplia base en la que la burocracia estatal es uno, y no el más importante, de los actores. Dentro de esta red, la autoridad de la burocracia estatal, aunque importante, no es aplastante; fuera, las iniciativas políticas que surgen de agencias particulares o ministros carecen a menudo de la base legal y siempre de la legitimidad necesaria para trasladar los proyectos políticos a la práctica. En palabras de un alto funcionario, el profesor Hans Seidel, «es muy importante que el gobierno no impone o presenta medidas que no hayan sido aprobadas por esos grupos» [184].

En sus relaciones con los principales grupos de interés económico, la burocracia actúa desde una posición de relativa debilidad [185]. Provista de personal de acuerdo con la fuerza proporcionada de los dos grandes partidos en el Parlamento, los ministros del gobierno están rodeados por un amplio sistema de consejos asesores que les ayudan a formular y poner en marcha gran parte de la legislación económica y social en Austria. En el área de la política económica exterior, por ejemplo, tales consejos asesores fueron de vital importancia en la liberalización de la política comercial austríaca, y mantienen su importancia en cuestiones *antidumping*, perturbaciones del mercado nacional y créditos a la exportación [186]. A pesar del considerable sector público austríaco, la OCDE declara «el deseo de limitar la intervención estatal en la economía hasta lo estrictamente necesario... Existe una inclinación a dejar que el mundo empresarial asuma todas las tareas para las que se le considera mejor capacitado que el Estado» [187]. Como resultado, al igual que en Suiza, pero en contraste con Alemania Occidental, las consultas informales y los acuerdos, más que la legislación formal, constituyen los instrumentos de muchas de las políticas austríacas [188]. A lo largo del período posbélico, la burocracia austríaca ha jugado el papel del «corredor honesto». El alto funcionariado se considera como una «fuerza política imparcial», actitud que puede tras-

---

[183] Gerhard Lehmbruch, «Liberal Corporatism and Party Government», en Philippe Schimitter and Lehmbruch, eds., *Trends toward Corporatist Intermediation* (Beverly Hills, Calif.: Sage, 1979), p. 173.

[184] Congreso de Estados Unidos, Comité Económico Conjunto, *Austrian Incomes Policy: Lesson for the United States,* 97.°, Cong., 1.ª sesión, 2 junio 1981, p. 11.

[185] Mitic y Klose, «Handelskammerorganisation in Österreich», p. 563.

[186] Lachs, *Wirtschaftspartnerschaf in Österreich,* pp. 80-81.

[187] OCDE, *Industrial Policy of Austria,* p. 45.

[188] Gerhard Lehner y Karl Wohlmuth, «Stabilisierungspolitik in Österreich: Eine Konfrontation mit dem deutschen Stabilitätsgesetz», *Quaartalshefte Österreichs,* núms. 2-3 (1969), p. 68.

ladarse a los orígenes de la burocracia de Austria. Hoy, la neutralidad política permanente en el exterior encuentra su reflejo en el ejercicio de la diplomacia neutral en el interior del país. Casi todas las estrategias políticas que afectan a la posición austríaca en la economía internacional deben ser discutidas, ratificadas y, a veces, desarrolladas por los poderosos grupos de interés. Unidos en su antipatía mutua a una fuerte intervención estatal y a la competencia del mercado, estos grupos prefieren generalmente la negociación silenciosa, centralizada y a menudo informal.

La debilidad de la burocracia estatal es evidente incluso en aquellas áreas en las que desempeña un papel preponderante, como, por ejemplo, en la industria nacionalizada austríaca. La intervención gubernalmental está notablemente restringida. Las empresas nacionalizadas realizan su contribución a la estabilización del empleo y a la inversión, pero se resisten vigorosamente a las formas directas de intervención política y dirigen una gran parte de sus negocios por el camino de la rentabilidad comercial. Los instrumentos formales de control que el gobierno tiene a su disposición son bastante limitados. Desde que las leyes de nacionalización del 26 de julio de 1946 y del 26 de marzo de 1947 transfirieron las acciones de las empresas afectadas a la Segunda República, «la única forma en la que el Estado es capaz de ejercer una influencia sobre las empresas es ejerciendo sus derechos como accionista» [189].

Ya en 1949 el gobierno austríaco renunció a todos los intentos serios de planificación económica [190]. De ese año data el comienzo de la fragmentación organizativa del sector público; los sectores y los bancos nacionalizados fueron puestos bajo la jurisdicción de diferentes ministros, y el mantado de la primera ley de nacionalización de una política económica coordinada fue rechazado [191]. Los siguientes desarrollos han reforzado la neutralización del poder estatal. Por ejemplo, la industria petrolera en Austria careció de integración vertical en algunos períodos entre los años 50 y 60 debido a sus lazos organizativos con diferentes agencias gubernamentales [192]. Dado que las empresas nacionalizadas tienen la misma situación legal que las empresas privadas, no poseen ni asociaciones de directivos especiales ni mecanismos de negociación colectiva diferentes [193]. La gestión de las empresas nacionalizadas, no el gobierno, decide la suma de los beneficios que serán reinvertidos y la parte que se

---

[189] OCDE, *Industrial Policy of Austria,* p. 66.

[190] Siegfried Hollerer, *Verstaalichung und Wirtschaftsplanung in Österreich (1946-1949)* (Viena: Verband der Wissenschaftlichen Gesellschaften Österreichs, 1974), p. 2.

[191] Rusinow, «Notes», parte IV, p. 5, y Zimmermann, *Verstaatlichung in Österreich,* página 78.

[192] Koren, «Sozialisierungsideologie in Osterreich», p. 96.

[193] OCDE, *Industrial Policy of Austria,* p. 72.

paga al gobierno en forma de dividendos [194]. Como ejemplo final, las políticas de estabilización anticíclicas que dependen de las decisiones de empleo e inversión de las empresas nacionalizadas no pueden imponerse fácilmente, como ilustran los programas de 1962 y de los años 70. Por el contrario, estas políticas necesitan el pleno prestigio del gabinete y el apoyo de los partidos políticos en las delicadas negociaciones que realiza el gobierno con las empresas del sector público [195].

La fragmentación organizativa de las empresas públicas y la falta relativa de control gubernamental fueron reconocidas claramente por el ÖVP y el SPÖ y se reflejaron en la reorganización que ambos partidos iniciaron cuando alcanzaron el pleno control del gobierno en 1966 y 1970, respectivamente [196]. El ÖVP simplificó la organización estableciendo un *holding* nacionalizado y central a finales de los 60 que dejó a la Corporación Industrial Austríaca (ÖIG) con muy poco control sobre las empresas y firmas individuales [197]. A principios de los 70 el SPÖ convirtió a la ÖIG de un *trust* a una sociedad anónima: la ÖIAG, e incrementó ligeramente el poder de sus sedes centrales; pero el SPÖ rechazó también el ampliar el control formal limitado del gobierno [198]. Lo que Dennison Rusinow señalaba para 1966 es todavía válido: las industrias nacionalizadas austríacas representan «las características de la nacionalización y del capitalismo de Estado, pero pocas de las características de la socialización... Para bien o para mal, el papel del Estado como propietario es en gran medida pasivo» [199].

El proceso político

El corporatismo social está tipificado por un proceso político que coordina los objetivos en conflicto de los actores políticos a través de una negociación ininterrumpida en la red política. Estas negociaciones se centran principalmente en cuestiones de empleo e inversión y el gobierno

---

[194] *Ibid.*, pp. 70-73, y OCDE, *Aims and Instruments of Industrial Policy*, pp. 23-24.

[195] Koren, «Sozialisierungsideologie in Österreich», p. 105, describe los años 60.

[196] See the recommendations in Beirat für Wirtschafts-und Sozialfragen, *Vorschäge zur Industriepolitik*, pp. 33-36.

[197] Wolfgang Hobl, «Die Reform der verstaalichten Buntmetallindustrie in Österreich: In Erfüllung der Forderungen des ÖIG-Gesetzes» (Diplom, Vienna, Wirtschaftsuniversität, 1975); Steiner, *Politics in Austria*, pp. 83-90, y Brusatti, Gutkas, y Weinzierl, *Österreich 1945-1970*, pp. 210-14, 252-56 y 289-303.

[198] Koren, «Sozialisierungsideologie en Österreich», p. 335, ofrece una valoración similar para finales de los 50.

[199] Rusinow, «Notes», parte IV, pp. 11-12.

está implicado en la mayoría de ellas, al menos indirectamente. La reconciliación de los grupos de interés en competencia implica a menudo transacciones explícitas entre los diferentes asuntos.

En Austria, la formulación y puesta en marcha de las políticas sobre cuestiones que afectan a la gestión de la economía revelan una concentración notable del poder. Completamente seguros del apoyo de los principales grupos de interés y de los partidos políticos, a los cuales controlan, unos cuantos líderes políticos son los que determinan todas las decisiones estratégicas [200]. «Es una democracia con un fuerte sabor a oligarquía, donde casi todas las decisiones están tomadas por hombres prácticos que conversan en habitaciones llenas de humo y a puerta cerrada» [201]. Esta concentración de poder se produce en un marco político que no reconoce distinción entre lo público y lo privado. Las líneas de la autoridad formal son generalmente confusas. Como órganos de legislación pública, algunos de los principales grupos de interés austríacos ejercen, además de sus operaciones autónomas normales, poderes administrativos delegados por el Estado. Esto les sujeta a la supervisión del gobierno, el cual no puede funcionar adecuadamente sin la experiencia que sólo poseen los grupos de interés. Igualmente ambiciosa es la relación entre los partidos de élite, Parlamento y ministros de gabinete, que son normalmente miembros de grupos de interés determinados, a menudo sus portavoces, pero raramente sus instrumentos. La informalidad del proceso político austríaco que engendra estos pasillos intercomunicados de poder se refleja en lo que podría llamarse un gobierno por comisión, y puede ilustrarse con la Comisión Mixta como el eje de la celebrada política de rentas austríaca [202]. «La política de rentas en Austria debe considerarse como una par-

---

[200] *Economic Chambers of Austria;* Tautscher, *Österreichische Wirtschaftsordnung,*pp. 54-80; Ucakar, «Entwicklung der Interessenorganisationen», y Püzt, *Verbände un Wirtschaftspolitick.*

[201] Chris Cviic, «Their Own Kind of Miracle», *Economist,* 28 julio 1973, Informe, p. 19.

[202] Marin, *Die Paritätische Kommission;* Schiff, *Incomes Policies Abroad,* Part II, pp. 29-42; OCDE, *Aims and Instruments of Industrial Policy,* pp. 33-34; Lachs, *Wirtschaftspartnerschaft in Österreich;* Pütz, «Bedeutung der Wirtschaftsverbände», pp. 65-134; Hannes Suppanz y Derek Robinson, *Prices and Incomes Policy: The Austrian Experience* (París: OCDE, 1972); Klose, *ein Weg zur Sozialpartnerschaft;* Ewald Nowotny, «Das System der "Sozial-und Wirtschaftspartnerschafts" in Österreich -Gesamtwirtschaftliche und einzelbetriebliche Formen und Effekte», *Die Betriebswirtschaft,* 38 (1978), pp. 273-85; «Die Preiskontrolle der *Paritätischen* Preis-Lohn Kommission», *Monatsberichte,* 37 (mayo 1964), pp. 173-78; Institut für Angewandte Sozial- und Wirtschaftsforschung, ed., *Zur Paritätischen Kommission für Preis- und Lohnfragen* (Viena: Jpiter, 1966); Dieter Bichlbauer y Antón Pelinka, *Wissenschaftliche Politikberatung am Beispiel der Paritätischen Kommission* (Viena: Institut für Gesellschaftpolitik, n. d.); Wilhelm Braun, *Die Paritätische Kommission: Einkommenspolitik in Österrich* (Colonia: Deutscher Industrieverlag, 1970); Johann Farnleitner, *Die Paritätische Kommission: Institution und Verfahren* (Eisenstadt: Prugg, 1974), y

te esencial del concepto más amplio de lo que llamamos interés social», señalaba el secretario de Finanzas. El mismo lo definía como «una cooperación duradera entre los representantes de los trabajadores, de la empresa y de la agricultura» [203].

La Comisión Mixta es una institución curiosa. Es a la vez un instrumento de regulación de precios y salarios y un centro para el gobierno de la sociedad austríaca. Algunos ven en ella un órgano ejecutivo de la política económica del gobierno; otros la ven como un terreno extraordinario de los grupos poderosos frente al Estado. En relación con la propia definición que de su tarea elabora la Comisión, la cual corresponde a la valoración de la OCDE, carece de algunas de las características esenciales para la consecución de una política de rentas. Por otro lado, su práctica de institucionalización de los controles sobre precios y salarios precedió a las recomendaciones de la OCDE varios años y superó los experimentos de otros países en este sector de la política, tanto en sus intenciones como en sus resultados. La divergencia entre el gran incremento en el número medio de peticiones anuales de subidas salariales (de 176 en 1957 a 425 en 1973-78) y el descenso de la proporción estimada de precios abiertos en la economía (del 60 por 100 de precios de producción en 1960 al 50 por 100 en 1980) ilustran una característica de la Comisión: es a la vez más y menos que una institución para la dirección de una política de rentas [204].

A finales de los 40, el resto de la inflación se había frenado por una serie de cinco acuerdos de precios y salarios, firmados por los principales grupos productores sin la participación del gobierno. Cuando la inflación amenazó de nuevo a finales de los 50, la ÖGB y la Cámara de Trabajo Federal lograron convencer a empresarios y gobierno de que había llegado el momento de constituir una institución formal. El resultado fue la Comisión Mixta [205]. Compuesta por representantes de la empresa, de los trabajadores y del gobierno, la Comisión era provisional (permanente, como luego resultó) y carecía de una situación legal. Sus decisiones no están respaldadas por sanciones formales y actúa sólo en base a decisiones unánimes [206]. Su poder cada vez mayor se refleja en el hecho de que

---

Dieter Bichlbauer, «Zur Paritätischen Kommission», *Österreichische Zeitschrift für Politikwissenschaft,* núm. 3 (1974), pp. 295-311.

[203] *Austrian Incomes Policy,* p. 4.

[204] Marin, *Die Paritätische Kommiaaion,* pp. 63-64 y 140.

[205] Murray Edelman, *National Economic Planning by Collective Bargaining: The Formation of Austrian Wage, Price, and Tax Policy after World Wart II* (Urbana: Universidad de Illinois, 1954), y Chaloupek Swoboda, «Sozialpartnerschaft in den füntziger Jahren».

[206] Spitäller, «Incomes Policy in Austria», pp. 181-83, presenta una tabla resumen muy útil.

amplió su actividad desde una retribución de precios (1957) a la de salarios (1962), y de ahí a cuestiones económicas más generales (1963). Esta creciente competencia política fue acompañada por una centralización de poder dentro de la Comisión y la delegación de cuestiones específicas a sus subcomités de precios y salarios, así como al Consejo Asesor para Asuntos Sociales y Económicos (Beirat für Wirtschafts-und Sozialfragen).

Las reuniones de la Comisión Mixta sirven como fórum para consultas informales y de amplio alcance sobre cuestiones de importancia estratégica para Austria más que para duras negociaciones sobre cuestiones específicas, las cuales tienen lugar generalmente en los subcomités. Desde finales de los años 60, los presidentes de las cámaras de trabajo, agricultura y economía y la ÖGB han concedido prioridad a la convocatoria de la Comisión Mixta para resolver todas las cuestiones excepcionales en secreto (Präsidentenuorbesprechung). Además, cada tres meses los dirigentes de los principales grupos de interés se reúnen bajo los auspicios de la Comisión Mixta para discutir sobre la situación económica en Austria a la luz de los datos más recientes presentados por el director del Instituto de Investigación Económica Austríaco (Wirtschaftliche Aussprache) [207]. Con la presencia sin voto de los funcionarios del gobierno, incluyendo el canciller, en los cientos de reuniones que la Comisión ha mantenido desde sus comienzos, se ilustra el papel tradicionalmente subordinado que han jugado el gobierno y la burocracia estatal en el sistema austríaco de «corporatismo multilateral» [208]. Mas que iniciar estrategias políticas, del gobierno se espera que ratifique las decisiones alcanzadas en las negociaciones entre los grupos de interés del país [209]; insiste en la consulta pero no en la codeterminación en la conformación de las opciones económicas y sociales importantes.

El Subcomité de Precios de la Comisión se reúne, al menos, una vez a la semana [210]. Las empresas individuales y todos los sectores industriales deben presentar sus peticiones de incrementos salariales a través de la Cámara Económica Federal con datos suficientes para mostrar, en tér-

---

[207] Lachs, *Wirtschaftspartnerschaft in Österreich,* pp. 40-42, y Lang, *Kooperative Gewerkschaften,* p. 100.

[208] Lebmbruch, «Liberal Corporatism», pp. 150-51 y 173. Véase también Egon Matzner, «Sozialpartnerschaft», en Fischer, *Das politische System Österreichs,* p. 433.

[209] El Acuerdo Raab-Boehm de 1957 y el Acuerdo Raad-Benya de 1961, que condujeron primero a la creación de la comisión y luego a la ampliación de su jurisdicción, son claros ejemplos del bilateralismo que encontramos hoy. El gobierno y la burocracia del Estado están inmersos actualmente en las negociaciones preliminares que se dan entre los grupos de interés.

[210] Lachs, *Wirtschaftspartnerschaft in Österreich,* p. 46; Spitäller, «Incomes Policy», pp. 186-88, y Neuhauser, «Verbandsmässige Organisation», pp. 90-94.

minos generales, que la subida salarial propuesta puede ser justificada en términos de incrementos de costes. A veces, la calidad de los datos ha sido origen de controversias entre los miembros del Subcomité; los portavoces sindicales han fracasado así muchas veces intentando persuadir a los representantes empresariales de la necesidad de basar las decisiones del Subcomité sobre unos datos detallados que reflejen la rentabilidad de las empresas. Generalmente, las peticiones de aumentos son concedidas por el Subcomité, aunque a menudo sea con un margen menor y a veces con demora[211]. Las demandas que afectan directamente a la economía en general son remitidas a la Comisión Mixta, la cual regula aproximadamente una tercera parte de los precios en Austria. Un 20 por 100 adicional de los precios de todos los bienes y servicios en el índice de precios al consumo son fijados administrativamente en áreas como alimentación, energía y servicios públicos. La otra mitad, la mayoría de ellos son precios de los bienes importados, están determinados en el mercado sin una intervención política directa [212]. El intento político de regular los precios en una economía abierta se ha demostrado a menudo impracticable y ha frenado un mayor crecimiento del poder de la Comisión. Fue por esta razón por lo que cuando la izquierda austríaca alegó en 1965 por una supervisión mucho más estricta (incluyendo el control sobre los bienes importados), la comunidad empresarial rechazó el seguir adelante [213].

Al contrario que el Subcomité de Precios, los funcionarios del gobierno no son miembros del Subcomité de Salarios [214]. El sistema austríaco de negociación colectiva está así enteramente libre de interferencias administrativas. Además, la inviolabilidad de las negociaciones colectivas libres se refleja en el hecho de que el Subcomité de Salarios no tiene derecho de aprobar o determinar acuerdos salariales concretos. En cambio, aprueba el comienzo de nuevas rondas de negociación colectiva y puede ejercer influencia sobre la duración de los contratos en interés de una política salarial equilibrada. Los sindicatos que componen la ÖGB deben presentar sus peticiones a la dirección de ésta, la cual confía en su influencia sobre el Subcomité de Salarios, particularmente en la lista de pe-

---

[211] Marin, *Die Paritätische Kommission,* p. 140; Spitäller, «Incomes Policy», p. 184, y Neuhauser, «Verbandsmässige Organisation», p. 91.

[212] Marin, *Die Paritätische Kommission,* pp. 136-40, y Gerhard Lehmbruch «Consociational Democracy, Class Conflict, and the New Corporatism» (documento preparado para la mesa redonda de IPSA, Jerusalén, 9-13 septiembre 1974), p. 4.

[213] Spitäller, «Incomes Policy», p. 189; Schiff, *Incomes Policies Abroad,* parte II, p. 32, y März, Weissel y Reithofer, «Kammern für Arbeiter und angestellte», pp. 409-410.

[214] Neuhauser, «Verbandmässige Organisation», pp. 90-94; Spitäller, «Incomes Policy», p. 183, y Lachs, *Wirtschaftspartnerschaft in Österreich,* pp. 42-46.

ticiones de incrementos salariales, como forma de determinar la política salarial general de los sindicatos. Su política salarial anticíclica mantuvo los incrementos en los costes unitarios de personal relativamente modestos entre 1955 y 1970. Al mismo tiempo, el sistema dejaba espacio para importantes acuerdos complementarios a nivel de planta y, por tanto, para importantes decisiones salariales, los cuales, no obstante, no perjudicaban la competitividad internacional de la economía austríaca [215]. Esta competitividad sólo se vio amenazada temporalmente por la breve explosión salarial de 1974-75.

Finalmente, la tercera rama de la Comisión Mixta es el Consejo Asesor para Asuntos Sociales y Económicos [216]. Proyectado por la izquierda austríaca como una adaptación del sistema francés de planificación indicativa, muy admirado en Europa a principios de los 60, el Consejo ha seguido siendo fundamentalmente una institución política. Su misión ha sido preparar informes completamente basados en la investigación y a menudo contratando en el exterior a expertos no relacionados con los principales partidos políticos. De hecho, los numerosos informes del Consejo sobre una amplia serie de cuestiones sociales y económicas se han adherido al principio de la unanimidad pública y a limitar la controversia interna. Además de plantear ciertas dudas, ha contribuido a alcanzar una mayor experiencia en cuestiones de política económica y su trabajo refleja la primacía de los grupos de interés.

Austria ha presenciado la emergencia de una «tecnocracia política» muy diferente a la «tecnocracia planificadora» francesa [217], a la vez que concuerda con una generación mayor de líderes políticos en una estrategia de crecimiento; los jóvenes tecnócratas políticos presionaron por la adopción de instrumentos políticos modernos y «racionales». Esta nueva

---

[215] Entre 1950 y 1970 en la industria austríaca llegó al 20-30 por 100, véase Lachs. *Wirtschaftspartnerschaft in Österreich,* pp. 185 y 193. Entre 1966 y 1976 varió desde el 30 al 35 por 100. Véase Marin, *Die Paritätische Kommission,* p. 168.

[216] Klose, *Ein Weg zur Sozialpartnerschaft,* pp. 54-67; Lachs, *Wirtschaftspartnerschaft in Österreich,* pp. 68-73; Lang, *Kooperative Gewerkschaften,* pp. 39-43; Piener, «Organisierte Interessen», pp. 77-81; «Ein neuer Stil in der Wirtschaftspolitik? Zum Beirat für Wirtschafts- und Sozialfragen», *Wirtschaftspolitische Blätter,* 10, 6 (1963), pp. 269-94; «Probleme und Aufgaben des Wirtschaftsbeirates», *Wirtschaftspolitische Blätter* 11, 6 (1961), pp. 378-430; *Vernunft in Arbeitsuelt und Wirtschaft: Die Wirtschafts- und Sozialpartnerschaft in Österreich* (Viena: Bundespressedienst, 1973), y Manfred Majer, «Der Beirat für Wirtschafts- und Sozialfragen: Problematik einer neuen Institution» (Ph. D. diss., Universidad de Innsbruck, 1965).

[217] Marin, *Die Paritätische Kommission,* pp. 292-300; Pütz, «Bedeutung der Wirtschaftsverbände», p. 198, y Helmut Kramer, «Mittelfristige Wirtschaftprognosen in Österreich-Möglichkeiten und Unmöglichkeinten», *Quartalsheffe*, núm. 1 (1969), p. 5.

generación de expertos, que se asoció al Consejo en los años 60, perdió poco tiempo avanzando en sus carreras dentro de los principales grupos de interés y los dos mayores partidos. Hoy en día, el impulso tecnocrático permanece inextricablemente unido a la política austríaca. Mientras que la falta de experiencia técnica que posee el servicio civil en cuestiones de política económica es todavía a veces asombrosa, una nueva generación ha alcanzado posiciones de poder e influencia, especialmente en los niveles intermedios. Esta generación sabe que las opciones económicas importantes requieren una neutralización y estandarización deliberadas de ciertas fuentes de información económica. Cuando difieren las evaluaciones del desarrollo económico, esta solución tecnocrática ya no funciona. Los líderes políticos confían entonces en su intuición política y en una mezcla de pensamiento táctico y estratégico [218]. Las cuestiones de política económica y social son juzgadas simplemente como demasiado importantes para dejarse en manos de los especialistas.

¿Cómo puede funcionar tan suavemente sin sanciones esta gestión política de la economía y la institucionalización del conflicto? [219]. La respuesta a esta cuestión es realmente clara en el caso de los principales grupos de interés en Austria. El poder de veto de los grupos actuando como un escudo protector que hace posible el establecimiento de compromisos de un amplio alcance que no necesitan otra sanción que una amenaza hábilmente desplegada. El apoyo de los sindicatos a la Comisión Mixta no es nuevo, dado que la Comisión refuerza meramente la posición central de la ÖGB vis a vis con los sindicatos industriales comprometidos en negociaciones salariales, sin interferir de ninguna manera con el adorado sistema austríaco de libre negociación colectiva. Las razones para la conformidad de las empresas individuales con las limitaciones a los aumentos de precios son más complejas [220]. A finales de los años 50, la amenaza implícita de las reducciones arancelarias selectivas debe haber sido importante; en algunos casos, como en 1962, las tarifas se redujeron de hecho con adelanto para contener la inflación [221]. Hoy puede fomentarse

---

[218] Erhard Fürts, «Die Holländische Planung: Vorbild für Österreich», *Quartalshefte*, núm. 1 (1969), p. 99; Bernd Marin, *Politische Organisation Sozialwissenschaftlicher Forschungsaarbeit: Fallstudie zum Institut für Höhere Studien* (Viena: Braumüller, 1978), y Kramer, «Mittelfristige Wirtschaftsprognose».

[219] Bernd Marin, «Freiwillige Disziplin? Preiskontrolle ohne autonome Sanktionspotenzen-Österreichs Paritätitische Kommission», *Wirtschaft und Gesellschaft*, 7, 2 (1981), pp. 161-97; Schiff, *Incomes Policies Abroad*, p. 34, y Lachs, *Wirtschaftspartnerschaft*, pp. 62-65.

[220] Marin, *Die Paritätische Kommission*, pp. 92-126; Lachs, *Wirtschaftspartnerschaft*, pp. 53-57 y 61-62; Spitäller, «Incomes Policy», p. 179, y Neuhauser, «Verbandsmässige Or-ganisation», pp. 99, 101 y 106.

[221] OCDE, *Economic Survey: Austria* (París, 1962), p. 16.

la conformidad con la práctica aceptada de remitir las demandas de aumentos de precios inflacionarios, las cuales pasan por el Subcomité de Precios una vez reducidas convenientemente; por la mera existencia de una información extensiva sobre la mayoría de las grandes empresas en las filas de la Comisión Mixta, y aún más importante, por la continua dependencia y necesidad de las empresas de la ayuda y apoyo de las asociaciones de élite empresariales. Las expectativas de sus clientes, incluido el vasto sector público, hace que los incrementos salariales que no han sido ratificados por la Comisión Mixta parezcan altamente sospechosos. La posibilidad de que las peticiones presentadas por una empresa de incrementos de precios en sectores enteros de la industria apele a los fuertes instintos cartelísticos tradicionales de la comunidad empresarial austríacos. Finalmente, el contexto político en el que operan las empresas austríacas las imbuye frecuentemente, especialmente a las grandes empresas, de una definición de sus propios intereses que es lo suficientemente amplia como para incorporar un cálculo de los efectos de las estrategias de precios concretos sobre los trabajadores, los consumidores y la economía en general. Tales cálculos no son altruistas. Remiten a una conducta empresarial que toma sus modelos no sólo del mercado, sino también del sistema de interés social y económico en el que está inmerso ese mercado.

El compromiso de la élite política austríaca ante la Comisión Mixta como el alma del sistema entero de política colaboradora fue quizá más aparente en los primeros años del gobierno unipartidista tras la victoria electoral del ÖVP en 1966. Bajo la dirección del canciller Josef Klaus, el ÖVP decidió el final de la Gran Coalición entre los dos principales partidos, llamada a duplicar los esfuerzos para fortalecer el interés económico y social que unía a los principales grupos de interés en Austria. Por ejemplo, en interés de mantener la proporcionalidad entre «negros» y «rojos», el gobierno renunció, en 1966 a su derecho al voto en las sesiones de la Comisión Mixta [222]. Cuando el SPÖ asumió el poder gubernamental en 1970 estaba siguiendo el precedente del ÖVP.

Aunque una década de gobierno socialista no ha alterado el afianzamiento institucional del sistema austríaco del interés económico y social en ninguno de sus fundamentos, tal interés está abierto a una sutil evolución. Reforzada en parte por el ÖVP a finales de los 60, la centralización en el estilo de toma de decisiones está empezando a favorecer un incremento notable en el personalismo. Las tendencias «bonapartistas» que podían observarse a finales de los 70 contrastan fuertemente con el liderazgo anónimo de las instituciones participativas suizas, toleradas, fomen-

[222] Lachs, *Wirtschaftspartnerschaft,* p. 38.

tadas y ejemplificadas en los años 70 por el papel dominante del canciller Kreisky; este personalismo aparecía también a veces en las relaciones entre el ministro de Finanzas Androsh y el dirigente sindical Benya.

Durante un breve período a principios de los 70, el canciller Kreisky había intentado incluso gobernar sin la participación del interés social y económico. Aparentemente, esperaba construir el tipo de alianzas entre agricultores y obreros que habían empujado a la democracia social escandinava a la victoria política en los años 30. Pero esta política fracasó y el canciller volvió rápidamente a confiar en el interés. Unos años después, y con cierta justificación, la comunidad empresarial se quejaba de que la comunidad de intereses sociales y económicos estaba siendo despojada de su sustancia política. En aquellos años, el ministro de Finanzas, Androsh, estaba preparando los instrumentos para desarrollar un rol estatal más activo, para su posible uso en tiempos de una mayor crisis económica o una mayor hegemonía socialista. Al mismo tiempo, la dirección del SPÖ advirtió a la generación más joven de los activistas del SPÖ que dejara de poner la maximización de los grupos de interés por delante de la relación cooperativa con la empresa en la Comisión Mixta. Un funcionario austríaco, reflejando la erosión de la base política que apoyaba la comunidad, el interés, llegó a sugerir, prematuramente como se vio más tarde, que «el gato se ha desvanecido y sólo queda su sonrisa» [223]. Aunque hubiera querido, la Cámara Económica Federal, por ejemplo, no podía sencillamente permitirse el salir de la Comisión Mixta y perjudicar así al sistema de instituciones del cual forma parte. Por razones de tamaño, sólo las 8.000 mayores de sus 170.000 empresas miembros caen bajo la jurisdicción de la Comisión Mixta [224]. Las restantes comparten con el público general un compromiso muy fuerte con el interés social. De diversas formas, la Comisión Mixta es una prisión política de la que la comunidad empresarial austríaca no puede escapar; porque es a la vez prisionera y carcelera.

Los observadores extranjeros, en particular, han intentado determinar los efectos del proceso político colaborativo sobre la actividad de la economía austríaca, medida en términos de crecimiento, desempleo e inflación. Aunque los resultados han sido menos que claros, el veredicto ha sido cautelosamente aprobado [225]. Lo más importante para el argu-

---

[223] Citado en Flanagan, Soskice y Ulman, *Unionism,* p. 82. Véanse también *Jahrbuch der österreichischen Wirtschaft*, núm. 1 (1976), p. 48; Maria Szecsi, «Social Partnership in Austria», en Steiner, *Modern Austria,* pp. 195-97.

[224] *Jahrbuch der österreichischen Wirtschaft,* 1980: Statitisken (Viena: Bundeskammer der Gewerblichen Wirtschatf, 1980), pp. 34-35 y 51-52.

[225] Para unas evaluaciones positivas: Flanagan, Soskice y Ulman, *Unionism;* Schiff, *In-*

mento de este libro son las consecuencias del proceso político austríaco para la organización del poder en el país y la capacidad futura para hacer efectivas las opciones políticas. Una de las consecuencias ha sido la de reformar la politización intensa de la sociedad y la economía austríacas. Dado que ellos erosionarían el poder de las instituciones claves, tales como la Comisión Mixta, los enfoques mecánicos al problema de la inflación, como la indización monetarista, tienen pocas posibilidades de ser adoptados [226]. Una segunda consecuencia ha sido la extensión rápida y eficaz de una conciencia de cómo los diferentes tipos de adversidad económica están afectando a las diferentes partes de la sociedad [227]. En Austria, como en Suiza, «la regla es que todos pueden hablar de todo con todos» [228].

Debido a que la toma de decisiones conjunta está inextricablemente ligada al ejercicio del control mutuo, los incentivos políticos para participar en el eterno proceso austríaco de formación de consenso son muy fuertes para todos los actores [229]. El gobierno cambia su mutilación política parcial por una formulación política previsible y una fácil puesta en marcha. La comunidad empresarial acepta los controles políticos sobre el mercado en orden a asegurar la estabilidad social y evitar costosas huelgas. Para la ÖGB, una participación «responsable» y «limitada» en la elaboración de la política económica tiende a equilibrar el poder extendiendo la influencia sindical más allá del área tradicional de la negociación colectiva. Finalmente, este proceso político esta fortalecido continuamente por la compatibilidad de los objetivos políticos de los actores: el compromiso de la comunidad empresarial con el objetivo del pleno empleo, así como su tolerancia hacia la nacionalización, por un lado, y el objetivo sindical de negociaciones salariales en base a la productividad endurecidas por los esfuerzos para lograr el mayor equilibrio en la distribución de ingresos y riqueza, por otro [230].

---

comes Policies Abroad, parte II; OCDE, *Economic Survey: Austria* (París, 1971), pp. 7 y 33-35; *ibid.,* 1972, pp. 22-23 y 38-39, e *ibid.,* 1973, pp. 41-44. Para unas evaluaciones críticas de principios de los 60: *ibid.,* 1963, pp. 19-20, Koren, «Sozialisierungsideologie in Österreich», pp. 136-38.

[226] Spitäller, «Incomes Policy», p. 186.

[227] «The point is made well for an earlier time period by Edelman», *National Economic Planning,* pp. 20-22 y 62-63.

[228] Lachs, *Wirtschaftspartnerschaft,* p. 87.

[229] *Vernunft in Arbeitswelt und Wirtschaft,* pp. 22-23; Michael Pollak, «Vom Konflikt- zum Kompromissverhalten. Die Sozialpartnerschaft als Sozialisationsmittel politischen Handelns», *Austriaca: Cahiers universitaires d'information sur L'Auriche* (noviembre 1979), pp. 373 y 375, Lang, *Kooperative Gewerkschaften,* p. 82, y Lachs, *Wirtschaftspartnerschaft,* p. 89.

[230] *Vernunft in Arbeitswelt und Wirtschaft,* p. 20.

Siguiendo a Bagenot, podría decirse que el interés económico y social en Austria ha transformado al Parlamento austríaco de la parte eficiente a la parte solemne de la Constitución austríaca. Una mayor centralización del poder mediante un gobierno personalista en un sistema de gobierno unipartidista puede finalmente tener un efecto similar sobre el afianzamiento institucional del interés económico y social [231]. Para hoy, sin embargo, sigue siendo válido, como han observado periodistas financieros, que «el consenso en Austria es realmente algo que se ha conseguido completamente. El público está de acuerdo mientras se reserva el derecho de protestar» [232]. La debilidad en Austria de los movimientos de oposición radicales o neopopulistas de largo alcance que han surgido por toda Europa occidental muestra que el soporte institucional del interés económico y social permanece intacto [233]. Atendiendo a una máxima austríaca del siglo XVIII: «Todo para el pueblo, nada a través de él», la Comisión Mixta ha logrado estar por encima de los dos oponentes ideológicos de la Primera República, el corporatismo capitalista de Ignaz Seipel y el socialismo nacionalista de Otto Bauer.

Corporatismo social y partidos políticos

Los partidos políticos se hallan en el centro del corporatismo social austríaco. Entre 1945 y 1966 la manifestación partidista de la distintiva estructura política fue la Gran Coalición entre el SPÖ y el ÖVP. El legado del conflicto político y la adversidad económica, los apuros económicos y la confusión política del período de entreguerras, la guerra civil de 1934, la segunda guerra mundial y las ocupaciones alemanas y aliadas habían creado un consenso duradero entre élites de partidos en competencia. Todos reconocían las virtudes de la desmovilización política y de las limitaciones estrictas sobre las iniciativas políticas unilaterales impuestas mediante compromisos políticos cuidadosamente elaborados [234]. Es-

---

[231] Pollak, «Vom Konflikt- zum Kompromissverhalten», y Marin, *Die Paritatische Kommission.*

[232] *World business Weekly,* 17 marzo 1980, p. 32.

[233] Pollak, «Vom Konflikt- zum Kompromissverhalten», p. 384, y Bernd Marin, «Neuer. Populismus und "Wirtschaftspartnerschaft". "Neokorporatistiche" Konfliktregelung und ausserinstitutionelle Konfliktpotentiale in Österreich», *Österreichische Zeitschrift für Politikwissenschaft,* núm. 2 (1980), pp. 157-76.

[234] Sobre las causas históricas, véanse Koren y Ebner, *Österreich auf einem Weg,* pp. 215 y 227-33; Lachs, *Wirtschaftspartnerschaft,* p. 32, y Pollak, *Vom Konflikt- zum Kompromissverhalten,* p. 369. En general, véanse Fischer, *Das politische System Österreichs;* Steiner, *Modern Austria;* Antón Pelinka y Manfried Welan, *Demokratic und Verfassung in Österreich* (Viena: Europa Verlag, 1971); Karl-Heinz Nassmacher, *Das österreichische Regie-*

tos compromisos canalizaron las energías de los líderes políticos en los intrincados detalles de la negociación política que ellos debían proteger, o marginalmente, ampliar su propia base de poder y los beneficios derivados para sus respectivas circunscripciones. Los difíciles acuerdos políticos entre las élites estrechamente ligadas de partidos y grupos de interés han logrado alcanzar compromisos políticos sobre casi todas las cuestiones políticas significativas desde 1945 [235].

Desde el final de la Gran Coalición en 1966 Austria ha pasado a un sistema de gobierno unipartidista dominado primero por el ÖVP y desde 1970 por el SPÖ. A finales de los 60, el establecimiento de numerosos y poderosos consejos asesores para varios ministros, incluyendo al importante ministro de Finanzas, fomentaron mucho el acceso y el poder de la oposición del SPÖ y dejó a Austria con la extraña combinación de un gobierno unipartidista dirigido por ministros bipartidistas. Provistos de personal de acuerdo al poder de los dos partidos en el Parlamento *(Proporz)*, estos consejos descansaban generalmente en el principio de la unanimidad y eran poderosos en la formulación y puesta en marcha de una política determinada [236]. En las arenas políticas importantes, de las que la ÖGB hubiera sido excluida porque, a diferencia de las cámaras, carecía de una situación legal, estos consejos asesores incluyeron informalmente al sindicato. La ÖGB correspondió a estas concesiones del ÖVP, la extensión y reforzamiento de los acuerdos de colaboración a partir de 1966 se vio seguido por un fuerte declive en la tasa de huelgas en Austria. La

---

rungssysten: Grosse Koalition oder alternatierende Regierung? (Colonia: Westdeutscher Verlag, 1968); Reinhold Knoll y Antón Mayer, *Österreichische Konsensusdemokratie in Theorie und Praxis: Staat, Interessenverbände Parteien und die politische Wirklichkeit* (Viena: Böhlaus), 1976; Gerald Schöpfer, ed., Phänomen Sozialpartnerschaft: Ferstchrift für Hermann Ibler zum 75. Geburtstag (Viena: Böhlaus, 1980); Félix Kreissler y Michel Cullin, *L'Autriche contemporaine* (París: Armand, 1971), Ernest Wimmer, *Sozialpartnerschaft aus marxistischer Sicht* (Viena: Globus, 1979), y Chaloupek y Swoboda, «Sozialpartnerschaft in den Fünfziger Jahren», pp. 333-34. El *Österreichische Zeitschrift für Politikwissenschaft* ha dedicado números especiales al tópico de la comunidad social en 1974, núm. 3, y 1982, núm. 3. Véanse también Peter Gerlich, *Parlamentarische Kontrolle im Politischem System: Die Verwaltungsfunktion des Nationalrates in Recht und Wirklichkeit* (Nueva York: Springer, 1973); Peter Gerlich y Helmut Kramer, *Abgeordnete in der Parteiendemokratie: Eine empirische Untersuchung des Wiener Gemeinderates und Landlages* (Munich: Oldenbourg, 1969); Peter Pulzer, «The Legitimizing Role of Political Parties: The Second Austrian Republic», *Government and Opposition* 3 (invierno 1968), pp. 324-44, y Gerhard Lembruch, «Das Modell der Sozialpartnerschaft», *Die Republik,* 4 (marzo 1971), pp. 19-25.

[235] Dieter Bös, «Machtpropotionen in den paritätischen Organen», *Belichte und Informationen,* 10 octubre 1969, pp. 1-4, y Gerhard Lembruch, «Das politische System Österreichs in vergleichender Perspektive», *Österreichische Zeitschrift für Öffentliches Recht,* pp. 22 (1971) 35-36.

[236] Lachs, *Wirtschaftspartnerschaft,* p. 34.

media quinquenal de huelgas y horas de trabajo perdidas en los conflictos industriales fue alrededor de doce veces menor en los años 1967-71 que en 1962-66 [237]. En los años 70 esta disposición institucional a cooperar gestionó con éxito cuestiones políticamente explosivas de la política del ciclo económico, la codeterminación y la reducción de la semana laboral. Con ello demostró su durabilidad y adaptabilidad a unos tiempos de controversia política en alza y de aumento de la crisis económica [238]. La parte de la legislación aprobada con los votos de los dos partidos principales se incrementó de un 80 por 100 en 1966-70 a un 90 por 100 en 1971-75 [239]. Poco importó que en 1970 el SPÖ arrebatara el control del gobierno al ÖVP.

Más importante para el corporatismo social en Austria es un adecuado equilibrio entre la autonomía de los grupos de interés y su dependencia sobre los partidos políticos. Demasiada autonomía por parte de los partidos políticos vincularía a los grupos de interés directamente con las relaciones competitivas entre los partidos y pondría así en peligro el acuerdo consensual que hoy exite [240]. El corporatismo social en Austria reconoce el poder de veto potencial de la empresa y los trabajadores. Este reconocimiento ha fomentado la armonización de los intereses divergentes en un contexto político que continúa distinguiendo entre «rojos» y «negros» [241]. En estricta observancia del *Proporz,* se da una representación equilibrada en las asociaciones de élite que representan los intereses de la empresa y la agricultura, las cuales están vinculadas al ÖVP, a la ÖGB y a la Cámara de trabajo, estrechamente conectada con el SPÖ. Los líderes políticos de los principales partidos tienen así asegurado un acceso continuo y fácil a todas las áreas de decisión importantes y a una consulta mutua plena. El papel intermediario del gobierno en las negociaciones de grupo intenta asegurar, en general satisfactoriamente, que el poder de veto potencial de cada parte no conduzca al estancamiento. En realidad, el mismo concepto de «interés» entre grupos que están divididos políti-

---

[237] Gerhard Botz, «Politische Gewalt und industrielle Arbeitskämpfe in Wirtschaftskrisen», en Marin, *Wachstumskrisen in Österreich,* 2, p. 277. Al mismo tiempo el número relativo de huelgas salvajes ha descendido sólo a la mitad. Véase Lang, *Kooperative Gewerkschaften,* p. 102.

[238] Alfred Klose, «Die Sozialpartnerschaft als Konfliktregelungssystem», en Schöper, *Phänomen Sozialpartnerschat,* pp. 75-86.

[239] Andrilk, «The Organized Society», pp. 144-45.

[240] Antón Pelinka, *Modellfall Österreich? Möglichkeiten und Grenzen der Sozialpartnerschaft* (Viena: Braumüller, 1981), pp. 34-35 y 38.

[241] Rodney P. Stiefbold, «Segmented Pluralism and Consociational Democracy in Austria: Problems of Political Stability and Change», en Martin Heisler, ed., *Politics in Europe: Structures and Processes in Some Postindustrial Democracies* (Nueva York: Mc Kay, 1974), pp. 123 y 173, y *Vernunft in der Arbeitswell,* pp. 19 y 21.

camente refleja la relación simbiótica que resulta del poder de veto potencial sobre el cambio político sustancial. Mientras que la comunidad empresarial y el ÖVP prefieren una amplia interpretación del «interés social» austríaco que proteja a la propiedad privada de la interferencia política, sublimando el conflicto de clases en la sociedad, el movimiento obrero y el SPÖ luchan por una interpretación más estricta del «interés social», que tiene como elemento definitorio la gestión política de una economía pequeña y desprotegida.

La Gran Coalición de Austria, que continuó después de 1960 por otros medios, tiene sus raíces sociológicas y electorales en una sociedad marcada aún por unas divisiones de clase y estatus muy notables, disparidades regionales y un conflicto ideológico intermitente y escrupulosamente controlado [242]. El conflicto de clases que terminó en una guerra civil en los años 30 enfrentó al este «rojo» del país contra el oeste «negro». Desde 1945, los cambios graduales en la identificación partidista de los votantes y la fuerza electoral de los dos partidos principales ha diluido de alguna forma esta unión de las divisiones regionales y de clase. Pero comparado con la segmentación horizontal de la sociedad suiza, la estructura social austríaca sigue estando todavía segmentada verticalmente en diferentes «campos políticos» *(lager)*. Los dos mayores campos poseen amplias redes de organización paralelas que penetran en la sociedad austríaca y ambos reclutan todavía a una proporción muy alta del electorado como miembros del partido. Incluso si se toma la estimación que otorga un menor número de miembros para el ÖVP, una cuarta parte del electorado que posee carnet del partido es sin duda la mayor cifra entre todos los partidos de centro derecha en el mundo industrializado; de he-

[242] Frederick Engelmann y Mildred A. Schwartz, «Austria's Consistent Voters», *American Behavioral Scientist,* 18 (septiembre-octubre 1974), pp. 97-110; Rudolf Steininger, *Polarisierung und Integration: Eine vergleichende Untersuchung der strukturellen Versäulung der Gesellschaft in den Niederlanden und in Österreich* (Meisenheim am Glan: Antón Hain, 1975); Sidney Verba, Norman H. Nie y Jae-on Kim, *Participation and Political Equality: A Seven-Nation Comparison* (Cambridge: Cambridge University Press, 1978); G. Bingham Powell y Linda W. Powell, «The Analysis of Citizen-Elite Linkages: Representation by Austrian Local Elites», en Sidney Verba y Lucian Pye, eds., *The Citizen in Politics: A Comparative Perspective* (Stamford, Conn.: Greylock, 1978), pp. 195-217; G. Bingham Powell Jr. «Incentive Structures and Campaing Participation: Citizenship, Partisanship, Policy and Patronage in Austria» (conferencia sobre la participación política, Universidad de Leiden, Holanda, 17-22 marzo 1972); Powell, «Political Cleavage Structure, Cross-presure Processes, and Partisanship: An Empirical Test of the Theory», *American Journal of Political Science,* 20 (febrero 1976), pp. 1-23; Powell y Rodney P. Stiefbold, «Anger, Bargaining, and Mobilization as Middlerange Theories of Elite Conflict Behavior: An Empirical Test», *Comparative Politics,* 9 (julio 1977), pp. 379-98, y Jospeh John Houska Jr., «The Organizational Connection; Elites, Masses, and Elections in Austria and the Netherlands», (Ph. D. diss., Universidad de Yale, 1979).

cho, supera el número medio de miembros del total del electorado suizo. Otras estimaciones de los miembros del ÖVP superan por más de un 10 por 100 el 30 por 100 del electorado afiliado al SPÖ [243]. Un objetivo primordial de las elecciones para la duración de la Gran Coalición todavía hoy se conserva en parte; las elecciones, en palabras de Uwe Kitzinger, «proporcionan un índice actualizado de fuerza en relación a lo que los grupos organizados pueden negociar para resolver sus diferencias» [244].

La posición central de los partidos en el corporatismo social austríaco se refleja en las limitaciones que ellos mismos imponen sobre el poder del Estado. El papel de la burocracia federal es el de facilitar los acuerdos entre los poderosos grupos de presión, y a través de ellos entre los partidos austríacos, más que imponer sus propias soluciones [245]. Antes de 1966, el poder político se hallaba centralizado en instituciones que evitan la burocracia estatal. Este comité ofreció a los dirigentes de los partidos un fórum para la resolución de casi todas las cuestiones políticas importantes en secreto, fuera del gabinete y del Parlamento y libre de la burocracia estatal [246].

Los partidos políticos no sólo evitaron a la burocracia austríaca, sino que también penetraron en ella. El funcionariado de más alto nivel en Austria posee un gran número de graduados universitarios los cuales son miembros de organizaciones académicas anexas a los dos grandes partidos. Esto incrementó la politización general del Estado austríaco [247]. Los miembros del partido entre los altos funcionarios en Austria es mayor que en el sector privado, mientras que el número de funcionarios del partido es menor [248]. El *Proporz* ha reforzado así la descentralización inherente a todas las grandes burocracias. Un agudo observador de la política austríaca señalaba en los años 60 que «el resultado es una politización cuantitativa, y también cualitativa, de casi todos los aspectos de la vida pública» [249]. La desintegración de la Gran Coalición en 1966 trasladó el

[243] Los datos para los años 60 y 70 pueden encontrarse en Sully, «The Socialist Party of Austria», pp. 218-219, y en Vodopivec, *Die Dritte Republic,* p. 140. Véase también Andril, «The Organized Society», pp. 126-27.

[244] Uwe Kitzinger, «The Austrian Election of 1959», *Political Studies,* 9 (junio 1961), p. 123.

[245] Rodney P. Stiefbold, «Elites and Election in a Fragmented Political System», en Rudolf Wildenmann, ed., *Sozialwissenschaftliches Jahrbuch für Politik*, vol 4 (Munich: Olzog, 1975), pp. 119-227.

[246] Wolfrang Rudzio, «Entscheidungszentrum Koalitionsausschuss: Zur Ralverfassung Österreichs unter der Grossen Koalition», *Politische Vierteljahresschrift,* 12 (1971), pp. 87-118.

[247] Neisser, «Rolle der Bürokratie», p. 241.

[248] Gehmacher, «Der Beamte im sozialen Wandel», p. 145.

[249] Rusinow, «Notes», parte I, p. 9.

fórum para las decisiones políticas de alto nivel no al gabinete o al alto funcionariado, sino a las altas esferas de los partidos políticos y los grupos de interés anexos. La politización de la dirección invalida así las iniciativas políticas independientes de la burocracia estatal en sus relaciones con los sectores industriales o las empresas concretas. Pero la politización ha impedido también que la burocracia se convierta en un instrumento completamente controlado por el gobierno del SPÖ. Tras una década de gobierno socialista, la burocracia estatal ha mantenido una línea conservadora predominantemente [250]. Todas las iniciativas importantes de la burocracia estatal están protegidas cuidadosamente por una elaborada red de instituciones en la que están representados los principales contrincantes, los cuales se ven a sí mismos como «socios» que cooperan y partidarios de «campos» opuestos.

Además de evitar y penetrar el Estado, los partidos políticos lo envuelven también a través de numerosas instituciones que ejercen un control mediante numerosas organizaciones anexas, incluyendo a los principales grupos productores. Estas instituciones adoptan normalmente la forma de poderosos comités asesores, compuestos de forma mixta y en proporciones iguales por los representantes de la empresa, los trabajadores y a veces otros grupos de interés. Rodean a toda la rama ejecutiva del gobierno cuando tratan cuestiones sociales y económicas en sentido amplio. Una lista incompleta a finales de los años 70 contabilizaba, sólo a nivel federal, cincuenta y seis de estos comités, que cubrían asuntos como la inversión, tributación, industria, precios, seguridad social, trabajadores extranjeros, mercados laborales, cárteles, transporte, investigación y desarrollo, agricultura, exportaciones, importaciones, aranceles, comercio exterior y ayuda exterior [251]. Algunos observadores bien informados hablan de doscientas comisiones y órganos asesores del gobierno federal [252]. Aunque el federalismo austríaco es débil, estos mecanismos institucionales de consulta, deliberación y puesta en marcha de las políticas se han establecido también en todas las provincias; siete de las nueve provincias, por ejemplo, establecen por ley un sistema de representación proporcional de los partidos en la rama ejecutiva del gobierno. Estas provincias están gobernadas hoy por gobiernos de coalición rojos-negros, de

---

[250] Heinz Fischer, «Beamte und Politik», en Engelmayer, *Diener des Staates*, páginas 109-110, y Pelinka y Welan, *Demokratie und Verfassung*, pp. 180-83.

[251] Klenner, *Die österreichischen Gewerkschaften*, 3, pp. 2066-73, y *Vernunft in Arbeitswelt und Wirtschaft*, pp. 19-21. Para ejemplos extraídos de los años 50 y 60, véase Szecsi, «Social Partnership», pp. 193-94.

[252] Johann Farnleitner, «prepared Remarks» (preparado para la conferencia sobre «The Political Economy of Austria», American Enterprise Institute for Public Policy Research, Washington, D. C., 1-2 octubre 1981).

conservadores y socialistas. A todos los niveles del gobierno, esos órganos asesores reúnen esencialmente, día a día, a la misma gente en diferentes despachos. En situaciones en las que el consenso político no se puede crear para una decisión concreta o para el desarrollo de una política, estas comisiones asesoras disponen a menudo las arenas para evitar deliberadamente las decisiones.

El dominio de los grupos de interés y la penetración en la burocracia estatal por parte de los partidos políticos han creado una relación osmótica entre grupos y burocracia que en muchas instancias han ampliado el personal de los grupos y han reforzado el poder central de los grupos sobre las unidades subordinadas. Por ejemplo, los grupos ejercen un control altamente efectivo, aunque en la práctica es mayor en el caso de los salarios que en el de los precios, sobre el acceso a los dos subcomités de la Comisión Mixta. Dado que juegan el rol de guardabarreras, refuerzan, en efecto, el ejercicio centralizado del poder en la Cámara Económica Federal y en la ÖGB [253]. En un sistema con un Parlamento tan impotente como el de Austria, la rama ejecutiva del gobierno amenaza la deslegitimación en cuestiones de política económica y social. Pero la participación extensiva de los grupos de interés en el proceso político también contiene esta amenaza [254].

El sistema consensual de gobierno en Austria ha ido más allá de la formulación y desarrollo de una política de rentas que, según muchos observadores, pertenecen a su esencia [255]. Gerhard Lehmbruch, por ejemplo, considera la distinción austríaca comparada con otros Estado europeos en el «avance» de su proceso político «neocorporatista» más allá de la política del ciclo económico hacia la inclusión de la inversión, el empleo y cuestiones más amplias que afectan a la gestión de la economía, tales como la legislación cartelística y la codeterminación [256]. Los grupos de interés han estado creciendo en su prominencia en cuestiones de política desde que su poder para regular el comportamiento de precios y salarios fue institucionalizado por primera vez a finales de los 50 [257]. En los años 60, el papel de los grupos en la implantación de políticas se fue ampliando sucesivamente para incorporar, entre otras cuestiones, las previsiones y el asesoramiento económico y la política del mercado de trabajo (incluyendo la asignación de cuotas para trabajos extranjeros), así como las políticas agrícolas, social, industrial, regional y comercial. El papel de

---

[253] Spitäller, «Incomes Policy», p. 180.
[254] Pollak, «Vom Konflikt zum Kompromissverhalten», pp. 377-79.
[255] Lachs, *Wirtschaftspartnerschaft*, pp. 7 y 34-35.
[256] Lehmbruch, «Liberal Corporatism and Party Government».
[257] Lachs, *Wirtschaftspartnerschaft*, pp. 74-87.

los agentes económicos es menos central, pero todavía es importante en áreas como la investigación y desarrollo, los medios de comunicación, tributación y transporte. Decir que la esfera de actuación del corporatismo social austríaco es amplia no es, sin embargo, lo mismo que decir que es ilimitada. El conflicto político entre los agentes es lo suficientemente intenso como para prevenir, por ejemplo, una planificación económica, un sistema tributario o políticas sociales globalizadoras. El nuevo hospital de la ciudad de Viena da testimonio de los límites austríacos. Aunque la planificación comenzó en 1955, el hospital probablemente no estará finalizado antes de finales de los 80. El coste original estimado se ha incrementado en un factor de setenta, y a un coste de 3,2 billones de dólares en 1980, será el más caro hospital jamás construido en todo el mundo [258]. Otras cuestiones, como la familia, el aborto, la educación y la cultura en general, no se han prestado a un estilo acomodaticio de elaboración de políticas. La cuestión de la energía nuclear destaca estas limitaciones con una particular claridad. En un asunto que había atacado originalmente a las atrincheradas alineaciones partidistas austríacas, y tras prolongadas luchas políticas, el gobierno austríaco se vio forzado a recurrir, por primera vez en la historia de la Segunda República, al mecanismo político más fomentado en Suiza, el referéndum. El debate político redefinió la cuestión hasta cierto punto entre las líneas partidistas. Pero el completo aunque inoperativo reactor de Zwentendorf sigue siendo un claro testimonio de los límites del sistema corporatista de gobierno mediante el consenso de los grupos de Austria; la planta parada cuesta aproximadamente 75 millones de dólares al año en devolución de préstamos y gastos de mantenimiento [259].

Alternativas ya analizadas

El corporatismo social en Austria moviliza y mantiene un fuerte consenso político en torno a una estrategia de adaptación nacional y de compensación pública ante el cambio económico. La estrategia refleja la posición central que ocupa una organización sindical reformista en la política austríaca. Es significativo que las políticas que han sido esenciales para el corporatismo liberal en Suiza para afrontar el cambio económico no han tenido un gran éxito en Austria. Las diferencias entre los dos paí-

---

[258] *Der Spiegel*, 11 agosto 1980, pp. 84-85.

[259] Dorothy Nelkin y Michael Pollak, «The Politics of Participation and the Nuclear Debate in Sweden, the Netherlands, and Austria», *Public Policy*, 25 (verano 1977), pp. 333-57; Pollak, «Vom Konflikt- zum Kompromissverhalten», p. 383, y *New York Times*, 31 agosto 1980, p. A15.

ses son evidentes en las alternativas políticas que Austria ha aplicado y en el modo en que conforma y lleva a cabo las políticas en las áreas de investigación y desarrollo, trabajadores extranjeros y promoción de la exportación. Estas áreas ilustran las posibilidades políticas a las que el corporatismo social austríaco no puede aspirar.

La política de investigación y desarrollo apunta a los límites de las políticas privadas de compensación en Austria. Las empresas austríacas quedan muy por detrás de sus competidoras suizas en la especialización selectiva y la innovación de productos mundiales. En cambio, Austria disfruta de una posición relativamente fuerte, donde su posición de mercado se ve fácilmente amenazada en el desarrollo de innovaciones, bien en los sectores industriales tradicionales, como el metal o el papel, o en los segmentos tradicionales de las industrias avanzadas [260]. A pesar de su fuerza en cuanto a investigación básica, las empresas austríacas fallan en la aplicación comercial de sus innovaciones al desarrollo de nuevos productos y nuevos procesos de producción [261]. Más que desarrollarlo nacionalmente a través de investigacón básica y desarrollo en las empresas austríacas, el proceso tecnológico se importa generalmente en forma de maquinaria y bienes de inversión [262]. En 1967, por ejemplo, Austria pagó dieciséis veces más por la importación de bienes de inversión que incluían en gran medida tecnología extranjera [10 por 100 de su Producto Interior Bruto (PIB), que por sus propios programas de investigación y desarrollo (0,6 por 100 del PIB)] [263]. Aunque Austria cuadruplicó sus gastos en investigación y desarrollo como parte del PIB desde un 0,3 por 100 aproximadamente en 1963 a un 0,9 por 100 en 1970 y un 1,4 por 100 en 1980 y triplicó los gastos del gobierno federal en los años 70, tales incrementos son, de hecho, bastante menores de lo que se proyectó a finales de los 60 [264]. Actualmente, Austria

---

[260] OCDE, *Gaps in Technology: Comparisons between Member Countries in Education, Research and Development, Technological Innovation, International Economic Exchanges* (París, 1970), p. 198, y Otmar Höll y Helmut Kramer, «Kleinstaaten im internationalen System: Endberich» (Viena, diciembre 1977, mimeo), pp. 66, 68 y 72.

[261] Kristensen y Levinsen, *Small Country Squeeze*, p. 151, y Gaspari y Millendorfer, *Prognosen für Österreich*, p. 89. En general, véanse OCDE, *Reviews of National Science Policy: Austria* (París, 1971), y *Neue Tecnologien und Produkte für Österreichs Wirtschaft* (Viena: Zentralparkasse and Kommerzialbank, 1979).

[262] Gaspari y Millendorfer, *Prognosen für Österreich*, pp. 85-86; Höll y Kramer, «Kleinstaaten», p. 60; Lacina, *Development of the Austrian Public Sector*, p. 21; Beirat für Wirtschaft- und Sozialfragen, *Vorschäge zur Industriepolitik*, pp. 59-69 y 86-87, y Beirat für Wirtschafts und Sozialfragen, *Vortschäle zur Industriepolitik*, 2, p. 78.

[263] Gaspari y Millendorfer, *Prognosen für Osterreich*, p. 86.

[264] *Ibid.*, pp. 86-87; Höll y Kramer, «Kleinstaaten», pp. 63 y 65; Otmar Höll, *Austria's Technological Dependence: Basic Dimensions and Current Trends* (Lasenburg: Institute for International Affairs, 1980), p. 10; Karl Vak, «The Competitiveness of the Austrian Eco-

posee uno de los menores presupuestos para investigación y desarrollo entre los Estados industriales avanzados y está bastante rezagada con respecto a la industria de investigación intensiva suiza [265]. En sus reflexiones sobre la política tradicional austríaca para cubrir sus necesidades de investigación y desarrollo mediante la importación de bienes de inversión, el vicecanciller Androsch señalaba en 1977 que «esta forma fácil y barata de adquirir conocimientos y nuevas tecnologías será cada vez más dificultosa en el futuro» [266].

Pero en el pasado esta política tuvo mucho éxito en la mejora de la posición austríaca en los mercados de exportación tecnológicamente avanzados. El equilibrio entre los bienes industriales de investigación intensiva y exportaciones industriales en su conjunto mejoró mucho y lo mismo ocurrió con el equilibrio comercial en bienes de alta tecnología en sectores tales como la química, maquinaria y electrónica. En relación a un estudio realizado, la parte de productos de alta tecnología y de investigación intensiva se incrementó de un 27 por 100 en 1960 a un 43 por 100 en 1971 y a un 53 por 100 en 1978 [267]. Igual que Japón, Austria ha utilizado con éxito su retraso tecnológico para lograr una rápida transformación de sus capacidades industriales. Pero a diferencia de Japón, Austria no ha conseguido desarrollar tecnologías punta en unos nichos del mercado relativamente seguros. Todos los indicadores estadísticos apuntan a un declive relativo de la contribución austríaca al avance tecnológico. De esta forma, la participación de Austria en el número total de licencias industriales en los mercados nacionales descendió desde el 27 por 100 en 1960 al 19 por 100 en 1970, y comparado con los otros Estados industriales, Austria ha emitido muy pocas patentes al extranjero [268]. El desequilibrio entre la importación y exportación de licencias, patentes y marcas de fábrica se refleja en el creciente déficit que existe entre los ingresos y los pagos. Este déficit se incrementó desde 5,88 millones de dólares en 1960 a 89,8 millones en 1979 y se duplicó entre 1969 y 1974 [269].

---

nomy», en Arndt, *Political Economy of Austria*, pp. 172-73, y *News from Austria*, 23 junio 1980, p. 7.

[265] OCDE y DSTI, «Science Resources», Unit, *Science Resources Newsletter*, 2 (Spring, 1977), p. 1; A. Nussbaumer, «Financing the Generation of New Science and Technology», en B. R. Williams, ed., *Science and Technology in Economic Growth* (Nueva York: Wiley, 1973), p. 177; Gaspari y Millendorfer, *Prognosen für Österreich*, pp. 86-87, y Höll y Kramer, «Kleinstaaten», pp. 52 y 68.

[266] Citado en *Austrian Information*, 30, 3 (1977), p. 3.

[267] Antón Kausel, «The Austrian Economy: A Macroeconomic Analysis», *Austrian Information*, 32, 4-5 (1979), pp. 5-6.

[268] OCDE, *Gaps in Technology*, p. 205; Höll, *Austria's Technological Dependence*, pp. 45-46, y Breus, *Komparative Vorteile im österreichischen Aussenhandel*, p. 143.

[269] Höll, *Austria's Technological Dependence*, p. 44.

En 1967, la razón entre los pagos y los ingresos de 3,6 era la mayor entre los Estados pequeños europeos, y Austria gastó un 29 por 100 de su presupuesto total para investigación y desarrollo en patentes y licencias extranjeras, en comparación con un 10 por 100 aproximadamente en la mayoría de los demás países de Europa occidental [270]. A finales de los 70, los gastos austríacos todavía superaban los ingresos en un cuatro a uno.

Estas cifras apuntan a una dependencia tecnológica persistente y probablemente creciente. Donde las consecuencias negativas quedan quizá mejor reflejadas es en la experiencia austríaca de la industria de ingeniería eléctrica con investigación intensiva, la cual en 1972 recibió sólo un 15 por 100 del presupuesto total del gobierno para investigación y desarrollo (908 dólares). Aunque la proporción de fondos gastados en la industria en el área de investigación y desarrollo fue dos veces mayor que la media austríaca de 0,7 por 100 de la producción industrial, fue sólo la mitad de lo que, como media, se gastó por parte de los otros Estados industriales avanzados [271]. En los principales países productores en este sector particular (Estados Unidos, Gran Bretaña y Suecia), entre el 20 y el 30 por 100 de los presupuestos nacionales para la inversión se generan por la industria de ingeniería eléctrica; en Austria, la cifra correspondiente era en 1969 de sólo un 11 por 100 [272]. Además, entre los pequeños Estados europeos, Austria fue el único país que gastó más de la mitad del presupuesto para investigación y desarrollo industrial en productos de ingeniería eléctrico-mecánica, un área de fuerza tradicional, en vez de hacerlo en segmentos de crecimiento futuro como la electrónica [273]. Aunque la industria austríaca posee la capacidad tecnológica para producir equipos electrónicos, su industria de máquinas herramientas, por ejemplo, importa todos sus componentes conductores electrónicos [274]. Un presupuesto de investigación y desarrollo que, según los estándares internacionales, es limitado y relativamente atrasado tecnológicamente se da en una industria dominada por las empresas extranjeras, las cuales financian ampliamente el desarrollo de productos en sus mercados nacionales y que utilizan principalmente a sus filiales austríacas para el ensamblaje de los componentes [275]. En esta industria en particular podría decirse que Aus-

---

[270] Gaspari y Millendorfer, *Prognosen für Österreich*, p. 86.

[271] *Oberösterreichische Nachrichten*, 12 abril 1973, y Beirat für Wirtschaftsund Sozialfragen, *Vorschläge zur Industriepolitik*, 2, p. 78.

[272] Bernhard Kamler, «Elektroindustrie: Mehr Forschung, Spezialisierung udn Kooperation», *Die Industrie*, 3, enero 1972, pp. 7-10.

[273] OCDE/DSTI, «Science and Technology Indicators», Unit, *Science Resources Newsletter*, invierno 1977-78, pp. 5-6; *Oberösterreichische Nachrichten*, 12 abril 1973, y *Die Presse*, 24 junio 1977.

[274] *Oberösterreichische Nachrichten*, 12 abril 1973.

[275] *Wochenpresse*, 8 noviembre 1972.

tria participa en alguna medida en la economía de rama-establecimiento característica de algunos países en desarrollo.

A diferencia de Suiza, Austria depende en menor medida de una fuerza de trabajo importada [276]. Pero al igual que la mayoría de los otros Estados de Europa occidental, Austria admitió a trabajadores extranjeros en número creciente durante la década de los 60. En el máximo, en 1974, sus 220.000 trabajadores extranjeros representaban sólo una quinta parte aproximadamente de la fuerza de trabajo extranjera en Suiza en números absolutos, y el 9 por 100 de la población activa extranjera en Austria era tres veces menor que la cifra correspondiente a Suiza, aproximadamente de un 30 por 100. Al igual que Suiza, Austria redujo el número de trabajadores extranjeros rápidamente después de 1974. En 1976, el número de trabajadores total había descendido a 50.000, comparado con los 250.000 de Suiza, y la proporción relativa en el total de la población activa austríaca era de un 6 por 100, mientras que en Suiza era un 20 por 100 [277]. Además, la tasa a la que redujo su mano de obra extranjera era menor (22 por 100) que en Suiza (28 por 100). Estos datos apoyan el argumento de que la estrategia de adaptación internacional es de menor importancia en Austria que en Suiza.

Finalmente, igual que es válido para Suiza, la creciente implicación de Austria en los mercados mundiales desde 1945 se refleja en las políticas diseñadas para fortalecer la actividad exportadora del país [278]. Sin embargo, estas políticas refuerzan la impresión de que el gobierno en Austria se encuentra más implicado que en Suiza en la política económica exterior. Tras 1945, Austria restableció rápidamente las relaciones comerciales con un gran número de sus socios comerciales tradicionales en Europa occidental, pero la orientación subyacente y la consecuencia económica general de la integración austríaca en la economía internacional de posguerra fueron asegurar más que ampliar los mercados de exportación tradicionales [279]. Esta orientación era evidente también en el prolongado

---

[276] Mayer, «Foreign Workers», pp. 99-101; *Gastarbeiter: Wirtschaftliche und soziale Herausforderung* (Viena: Europa Verlag, 1973); Beirat für Wirtschaftsund Sozialfragen, *Möglichkeiten und Grenzen des Einsatzes ausländischer Arbeitskräfte* (Viena: Ueberreuter, 1976); Ernst Gehmacher, «Foreign Workers as a Source of Social Change», en Richard Rose, ed., *The Dynamics of Public Policy: A Comparative Analysis* (Beverly Hills, Calif.: Sage, 1976), pp. 157-76, y Österreichisches Institut für Wirtschaftsforschung, *Monatsberichte,* 35 (mayo 1962), pp. 232-36; *ibid.*, 36 (noviembre 1963), pp. 411-15, e *ibid.* , 47 (abril 1974), pp. 214-24.

[277] OCDE «Report on Migration», p. 4.

[278] OCDE, *Economic Surveys: Austria* (París, 1970), pp. 19-25, e *ibid.*, 1974, pp. 47-51, e *ibid.*, 1976, pp. 43-44.

[279] *Monatsberichte* 26 (septiembre 1953), p. 278.

debate austríaco sobre la integración europea [280]. Reservas profundamente arraigadas en relación a la completa integración de Austria en los mercados internacionales persistieron hasta principios de los años 70; por ejemplo, cuando Austria experimentó un alto crecimiento económico, pleno empleo y equilibrio en su balanza de pagos antes de 1974, el gobierno no prestó oídos a las demandas del sector de exportación por un mayor apoyo. En 1973 se eliminó una desgravación a las exportaciones sin compensación alguna porque las exportaciones se veían entonces como un estímulo no deseado de la inflación. Desde 1973, las crecientes presiones del descenso económico prolongado y una competencia internacional creciente han obligado al gobierno austríaco a reconsiderar la importancia atribuida a una mayor promoción de su comercio de exportación.

La expansión reciente del apoyo estatal a las exportaciones autríacas es un intento de compensar por la baja en la economía internacional y los problemas de la balanza de pagos y de desempleo que ha creado ese descenso en Austria. A diferencia de Suiza, Austria ha organizado públicamente y unificado administrativamente sus programas de seguros y financiación de la exportación. Estos han crecido con altos y bajos. Aunque su establecimiento data de 1950, y aunque han sido ampliados y modificados continuamente, especialmente entre 1964 y 1967, los cambios recientes en la complejidad y escala de los mismos han sido impresionantes [281]. Con tasas de crecimiento anual de aproximadamente un 30 por 100 en los años 70, la proporción de las exportaciones austríacas aseguradas por el Banco de Control, de propiedad pública, se incrementó de un 13 por 100 en 1968 a un 40 por 100 en 1980 [282]. Además, estimulada por el rápido deterioro de la balanza comercial austríaca desde mediados de los años 70, la proporción de comercio de exportación en Austria aumentó de un 6 por 100 en 1975 a un 27 por 100 en 1981 [283]. Este sistema

---

[280] Peter J. Katzenstein, «Trends and Oscillations in Austrian Integration Policy, since 1955: Alternative Explanations», Journal of Common Market Studies, 14 (diciembre 1975), pp. 171-97; Edward E. Platt, «Political Factors Affectind the Austrian Government's Decision to join EFTA» (Ph. D. diss., Universidad de Connecticut, 1967); M. Dillinger *et al.*, «Die europäische Integration und Österreich», *Österreichische Zeitschrift für Politikwissenschaft,* núm. 1 (1976), pp. 65-87, y Thomas O. Schlesinger, *Austrian Neutrality in Postwar Europe: The Domestic Roots of a Foreign Policy* (Viena: Bramüller, 1972), pp. 92-111.

[281] Bruno Rossmann, «Exportförderung in Österreich», *Wirtschaft und Gesellschaft,* núm. 1 (1982), pp. 57-78, y Helmut Haschek, *Exportförderung, Finanzierung in der Bundesrepublik Deutschland, in der Schweiz und in Österreich* (Viena: Zentralsparkasse and Kommerzbank, 1979), pp. 46-65.

[282] Helmut H. Haschek y Ernst Löschner, *Zwanzig Jahre Exportfinanzierung, 1960-1980* (Viena: Österreichische Kontrollbank, marzo 1981), p. 34, y Helmut Haschek, carta al autor, 22 marzo 1981.

[283] *Der Österreich-Bericht*, 4 agosto 1983, p. 2. Haschek hasta el 22 marzo 1981.

de financiación de la exportación ha sido dependiente con respecto a los mercados de capital internacionales. Entre 1975 y 1980, los préstamos extranjeros netos por el Banco de Control aumentaron de 253 millones de dólares a 2,24 billones, respectivamente 48 y 95 por 100 de sus préstamos totales [284].

El papel creciente del gobierno en el apoyo del comercio de exportación en Austria también se ha visto reflejado en la financiación del sistema extensivo de delegaciones de comercio exterior. Como señalaba el *Economist*, «ningún gobierno, excepto el de Japón, trata con tanto empeño de promover el comercio a través de las delegaciones comerciales como lo hace el austríaco» [285]. En los años 50 y 60, la organización de las misiones comerciales exteriores recayó de forma crítica en el apoyo financiero y organizacional de las asociaciones de élite empresariales, la Cámara Económica Federal [286]. A mediados de los 70, la Cámara había desarrollado un sistema computarizado que almacenaba información sobre 4.800 empresas y más de 17.000 productos, cubriendo así más del 90 por 100 de todos los exportadores. Setenta de las 80 misiones comerciales tienen acceso directo a este banco de datos, el cual es consultado alrededor de unas sesenta veces al día. La debilidad tradicional de las numerosas pequeñas y medianas empresas en el mercado es compensada, al menos en parte, por este esfuerzo concentrado, en el que en los últimos años ha aumentado marcadamente la implicación financiera del gobierno. Estos avances reflejan un paso parcial hacia una política activa de promoción de la exportación. Actualmente existe una fuerte tendencia en Austria a afirmar que sólo una política de exportación que siga el modelo suizo podrá asegurar la prosperidad económica en las próximas dos décadas. Así, en un reciente estudio elaborado por el gobierno se prevé un incremento de un tercio en la intensidad de la exportación austríaca en 1990 [287].

Pero contemplado en una perspectiva comparativa que incluye a Suiza, esta previsión parece improbable. Una buena ilustración de las dife-

---

[284] Haschek y Löschner, *Zwanzig Jahre*.

[285] Cviic, «Their Own Kind of Miracle», Informe, p. 14.

[286] Koch, «Contemporay Austrian Foreign Policy», pp. 206-60; *Die Presse*, 19 abril y 25 octubre 1975 y 16 abril 1976; Josef G. Maier, «Die Entwicklung der Exportförderung durch die Aussenhandelsstellen» (Diplom, Viena: Hochschule für Welthandel, 1976); Erich Staringer, «Die Ausfuhrförderung in Österreich», *Quartalsheft* 1967, núm. (1967), pp. 67-75, y *Die Presse*, 18 marzo 1975. Sin embargo, habría que señalar que la sofisticación tecnológica del sistema de comercio exterior es en cierto modo engañosa. Son sólo un remedio parcial a la debilidad mayor de las empresas austríacas en el área del márketing y el estilo de ventas agresivo.

[287] *News from Austria*, 2 septiembre 1980, p. 4.

rentes actitudes de los dos Estados en cuestiones de política de exportación nos viene dada por las controversias que rodean el abastecimiento de armas en Austria, pero no en Suiza. La creación de una industria armamentística nacional se consideró a partir de 1955 de vital importancia para asegurar la neutraliad de Austria. Desde que el ministro de Defensa austríaco adquirió equipamiento de produción nacional a precios con prima, el ejército austríaco puede cubrir actualmente el 60 por 100 de sus compras de armamento totales de proveedores nacionales. Alrededor de dos docenas de empresas emplean a 3.000 trabajadores en contratos de defensa. La mayor, Steyr-Daimler-Puch, genera aproximadamente una cuarta parte de su rotación anual de capital de 800 millones de dólares en armamento. A través de su filial griega, esta empresa nacionalizada evita las restricciones austríacas a la exportación y vende directamente a facciones opuestas del Oriente Medio. Más del 50 por 100 de la producción armamentística austríaca de 600 millones de dólares se exporta a clientes de cuarenta países. Bastante apartada de las presiones internacionales a las que la política austríaca está expuesta de forma ocasional, esta orientación exportadora genera unas controversias internas que en Suiza son sencillamente desconocidas. En 1977, el ministro austríaco de defensa, Karl Luetgendorf, fue obligado a dimitir antes de que se hiciera público que él había apoyado la venta de armas a Siria; en 1980, la oposición de los sindicatos y del ala izquierda del SPÖ detuvo un contrato del gobierno con Chile [288]. A diferencia de Suiza, Austria establece, a veces, otros objetivos más altos que las ventas de exportación. La promoción más activa de la exportación desde mediados de los 70 fue necesaria para mantener la relativa intensidad exportadora de la economía austríaca. Por el contrario, la política más restringida de Suiza permitió un incremento muy sustancial de la intensidad de exportación de la economía suiza típica, que está en una mejor posición en los mercados internacionales que sus correspondientes en Austria.

Las estrategias y estructuras políticas en Austria avanzan opuestas a muchas de las generalizaciones de izquierda y derecha. Dotadas de pleno empleo, baja inflación y alto crecimiento, Austria ejemplificó en los años 70 una estrategia triunfante de déficit del gasto, en un momento en el que los políticos de toda Europa volvían a otras formas de dirección de sus políticas económicas. La resistencia política del sistema de partidos en Austria contrasta con la desintegración política de los sistemas de par-

[288] *Der Spiegel*, 4 agosto 1980, pp. 104-7, y *New York Times*, 15 marzo 1981, p. 20. El contraste con Suiza no podría ser mayor. Véase Antón Pelinka, «Defense Policy and Permanent Neutrality» (artículo preparado para la Conferencia Anual del Comité de Estudios Atlánticos, Wingspread, Racine, Wisconsin, septiembre 1979), p. 12.

tidos establecida en muchos países europeos. Y los grupos de interés austríacos no muestran signos de una descomposición avanzada tan marcada como se observa en muchos otros países industriales, especialmente en los grandes. La estabilidad social y la normalidad política en Austria contrastan con la inestabilidad y la crisis en todos lados. La miseria de Europa se ilumina plenamente sólo por el milagro austríaco. A aquellos que piensan que el fin-de-siglo del socialismo democrático ha llegado, Viena les ofrece materia en que pensar.

3. EL CAPITALISMO LIBERAL EN SUIZA

La experiencia reciente confirma una vieja verdad: Suiza ofrece la visión de un pasado que funcionaba bastante bien. En 1978 Suiza era el país más rico del mundo industrializado, con un PNB de 13.853 dólares per cápita. En porcentajes, Suiza encabezaba también la lista en cuanto al ahorro individual (5.200 dólares) y reservas monetarias (3.370 dólares). Entre 1975 y 1978 Suiza aumentó la proporción de bienes y servicios de exportación dentro del PIB con un salto impresionante de 8 puntos, del 36 al 44 por 100. A pesar de su dependencia casi total de la energía extranjera, su superávit en cuentas corrientes en 1978 fue mayor que el 40 por 100 correspondiente al superávit total de la OCDE. Dos años después, tras la segunda crisis del petróleo, su déficit fue menor que el total de un 1 por 100 para la OCDE. En 1979, los 21 billones de dólares en reservas monetarias de Suiza sobrepasaban los de Estados Unidos. Entre 1971 y 1978, el franco suizo se revalorizó en un 100 por 100. La tasa de inflación del país, además, bajó desde más de un 10 por 100 en 1974 a un 1 por 100 en 1978 [1].

---

[1] Véase Emil Küng, *The Secret of Switzerland's Economic Success* (Washington, D. C.: American Enterprise Institute, 1978); Fritz Leutwiler, *Swiss Monetary and Exchange Rate Policy in an Inflationary World* (Washington, D. C: American Enterprise Institute, 1978); S. Borner *et al.*, *Structural Analysis of Swiss Industry 1968-1978: Redeployment of Industry and the International Division of Labor (Zurich: Industrial Consulting and Management Engineering Co., agosto 1978); Organización para la Cooperación y el Desarrollo Europeo (OCDE). Public Expenditure Trends* (París, 1978); OCDE, *Economic Surveys: Switzerland* (París, 1978 and 1980); *New York Times,* 25 junio 1979, p. D8; *Lage und Probleme der schweizerischen Wirtschaft: Gutachten 1977/78* (Berna: Eidgenössisches Volkswirtschaftsdepartment und Schweizerische Nationalbank, 1978), 1: 118; Norman Crossland, «The Everlasting League», *Economist,* 3 febrero 1979. Informe p. 23; «Euer Friede ist faul und erlogen, wenn... SPIEGEL-Report über das politische und gesellschaftliche System der Schweiz», *Der Spiegel,* 2 agosto 1971, pp. 72-86; Sarah Hogg, «A Small House in Order»,

Sin embargo, Suiza es hoy el único país industrial avanzado que no ha recuperado nunca su nivel de producción anterior a 1973. Debido a que racionalizó su producción y continuó su desarrollo industrial en el extranjero, Suiza despidió a los trabajadores y mujeres extranjeros, reduciendo su fuerza de trabajo en un 12 por 100 entre 1973 y 1976. A pesar de la pérdida de aproximadamente 340.000 puestos de trabajo, su tasa oficial de desempleo fue, sin embargo, sólo del 0,3 por 100 en 1980, menor que la de cualquier otro Estado industrial avanzado. Los gastos del gobierno han aumentado desde 1970 con más rapidez que en los demás países de la OCDE, e incluso redujo su déficit presupuestario en un tercio en medio de la recesión general de 1976-77. El PIB real bajó más de un 7 por 100 en 1975, uno de los mayores descensos en la OCDE y, sin duda, un descenso mucho mayor que los que se habían registrado en los años 30; sin embargo, en 1977 el PIB real en Suiza aumentó en un 4,3 por 100, lo cual superaba la tasa de crecimiento de todos los demás países de la OCDE.

Suiza tiene también una historia de éxito. A ojos de la inmensa mayoría de sus ciudadanos, las instituciones y las políticas suizas están legitimadas, y la democracia plebiscitaria suiza ayuda a recrear esta legitimidad a través de frecuentes votaciones sobre las principales cuestiones. Esto no significa que las tensiones en la política suiza no hayan aumentado, ya que los rápidos cambios económicos de los años 70 plantearon nuevos problemas que pusieron seriamente a prueba los acuerdos y opciones políticas establecidos en Suiza. Los programas propuestos por el gobierno federal están siendo rechazados ahora con más frecuencia que en los años 50 y 60. Aumentan los decretos de emergencia, especialmente en cuestiones que afectan a la posición de Suiza en la economía internacional. El descontento juvenil europeo puede contemplarse y oírse en Zurich. Pero sería incorrecto inferir de estos ejemplos de la creciente tensión existente que los cambios económicos de los años 70 han creado una crisis de debilitamiento en la misma estructura política suiza. Nada más lejos de la verdad. Comparada con la experiencia política de otros Estados industriales y comparada con la historia suiza de los años 20 y 30, Suiza ha capeado bastante bien los temporales de los años 70. Como señalaba un periodista medio en broma, «Suiza es un paraíso para los turistas y los conservadores. Un turista conservador puede pasarlo especialmente bien aquí... Suiza es un gran lugar para visitarlo. Para vivir no es un mal sitio» [2].

Economist, 15 marzo 1980, Informe p. 8; *Austrian Information* 32,6 (1979): 8; y *World Business Weekly,* 4 febrero 1980. p. 51 y 21 julio p. 24.

[2] Rudolf G. Penner, «Paradise Is in the Alps», *New York Times,* 11 octubre 1981, p. F3.

Los éxitos suizos derivan de su disposición a dejar que las fuerzas del mercado creen eficaces combinaciones de los factores de producción, mientras que se aprecia al mismo tiempo la importancia de la gestiones políticas compensadoras para el mantenimiento de un amplio consenso en este proceso de ajuste del mercado. En el corporatismo democrático, la flexibilidad económica depende de la estabilidad política. Este capítulo ilustra cómo Suiza moviliza el consenso para afrontar el cambio económico. El análisis se ha realizado a los tres niveles señalados en el capítulo 1: las coaliciones sociales y las opciones políticas, la instituciones políticas y el proceso político. La comunidad empresarial, con su orientación internacional, determina las políticas que afrontan el cambio económico, insistiendo en el comercio internacional, la inversión y la investigación intensiva y los esfuerzos de desarrollo, a través de las grandes corporaciones suizas. Los sindicatos suizos son relativamente débiles, tienen tendencias conservadoras y deben aceptar o apoyar por mutuo acuerdo el empleo de una amplia mano de obra extranjera, un enfoque «tacaño» del gasto público y una amplia privatización del bienestar social. Las secciones 1 y 2 argumentan que la coalición social que determina la opción por una política u otra explica por qué la respuesta suiza al cambio económico puede resumirse como de adaptación global y compensación privada. Esta alineación de las fuerzas sociales y las opciones políticas fundamentales con las que este alineamiento dirige el cambio económico, encuentran su expresión distintiva en las instituciones y el proceso de negociación política que constituyen la red política en Suiza. Las secciones 3 a 5 muestran la forma en que Suiza moviliza el consenso político que hace posible un equilibrio delicado entre la flexibilidad económica y la estabilidad política. Finalmente, la sección 6 traza algunas medidas que se han seguido con rigor en Austria pero que no parecen ser adecuadas en el corporatismo liberal suizo.

Los negocios internacionales

El rasgo más distintivo de la poderosa comunidad empresarial suiza es su orientación internacional. En base a la proporción de producción exterior con respecto a la interior y en una base per cápita, las inversiones extranjeras directas son mucho mayores que las de Estados Unidos o Gran Bretaña [3]. Las corporaciones suizas, puede decirse en el pleno

[3] Volker Bornschier, *Wachstum, Konzentration und Multinationalisierung von Industrieunternehmen* (Frauenfeld: Huber, 1976), p. 206. Bornschier calcula que la producción exterior representa el 200 por 100 de la inversión extranjera directa (p. 551).

sentido del término, «se sienten allí como en su casa» [4]. Un observador profundamente conocedor de la empresa suiza, Jürg Niehans, señalaba que «el multinacionalismo ayuda a igualar las oportunidades ecónomicas entre las empresas de los países grandes y pequeños. No se trata, como se ha dicho alguna vez, de una nueva arma ofensiva de los grandes países desarrollados para conseguir el dominio económico. Es la defensa tradicional de los pequeños países desarrollados para conservar la igualdad económica» [5].

No es fácil calcular la magnitud de los fondos que las corporaciones suizas poseen o trasladan al exterior. En realidad, debido a la reserva tradicional que envuelve las operaciones de la mayoría de las corporaciones suizas, algunos datos son tan poco fiables que el gobierno dejó de recogerlos en 1970 [6]. Pero, a decir de todos, las exportaciones suizas de capital han aumentado drásticamente desde el final de la segunda guerra mundial. El flujo de capital aumentó desde 733 millones de dólares al año en 1967-69 a 3.242 billones en 1973-75. A mediados de los 70 Suiza se ha situado, junto con Gran Bretaña, como el segundo mayor inversor extranjero, bastante por detrás de Estados Unidos pero delante de Alemania Occidental, Japón y Francia. Entre los pequeños Estados europeos, la tasa de exportación de capital suizo a mediados de los años 70 superó la de Holanda por un punto de 26, la de Suiza por 8,4, Bélgica por 13,8, Noruega por 25, Dinamarca por 32,3, y, finalmente, Austria por 111,5 [7]. Los activos brutos de Suiza en el extranjero se incrementaron desde 11,81 billones de dólares en 1960 a 108 billones de dólares en 1975 y sus activos netos aumentaron desde 6,95 billones de dólares a 62,8 billones. Estas últimas cifras corresponden a un 81 y un 113 por 100, respectivamente, del PIB suizo [8]. Los rendimientos netos del capital han aumentado a un ritmo incluso mayor: de 162 millones de dólares en 1960 a 2,01 billones en 1975 [9]. El rendimiento del capital es de una importancia vital para sumar

---

[4] Este es el sugestivo título de Thomas Horst's *At Home Abroad: A Study of the Domestic and Foreign Operations of the American Food-Processing Industry* (Cambridge, Mass.: Ballinger, 1974).

[5] Jürg Niehans, «Benefits of Multinational Firms for a Small Parent Economy: The Case of Switzerland», en Tamir Agmon y Charles P. Indleberger, eds., *Multinationals from Small Countries* (Cambridge: MIT Press, 1977), pp. 37-38.

[6] *Ibid.*, p. 2.

[7] United Nations, *Transnational Corporations in World Development: A Reexamination* (Nueva York: U.N. Economic and Social Council, 1978), p. 238.

[8] Walter A. Jörh, *Finanzplatz Schweiz kontra Exportwirtschaft? Fakten und Überlegungen zum Wechselkursproblem unseres Landes* (Zurich: Vereiningung für Gesunde Währung, 1076), p. 17.

[9] *Ibid.*, p. 30.

fuerza a la balanza por cuentas corrientes y para cubrir el déficit tradicional del comercio en Suiza [10].

Las corporaciones poseen una tercera parte de los activos netos extranjeros suizos: unos 21 billones de dólares en forma de inversión extranjera directa en 1975 [11]. El traslado de fondos se ha acelerado bastante desde 1945, especialmente hacia Latinoamérica, la cual recibe alrededor de las dos terceras partes de la inversión extranjera directa. Entre 1966 y 1971, por ejemplo, la tasa de inversión exterior suiza se duplicó y Suiza registró el cuarto mayor incremento en la tasa de crecimiento de su inversión exterior directa (detrás de Japón, Alemania Occidental y Suecia) [12]. Las corporaciones suizas están más simplificadas en las internacionalización de la producción que las empresas en cualquier otro país. En 1970, por ejemplo, la parte de producción exterior frente a la interior de las cincuenta mayores empresas era de 0,66 en Suiza, 0,28 en Gran Bretaña, 0,17 en Estados Unidos, 0,06 en Alemania Occidental, 0,02 en Japón y menos de 0,01 en Austria [13].

Suiza se asemeja a otros Estados europeos pequeños en el papel relativamente amplio que juegan sus corporaciones gigantes de la economía. Las cincuenta mayores corporaciones de Suiza representan algo más de la mitad de la producción extranjera y nacional suiza. Mientras que es comparable con el caso austríaco, está sustancialmente por encima de los niveles correspondientes a los grandes Estados industriales avanzados [14]. Además, las grandes multinacionales suizas, y especialmente las

[10] *Die Schweiz im Zeichen des harten Frankens* (Zurich: Schweizerische Kreditanstalt, 1978), p. 20; Leutwiler, *Swiss Monetary and Exchange Rate Policy,* p. 6; y Max Iklé, *Switzerland: An International Banking and Finance Center* (Stroudsbourg, Penn.: Dowden, Hutchison & Ross, 1972), pp. 146-47.

[11] Schweizerischer Handels- und Industrie- Verein, *Jahresbericht des Vororts an die Delegiertenversammlung: 107. Vereinsjahr* (n.p., n.d.), p. 37. Véase también Niehans, «Benefits of Multinational Firms», p. 5, y François Höpflinger, *Das unheimliche Imperium: Wirtschaftsverflechtung in der Schweiz* (Zurich: Eco, 1978), p. 15. Existe cierta incertidumbre sobre esta estimación, puesto que no sabemos qué proporción de inversiones directas suizas son realmente por la inversión indirecta de países más grandes como Estados Unidos, véase Naciones Unidas, *Transnational Corporations: A Reexamination,* p. 41, y Gilles Y. Bertin, «France as Host to Small-country Foreign Investment», en Agmon y Kindleberger, *Multinationals form Small Countries,* pp. 84-85.

[12] Höpflinger, *Das unheimliche Imperium,* p. 15; Bornschier, *Wachstum von Industrieunternehmen,* pp. 342, 398.

[13] Bornschier, *Wachstum von Industrieunternehmen,* p. 206. En general véase Silvio Borner, ed., *Produktionsverlagerung und industrieller Strukturwandel* (Ber Haupt, 1980). Véase también Peter C. Meyer, «Switzerland: Small State and Big Business» (artículo preparado para el seminario sobre «El Estado y el Poder Económico Internacional», Lovaina, Bélgica, abril 1976), p. 5.

[14] Bornschier, *Wachstum von Industrieunternehmen,* p. 206.

seis mayores —Nestlé, Ciba-Geigy, Hoffmann-La Roche, Alusuisse, Brown Boveri y Sandoz—, tienen entre el 95 y el 71 por 100 de sus empleados y entre el 95 y el 63 por 100 de sus ventas en el extranjero. La más internacional en su orientación es la corporación Nestlé, con sólo un 4,7 por 100 de las ventas totales en los mercados nacionales [15]. Pero Nestlé es sólo el ejemplo más extremo; su orientación internacional es característica de todas las grandes corporaciones suizas. Así, más de dos terceras partes de los empleados de las mayores treinta y cinco empresas manufactureras trabajan en el exterior. Entre 1967 y 1977 el empleo nacional en la industria se redujo en casi una cuarta parte. El empleo por parte de las corporaciones suizas en países con bajos niveles salariales aumentó en dos tercios, y el crecimiento de la tasa de empleo en el extranjero fue dos veces mayor en 1972-77 de lo que había sido en 1967-72. A finales de los 70, nueve de los diez mayores grupos industriales estaban invirtiendo fondos con mayor rapidez en el exterior que en el país y ocho de esas agrupaciones produjeron más en sus plantas extranjeras que en Suiza [16]. El grado de implicación internacional, sin embargo, varía con el tamaño de la empresa. Entre las treinta y cinco mayores corporaciones las cinco primeras emplean a cinco sextas partes de la mano de obra en el extranjero, pero la cifra para las empresas se situaba en el puesto número treinta [17].

Las consecuencias indirectas de estas estadísticas para la estructura de la economía suiza son muy importantes. Aunque el crecimiento de las grandes sociedades multinacionales suizas no ha superado el crecimiento del PIB, el hecho de que estas empresas estén trasladando una parte creciente de sus operaciones de fabricación al exterior ha ayudado a acelerar el crecimiento del sector servicios en Suiza, tanto en la producción como en la exportación. En resumen, como escribe Niehans, «las multinacionales suizas, aunque no son el sector de la economía más agresivo o dinámico, son su elemento sólido, duradero y flexible» [18]. Su fuerte par-

---

[15] Niehans, «Benefits of Multinational Firms», pp. 5-7, y Höpflinger, *Das unheimliche Imperium,* pp. 25, 27. Véase también John M. Geddes, «Nestlé Seeking Market Balance», *New York Times,* 27 marzo 1980, pp. D1, D5.

[16] Silvio Borner, «Ist der Standort Schweiz für einen Industriebetrieb, insbesondere für die Textilindustrie, noch richtig?» *Mitteilungen über Textilindustrie: Mittex 10* (octubre 1979): 375; *World Business Weekly,* 25 mayo 1981, p. 37; Urs Haymoz, *Finanzplatz Schweiz und Dritte Welt* (Basle: Z-Verlag, 1978), pp. 23, 38-39, 74-88; y Vital Gawronski, «Entwicklungsländer auf dem Weg ins Industriezeitalter: Auswirkungen aus internationaler und aus schweizerischer Sicht». *Mitteilungsblatt für Konjunkturfragen 36,* 3 (1980): 63, 65.

[17] Niehans, «Benefits of Multinational Firms», p. 6.

[18] *Ibid.,* p. 8.

ticipación internacional justifica, especialmente por algunas de las mayores empresas, «las características sin mercado nacional» [19].

La orientación internacional de las sociedades suizas se fortaleció en los años 70. La revalorización del franco suizo aumentó considerablemente su inclinación a trasladar una parte todavía mayor de operaciones de manufactura al exterior. Pero también hay que mencionar una segunda razón. Al igual que las grandes multinacionales en otros países, las corporaciones suizas, debido a su mismo tamaño, tienen acceso directo a los mercados internacionales en los que obtener el capital para sus inversiones exteriores. A diferencia de la mayoría de las multinacionales, las empresas suizas han acumulado activos no declarados (*Stilereserven*) a lo largo de los últimos cien años. Tal fuerza financiera fortalece su independencia con respecto al gobierno federal y los bancos. Estos activos son, según todos, realmente altos; una de las razones de por qué las empresas suizas son tan reservadas en cuanto a sus finanzas puede deberse perfectamente al temor a que la cuantía misma de los activos, una vez conocida públicamente, pudiera abrir un debate público en torno al sistema suizo de imposición de sociedades [20]. Dados estos activos tan elevados las empresas suizas han acogido con reservas el sistema de *Invesment Risk Insurance* creado en 1970 para fomentar la inversión en los países menos desarrollados. Tanto en escala como en crecimiento, el Seguro contra los Riesgos de la Inversión, ha sido insignificante comparado con el Seguro contra los Riesgos de la Exportación. Entre 1970 y 1976, sólo treinta y tres proyectos de inversión, totalizando 56 millones de dólares, se hallaban asegurados; a finales de 1977, las garantías excepcionales sumaban sólo 32,9 millones; es decir, sólo el 16 por 100 de la cantidad que había hecho disponible el gobierno [21].

La comunidad bancaria suiza ha crecido en los últimos años con subidas y bajadas. Hoy existe un banco por cada 1.400 suizos, 4.700 oficinas filiales en total [22]. Además, los bancos suizos, y especialmente los

---

[19] Antoine Basile, *Commerce extérieur et développment de la petite nation: Essai sur les contraintes de l'exiguité économique* (Ginebra: Droz, 1972), p. 199.

[20] Niehans, «Benefits of Multionational Firms», p. 2; Jonathan Steinberg, *Why Swirtzerland?* (Cambridge: Cambridge University Press, 1976), p. 141.

[21] Ulrich Frey, ed., *Schweizer Dokumentation für Politik und Wirtschaft,* 6 vols. (Bern, 1969-), «Investitionsrisikogarantie»; Gottfried Berweger, *Investition und Legitimation: Privatinvestitionen in Entwicklungsländen als Teil der Schweizerischen Legitimationsproblematik* (Diessenhofen: Rüegger, 1977), p. 77. En 1973, las cantidades empleadas bajo el Investment Risk Guarantee representaron el 1 por 100 de las sumas empleadas bajo el Export Risk Guarantee; véase Handels- und Industrie- Vereing, *Jahresbericht 1977/78,* p. 59.

[22] Fritz Leutwiler, *Die Schweiz als internationaler Finanzplatz: Wachstum in Grenzen* (Zurich: Schweizerischer Handels- und Industrie- Verein, 1977), p. 16; *World Business*

tres mayores, son verdaderos imperios financieros, unidos inextricablemente a los desarrollos de los mercados internacionales. Lo mismo sucede con las compañías de seguros y reaseguros importantes en Suiza, las cuales generaron alrededor del 60 por 100 de sus negocios en el extranjero en los años 70 [23]. En términos del tamaño total, la comunidad financiera suiza es impresionante: en 1980, el balance general de los cinco mayores bancos sumaba 74,38 billones de dólares, mientras que en 1975 el balance general de todos los bancos suizos había totalizado los 125 billones [24]. La proporción de capital y reservas bancarias en el balance total es la mayor de todo el mundo industrializado: el 8,3 por 100 de Suiza supera con mucho las cifras de Estados Unidos (6,4 por 100), Alemania Occidental (3,4 por 100) y Japón (1,2 por 100) [25]. Además, es de conocimiento general que los bancos ofrecen infraestimados, generalmente, sus activos totales; una regla común entre los banqueros suizos es la de duplicar las cifras que ofrecen los tres mayores bancos, llegando así a un cálculo aproximado de sus activos totales. De esta forma el Banco de Crédito Suizo pudo absorber una pérdida de más de 420 millones de dólares en 1977, liquidando algunos de sus activos no declarados, y registrar todavía los mismos beneficios que el año anterior [26]. Como en otras esferas económicas, la industria bancaria suiza cada vez se torna más centralizada, la participación relativa de los cinco mayores bancos en los activos totales aumentó del 26 por 100 en 1945 al 45 por 100 en 1974 [27]. Este brazo financiero se ha trasladado progresivamente al empleo. A pesar de la reducción del empleo en las manufacturas, el sector financiero registró altas tasas de crecimiento en cuanto al empleo en los años 70; incluso en el año de crisis de 1975 aumentó el empleo alrededor de un 4 por 100 [28].

Weekly, 4 mayo 1981, pp. 49-50; y Martin Underer, *Finanzplatz Schweiz: Seine Geschichte, Bedeutung und Zukunft* (Viena: Econ, 1979). Algunas de las partes oscuras de la banca suiza se discuten en Jean Zeigler, *Switzerland: The Awful Truth* (Nueva York: Harper, 1977), pp. 39-60 y en Christian Dorninger, «Finanzplatz Zürich-über jeden Verdacht erhaben?», *Information über Multinationale Konzerne* 1981, núm. 2:6-10.

[23] «International Insurance-Swiss Style», *Economist,* 18 julio 1970, Informe p. XXVIII.

[24] Jöhr, *Finanzplatz Schweiz Kontra Exportwirtschaft?,* p. 13; Höpflinger, *Das unheimliche Imperium,* p. 163; Meyer, «Switzerland: Small State and Big Business», p. 8; y *World Business Weekly,* 7 julio 1980, p. 33.

[25] R. A. Jeker, *Die schweizer Banken in den achziger Jahren* (Zurich: Crédit Suisse, 1979), p. 17.

[26] Robert Metz, «Swiss Defense on Takeovers», *New York Times,* 9 abril 1980, p. D6.

[27] Berweger, *Investition und Legitimation,* p. 209.

[28] *Die Schweiz im Zeichen des harten Frankens,* p. 20; Höpflinger, *Das unheimliche Imperium,* p. 163; Robert Holzach, *Banken und Strukturpolitik* (Aargau: Aargauische Industrie- und handelskammer, 1977), pp. 7-8; Meyer, «Switzerland», p. 9; y *Lage und Probleme der Schweizerischen Wirtschaft: Gutachten* 1977-78 (Berna: Eidgenössisches Volkswirtschaftsdepartment und Schweizerische Nationalbank, 1978), 1:48-49, 215.

Los bancos están inmersos profundamente en las operaciones internacionales. Las transacciones con clientes extranjeros aumentaron aproximadamente desde el 8 por 100 del balance total en 1938 al 33 por 100 en 1972. Para los cinco mayores bancos, la cifra se situaba en el 50 por 100 en 1972 [29]. Los cinco grandes bancos dirigen alrededor de las dos terceras partes de sus negocios en el extranjero, donde se produce actualmente la mayor parte de su crecimiento [30]. Entre 1963 y 1972, por ejemplo, los préstamos extranjeros aumentaron en un factor de seis, comparado con una mera duplicación de los préstamos nacionales [31]. Los activos extranjeros de los bancos suizos crecieron de 4,3 billones de dólares en 1965 a 48,8 billones en 1976, casi la mitad del tamaño de los activos estadounidenses en el extranjero a los tipos de cambio actuales, y el número de filiales extranjeras pasó de once en 1965 a cuarenta y cinco en 1976. El Unión Bank of Switzerland y la Sociedad Bancaria Suiza son miembros del selecto club de bancos internacionales que actúan como prestamistas «primarios» en el mercado del eurodólar [32]. La operación internacional de los bancos suizos y sus ingresos por servicios prestados han fortalecido en gran medida la balanza de pagos suiza. En 1979, los créditos a corto plazo fueron intercambiados entre los bancos centrales; no es casual que los cuatro billones de dólares que aportó el Banco Nacional Suizo (Schweizerische Nationalbank) superaran la cuota austríaca por un factor de dieciséis (al igual que superó la cuota de todos los demás países europeos pequeños en conjunto) [33].

Aunque la industria y los bancos suizos comparten generalmente una orientación internacional, en ocasiones han estado en desacuerdo en cuan-

---

[29] Bornschier, *Wachstum von Industrieunternehmen,* p. 445. Basados en diferentes datos y métodos de computación existen otras fuentes que registran cifras más altas para 1938 y otras menores para 1972-73. Véanse respectivamente Amilio Albisetti, «Die Banken», en *Strukturwandlungen der schweizerischen Wirtschaft und Gesellschaft: Festschrift für Franz Marbach zum 70. Geburtstag* (Berna: Stämpfli, 1962), p. 201; Hans C. Binswanger y Reinhart Büchi, «Aussenpolitik und Aussenwirtschaftspolitik», en Alois Riklin, Hans Haug, y Hans C. Binswanger, eds., *Handbuch del schweizerischen Aussenpolitik* (Berna: Haupt, 1975), p. 708; y *Euromoney,* mayo 1979, p. 13.

[30] B. Beedham y G. Lee, «Even in Paradise», *Economist,* 22 febrero 1969, Survey, p. XII.

[31] Meyer, «Switzerland», pp. 8-9. Sin embargo, es muy probable que el crecimiento de los préstamos internacionales se reduzca en los años 80; Véase *World Business Weekly,* 1 diciembre 1980, p. 50.

[32] Robert B. Cohen, «Structural Change in International Banking and Its Implicationas for the U.S. Economy» (Borrador presentado al Estudio Especial sobre cambio Económico del Comité Económico Conjunto del Congreso de EE UU, 22 julio 1980), pp. 3, 5.

[33] Susan Strange, «Still an Extraordinary Power: America's Role in a Global Monetary System», en Raymond E. Lombra y Willard E. Witte, eds., *Political Economy of International and Domestic Monetary Relations* (Ames: Iowa State University Press, 1982),

to a las políticas a adoptar. Bajo el sistema de tipos de cambio fijos de los años 60, por ejemplo, la devaluación del franco suizo reforzó la posición de los exportadores suizos en los mercados mundiales. Incrementó también el influjo de fondos extranjeros, ampliando así la oferta monetaria y las presiones inflacionistas de los carburantes en toda la economía nacional. En el debate sobre los peligros de la «inflación importada», la industria y las finanzas adoptaron diferentes posiciones. En términos generales, los banqueros suizos se opusieron, sin éxito, a las consecuencias inflacionistas de la estrategia de exportación suiza. El *boom* de exportaciones inducidas en 1958-64 se estableció finalmente sólo cuando el gobierno y el público se convencieron de que daría lugar a una tasa de inflación permanente e inaceptablemente alta [34]. Las limitaciones que se impusieron entonces intentaban repartir los costes económicos equilibradamente entre la industria y las finanzas sin causar un daño sustancial a ninguna. En 1970, el fuerte grupo a favor de la exportación tuvo, sin embargo, mayor éxito; detuvo completamente al gobierno en el intento de frenar las presiones inflacionistas, estableciendo un impuesto temporal a la exportación [35]. Pero debido a que la magnitud de los movimientos internacionales de capital era todavía relativamente reducida en los años 60, las consecuencias inflacionistas fueron menos pronunciadas y la derrota política de los bancos menos visible. Bajo el sistema de tipos de cambio flexibles que prevaleció durante casi toda la década de los 70, la industria y las finanzas se vieron afectadas también de formas diferentes. Las numerosas y amplias regulaciones que adoptó el Banco Nacional en el intento de detener la creciente corriente de movimiento de capital especulativo y a corto plazo en el país redujo seriamente algunas de las operaciones más rentables de los bancos. Pero las grandes corporaciones industriales se hallaban en una buena situación para reducir su ajuste, debido a sus operaciones internacionales. El resultado fue una multitud de peleas pero no una guerra general entre estos dos prominentes segmentos de la comunidad empresarial suiza.

Debido a la similitud de su búsqueda conciliadora de beneficios, las relaciones entre los diferentes segmentos de la comunidad empresarial suiza son, en general, excelentes. Por ejemplo, la revalorización del franco en los años 70 incrementó notablemente la inclinación de la comunidad

[34] Alfred Bosshardt, *Aussenhandels, Integrations- und Währungspolitik aus schweizerischer Sicht* (Zurich, Schulthess, 1970), pp. 330-32; Ernst Jordi, «Krisennot und Teuerung aus sozialdemokratischer Perspektive», en Egon Tuchtfeldt, ed. *Schweizerische Wirtschaftspolitik, zwischen Gestern und Morgen: Festgabe zum 65. Geburtstag von Hugo Sieber* (Berna: Haupt, 1976), p. 210; y Hermann Maurer, *Die schweizerische Wechselkurspolitik nach dem Zweiten Weltkrieg* (1945-10.5, 1971) (Berna: Lang, 1972).

[35] *Neue Zürcher Zeitung*, 2 marzo, 14 mayo y 20 junio 1970.

empresarial a desarrollar sus operaciones manufactureras en el exterior. Existe un amplio acuerdo entre los suizos en que esta política sólo conlleva beneficios. La estrecha relación tradicional que existe entre el comercio exterior y la exportación de capital se refleja hoy en la altísima correlación que existe entre las exportaciones netas de bienes de inversión y la inversión exterior directa [36]. Al menos, a corto y medio plazo se piensa que el comercio de exportación y la inversión exterior directa son compatibles y se apoyan mutuamente. Además, la estrategia de inversión y las prácticas prestamistas de los bancos suizos ayudan en ocasiones a la industria: no descuidan los objetivos a largo plazo por los beneficios a corto plazo y se considera el impacto de los sucesos o desarrollos concretos en el conjunto de toda la economía y no sólo en el marco de los intereses particulares de los bancos [37]. Esto ha sido evidente desde mediados los años 70 en la financiación de la exportación y en el apoyo temporal a las industrias que necesitaban un reajuste estructural. El acuerdo entre la industria y las finanzas se ha visto favorecido por un amplio sistema de directorios intercomunicados, un equivalente privado de los vínculos construidos políticamente en el corporatismo social austríaco. El sistema bancario «universal» suizo conduce a una gran participación directa por parte de los banqueros en los consejos empresariales. En 1971, por ejemplo, un total de cuarenta y siete miembros de las juntas de supervisión o consejos de dirección de los tres mayores bancos servían también en las juntas de supervisión de las siete mayores corporaciones industriales [38]. Además, Suiza posee *holdings* financieros de orientación internacional, los cuales refuerzan y reflejan también las íntimas relaciones existentes entre la industria y las finanzas. En 1976 existían 17.000 *holdings,* incluyendo a muchos extranjeros, que tenían localizadas gran parte de sus instalaciones productivas en el exterior.

Aunque la fuerza dominante en Suiza es la comunidad financiera e industrial con orientación internacional, existe también un sector empresarial en el país mucho menor y menos poderoso. Las altas esferas dominantes de la industria y las finanzas expresan en su actuación diaria una firme convicción en los principios del liberalismo económico. En el sec-

---

[36] *Die Schweiz als Kleinstaat in der Weltwirtschaft* (St. Gallen: Fehr'sche Buchhandlung, 1945), pp. 296-97, 283-84; Hans Vogel, «Die Schweiz und die Schichtung des internationalen Systems, untersucht anhand iher asymmetrischen Handelsbeziehungen», *Annuaire suisse de science politique,* 1974, pp. 124-25.

[37] Holzach, *Banken und Strukturpolitik.*

[38] *Berweger, Investition und Legitimation,* pp. 209-10; Steinberg, *Why Switzerland?* p. 141; Ziegler, *Switzerland: The Awful Truth,* p. 108; y Peter Rusterholz, «Power Structures in the Swiss Economic System» (artículo presentado al seminario del ECPR sobre «Interorganizational Networks», Bruselas, 17-21 abril 1979).

tor nacional, por otro lado, la protección y los cárteles son palabras mágicas. Mientras que este segmento de la comunidad empresarial ha reunido la suficiente fuerza política como para rechazar muchas de las amenazas de la economía liberal de mercado, se muestra mucho más débil para imponer su propia visión de la sociedad sobre otros sectores. Y aun su existencia ayuda a explicar por qué, por ejemplo, Suiza ha sido denominado «el país más altamente cartelizado del mundo», por qué una multinacional gigante como Brown Boveri puede pertenecer a un cártel de exportación internacional que entre productos de ingeniería eléctrica pesados sin casi ninguna oposición nacional o por qué el Partido Católico Popular (Christlich Demokratische Volkspartei), a diferencia de su correspondiente en Alemania Occidental, valora el principio de la libertad de contratación más que el principio de la competencia [39]. Estos hechos ilustran hasta qué punto «se aparta Suiza de la imagen austríaca», y que Suiza está marcada, como señala la OCDE, «por una concentración pluralista de las responsabilidades económicas en un sentido asociativo más que colectivo» [40]. Suiza se apoya en la coordinación privada.

Estas prácticas restrictivas han dejado su huella en la comunidad empresarial suiza. La Comisión de Cárteles aparece como el símbolo del avance gradual hacia la liberalización que ha caracterizado la política económica desde el final de la segunda guerra mundial; sin embargo, la comisión es, según muchos, muy poco severa en su enfoque de la descartelización. En la aplicación de la ley valora conscientemente la protección de la «personalidad económica» de una empresa o grupo de empresas más que el principio de la competencia [41]. El mayor conflicto de intereses es el que se da entre los cárteles de pequeñas firmas en sectores industriales débiles, tales como ciertas partes de la industria textil, por un lado, y entre grandes empresas de sectores industriales fuertes, como

---

[39] La cita está tomada de W. A. Jöhr y F. Kneschaurek, «Study of the Efficiency of a Small Nation Switzerland», en E.A.G. Robinson, ed., *Economic Consequences of the Size of Nations: Proceedings of a Conference Held by the International Economic Association* (Londres: MacMillan, 1960), p. 58. Véase también Guntram, Rehsche, *Schweizerische Aussenwirtschaftspolitik und dritte Welt: Ziele und Instrumente. Exportförderung kontra Entwicklungspolitik* (Adliswil: Institut für Sozialethik, 1977), pp. 8-9; Arnold Koller, «Entwicklungstendenzen der Wirtschafts- und Sozialpolitik der CVP», en Tuchtfeldt, *Schweizerische Wirtschaftspolitik,* p. 152.

[40] OCDE, *Reviews of National Science Policy: Switzerland* (París, 1971), p. 55.

[41] Alexandre Jetzer, «L'activité de la Commission des Cartels dans l'loptique du commerce et de l'industrie», en *Wettbewerbspolitik in der Schweiz: Festgabe zum 80. Geburtstag von Fritz Marbach* (Berna: Haupt, 1972), p. 44; Hans Huber, «Rückblick auf die «neuen» Wirtschaftsartikel der Bundesverfassung» y Walter R. Schluep, «Schweizerische Wettbewerbspolitik zwischen Gestern und Morgen», ambos en Tuchtfeld, *Schweizerische Wirtschaftspolitik,* pp. 69-70 y 95-130.

la química, por otro; esta tensión opone a los cárteles y al nacionalismo económico contra el multinacionalismo y el internacionalismo económico. Cuando el conflicto se articula y resuelve en el Vorort, la principal asociación de élite empresarial, prevalecen generalmente las preferencias de la política liberal por los negocios internacionales. Cuando, por otro lado, el Vorort se opone a los intereses de la Asociación Suiza de Pequeñas Empresas (Schweizerischer Gewerbeverband) o al Sindicato de Campesinos Suizo (Schweizerischer Baververband), el resultado puede, en ocasiones, ponerse en duda [42]. Pero en la medida en que la comunidad agrícola ha visto garantizada la protección de su estatus, la comunidad empresarial de orientación nacional carece del apoyo político necesario para retar al sector empresarial de orientación internacional.

La revalorización del franco en los 70 condujo a una mayor competencia extranjera en los mercados suizos, lo cual hizo dar un paso más hacia la liberalización, un empuje más fuerte de lo que supusieron dos décadas de una descartelización cautelosa. Debido a estas presiones competitivas, la comunidad empresarial nacional está en retirada. Entre 1966 y 1972, el número total de empresas en Suiza disminuyó en más del 15 por 100 [43]; una proporción todavía mayor de empresas cerró entre 1972 y 1979, especialmente en los sectores cartelizados y protegidos de la economía. La comunidad empresarial nacional, que tuvo la suficiente fuerza política para oponerse a la comunidad empresarial internacional, por ejemplo, en el prolongado debate sobre la Ley de cárteles suiza, es ahora bastante importante, ya que la política liberal de comercio exterior restringe seriamente sus terrenos tradicionales en los mercados nacionales.

La sólida posición que disfrutan los negocios internacionales en Suiza se refleja en una estrategia de adaptación global y de compensación privada ante el cambio económico. Las opciones políticas en cuestiones de comercio exterior, al igual que en las de investigación y desarrollo, reflejan inequívocamente la concepción de la comunidad empresarial suiza. Con pocas excepciones, Suiza se ha adherido en la economía internacional a un liberalismo profundamente enraizado que data de la Revolución Industrial. En una perspectiva comparativa, las reducciones arancelarias extensivas y a menudo unilaterales de los años 50 dejaron a Suiza unas tarifas insignificantes sobre las exportaciones [44]. En 1956, por ejemplo,

---

[42] Dusan Sidjanski, «Interes Groups in Switzerland», *Annals of the American Academy of Political Science* núm. 413 (mayo 1974); 112; Josua Werner, *Die Wirtschaftsverbände in der Marktwirtschaft* (Zurich: Polygraphischer Verlag, 1957), pp. 53, 55, 60, 104.

[43] Gerhard Winterberger, *Das Bild der Industrie in der Öffentlichkeit* (Zurich: Schweizerischer Handels- und Industrie- Verein, 1972), pp. 6-7.

[44] Richard Senti, «Die Schweiz und die Europäischen Gemeinschaften», en Senti, ed.,

el 98 por 100 del comercio suizo con los países de Europa occidental se hallaba libre de restricciones, mientras que para Austria era el 8 por 100 [45]. A principios de los 60, antes de la Ronda Kennedy, la tasa arancelaria media de Suiza sobre los productos industriales fue del 8 por 100, cuando en Austria era del 19 por 100 [46]. La incorporación suiza a la EFTA a finales de los 50, las negociaciones arancelarias multilaterales en las rondas Kennedy y Tokio, las concesiones de tarifas preferenciales a los países menos desarrollados a finales de los 60, la extensión unilateral del estatus de las naciones más favorecidas en los países de la Europa del Este y el acuerdo con la CEE en 1972 fueron los elementos que impusieron mayores presiones al descenso de unos aranceles que, a todos los efectos, eran ya bajos. En los años 60, por ejemplo, alrededor del 15 por 100 de las importaciones entraron en Suiza con tasas arancelarias que iban desde un 10 a un 13 por 100, mientras que el 50 ó 60 por 100 de las exportaciones entraron al 4,5 por 100 o menos [47]. Un estudio económico realizado en 1979 por el Congreso de Estados Unidos concluía que al final de la ronda de negociaciones Kennedy sobre reducciones arancelarias el nivel arancelario medio era de 3,9 por 100, la tasa más baja entre los Estados industriales avanzados [48]. En la ronda sobre negociaciones arancelarias multilaterales celebrada en 1979, la fórmula de compromiso suiza para el cálculo de los recortes arancelarios cerró el vacío entre la propuesta de armonización de la CEE y la preferencia de Estados Unidos por una reducción lineal. Irónicamente, Suiza es probablemente la única entre los dieciocho mayores países industrializados que experimentó una pequeña pérdida en bienestar como resultado de la última ronda de reducciones arancelarias [49].

Die Schweiz und die internationalen Wirtschaftsorganisationen (Zurich: Schulthess, 1975), pp. 125-27.

[45] Hans Mayrzedt, *Multilaterale Wirtschaftsdiplomatie zwischen westliche Industriestaaten als Instrument zur Stärkung der multilateralen und liberalen Handels- politik* (Berna: Lang, 1979), p. 389.

[46] Österreichisches Institut für Wirtschartsforschung, «Österreich, Schweiz, Schweden: Ein Wirtschaftsvergleich», *Monatsberichte 37* (octubre 1964, Suplemento 77): 8.

[47] Departamento de Comercio de EE UU, Oficina de Comercio Internacional «Foreign Trade Regulations of Switzerland», *Overseas Business Reports* OBR 69-22 (Junio 1969): 1.

[48] Senado de EE UU, Comité de Finanzas, Subcomités de Comercio Internacional, MTN *Studies 5: An Economic Analysis of The Effects of the Tokyo Round of Multilateral Trade Negotiations on the United States und the Other Major Industrialized Countries* (Washington D. C., 1979), p. 38.

[49] William R, Cline *et al.*, *Trade Negotiations in the Tokyo Round: A Quantitative Assessment* (Washington, D. C.: Brookings, 1978), pp. 74, 121, 142. El interés de los negociadores suizos en mediar en el conflicto entre Estados Unidos y la Comunidad Europea puede, sin duda, atribuirse a la incómoda posición en la que se encontraban al comienzo

Para Suiza, la política exterior y la política económica exterior se hallan inextricablemente unidas. Alrededor de las tres quinta partes de los 424 tratados bilaterales firmados desde 1945, el doble de la media para la OCDE, trataban exclusivamente de cuestiones económicas [50]. De acuerdo con la valoración sincera de un funcionario suizo, «la consistente política suiza de neutralidad crea las condiciones más ventajosas para una expansión comercial sin restricciones en todos los mercados» [51]. Suiza ha orientado así su participación en el comercio exterior más allá del mundo industrializado, a diferencia de Austria, hacia los países en desarrollo más que a la Europa del Este. Mientras Suiza importa alrededor de un 5 por 100 de los países menos desarrollados y de los países de comercio estatal de Europa oriental, envía el 15 por 100 de sus exportaciones totales a los países en desarrollo, casi cuatro veces más de lo que exporta a los países socialistas [52]. La política suiza, especialmente en Latinoamérica y Oriente Medio, refleja mezcla de liberalismo de *laissez faire* y promoción de la exportación que caracteriza generalmente su estrategia en los mercados mundiales [53]. En el acercamiento a los problemas del desarrollo, los diplomáticos suizos han alabado siempre, en base a la experiencia de su país, las virtudes de la iniciativa privada y de las soluciones de mercado. Desde la Primera Conferencia de las Naciones Unidas sobre Comercio y De-

---

de la ronda de Negociaciones de Kennedy sobre reducciones arancelarias, véase E. H. Preeg, *Traders and Diplomats: An Analysis of the Kennedy Round of Negotiations under the GATT* (Washington, D. C.: Brookings, 1970), pp. 65-67; Karin Kock, *International trade Policy and The GATT 1947-67* (Stockholm: Almqvist & Wiksell, 1969), p. 103; y Senado de EE UU, Comité de Finanzas, MTN *Studies,* p. V.

[50] Der Spiegel, 26 junio 1978, p. 122. Véase también Margret Sieber, «Die Entwicklung der schweizerischen Aussenbeziehungen in der Nachkriegszeit: 1948-1978», *Kleine Studien zur Politischen Wissenschaft* núm. 208 (Zurich: Forschungsstelle für Politische Wissenschaft of the University of Zurich, 1981); las cifras correspondientes a Austria variaban entre el 25 y el 51 por 100 en 1964, 1968 y 1972; véase Renate Rottensteiner, «Die Willensbildung in der Österreichischen Aussenpolitik», en Heinz Fischer, ed., *Das politische System Österreichs* (Viena: Europaverlag, 1974), p. 378.

[51] P. R. Jolles, citado en Binswanger and Büchi, «Aussenpolitik und Aussenwirtschaftpolitik», pp. 694-95. Una idea similar fue expresada por el ministro de Exteriores suizo, Pierre Aubert: Véase la entrevista en *Der Spiegel,* 26 junio 1978, pp. 118-23.

[52] Crédit Suisse, *Bulletin 86* (primavera 1980): 20; Ziegler, *Switzerland: The Awful Truth* p. 28; Hans Naef, *Die Handelsbeziehungen der Schweiz zu den Zentralplanwirtschaften von* 1945-1968 (Zurich: Juris, 1971); y Stefan Masu, *La coopération économique des pays de l'Est avec la Suisse: Roumaine* (Ginebra, Institut universitaire des hautes études internationales, 1975).

[53] Para el contexto general existen numerosos artículos en Riklin, Haug y Binswanger, *Handbuch;* R. Büchi y K. Matter, eds., *Schweiz-Dritte Welt: Solidarität oder Rentabilität?* (Zurich: Schulthess, 1973); Franz Bluntschli, *Zuden Beziehungen zwischen schweizerischer Aussenwirtschafts- und Entwickwirtschaftssystem* (Adliswil: Institut für Sozialethik, 1980); Hugo Aebi y Bruno Messerli, ed., *Die Dritte Welt und Wir* (Berna: Haupt, 1980) y Haymoz, *Finanzplatz Schweiz.*

sarrollo, en 1964, Suiza ha sido una defensora fiel del enfoque liberal de los problemas del comercio y la ayuda internacional. A este respecto, poco ha cambiado en los últimos veinte años. En las reuniones de Nairobi de la UNCTAD (1976) Suiza articuló de nuevo la posición liberal, y en las conversaciones entre Norte y Sur de mediados de los 70 Suiza hizo hincapié en las cuestiones técnicas más que en las políticas, trabajó en la Comisión de Finanzas, donde su voz tenía peso, y no se alineó con los (a veces amplios) compromisos que propusieron Holanda y Suecia [54]. Mientras que la prudencia evitó cualquier apoyo abierto a la fuerte oposición inicial de Estados Unidos y Alemania Occidental a las demandas del Sur, Suiza, al parecer, se mostró de acuerdo con la posición de Norteamérica y Alemania.

El récord poco inspirador de Suiza en la ayuda internacional refleja también esta inclinación liberal. A decir de todos, los suizos han sido muy poco generosos en mostrar lo que ellos denominan el principio de «solidaridad» en su política exterior. Suiza está muy lejos de llegar al objetivo de la Comisión de Ayuda al Desarrollo (DAC) de la OCDE, situado en el 0,7 del PNB. Los movimientos de capital privado, en forma de créditos a la exportación e inversiones exteriores directas, se equipararon en 1975 a la ayuda pública. En 1977, la ayuda pública representaba un 0,19 por 100 del PNB, en comparación con el 0,30 por 100 correspondiente a Austria, quedando tan reducido con respecto a la media de 0,31 establecida por la OCDE que el DAC, sorprendentemente, se hizo eco del criticismo público levantado [55]. Por otra parte, las provisiones de créditos suizos para los países menos desarrollados sí han sido generosas. A mediados de los 70, sus 291 millones de dólares participaron en la «Tercera Ventana» que abrió el Banco Mundial para los países menos desarrollados afectados con dureza por los incrementos del precio del petróleo, y su contribución de 720 millones de dólares a las instalaciones de Witteveen del FMI ilustran cómo en las relaciones Norte-Sur Suiza ha actuado en cuestiones en las que estaban implicados sus intereses «vitales», tales como la cuestión de las deudas y la de la explotación. Los cálculos políticos y el compromiso de ayudar a los países pobres explican por qué en 1979 Suiza se mostró de acuerdo en cancelar 69 millones de dólares o el

---

[54] Alexander Melzer, «Die Schweiz und die internationalen Wirtschaftsorganisation der Dritten Welt», en Senti, *Die Schweiz und die internationalen Wirtschaftsorganisationen,* pp. 156, 161-63; *Neue Zürcher Zeitung,* 15 diciembre 1975; 8 diciembre 1976 y 3 junio 1977, 9 mayo 1976 y 8 diciembre 1976.

[55] *Zehnter Bericht zur Aussenwirtschaftspolitik,* 8 febrero 1978, p. 25; Österreichische Länderbank, *Economic Bulletin,* septiembre 1980, pp. 7-8; y Helmut Kramer, «Österreich und die Dritte Welt: Am Beispiel der österreichischen Entwicklungshilfe», *Österreichische Zeitscrift für Politikwisenschaft 7,* 3 (1978): 321-40.

90 por 100 de la deuda de los países en desarrollo (comparado con los 4 millones o el 15 por 100 que acordó Austria) [56]. Y, junto con Holanda, Alemania Occidental, Gran Bretaña y Estados Unidos, el gobierno suizo ha participado en primera fila en la negociación de acuerdos que están inspirados, en su mayor parte, por la Asamblea Preliminar sobre la Protección de la Propiedad Extranjera de la OCDE [57].

El propósito oficial de la política de ayuda suiza es el de incrementar la capacidad de los países menos desarrollados para absorber una parte creciente de las exportaciones y las inversiones extranjeras directas por parte de Suiza [58]. Suiza está más dispuesta que la mayoría de los países industriales avanzados, sin embargo, a aceptar las consecuencias de la ofensiva exportadora de los países con producción a bajo coste. Esta postura liberal está fundada en los propios intereses económicos de Suiza. Suiza exporta cinco veces más productos industriales a los países en desarrollo de lo que importa [59]. Aunque el comercio suizo con los países menos desarrollados no productores de petróleo representa sólo el 2 por 100 del comercio de todos los Estados industriales avanzados, la contribución suiza al superávit de exportación registrado en este comercio es del 10 por 100 [60]. Además, mientras Suiza es más lenta que la mayoría de los Estados europeos en imponer restricciones temporales o permanentes a la importación de productos provenientes de los países menos desarrollados, siguiendo con las premisas liberales, se opone igualmente a concederles un tratamiento preferencial. Un informe del gobierno federal realizado con tono de autocrítica en los años 70 concluía con un fresco candor que, «comparados con los esfuerzos de otros Estados industriales avanzados, nuestros esfuerzos hasta ahora por incrementar las importaciones de los países menos desarrollados han sido menores» [61].

---

[56] Paul R. Jolles, *Due Schweiz in den Bestrebungen nach Neuordnun der internationalen Wirschaftsbeziehungen* (Zurich: Schweuzerischer Handels- und Industrie- Verein, 1977), p. 21; Jolles, «Beurteilung der Pariser Nord-SüdKonferenz aus schweizerischer Sicht» (artículo presentado en Generalversammlung der Freiburgischen Handels- und Industriekammer, 16 junio de 1977); y Jolles, «Die Schweiz in den Nord-Süd Beziehungen», *Documenta 5* (1976): 17-24. Véase también *Neue Zürcher,* 3 y 6 junio 1977; Anselm Skuhra, «Austria and the New International Economic Order: A Survey» (artículo preparado para el seminario del ECPR sobre «The Western Response to the New International Economic Order», Florencia, 24-29 de marzo de 1980), p. 101.

[57] United Nations, *Transnational Corporations: A Reexamination,* p. 27.

[58] Berweger, *Investition und Legitimation,* pp. 11, 98.

[59] Schweizerische Kreditanstalt, *Boletin* 86, 8-9 (1980), p. 8.

[60] *Neue Zürcher Zeitung,* 19 marzo 1977.

[61] *Botschaft des Bundesrates an die Bundesversammlung über einen Beitrag an die Schweizerische Zentrale für handelsförderung,* 26 febrero 1975, p. 14. Melzer, «Die Schweiz und die internationalen Wirtschaftsorganisationen», p. 167.

A pesar de esta liberalización de amplio alcance de las importaciones, Suiza no ha renunciado a todos los instrumentos de protección. Las fuerzas proteccionistas, por ejemplo, pudieron apoyar una reducción de tarifas en 1958 debido al paso simultáneo a una base *ad valorem* de cálculos arancelarios, lo cual significó que las tasas se redujeron sólo para una décima parte de los productos del sistema de tarifas, mientras que se incrementaron ligeramente en dos tercios [62]. Antes de su plena pertenencia al GATT en 1966, Suiza se reservaba el derecho de renunciar unilateralmente al estatus de la nación más favorecida por los demás socios comerciales. En los años 70 Suiza recurrió en varias ocasiones a la opción de extender certificados de importación. Sin embargo, esto son excepciones. En los años 50, 60 y 70, el alma de la política suiza ha consistido en aplicarse a sí misma los principios del liberalismo económico que ha estado recomendando a los demás.

En cuestiones de inversión exterior, la imagen de Suiza es la de la quintaesencia del pequeño Estado con fronteras abiertas. La estabilidad política suiza, su neutralidad militar y sus discreción financiera son la base de la máxima alemana de que «el dinero solo no trae la felicidad, hay que tenerlo, además, en Suiza» [63]. Las viejas máximas expresan las realidades económicas de hoy: el franco suizo tiene, por ley, la mayor cobertura oro de todos los billetes de banco en circulación entre las principales monedas. Si se hubieran valorado las reservas de oro suizas a los precios del mercado en 1982, cada franco habría estado avalado por un 300 por 100. Esto no es más que una muestra de las múltiples fuentes de la confianza de los inversores en la moneda suiza [64]. Históricamente, el secreto en las cuentas bancarias suizas se adoptó para proteger a los refugiados políticos y sus familiares del espionaje nazi en los años 30. Pero desde 1945 Suiza se ha beneficiado del influjo de capital extranjero de empresas extranjeras y gobiernos, así como del de evasores de impuestos y dictadores militares.

Las exportaciones representan una suma abrumadora de la producción en las principales ramas de la industria suiza: el 60 por 100 en maquinaria, el 85 por 100 en productos químicos y más del 95 por 100 en

---

[62] Max Pfister, *Die Sonderstellung der Schweiz in der internationalen Wirtschaftspolitik: Aussenwirtschaftspolitik* 1945-1951 (Winterthur: Keller, 1971), pp. 247, 232-34. A finales de los 50, las inminentes negociaciones entre Suiza y el Acuerdo General sobre Aranceles y Comercio (GATT) constituyeron el argumento táctico para incrementos temporales que obligaban incluso a los librecambistas.

[63] *World Business Weekly,* 24 diciembre 1979, p. 32.

[64] Iklé, *Switzerland,* p. 32; *Wall Street Journal,* 20 mayo 1982, p. 34.

relojes [65]. Las políticas de exportación suizas constituyeron, de esta manera, el mayor acercamiento del gobierno a una política económica activista en los años 70 [66]. En Suiza se estaba de acuerdo en que la crisis de los años 70 había que afrontarla mediante esfuerzos cada vez mayores en la promoción de la exportación más que mediante restricciones selectivas a la importación. La promoción de la exportación está, de hecho, próxima a la política fiscal, la principal medida política anticíclica del gobierno. En realidad, un informe programático de la posición suiza en la economía internacional publicado en 1945 reconocía su importancia [67]. De forma similar, en 1978 un análisis comprensivo de la posición cambiante de Suiza en la economía internacional llegaba a la conclusión de que «la versión moderna de la política económica del *laissez faire* consiste en la promoción de la exportación» [68]. Al contrario que las medidas adoptadas en Austria y otros lugares, las políticas de exportación suizas revelan los limitados instrumentos que el gobierno tiene a su disposición e ilustran el poder persuasivo del sector privado, en particular de los bancos. Los grandes esfuerzos de exportación descansan todavía en el sector privado con empresas individuales y en una serie de grupos de promoción de la exportación de fundación privada y reciente creación, diseñados para hacer más competitivas en los mercados internacionales a las pequeñas y medianas empresas [69].

Algunos cambios institucionales reflejan la ofensiva de exportación que se intensificó en los años 70 [70]. La maquinaria gubernamental fue mo-

---

[65] Jörh, *Finanzplatz Schweiz kontra Exportwirtschaft?,* p. 10; Guido A. Keel, «L'influence des groupes d'intérêt politiques sur la politique étrangère Suisse», in Riklin *et al., Handbuch,* p. 298, ofrece cifras algo más altas.

[66] Para tener una idea general, André Jäggi y Margret Sieber, «Interest Aggregation and Foreign Economic Plicy: The Case of Switzerland» (artículo preparado para el seminario del ECPR sobre «Grupos de Interés y Gobiernos», Florencia, 25-30 marzo de 1980), pp. 25-44; Peter Bettschart, «Exportförderung in der Schweiz», in *Exportförderung in der Bundesrepublik Deutschland, in der Schweiz und in Österreich: Ergebnisse eines Symposiums vom 9. Oktober 1979 veranstaltet von der Zentralsparkasse und Kommerzbank* (Viena Zentralsparkasse und Kommerzbank, 1979), pp. 27-45.

[67] *Die Schweiz als Kleinstaat in der Weltwitschaft,* p. 301.

[68] Borner *et al., Structural Anlysis,* p. 162. Una buena panorámica general de las diferentes políticas de apoyo a la exportación se ofrece en Rehsche, *Schweizerische Aussenwirtschaftspolitik und Dritte Welt,* pp. 38-41.

[69] Zehnter Bericht zur Aussenwirtschaftspolitik, p. 45: *Bernard Küffer, «die Kollektive Exportwerbung; Dargestellt* am Beispiel der gesamtschweizerisceh Fremdenverkehrs-, Uhren- und Käsewerbung im Ausland» (Ph. D. diss., Universidad de Berna, 1959), pp. 53-60, 167-72.

[70] *Zehnter Bericht,* p. 44; Rehsche, *Schweizerische Aussenwirtschaftspolitik und Dritte Welt,* p. 65; *Finanz und Wirtschaft,* 21 julio y 11 septiembre 1976; *Neue Zürcher Zeitung,* 6 marzo 1976; Albert Weitenauer, «Aussenpolitik und Aussenwirtschaft: Ausblick auf ein

dernizada y se realizaron algunos intentos de preparar a los diplomáticos y al personal político en el análisis político. Se creó una Oficina de Información para la Financiación a la Exportación a mediados de los 70. La diplomacia comercial suiza se ha visto fortalecida a través de la suma de los así llamados «delegados comerciales» asociados a las embajadas en algunos mercados de importante crecimiento en el Tercer Mundo. Al completar a las cámaras de comercio extranjeras en Suiza, este sistema de delegados comerciales es un modesto avance que imita la estrategia de promoción de la exportación desarrollada por el gobierno austríaco durante las tres últimas décadas [71]. Los delegados comerciales caen bajo la jurisdicción y supervisión de la Oficina de Desarrollo Comercial Suiza, semipública, a la cual se le fijó una nueva asignación gubernamental en 1976 y que fue reorganizada extensivamente en 1977. A finales de los 70 recibía alrededor de 10.000 solicitudes anuales de entre 7.000 empresas que exportaban [72]. Sin embargo, al mismo tiempo, la reorganización suiza no puede considerarse como el ingrediente central del éxito suizo. Los dos millones de dólares de ayuda financiera concedidos a la estrategia de exportación suiza en 1972 fue menor, en comparación, que la media de 7,1 millones de dólares de otros cinco pequeños Estados europeos y que los 8,8 millones gastados por Austria [73].

Bastante más importante para la estrategia de exportación suiza en los mercados mundiales que la ayuda incondicional es el Seguro Federal contra los Riesgos de la Exportación. Creado durante la Gran Depresión en 1934, actualmente está gobernado por una legislación que data de 1958 [74]. Perfeccionado y fortalecido constantemente, en diciembre de 1975, por ejemplo, el Banco Nacional decidió sumar a las reservas proyectadas unos

---

Gemeinsames Ziel», *Schweiter Monatshefte* 57 (1977): 713-26; y Schweizerischer Handels und Industrie- Verein, *Jahresbericht* 1976/77, pp. 29-30.

[71] Peter J. Katzenstein, «Domestic Structures and Political Strategies: Austria in an Interdependent World», en Richard Merrit y Bruce Russett, eds., *From National Development to Global Community* (Londres: Allen & Unwin, 1981), pp. 257-59.

[72] Interview, Zurich, 1978.

[73] *Botschaft über einen Beitrag an die Schweizerische Zentrale für Handelsförderung*, p. 11. Noruega falta en el grupo de Estados pequeños. Entre los grandes Estados industriales avanzados, las ayudas británicas a la exportación llegaron a 76 millones de dólares. Esta cifra se separa considerablemente de los 51 millones que obtenían como media los demás países europeos.

[74] Binswanger y Büchi, «Aussenpolitik», pp. 733-35; Rehsche, *Schweizerische Aussenwirtschaftspolitik und Dritte Weilt*, pp. 14-17; Schweizerischer Handels- und Industrie Verein, *Jahresbericht 1976/77*, pp. 64-66; y Hermann Hofer, «Die Exportrisikogarantie (ERG) als Instrument der Exportförderung», en Willy Linder y Kurt Braendle, eds., *Volkswirtschaft der Schweiz: Dokumentation*, 2d ed. (Zurich: Sozialökonomisches Seminar, Universidad de Zurich, 1978), 2: 231-41.

60 millones de dólares que el banco había acumulado por los tipos de interés negativos cargados a los depósitos extranjeros en Suiza [75]. Aunque el seguro a la exportación en Suiza mantiene su objetivo tradicional de cubrir diversas formas de riesgos políticos, ha sido la principal fuente de ayuda a los exportadores suizos que intentaban afrontar el declive de sus precios y beneficios ocasionado por la revalorización del franco suizo en los años 70. Debido a tal revalorización, los exportadores suizos, a diferencia de sus competidores en todos los demás Estados industriales, tienen derecho a retener sus beneficios en divisas. La extensión de la cobertura de los seguros contra los riesgos del cambio se produjo a finales de 1973. En 1975, el 9 por 100 de los pagos totales por perjuicios afectaban a las pérdidas ocasionadas por los cambios de monedas; sólo dos años después, en 1977, esta cifra había ascendido a un 70 por 100 [76]. En línea con la práctica de otros países, la cobertura máxima subió del 85 al 95 por 100 en 1975 [77]. Pero más importante que este cambio en las regulaciones fue el cambio en el espíritu con el que se administraban. El Seguro contra los Riesgos en la Exportación pasó a convertirse en un fuerte soporte de las pequeñas empresas en industrias de bienes de consumo, las cuales han tenido que afrontar las mayores dificultades en los últimos años.

El incremento en el volumen de negocios de exportación asegurados ha sido muy rápido. Las nuevas asignaciones ascendieron de 146 millones de dólares en 1960 a 1,55 billones en 1975 y 3,33 billones en 1977. La concesión total del gobierno federal como prestamista de último recurso a los exportadores suizos se incrementó desde 204 millones de dólares en 1960 a 1,17 billones en 1973, 3,1 billones en 1975 y 15 billones en 1980 (incluyendo 6 billones para garantías por riesgos de divisas) [78]. Además, mientras en 1968 el 70 por 100 de los seguros a la exportación cubría el comercio con los países menos desarrollados, en 1970 esta proporción había descendido al 48 por 100 [79]. El Seguro contra los Riesgos de la Exportación ha supuesto de esta forma un ingrediente importante en la de-

---

[75] *Finanz und Wirtschaft,* 10 diciembre 1975.

[76] Borner *et al., Structural Analysis,* p. 37.

[77] Has-Balz Peter, «Schweizerische Ausfuhr nach Südafrika und Exportrisikogarantie», *Entwicklungsstudien,* Documento 19 (Adliswil: Institut für Sozialethik, diciembre 1977), pp. 4-5.

[78] *Die Welt,* 12 junio 1961; Schweizerischer Handels- und IndustrieVerein, *Jahresbericht 1977/78,* pp. 57-58; Borner *et al., Structural Analysis,* p. 38; Paul R. Jolles, *Die Schweiz in Spannungsfeld der Welthandels- Währungsund Rohstoffprobleme* (Zurich: Schweizerischer Handels- und Industrie- Verein, 1975), p. 19; y Helmut Haschek, carta al autor, 22 marzo de 1982.

[79] *Neue Zürcher Zeitung,* 10 enero 1970; Peter, «Ausfuhr nach Südafrika», p. 5.

fensa suiza de las posiciones establecidas en sus mercados tradicionales de exportación en la OCDE; a finales de los 70 cubría entre el 15 y el 20 por 100 del comercio total de exportación en Suiza [80].

De una importancia comparable con la estrategia de exportación suiza ha sido su generoso sistema de financiación de la exportación, el cual depende casi exclusivamente del sector de la banca privada, y en particular de los tres mayores bancos privados: Unión de Bancos Suizos, la Corporación Bancaria Suiza y el Banco de Crédito Suizo. A lo largo de los siglos XIX y XX Suiza ha mantenido tipos de interés bastante menores que los de la mayoría de los demás países. Esto ha ofrecido una base de fuerza que los suizos han explotado al máximo en los años 70 [81]. A mediados de la década de los 70, los créditos preferenciales a corto plazo fueron concedidos a las industrias de bienes de consumo fuertemente afectadas (como ya veremos en los capítulos 5 y 6). Los créditos a medio plazo (de dos a cinco años) son también muy baratos. Los tipos de interés suizos de alrededor del 5 por 100 eran, con mucho, los más bajos de todos los Estados industriales avanzados. Los tipos correspondientes a los pequeños Estados europeos arrojan un producto de 9,4 por 100 y algo más de 7 por 100 en los grandes Estados industriales avanzados [82]. En definitiva, el sistema de financiación de la exportación ofrece unos créditos con unos tipos bastante menores que el 7 o el 8,5 por 100 estipulados en el primer acuerdo internacional de la OCDE sobre financiación de la exportación de 1976, el cual Suiza se negó a firmar [83]. El efecto combinado de estas políticas condujo a un incremento espectacular de los créditos privados a la exportación a los países en desarrollo, que se multiplicaron por 23, de 40 millones de dólares en 1975 a 916 millones en 1977 [84].

Estas diferentes formas de promover la explotación son mucho más importantes que los intentos de estimular la demanda suiza interna. El multiplicador de las exportaciones superó el de los gastos del gobierno y el de la inversión interior por 30 y 60 por 100, respectivamente [85]. A pe-

---

[80] Helmut Haschek, carta al autor, 22 marzo de 1982; Schweizerischer Handels- und Industrie- Verein, *Jahresbericht* 1976/77, p. 64, 1979/80, p. 56, 1980/81, p. 51. Con gran diferencia tres cuartas partes del comercio suizo con Suráfrica esta cubierto por este programa de seguros, véase Peter, «Ausfuhr nach Südafirka», p. 1.

[81] Borner *et al., Structural Analysis,* p. 39; Schweizerischer Handels- un Industrie- Verein, Jahresbericht 1976/77. pp. 28-29; y Gerhard Winterberger, *Die Zusammenarbeit von Staat und Privatwirtschaft bei der Exportförderung* (Zurich: Schweizerischer Handels- und Industrie- Verein, 1976), pp. 13-14.

[82] *Die Schweiz im Zeichen des harten Frankens,* p. 13.

[83] Rehsche, *Schweizerische aussenwirtschaftspolitik und Dritte Welt,* p. 63.

[84] OCDE, *Economic Surveys: Switzerland* (París, 1979), p. 30.

[85] Naef, *Die Handelsbeziehungen der Schweiz,* p. 86.

sar de esta eficacia, algunas de las iniciativas del gobierno se vieron fuertemente constreñidas. Por ejemplo, en 1979, los votantes suizos rechazaron, por tercera vez en la década de los 70, la propuesta de adoptar un impuesto sobre el valor añadido y los descuentos a la exportación que le acompañan normalmente. Austria y los otros pequeños Estados europeos habían pasado a esta forma de imposición y de promoción indirecta de la exportación ya a finales de los 60. El seguro de exportación suizo cubre únicamente el riesgo político y excluye, a diferencia de Austria, los riesgos comerciales y de la inversión. Además, al contrario que Austria, los créditos a la exportación están limitados normalmente a un plazo de devolución máximo de cinco años. Por otro lado, la mayoría de las medidas especiales adoptadas para fortalecer a los exportadores suizos terminaron de elaborarse al término de 1980. Todavía no han afectado demasiado estas limitaciones a la política gubernamental. Una serie de acuerdos e iniciativas del sector privado, especialmente en la financiación de la exportación, demostraron ser adecuadas ya en los años 70, con la excepción del período de la impresionante revalorización del franco suizo en 1978. Las condiciones de crédito en Suiza eran lo suficientemente atractivas como para apoyar su estrategia de exportación.

La tendencia suiza a compensar de forma privada el cambio económico queda ilustrada por un tipo de política de investigación y desarrollo que en Austria no ha encontrado eco. Mediante la combinación de los descubrimientos científicos modernos con las habilidades artesanales indígenas, «Suiza logró salvarse de las tentaciones de la producción en masa y fue condenada a la superioridad» [86]. Los bienes de exportación especializados en Suiza cuentan con un alto valor añadido. El valor del franco en cada tonelada de exportación es alrededor de siete a once veces mayor que el valor de cada tonelada importada [87]. Pero mientras que el gobierno suizo es completamente consciente de que una especialización creciente de la industria suiza es, dentro del contexto de su estrategia actual, necesaria e inevitable, son las grandes sociedades las que definen y desarrollan la política de investigación y desarrollo del país. Quizá por esta razón Suiza ha atendido siempre el consejo de la prudencia al seguir una política de investigación y desarrollo limitada y no general. Al igual que muchos otros países europeos, Suiza fundó su propio Consejo Científico Nacional en 1965; pero debido a que *le dèfi des cantons* pesaba más

[86] André Siegfried, *Switzerland: A Democratic Way of Life* (Londres Cape, 1950), pp. 68-69.

[87] En su comercio con Alemania Occidental, el adelanto de Suiza en cuanto a innovaciones es sólo la mitad; véase Crédit Suisse, *Boletín 86* (primavera 1980); 20.

que *le dèfi americain*, el Consejo recibió sólo poderes de asesoramiento y no políticos [88].

Mientras que el gobierno invierte en ciertas investigaciones, especialmente en los institutos universitarios, la política de investigación y desarrollo suiza se distingue por la activa oposición de su comunidad empresarial al patrocinio del gobierno. En 1943 y en 1959, la industria suiza desdeñó las ofertas extendidas por el ejecutivo federal para ampliar al gobierno de forma más prominente en las cuestiones de investigación y desarrollo [89]. En realidad, a petición del Consejo Científico Nacional, la principal asociación empresarial, la Federación Suiza de Comercio e Industria (Schweizerischer Handelsund Industrie-Verein, SHIV), ha asumido la responsabilidad desde 1966 de la recogida, interpretación y difusión de los datos sobre las cuestiones de investigación y desarrollo. Estos datos ilustran la abrumadora influencia que ejercen las grandes corporaciones multinacionales suizas. Mientras que las pequeñas y medianas empresas concentran sus recursos para investigación y desarrollo en la mejora de los procesos de ingeniería, las grandes sociedades, las cuales representan alrededor de las tres quintas partes de los gastos totales en investigación, están diseñando estrategias a largo plazo la innovación de productos. Al contrario que la mayoría de los Estados europeos, donde la proporción relativa de investigación financiada privadamente ha descendido, el sector privado ha ofrecido un 80 por 100 constante al presupuesto de investigación y desarrollo suizo desde principios de los 60. Gran parte de la investigación está, por tanto, dirigida al área de la investigación aplicada más que a la básica [90]. De hecho, la energía atómica es la única área de investigación que ha conservado la prerrogativa especial del gobierno. En definitiva, como escribía Félix Streichenberg, «en la organización y apoyo de la investigación y desarrollo industrial, Suiza es un caso especial y quizá el único país donde la investigación industrial privada ha surgido en base a los casos concretos cuya aplicación es raramente económica» [91].

---

[88] Felis Streichenberg, *Forschung und volkswirtschafliches Wachstum unter besonderer Berücksichtigung schweizerischer Verhältnisse* (Berna: Lang, 1968), pp. 114-23. Véase OCDE, *National Science Policy: Switzerland:* Wolf Linder, Beat Hotz y Hans Werder, *Plannung in der schweizerischen Demokratie* (Berna: Haupt, 1979), pp. 287-312.

[89] Volker Ronge, «Spärtkapitalismus ohne Politisirierung: Forschung und Forschungspolitik in der Schweiz», *Projekt Staat und Ökonomie,* Forscungsbericht 3/77 (Starnberg: 1977), p. 6; *Neue Zürcher Zeitung,* 24 enero 1967.

[90] Schweizerischer Handels- und Industrie- Verein, Forschung und Entwicklung in der Schweizerischen Privatwirtschaft: Berlicht Zur Erhebung des Vororts im Jahre 1976 (Zurich: n.d.). pp. 4, 18; Streichenberg, *Forschung,* p. 135.

[91] Streichenberg, *Forschung,* p. 120.

Dado que están financiados en gran parte por sus enormes corporaciones, los gastos suizos en investigación quedan muy por encima de los de Austria. En 1958, por ejemplo, los gastos en investigación y desarrollo en Suiza eran, per cápita, siete veces mayores que los de Austria [92]. Los gastos totales de los sectores público y privado se duplicaron aproximadamente entre 1962 y 1967, pasando del billón de francos (231 millones de dólares) en 1965. Entre 1969 y 1975, la tasa de incremento se frenó un tanto, de manera que los gastos en investigación alcanzaban 1,4 billones de dólares en 1975. Como proporción del PNB, los gastos en investigación y desarrollo aumentaron constantemente, de 1,6 por 100 en 1964 a 1,9 por 100 en 1967 y a 2,2 por 100 en 1975, comparado con menos del 1,4 por 100 en Austria [93]. Además, considerando las extensas operaciones internacionales de las empresas suizas, es de destacar que dos terceras partes de su investigación y desarrollo todavía se dirigen en el país [94].

El éxito de los esfuerzos de Suiza en la investigación y desarrollo es particularmente sorprendente desde una perspectiva histórica. En el seguimiento de una estrategia de imitación industrial Suiza posee ley de patentes hasta el final de siglo [95]. En algunas áreas del proceso textil Suiza careció de legislación de patentes hasta 1959 y perteneció al Instituto Internacional de Patentes hasta 1960. Hoy, la imitación industrial por parte de los demás deja a Suiza indiferente [96]. El número de patentes per cápita registrados en Suiza es mucho mayor que en cualquier otro país del mundo. En 1965, por ejemplo, la cifra de Suiza era de una tercera parte mayor que las correspondientes a Japón, Suecia y Alemania Occidental, situadas las cifras de dos a cuatro [97]. Si se miden en términos del número relativo de autores científicos, Suiza queda en primer lugar entre los pe-

---

[92] «Österreich, Schweiz, Schweden», p. 13.

[93] Streichenberg, *Forschung,* p. 135; Hubertus C. Tschopp, *Entwicklungstendenzen der Inlandsnachfrage nach Industriegütern in der Schweiz* (Winterthur: Schellenberg, 1973), p. 29; Schweizerischer Handels- und Industrie- Verein, *Forschung und Entwicklung,* pp. 17, 24; y OCDE, *National Science Policy, Switzerland,* p. 34. Los expertos estiman que la tercera parte de los gastos en investigación y desarrollo están financiados por empresas extranjeras.

[94] Tschopp, *Entwicklungstendenzen,* p. 29; Schweizerischer Handels- und IndustrieVerein, Forschung und Entwicklung, p. 17. La proporción ha descendido de las tres cuartas a las dos terceras partes a finales de los 60.

[95] Christopher Hughes, *Switzerland* (Nueva York: Praeger, 1975), pp. 178-79; Eric Schift, *Industrialization without National Patents: the Netherlands 1869-1912, Switzerland 1850-1907* (Princeton: Princeton University Press, 1970).

[96] Scheweizerischer Handels- und Industrie- Verein, *Jahresbericht 1977/78* pp. 48-53.

[97] Bornschier, *Waschtum von Industrienunternehmen,* p. 454.

queños Estados europeos y la segunda a nivel mundial [98]. Detrás de Estados Unidos, Suiza es el segundo mayor exportador de tecnología y aproximadamente una cuarta parte de las exportaciones mundiales de tecnología se originan en Suiza [99]. Y esta ingeniosidad suiza se paga. Los ingresos por licencias y patentes se incrementaron de unos 69,5 millones de dólares en 1957 a los 139 millones de 1967 y a más de 316 millones en 1973 [100]. En definitiva, la política de investigación y desarrollo suiza juega un papel central en el mantenimiento de la competitividad internacional.

Los sindicatos reformistas

Los sindicatos ocupan una posición subordinada en la coalición social y exhiben un conservadurismo que deriva de su relativa debilidad política [101]. Aunque tal debilidad se ha visto reforzada por la prosperidad y el pleno empleo de la generación pasada, las razones políticas más profundas se encuentran en la estructura de la economía suiza y las opciones políticas de los sindicatos. La descentralizada industria manufacturera suiza, el pequeño tamaño de las plantas y, en los años 70, el paso acelerado de la mano de obra de la industria a los servicios han afectado de forma adversa a su movimiento sindical. Entre 1950 y 1965, la estrategia suiza de exportación convirtió al sector secundario de la economía en el mayor entre todos los Estados industriales avanzados. Por tanto, el sindicato más importante dentro del movimiento sindical, el de trabajadores del metal y fabricantes de relojes, pudo registrar con orgullo un incremento del 30 por 100 en sus afiliados. Para el movimiento obrero en su conjun-

---

[98] OCDE, *The Research System: Comparative Survey of the Organization and Financing of Fundamental Research* (París, 1973), 2: 23-33.

[99] *Helvetas Partnerschaft* 20. 79 (marzo 1980): 8. Habría que señalar que alrededor de la mitad de las exportaciones suizas de tecnología no son de origen suizo, pero reflejan los incentivos que atraen a las corporaciones de patentes para establecerse en Suiza.

[100] Berweger, Investition, pp. 61-62. Para cifras comparables aunque aproximadas, véase Lorenz Stucki, *Das heimliche Imperium: Wie die Schweiz reich wurde* (Berna: Scherz, 1969), p. 339, and Bornschier, *Wachstum von industrieunternehmen,* p. 402.

[101] Para una discusión general, véase Kenneth R. Libbey, «The Socialist Party of Switzerland: A Minority Party and Its Political System» (Ph. D. diss., Universidad de Siracusa, 1979); François Masnata, *Le Parti Socialiste et la tradition démocratique en Suisse* (París: Armand Colin, 1963); Ural Ayberk y Jean-Noël Rey, «Le mouvement syndical dans une société industrielle: Exemple de la suisse» (Documento preparado para el seminario del ECPR sobre sindicatos y sistema político, Bruselas, 17-21 abril 1979); François Höpflinger, *Industrie-Gewerkschaften in der Schweiz: Eine soziologische Untersuchung* (Zurich: Limmat, 1976); y Höpflinger, *Die anderen Gewerkschaften: Angestellte und Angestelltenverbände in der Schweiz* (Zurich: Econ, 1980).

to, sin embargo, las cifras difieren. Tras los rápidos incrementos en cuanto a afiliación durante las secuelas de la segunda guerra mundial, el total se ha estacionado alrededor de los 450.000 desde mediados de los 60 [102]. Un informe señala que la proporción de mano de obra industrial organizada por la Federación Suiza de Sindicatos (Schweizerischer Gewerkschaftsbund, SGB) descendió entre 1955 y 1971 en todas las regiones del país, pero sólo en un cantón [103]. En 1970, la proporción de trabajadores organizados en la SGB y los otros sindicatos de *blue collar* había descendido en picado de su constante 49 por 100 en 1955 a un 33 por 100. Pero desde 1973, la fuerte contracción del mercado de trabajo secundario en Suiza, que afectó primeramente en los trabajadores y mujeres extranjeros, condujo a un incremento en la proporción de trabajadores de cuello azul, los cuales son miembros del sindicato, de un 33 por 100 en 1970 a un 45 por 100 en 1978. Durante el mismo período, la sindicación del total de trabajadores también aumentó desde el 30 al 38 por 100, un poco más que la mitad del dato correspondiente a Austria [104].

La debilidad del movimiento sindical suizo deriva también de las divisiones políticas internas. En el movimiento sindical existe una diferencia sustancial entre los trabajadores moderados del metal y fabricantes de relojes y el sindicato de empleados públicos, que es más militante, al igual que los sindicatos industriales más radicales, como los de impresores, construcción y carpinteros, y los de trabajadores químicos, textiles y del papel [105]. En 1968, por ejemplo, se lanzó una iniciativa para reducir la semana laboral a cuarenta y cuatro horas. La comisión central de la SGB siguió a los trabajadores del metal en su oposición al cambio, mien-

---

[102] Dieter Greuter, *Der schweizerische metall- und Uhrenarbeiter- Berband und die Industriegewerkschaft Metall für die Bundesrepublik Deutschland: Ein Vergleich* (Berlín: Duncker & Humblot, 1972), p. 58; *Die Gewerkschaften in der Schweiz: Wesen und Struktur Einst und Jetzt* (Berna: Schweizerische Arbeiterbildungszentrale, 1970), pp. 40, 42-43: and *Die Gewerkschaften in der Schweiz* (Berna: Unionsdruckerei, 1975), pp. 11-12, 15.

[103] Höpflinger, *Industrie-gewerkschaften in der Schweiz,* p. 120.

[104] François Höpflinger, «Zum Organisationsgrad bei Angestellten: Daten und Argumente». *Gewerkschaftliche Rundschau* 1979, núm. 5: 151: Jürg K. Siegenthaler, «Labor and Politics: Switzerland» (American University, Washington, D. C. n.d. mimeo), pp. 27-28; «Gewerkschaften- und Angestelltenverbände» en Frey, ed., *Schweizer Dokumentation,* p. 2; Crossland, «The Everlasting League». Informe, p. 11; y Jürg K. Siegenthaler, *Die Politik der Gewerkschaften: Eine Untersuchung der öffentlichen Funktionen schweizerischer Gewerkschaften: Eine Untersuchung der öffentlichen Funktionen schweizerischer Gewerkschaften nach dem Zweiten Weltkrieg* (Berna: Francke, 1968), p. 15. Para cifras anteriores, véase Jean Meynaud, *Les organisations professionnelles en Suisse* (Lausana: Payot, 1963), pp. 15-17.

[105] Jürg K. Siegenthaler, «Decision-making in Swiss Labor Unions», *Proceedings of the 22nd Annual Meeting of the Industrial Relations Research Association* (Madison, Wisc.: n.d.), p. 195.

tras que los sindicatos más radicales apoyaron la iniciativa, provocando así una «crisis de unidad» [106].

De mayor importancia, sin embargo, son las diferencias entre el Partido Socialdemócrata suizo (Sozialdemokratische Partei) y el movimiento sindical. En el único informe de la élite que examinó este problema, menos de la mitad de los líderes del partido y el sindicato votaron una expresa satisfacción con las relaciones partido-sindicato [107]. La fuente básica de tensión es el choque entre la estrategia sindical del sector privado y la preferencia del partido por la actividad del sector público. Sintomático de esta diferencia en la orientación política fue el amargo conflicto entre partido y sindicatos a finales de los 60. Cuando el Partido Socialdemócrata presentó la demanda por un plan nacional de pensiones, siguiendo a grandes rasgos el modelo sueco, los sindicatos se opusieron inflexiblemente: éstos insistían, en cambio, en la extensión de los fondos de pensiones existentes [108]. La diferencia fundamental en la orientación explica por qué, a petición de los sindicatos, todas las referencias directas a la colaboración entre partido y sindicatos fueron pospuestas hasta que los estatutos del partido fueron revisados en 1966 [109]. Los desacuerdos persistieron en los años 70, cuando, por ejemplo, el Partido Socialdemócrata optó por no ofrecer apoyo parlamentario a los intentos, de inspiración sindical, de reformar el sistema de formación profesional suizo.

La exportación del capital ha reforzado aún más la gran debilidad de los sindicatos suizos. La inversión exterior directa por parte de las corporaciones multinacionales suizas y la más general ofensiva de exportación de la industria suiza imponen limitaciones a los sindicatos. La amenaza implícita de retirar las operaciones de Suiza puede ser considerada, por supuesto, como de una fuerte influencia sobre el comportamiento sindical, debido simplemente a que raramente se plantea de forma explícita. Pero de mucha más importancia es la moderación que impone la necesidad de precios competitivos para las exportaciones industriales suizas sobre las demandas salariales a nivel de la empresa. Los sindicatos son totalmente defensores de la actual estrategia de exportación, la cual ha proporcionado a sus miembros una gran prosperidad, a la vez que ha limitado seriamente el margen de elección de sus líderes [110]. En interés del

---

[106] Libbey, «The Socialist Party», p. 151.

[107] *Ibid.*, pp. 55-56. Sobre la política de la izquierda suiza, véase Hansueli von Gunten y Hans Voegeli, *Das Verhältnis der Sozialdemokratischen Partei zu andern Linksparteien in der Schweiz (1912-1980)* (Berna: Verlag für politische Bildung, 1980).

[108] Siegenthaler, «Labour and Politics», pp. 13-15.

[109] Libbey, «The Socialist Party», p. 138. Sobre las actividades parlamentarias véase Siegenthaler, «Labor and Politics», p. 29.

[110] Höpflinger, *Industrie-Gewerkschaften,* pp. 63-96.

mantenimiento de la adaptabilidad suiza ante los rápidos cambios de la economía internacional, los sindicatos no han sido contrarios a permitir el hundimiento de las empresas marginales porque, hasta ahora, no ha habido escasez de puestos de trabajo para los trabajadores suizos despedidos. La dependencia de los mercados mundiales ha forjado lazos entre los empresarios y los trabajadores —lazos que, especialmente en tiempos de crisis económica, limaron de asperezas las luchas en la negociación colectiva.

La débil posición de los sindicatos y del Partido Socialdemócrata en la coalición social suiza se ve ilustrada por el hecho de que, de los 82 comités extraparlamentarios establecidos entre 1974 y 1976, los funcionarios de los sindicatos fueron citados sólo a una cuarta parte de los puestos asignados a los empresarios; además, no se presidió ningún comité por parte de los representantes laborales [111]. La complejidad de las leyes electorales suizas tiende también a debilitar a la oposición política de izquierda. En un análisis electoral se llegaba a la conclusión de que en las siete elecciones federales celebradas entre 1931 y 1959, el Partido Socialdemócrata estuvo infrarrepresentado en el Parlamento en un 7 por 100 aproximadamente, mientras que el Partido Liberal (Liberal Demokratische Partei) estuvo sobrerrepresentado en un 4 por 100 aproximadamente [112]. Los imprecisos datos existentes sobre los altos funcionarios civiles sugiere que los socialistas son increíblemente pocos en número [113].

En los raros casos en que la izquierda intenta enfrentarse a la comunidad empresarial suiza en cuestiones clave de política económica encuentra normalmente la derrota. En las cuestiones de codeterminación, por ejemplo, los sindicatos fueron derrotados definitivamente en los años 70. En las cuestiones de las estrictas regulaciones bancarias, que surgieron con una serie de fracasos espectaculares de los bancos a finales de los 70, el Partido Socialdemócrata triunfó sólo después de atravesar considerables dificultades para recoger las cien mil firmas necesarias para celebrar un referéndum [114]. Esta debilidad del movimiento sindical suizo puede ilustrarse con las estadísticas económicas. La proporción relativa de tra-

---

[111] Raimund Germann y Andreas Frutiger. «Les experts et la politique», *Revue suisse de sociologie 4* (junio 1978): 110. Véase también Germann y Frutiger, «Role Cumulation in Swiss Advisory Committess» (artículo preparado para el seminario del ECPR sobre Grupos de Interés y Gobiernos», Florencia, 25-30 marzo 1980), pp. 8, 10, 16, para conclusiones esencialmente iguales para los años 1970-77.

[112] Erich Gruner, *Die Parteien in der Schweiz* (Berna: Francke, 1969), p. 189.

[113] Roland Ruffieux, «The Political Influence of Senior Civil Servants in Switzerland», en Mattei Dogan, ed., *The Mandarins of Western Europe: The Political Role of Top Civil Servants* (Nueva York: Wiley, 1975), p. 242.

[114] New York Times, 5 junio 1979, p. D4.

bajo en el PIB es bastante menor que los datos correspondientes a cualquier otro país de la OCDE y es la razón de que, con un gran contraste en relación a otros países industriales, una fuerte tendencia secular favorezca a la proporción del capital más que a la de trabajo [115]. Suiza ha contemplado una integración de hecho de la socialdemocracia y de los sindicatos en un conseso nacional [116]. La amenaza del fascismo y la gran depresión convirtieron al partido socialista revolucionario suizo en un partido socialdemócrata en 1935, cuando redujo sus aspiraciones por una dictadura del proletariado. Es igualmente importante que después de 1945, cuando los sindicatos comunistas se habían separado de la SGB, la dirección del sindicato se vio libre para perseguir un «orden social humanitario» sin la nacionalización de los medios de producción [117]. Los sindicatos consideran como secundaria la cuestión de si este nuevo orden social logrará su humanitarismo bajo los auspicios del capitalismo liberal o los del socialismo democrático.

La débil posición y la orientación conservadora de los sindicatos se reflejan en las políticas suizas de empleo de gasto público y de bienestar social. Suiza persigue, muy a diferencia de Austria, una estrategia de adaptación en cuestiones de empleo que descansa en gran parte en sus trabajadores extranjeros. Aunque el número total de puestos de trabajo suizos ha descendido en un 15 por 100 desde el nivel máximo de 1973, en 1980 Suiza sufrió una seria reducción de su mano de obra y registró una tasa de empleo de 99,7 [118]. Tradicionalmente la movilidad laboral hacia y desde Suiza ha sido muy alta, pero sin el enorme incremento en el número de trabajadores extranjeros la suerte económica de la posguerra en Suiza podía haber sido muy diferente, especialmente en los años 60 y 70. La expansión industrial suiza, alimentada por las insaciables demandas de sus industrias de exportación, condujo a un influjo de más de un millón de trabajadores extranjeros. Estos trabajadores constituían más del 17 por 100 de la población total y más del 30 por 100 de la población activa en lo más alto del *boom,* a principios de los 70 [119]. A pesar del re-

---

[115] OCDE, *Economic Surveys: Switzerland* (1972), pp. 49-52.

[116] Gerhard Winterberger, *Politik und Wirtschaft* (Berna) Berner handels- Kammer, 1970), p. 3.

[117] E. Wüthrich, *Verbande und Politik* Bern: Schweizerischer Metall- und Uhrenarbeiter- Verband, 1963), p. 15.

[118] OCDE. *Eonomic Surveys: Switzerland* (1979), p. 24.

[119] Heidi Schelbert, «Stabilisierungspolitik in Kleinen offenen volkswirtschaften: Das Beispiel Schweiz», *Schweizerische Zeitschrift für Volkswirtschaft und Statistik* 115, 3 (1979): 280; Hans Schaffner, «Konstanten der schweizerischen Wirtschaftspolitik», *Arbeitgeberpolitik in der Nachkriegszeit 1948 bis 1967* (Zurich: Zentralverband schweizerischer Arbeitgeber-Organisationen, 1968), p. 91; y Egon Tuchtfeldt, *Wachstumprobleme der schweizeris-*

troceso político de la derecha tradicional suiza, encabezada por James Schwarzenbach, de los efectos de la estagflación mundial y de una reducción del 28 por 100 en el número de trabajadores extranjeros entre 1973 y 1977, Suiza posee todavía una proporción mucho mayor de trabajadores extranjeros que cualquier otro país europeo [120].

La primera recesión posbélica en Suiza, a finales de los años 40, presagió la forma en que afrontaría las prolongadas recesiones de los 70. Aunque se arrinconaron los planes para un programa extensivo de trabajos públicos, Suiza evitó cualquier problema serio de desempleo reduciendo su mano de obra extranjera de 140.000 en 1947 a 75.000 en 1950 [121]. A lo largo del período posbélico, los sindicatos y las empresas se mostraron de acuerdo con la política explícita del gobierno de despedir primero a los trabajadores extranjeros. En los años 70, el sistema funcionó exactamente como a finales de los años 40. Mediante el retorno de la emigración, sanciones contra las nuevas contrataciones y la expiración de los contratos, es decir, a través de lo que un observador ha denominado «el juego de las fuerzas del mercado en vez de la coerción», alrededor de 250.000 trabajadores extranjeros fueron eliminados de la mano de obra suiza entre 1973 y 1976, comparados con los 90.000 ciudadanos suizos que pertenecían al mercado de trabajo secundario [122]. Sin hacer uso del método violento de la deportación y con sólo unas pocas cancelaciones de permisos de trabajos pertenecientes a gente que se hallaba ya en Suiza, esta política proporcionó lo que una Comisión Federal Suiza denomina «un alivio decisivo» de las presiones sobre los mercados de trabajo [123]. Emil Küng calcula que «el nivel de desempleo sería bastante mayor del 10 por 100 si se hubiera contado como desempleados a los trabajadores extranjeros» [124]. Como señalaba un observador crítico, dada la creciente fuerza de trabajo y de ciudadanos trabajadores en América que no pueden ser deportados, las políticas de empleo al estilo suizo habrían producido en Estados Unidos en 1978 una tasa de desempleo de alrede-

---

chen Volkswirtschafts, Kieler Vorträge, núm. 40 (Kiel: Institut für Weltwirtschatf, 1965), pp. 6, 8-12.

[120] *World Business Weekly,* 2 junio 1980, p. 24. En 1980 sólo se concedieron 10.000 permisos de trabajo, a pesar de la escasez de mano de obra. OCDE. *Economic Surveys: Switzerland* (1979), p. 15; OCDE, Manpower and Social Affairs Committee, «Report to the Council of the Working Party on Migration» (París, 4 abril 1980, mimeo), p. 15.

[121] Ernst Schwarb, «Arbeitsmarkt und Fremdarbeiterpolitik», in *Arbeitgeberpolitik,* p. 215; Iklé, *Switzerland,* p. 46.

[122] Die Schweiz im Zeichem des harten Franken, p. 9; *Lage und Probleme der schweizerischen Wirtschaft,* 1: 115; Schweizerischer Gewerkschaftsbund *Tätigkeitsbericht 1975/1977* (n.p.: n.d.), p. 63; y OCDE, *Economic Surveys: Switzerland* (1976), pp. 16-19.

[123] *World Business Weekly,* 2 junio 1980, p. 24.

[124] Küng, *Secret of Switzerland' Economic Success,* p. 2.

dor de un 30 por 100 [125]. Parafraseando a William James, tales críticos podrían concluir perfectamente que los suizos parecen haber encontrado el equivalente (in) mortal del Estado del bienestar.

En el tema de los trabajadores extranjeros, los líderes sindicales han apoyado una política que limita tajantemente las opciones políticas de los sindicatos [126]. Dado que sólo el 10 por 100 de los miembros de la SGB está compuesto por trabajadores extranjeros (comparado con el 50 por 100 en 1912, cuando «extranjero» significaba «alemán»), esa amplia fuerza de trabajo extranjera redujo la presencia de los sindicatos entre la mano de obra industrial en Suiza, como ilustraron los años 70, con un descenso del 10 al 15 por 100 [127]. Es, pues, comprensible que la SGB, en particular, haya contemplado el enorme crecimiento de la mano de obra extranjera desde mediados de los 50 con unos sentimientos contrapuestos. En 1959 la SGB era el principal grupo en Suiza para hacerse oír en favor de un límite máximo de 400.000 (en un momento en el que el número de trabajadores extranjeros había alcanzado los 450.000 en el período estival), y en los 60 los sindicatos han apoyado siempre propuestas que intentaban disminuir considerablemente el creciente número de trabajadores extranjeros. Mientras que se trasladaba el foco de atención del sindicato, especialmente entre las bases, de la protección de los puestos de trabajo y la seguridad de los logros del bienestar en los 50 hacia la preservación de la identidad distintiva suiza en los años 60, los líderes sindicales veían cada vez más claro que la economía suiza no podía funcionar

---

[125] Lester C. Thurow, «Inflation: We're Fichting Yesterday's War», *New York Times,* 21 octubre 1979, Section F, p. 16.

[126] Höpflinger, *Industrie-Gewerkschaften,* pp. 106-19; Jürg K. Siegenthaler, «Current Problems of Trade Union Party Relations in Switzerland: Reorientation versus Inertia», *Industrial and Labor Relations Review* 28 (enero 1975): 276; y René Riedo, *Das Problem der ausländischen Arbeitskräfte in der schweizerischen Gewerkschaftspolitik von* 1945-1970 (Berna: Lang, 1976).

[127] Höpflinger, *Industrie-Gewerkschaften,* p. 117; Hughes, *Switzerland,* p. 170. La proporción de trabajadores extranjeros en el sindicato cristiano es de alrededor del 15 por 100. Las únicas excepciones son los sindicatos de la construcción, los cuales organizan a un gran número de trabajadores extranjeros; pero la industria de la construcción se vio duramente golpeada por las políticas deflacionistas que siguió Suiza en los años 70, y ha sido, por tanto, la que ha sufrido un mayor número de despidos por desgaste natural. No existen datos precisos sobre afiliación de los trabajadores extranjeros. Un artículo cita un informe según el cual en Zurich, el 15 por 100 de los trabajadores extranjeros están sindicados. Un segundo artículo cita la cifra de 20 por 100 para los trabajadores extranjeros y 30 por 100 para los trabajadores suizos a mediados de los 70. Véanse Dietrich Tranhardt, «Ausländische Arbeiter in der Bundesrepublik, in Österreich und der Schweiz», *Neue Politische Literatur 20,* 1 (1975): 77, Mark J. Miller, «The Political Impacts of Foreign Labor: A Reevaluation of the European Experience» (artículo preparado para la Convención de la International Studies Association, 20-22 marzo 1980, Los Angeles), p. 21.

por más tiempo con una mano de obra extranjera permanente y amplia. Enfrentados a finales de los 60 a la propuesta del popular Schwarzenbach por un recorte drástico en los límites de la mano de obra extranjera, los dirigentes sindicales, al igual que todos los grupos de interés importantes y élites políticas, eligieron dar su apoyo al gobierno en oposición a tales demandas. El resultado fue un serio conflicto dentro del movimiento obrero, que llegó a hacerse público en varias ocasiones. Como resultado, los abandonos de miembros en el sindicato de trabajadores del metal, por ejemplo, aumentaron hasta un 50 por 100. Más recientemente, en 1981, el Partido Socialdemócrata y los sindicatos se dividieron, de forma silenciosa, en la campaña por un referéndum en relación con la mejora del estatus en los trabajadores estacionales. El partido apoyó el referéndum; mientras que la federación de sindicatos no tomó partido. Como explica François Hïpflinger, «muchos sindicalistas suizos temían por la seguridad de sus propios puestos de trabajo si se eliminaba el control sobre los trabajadores extranjeros con la extensión propuesta por la enmienda» [128].

Sólo un tercio de los trabajadores no cualificados en Suiza son suizos [129]. Pero también debería señalarse que Suiza depende fuertemente de la atracción de científicos con una alta formación, ingenieros y técnicos, los cuales son indispensables para su estrategia de exportación. Para los niveles internacionales, la matriculación en la universidad y los gastos en educación son insignificantes. En 1959, por ejemplo, a pesar de su enorme adelanto en investigación y tecnología, Suiza quedaba por detrás de Austria en cuanto a matriculación universitaria; a mediados de los 70 se ha producido un pequeño cambio [130]. Incluso los planes para la expansión universitaria, a los que se oponía vigorosamente la comunidad empresarial, fueron derrotados en 1978. Suiza ha elegido de esta forma el depender fuertemente de los investigadores extranjeros. En los años 60, el número de investigadores extranjeros que se trasladaban a Suiza se incrementó considerablemente. A finales de los 60, una tercera parte de los investigadores profesionales había conseguido su graduación en el extranjero, y más del 40 por 100 de los ingenieros suizos habían sido for-

---

[128] Höpflinger, *Industrie-Gewekschaften,* p. 116. Véase también *New York Times,* 6 abril 1981, p. A2.

[129] Thränhardt, «Ausländische Arbeiter», p. 82.

[130] «Österreich, Schweiz, Schweden», p. 12. Esta laguna estadística es, hasta cierto punto, el resultado de carácter del sistema educativo suizo. Muchos ingenieros suizos no reciben una formación profesional académica sino semiacadémica en los Institutos Técnicos Superiores (Hohere Technische Lehranstalten). Estos no están registrados como Universidades. El vacío estadístico también se ahonda con el importante papel que juegan los laboratorios de investigación de las grandes corporaciones en la formación de los cuadros técnicos.

mados fuera y eran, de hecho, inmigrantes [131]. Suiza es así uno de los pocos países en Europa donde se ha experimentado una «fuga de cerebros» masiva.

La política de empleo ha creado unas presiones internacionales a las que Suiza se ha visto forzada, en grados diversos, a adaptarse. Entre 1946 y 1964, la política oficial suiza era la de rotación de sus trabajadores. Dado que ésta afectaba a muchos ciudadanos italianos, las severas prácticas discriminatorias que formaban parte de la rotación, especialmente en los derechos de bienestar social y económico, crearon una tensión en las relaciones entre Suiza e Italia. Ya olvidada en la actualidad estaba, por ejemplo, la política de solicitar trabajadores extranjeros para contribuir al plan de pensiones y seguros de accidentes al menos cinco años antes de establecer su propia elegibilidad, mientras que era de sólo un año para los ciudadanos suizos [132]. Sin embargo, no han sido abolidas todavía todas las discriminaciones. Por ejemplo, el impuesto sobre la renta para los trabajadores extranjeros, a diferencia de los ciudadanos suizos, se oculta desde el principio. Algunos cantones no se suscriben a las convenciones internacionales y se niegan incluso a pagar una asistencia social para trabajadores extranjeros necesitados [133]. Además, la amenaza suiza de sus trabajadores estacionales italianos, un «pilar estratégico de los mercados de trabajo suizos», continuó planteando una presión considerable sobre las relaciones políticas entre los dos países a lo largo de los años 60 y 70 [134]. En 1977 el vicesecretario italiano para Asuntos Exteriores amenazó con acusar a Suiza de violación de los derechos humanos en la Conferencia de Belgrado [135].

La presión extranjera es la menos importante entre las dos razones que pueden reducir la mano de obra extranjera en Suiza como un regulador económico en los años 80. La razón de más peso es la creciente pro-

---

[131] Meyer, «Switzerland», p. 21; *Neue Zürcher Zeitung,* 24 enero 1967; y OCDE, *National Science Policy: Switzerland,* pp. 89-90, 92.

[132] Arnold Saxer. Die soziale Sicherheit in der *Schweiz,* 4th ed. (Berna: Haupt, 1977), pp. 244-69; Hans Peter Tschudi, «Die Entwicklung der schweizerische Sozialversicherung seit dem Zweiten Weltkrieg», *Schweizerische Zeitschrift für Volkswirtschaft und Statistik,* 112. 3 (1976): 312; y William M. Yoffee, *International Social Security Agreements: Totalization, Equality of Treatment and other Measures to Protect International Migrant Workers* (Washington, D. C.: EE UU, Departamento de Salud, Educación y Bienestar, 1973).

[133] Max Holzer, «Die Schweiz und die Europäische Sozialcharta», *Schweizerische Zeitschrift für Sozialversicherung* 1968, núm. 4: 252-53.

[134] Ziegler, *Switzerland: The Awful Truth,* p. 121.

[135] Mark J. Miller, «French and Swiss Seasonal Workers: Western Europe's Braceros» (Documento presentado a la conferencia europeísta, patrocinada por el Consejo de Estudios Europeos, Washington, D. C.), p. 13 y nota 49.

porción de trabajadores extranjeros que han establecido allí su residencia permanente y que están así protegidos contra la posibilidad de deportación. La proporción de trabajadores extranjeros que han vivido en Suiza al menos diez años aumentó de un 10 por 100 en 1959 a un 25 por 100 en 1965, un 40 por 100 en 1970 y un 70 por 100 en 1977 [136]. No es por ello sorprendente que en la primavera de 1981 los votantes suizos rechazaran por un margen de cinco a uno una enmienda constitucional que habría terminado con algunas de las más duras formas de discriminación legal contra los trabajadores estacionales, el segmento de mano de obra extranjera que Suiza puede utilizar todavía para realizar su ajuste a los cambios de la economía mundial. La discriminación incluye la condición de abandonar Suiza si se es un desempleado, una cobertura incompleta en cuanto a seguridad social, la prohibición prolongada de que los trabajadores estén acompañados por otros miembros de sus familias y restricciones en el cambio de trabajo y lugares de residencia durante su estancia en Suiza [137].

La inclinación suiza a compensar de forma privada el cambio económico adverso refleja la posición relativamente débil de los sindicatos y la izquierda política, y queda ilustrado por un estilo distintivo de política fiscal y de bienestar. Muy a diferencia de Austria, Suiza no intentó compensar las consecuencias deflacionistas de las dos crisis del petróleo y de la recesión mundial de los 70 con una política fiscal expansiva. Es sintomático de la actitud del gobierno la reacción que adoptó el gobierno ante un déficit del presupuesto por anticipado en 1975. En lo más alto de la crisis económica, una sesión de emergencia del Parlamento recortó la contribución pública a los fondos públicos de pensiones en expansión más que la contribución a cualquier otro programa gubernamental. Se eliminó la propuesta de un subsidio anual de 508 millones de dólares hasta 209 millones, y las contribuciones de los trabajadores y empresarios aumentaron para suplir la diferencia [138]. Además de esto el gobierno redujo en un 10 por 100 su apoyo a los seguros de enfermedad privados.

Este ejercicio de las limitaciones fiscales encajó con la preferencia tradicional suiza de que el gobierno juegue un papel secundario en la eco-

---

[136] Kurt Mayer, «Foreign Workers in Switzerland and Austria», *European Demographic Bulletin 2* (1971): 97; Hans Joachim Hoffman-Nowotny y Martin Killias, «Switzerland», en Ronald E. Krane, ed., *International Labor Migration in Europe* (Nueva York: Praeger, 1979), pp. 45, 47, 57.

[137] *New York Times,* 6 abril 1981, p. A2.

[138] *Neue Zürcher Zeitung,* 3 noviembre 1975. Un episodio similar con recortes menos drásticos se relata en *Neue Zürcher Zeitung,* 25 agosto 1967. El recorte de 1975 fue reconsiderado más tarde: la contribución del gobierno federal se fue incrementando gradualmente a finales de los años 70 y recuperó el nivel de 1974 a principios de los 80.

nomía. Pero las presiones económicas y políticas de los años 60 y 70 han dado lugar, en Suiza como en todos los países, a un papel de mayor importancia para el sector público. Las crecientes demandas de inversión en infraestructuras sociales, que se sienten especialmente en los gobiernos cantonales y locales, explican en buena medida por qué la proporción del PNB gastada a todos los niveles del gobierno en Suiza aumentó de un 18 por 100 aproximadamente en 1960 a un 22 por 100 en 1970 y a un 29 por 100 en 1976. Durante el mismo período el gasto total del sector público, incluyendo los programas de seguros parapúblicos y empresas nacionalizadas, aumentó de un 28 por 100 en 1960 a un 34 por 100 en 1967 y a un 44 por 100 en 1976 [139]. Debido a la profunda recesión, los subsidios del gobierno federal se incrementaron desde 1,01 billones de dólares, es decir un 28 por 100 del presupuesto federal en 1973, a 2,24 billones, un 35 por 100 del presupuesto en 1976. Entre 1947 y 1970, el gobierno federal no tuvo que acudir a los mercados de capital para financiar sus gastos. Pero desde 1971 ha presentado regularmente déficits presupuestarios que han desencadenado un intenso debate político. En 1979, la deuda total del gobierno federal era de 10,22 billones de dólares, aproximadamente un 15 por 100 del PIB [140].

Suiza no es, pues, inmune a las presiones del erario público. Aun en 1967-69 y en 1972-76 el gasto público era menor que en cualquier otro pequeño Estado europeo y quedaba ligeramente por encima de los niveles de gasto del gobierno japonés [141]. Además, comparado con el alto cre-

---

[139] Gerhard Winterberger, *Die Erhaltung der Wettbewerbskraft der schweizerischen Wirtschart* (Zurich: Schweizerischen Handels- und Industrie- Verein, 1976), pp. 12-14. Véase también, Max Weber, *Geschichte der schweizerischen Bundesfinanzen* (Berna: Haupt, 1969); Josef Stofer, «Ein Erklärungsversuch der Wachsenden Staatstätigkeit in der Schweiz» (Ph. D. diss., Universidad de Friburgo/Suiza, 1971); Hans Müller-Bodmer, Alfred Meier, Heinz Hauser y Max Rössler, *Die Einnahmen und Ausgaben von Bund, Kantonen und Gemeinden* (Berna: Haupt, 1973); Hans Letsch, *Öffentliche Finanzen und Finanzpolitik in der Schweiz* (Berna: Haupt, 1972); y OCDE, *Economic Surveys: Switzerland* (1974), pp. 34-47.

[140] Walter Wittmann, *Reform des schweizerischen Subventionswesens* (Zurich: Schweizerische Bankgesellschaft, 1978), p. 3; Schweizerischer Gewerkschaftsbund, *Tüatigkeitsbericht 1972, 1973, 1974* (n.p.; n.d.), p. 80; Kurt Schiltknecht, «Economic Policy in switzerland», en *Economic Policy in West Germany, Switzerland, and Austria: Readings from the Symposium held at the Z-Bank/Zentralsparkasse on November 23, 1978* (Viena: Zentralsparkasse der Gemeinde Wien, 1979), pp. 38-39; y Yann Richter, «Nach dem 20. Mai», SKA-Bulletin 85 (mayo-junio 1979): 3.

[141] OCDE, *Public Expenditure Trends,* p. 14. El análisis comparativo del gasto público suizo se hace dificultoso por discontinuidades en los datos estadísticos. Debido a una redefinición técnica en los datos de la OCDE, el gasto público descendió más del 4 por 100 en 1968. Véase G. Warren Nutter, *Growth of Government in the West* (Washington, D. C.: American Enterprise Institute, 1978), pp. 84-85. Sobre datos estadísticos, véase *Lage und Probleme der schweizerischen Wirtschaft: Gutachten 1977-1978,* 1:80-81; Paolo Urio, «Par-

cimiento del gasto del gobierno central entre 1972 y 1974, el cambio de porcentaje anual entre 1975 y 1979 descendió más drásticamente en seguridad social y educación que en cualquier otro punto del presupuesto [142]. El cubrir la deuda pública no ha estorbado a las inversiones privadas en los mercados suizos de capital. Y dado que tres cuartas partes de los impuestos suizos se recaudan directamente y, por tanto, son visibles para un electorado conservador que disfruta de los derechos de una democracia plebiscitaria, los déficits del presupuesto representaban sólo un 0,7 por 100 del PNB, es decir, 440 millones de dólares entre 1973 y 1978 [143]. Sin embargo, la preocupación en torno al déficit continuado del presupuesto federal no ha disminuido a finales de los 70, y el gobierno federal redujo su déficit presupuestario de forma considerable durante la recesión económica de principios de los 80.

Durante los últimos cuarenta años, el sector público suizo ha incrementado, no sin interrupciones, su tamaño relativo. En 1974 era ligeramente mayor que en 1939, menor que en 1945 y mayor que a principios de los 60 [144]. El mismo papel limitado de la política fiscal del gobierno federal queda ilustrado por los tres programas de recuperación económica que adoptó en 1975-76 [145]. El colapso de la industria de la construcción suiza y el enorme descenso que experimentó la economía en términos generales impulsaron al gobierno a gastar alrededor de 800 millones de dólares, los cuales crearon un total de unos 25.000 puestos de trabajo en 1976 y 1977 [146]. Comparados con los 21.000 y 12.000, respectivamente, registrados como desempleados en estos dos años, el tamaño del programa puede considerarse generoso; pero la comparación es engañosa. En la mayoría de las crisis económicas serias y prolongadas del siglo XX

---

liamentary Control over Public Expenditures in Switzerland», en David L. Coombes, ed., *The Power of The Purse: A Symposium on the Role of European Parliaments in Budgetary Decisions* (Nueva York: Praeger, 1975), pp. 313-38; y George A. Codding Jr., «Financing a Federal Goverment: The Swiss Example», *German studies Review 2* (febrero 1979): 63-87.

[142] OCDE, *Economic Surveys: Switzerland* (1980), p. 38.

[143] Silvio Borner-Barth, «Budgetpolitik in der Schweiz», in *Budgetpolitik in der Bundesrepublik Deutschland, in der Schweiz und in Österreich* (Viena: Zentralparkasse und Kommerzialbank, 1979), pp. 7, 16-17.

[144] Manfred G. Schmidt, «Wohlfahrtsstaatliche Politik unter bürgerlichten und sozialdemokratischen Regierungen» (Universidad de Constancia; octubre de 1980, mimeo), p. 173.

[145] *Die Arbeitsbeschaffungsprogramme 1975/76: Schlussbericht des Bundesamtes für Konjunkturfragen* (Berna: Bundesamt für Konjunkturfragen, 1980); Peter Schwarz y Ernst Bernd Blüme, «Öffentliche Bertriebe in der Schweiz: Bemerkungen zu ihrer betriebswirtschaftlichen Behandlung, ihren Formen und ihrer Bedeutung», *Zeitischrift für öffentliche und gemeinswirtschafliche Unternehmen 3,* 3 (1980): 309-31.

[146] Estas cifras son conservadoras porque se refieren sólo a los efectos directos. Las estimaciones del multiplicador (0,2) dadas en el informe parecen ser bastante altas.

la industria suiza perdió cerca de 350.000 puestos de trabajo a mediados de los 70; alrededor de una quinta parte de su empleo en la industria y de una décima parte de los puestos de trabajo en la economía. Casi dos tercios de los puestos de trabajo perdidos estaban ocupados por trabajadores extranjeros. El empleo que se creó mediante este programa fue reducido en número y fue diseñado como tal. El gobierno esperaba incrementar el PIB real en un 2 por 100 en 1976, comparado con el descenso actual de más de un 7 por 100.

Suiza restringe las actividades del gobierno consideradas normales en Austria y otros países. El funcionamiento del fondo de estabilización del empleo en Suiza refuerza esta impresión de limitación gubernamental. Establecido en 1951, el fondo fue utilizado por primera vez en 1975-76 para compensar la débil demanda en industrias duramente afectadas por la recesión de los años 70. Las empresas que habían invertido en buenas coyunturas una parte de sus beneficios en bonos del Estado tenían derecho a recuperarlos y a recibir una desgravación adicional federal, cantonal y local que sumaba los 30 millones. Un informe que valoraba la eficacia del programa juzgaba que los 160 millones de dólares de inversiones creadas de esta manera eran totalmente insuficientes para producir una estabilización de importancia macroeconómica [147]. En definitiva, todos los signos políticos en Suiza señalan hacia una frugalidad fiscal prolongada y a limitaciones gubernamentales, al menos a nivel federal. Lejos de provocar cambios fundamentales en la orientación, la crisis de la economía mundial en los años 70 dejó intacto el compromiso suizo con las políticas que respondían al principio de la compensación privada.

En ningún aspecto es esto más claro que en el carácter del Estado del bienestar suizo. Aunque se han extendido en los años 70, los programas de bienestar social públicos continúan siendo notablemente modestos en relación con el nivel de Austria. En cambio, Suiza ha construido un Estado del bienestar social privado. Sus sistemas de seguros privados consisten en una pluralidad de organizaciones tanto en el sector privado como en el público [148]. A mediados de los 70, Suiza poseía alrededor de 17.000 programas de seguros privados, con unos 1,5 millones de miembros —alrededor de la mitad de la mano de obra suiza [149]. Empresarios y emplea-

[147] «Arbeitsbeschaffungsreserven der privaten Wirtschafts: Die Arbeitsbeschaffungsaktion 1975/76 im Rückblick», *Mitteilungsblatt für Konjunkturfragen 37,* 1 (1981): 2-5.

[148] Petere Tschudi, «Der schweizerische Sozialstaat: Tealität und Verpflichtung», en Tuchtfeldl, *Schweizerische Wirtschaftspolitik,* pp. 133, 138-39, 143; Kurt Sovilla, «Die schweizerische Sozialversicherung», en *Arbeitgeberpolitik,* pp. 195-96, 207; y Saxer, *Die soziale Sicherheit,* pp. 98-106. Para un material comparativo, véase William C. Greenough, *Pension Plans and Public Policy* (Nueva York: Columbia University Press, 1976).

[149] Schweizerischer Metall- und Uhrenarbeitnehmer Verband, *Geschäftsbericht 1973,*

dos contribuyen conjuntamente con un 10 por 100 de la nómina salarial total a los programas de seguros privados, cifra que supera la establecida de un 8,4 por 100 para el plan público de pensiones. Cuando se convirtió este sistema de seguros privados en un suplemento obligatorio para el plan público de pensiones, como parte de la reforma de 1972, el coste adicional para empresarios y empleados fue de un reducido 2 por 100. Esto indicaba que el crecimiento descontrolado de los años 50 y 60 había extendido su cobertura (de una calidad variable) hasta alrededor de las cuatro quintas partes de la mano de obra suiza [150].

Los fondos privados de seguros, eximidos de todos los impuestos federales y disfrutando de unas considerables ventajas en cuanto a impuestos cantonales, constituyen instrumentos importantes en la formación de capital privado. Los planes privados de pensiones descansan en un método de financiación que difiere del de los fondos públicos, y a lo largo de los años de posguerra han generado unos beneficios que duplican aproximadamente los gastos [151]. En 1970 sus activos eran alrededor de treinta veces mayores que las pensiones pagadas [152]. En efecto, estos programas privados de seguros son una forma de ahorros forzados. En 1976 sólo los gastos sumaban 920 millones de dólares, comparados con los 3,52 billones de beneficios [153]. En los años 60 y 70, las reservas de los fondos privados de seguros han tenido un gran efecto en los mercados suizos de capital [154]. En realidad, en un estudio se estiman sus ahorros totales para las próximas dos décadas en 120 billones de dólares [155]. Las empresas in-

1974, 1975 (n.p.: SMUV, n.d.), p. 313. Cifras algo diferentes aparecen en Hans Peter Tschudi, «Die Altersvorsorge auf der neuen Verfassungsgrundlage», en *Schweizerische Zeitschrift für Sozialversicherung 1974,* núm. 3: 172.

[150] Max Frischknecht, «Der Entwurf zu einem Bundesgesetz über die obligatorische berufliche Vorsorge», *Schweizerische Zeitschrift für Sozialversicherung* 1976, núm. 2; 73-98; Tschudi, «Die Entwicklung der schweizerischen Sozialversicherung», p. 323; y Schweizerischer Metall- und Uhrenarbeitnehmerverband, *Geschäftsbericht 1973, 1974, 1975,* p. 373. Zentralverband Schweizerischer Arbeitgeber Organisationen, *Jahresbericht 1980: 73. Berichtsjahr* (n.p.:n.d.), pp. 62-70.

[151] Victor Ziegler, *Die Auswirkungen der betrieblichen Versicherungs- und Fürsorgeeinrichtungen auf die Faktoren des volkswirtschaftlichen Wachstums in der Schweiz* (Zurich: Keller, 1967), pp. 22-23; Saxer, *Soziale Sicherheit,* p. 105; y Alfred Maurer, «Wechselwirkungen zwischen Sozialversicherung und Volkswirtschaft», *Schweizerische Zeitschrift für Sozialversicherung* 1969, núm. 3: 188.

[152] Jean François Aubert, *So funktioniert die Schweiz: Dargestellt anhand einiger Konkreter Beispiele,* 2d ed. (Muri/Berna: Cosmos, 1981), p. 95.

[153] Linder y Braendle, *Volkswirtschaft der Schweiz,* 1:401; Hans Werder, *Die Bedeutung der Volksinitiative in der Nachkriegszeit* (Berna: Francke, 1978), p. 61, nota 54.

[154] Rainer E. Gut, *Entwitcklungstendenzen der Zürischer Börse* (Zurich: Schweizerische Kreditanstalt, 1977), p. 4.

[155] J. Steiger, *Zweite Säule: Sozialwerk oder Geschäft?* (Zurich: Limmat, 1977), pp. 31-32.

dividuales también se benefician con este sistema. Entre los años 50 y 70, alrededor de una tercera parte de los ahorros en pensiones privadas se concedían como créditos a las empresas, especialmente para la inversión a largo plazo. En 1976 éstos alcanzaban los 6,8 billones de dólares [156]. En los años 60 y 70 era práctica común que los empleados que cambiaran de trabajo no podían transferir las contribuciones que habían realizado los empresarios al plan privado de pensiones de los empleados; las contribuciones de los trabajadores eran transferibles a veces sin pago de intereses [157].

El carácter privado del sistema de bienestar social suizo se ve reforzado además por la gran importancia que se atribuye al ahorro individual. Algunas estadísticas ilustran este punto. Entre 1948 y 1969 el ahorro personal aumentó cuatro veces más rápidamente que los ingresos per cápita. En 1973 el balance medio de los ahorros y cuentas en depósito suizas eran aproximadamente el doble que en Estados Unidos o Alemania Occidental. El 14 por 100 de los ciudadanos suizos poseen acciones y el 28 por 100 poseen acciones o bonos. Algo menos del 30 por 100 de las primas de seguros totales son generadas por seguros individuales [158]. En realidad, el suizo medio compra más seguros que el ciudadano de cualquier otro país del mundo, y a finales de los 70, el suizo gastaba una proporción mayor de su renta en seguros que en comida o educación [159].

Con este alto nivel de ahorro individual Suiza queda justo detrás de Japón. Esto es consecuencia de una prolongada y deliberada política de intentar mantener unos bajos impuestos. A mediados y finales de los años 60, los impuestos suizos eran, con mucho, los más bajos entre los peque-

[156] Ziegler, *Auswirkungen der Fürsorgeeinrichtungen,* pp. 26, 93-94. Linder y Braendle, *Volkswirtschaft der Schweiz,* 1:401.

[157] Ernst Heissmann, *Blick über die grenzen: Die betriebliche und staatliche Altersversorgung in 20 Ländern* (Wiesbaden: Verlag Arbeit und Alter, 1963), p. 54; Linder y Braendle, *Volkswirtschaft der Schweiz,* 1:402.

[158] Karl Hartmann, *Subsidiarität und Föderalismus in der schweizerischen Sozialpolitik* (Winterthur: Schellenberg, 1971), p. 79; Gut, *Entwicklungstendenzen,* p. 5; y A. Schaefer, *The Banks in a Time of Challenge* (Zurich: Union Bank of Swizerland, 1975), p. 10. Una gran proporción de seguros privados se emiten ahora como seguros de vida; véase Wilhelm bickel, *Die Volkswirtschaft der Schweiz: Entwicklung und Struktur* (Aarau: Sauerländer, 1973), pp. 352-53, 359. La proporción relativa de ahorros individuales en los pagos públicos y privados, institucionales e individuales ha descendido de un 50 por 100 al final de la segunda guerra mundial, a un 44 por 100 a mediados de los años 60, y a un 30 por 100 en los años 70. Véase Hans Wyss, «AHV, Quo Vadis?» *Schweizerische Zeitschrift für Sozialversicherung 1969,* núm. 3:179-80.

[159] «Internacional Insurance-Swiss Style», Informe p. XXXVI; «Not All Cake and Chocolate», *World Business Weekly,* 25 mayo 1981, p. 45. En 1979 la familia media gastaba el 14,6 por 100 de sus ingresos en seguros, el 12,8 por 100 en alimentación y el 12,6 por 100 en ocio y educación.

ños Estados europeos y rondaban justo por encima de los niveles japoneses, y la tasa suiza de imposición permanece todavía hoy relativamente baja [160]. Los bajos niveles de imposición benefician a los negocios tanto directa como indirectamente. Los considerables ahorros individuales permiten, por ejemplo, que la proporción de los empresarios en las contribuciones totales a la seguridad social sean menores (algo menos del 50 por 100) que en cualquier otro Estado industrial avanzado. Además, en un estudio se muestra un descenso de la parte proporcional con la que contribuyeron los empresarios a los planes de bienestar público en los años 50 y 60. Esto, en cambio, incrementa la rentabilidad y la competitividad de las empresas suizas y facilita indirectamente el aumento de los salarios reales. La proporción de impuestos y contribuciones a la seguridad social en la nómina total es menor en Suiza que cualquier otro país industrial avanzado, excluyendo a Estados Unidos y Canadá [161]. Al mantener con este énfasis la actividad del sector privado, Suiza perdió beneficios de los impuestos previstos por las corporaciones al nivel de 2,9 por 100 del PIB en 1975, una cifra bastante mayor que las de los otros seis países para los que tenemos datos disponibles [162].

Comparada con los demás Estados industriales avanzados, Suiza se rezagó notablemente en las políticas públicas y obligatorias de bienestar social. La legislación de la seguridad social obligatoria fue introducida en 1947, el seguro por incapacidad y el seguro de desempleo sólo fueron introducidos en 1959 y 1977, respectivamente; las propuestas de un plan nacional de sanidad fueron derrotadas varias veces en los años 70 [163]. El índice de cobertura de la seguridad social en los Estados industriales avanzados muestra que Suiza se encuentra al final de la lista en 1970, y el salto entre ella y otros países se había ampliado entre 1950 y 1970 [164]. Las

---

[160] OCDE, *Public Expenditure Trends,* pp. 42-45; Harold L. Wilensky, *The «New Corporatism», Centralization, and the Welfare State* (Beverly Hills, California: Sage, 1976), p. 16; Schweizerischer Handels- und Industrie- Verein, *Jahresbericht 1977/78,* p. 35; y *Social Security in ten Industrial Nations* (Zurich: Union Bank of Switzerland, 1977), pp. 26, 32.

[161] *Social Security in ten Industrial Nations,* p. 28. Japón no está incluido en esta muestra de países. Véase también Walter Hess, *Ökonomische Aspekte der sozialen Sicherung: Eine Untersuchung über die umverteilungs-, konjunktur- und wachstumspolitische Bedeutung des Sozialversicherungshaushaltes unter besonderer Berücksichtigung der schweizerischen Verhältnisse* (Berna: Haupt, 1975), pp. 161-62.

[162] OCDE, *Public Expenditure trends,* p. 22.

[163] En general véase Saxer, *Soziale Sicherheit;* Edwin Schweingruber, *Sozialgesetzgebung der Schweiz: Ein Grundriss,* 2d ed. (Zurich: Schulthess, 1977); Georg Macciacchini, *Ökonomische und Finanzwirtschaftliche Aspekte der Schweizerischen Sozialversicherung* (Winterthur: Keller, 1966); Tschudi, «Der schweizerische Sozialstaat»; Sovilla, «Die schweizerische Sozialversicherung»; y Siegenthaler, *Die Politik der Gewerkschaften,* pp. 51-78.

[164] Peter Flora en colaboración con Jens Alber y Jürgen Kolh, «On the Development

comparaciones en cuanto a los gastos en bienestar social en los Estados industriales avanzados confirman la impresión de que Suiza es un «rezagado» en cuanto a bienestar entre sus iguales. De acuerdo con un estudio realizado, el gasto en seguridad social suizo se incrementó de 9,5 a 11,4 por 100 entre 1966 y 1971; estos datos representaban sólo la mitad de los correspondientes a Austria, y eran sustancialmente menores que para los grandes países europeos [165]. A diferencia del sistema público de bienestar social austríaco, el suizo fue diseñado originalmente para proveer únicamente un mínimo nivel de existencia. Dado que las pensiones de los trabajadores y los ahorros individuales son el alma de este Estado privatizado del bienestar, Suiza, muy a diferencia de Austria, posee un programa de beneficios extremadamente pequeños como porcentaje de la nómina final [166]. Pero Suiza señala con orgullo el hecho de que, al contrario que muchos otros Estados industriales avanzados, la filosofía subyacente a su seguridad pública es de cobertura universal, incluyendo a los autoempleados, y especialmente a aquellos que lo están en la agricultura, en vez de una cobertura más selectiva de trabajadores de cuello azul. Además, la proporción entre el máximo y el mínimo en las pensiones pagadas es un relativamente bajo dos a uno y no existen límites superiores para las contribuciones salariales al fondo público de pensiones [167]. A pesar de estas indicaciones de solidaridad, el sistema suizo de seguros públicos obligatorios a principios de los años 70 tenía un tamaño modesto y quedaba por detrás de sistemas similares en muchos otros países.

Comparado con el tamaño de los programas de seguridad privados y la magnitud de los ahorros individuales, la importancia del fondo público de pensiones se incrementó notablemente en los años 70 [168]. Pero a pe-

---

of the Western European Welfare States», *Historical Indicators of the Western European Democracies,* Informe núm. 5 (Mannheim: 1976), pp. 27-28. El índice consiste en la media estimada del porcentaje de mano de obra cubierta por los cuatro programas de seguros principales. Véase también David Collier y Richard E. Messick, «Prerequisites versus Diffusion: Testing Alternative Explanations of Social Security Adoption», *American Political Science Review 69* (diciembre 1975): 1299-1315.

[165] Wilensky, *The «New Corporatism»,* p. 11. Desafortunadamente, Suiza no está incluida en OCDE, *Public Expenditure on Income Maintenance* (París: OCDE, 1976).

[166] Max Hörlick, *Supplemental Security Income for The Aged: A Comparison of Five Countries* (EE UU, Departamento de Salud, Educación y Bienestar, Administración de la Seguridad Social, Oficina de Investigación y Estadística, DHEW Publicación núm. (SSA) 74-11850, Staff Paper núm. 15, 1973), p. 72.

[167] Wittmann, *Reform des schweizerischen Subventionswesens,* p. 21; Crossland, «The Everlasting League Informe, p. 14; Tschudi, «Die Entwicklung der Schweizerischen Sozialversicherung», pp. 313, 316; *Social Security in Ten Industrial Nations,* p. 27; y Tschudi, «Die Altersvorsorge auf der neuen Verfassungsgrundlage», p. 176.

[168] Las mejoras graduales del plan público, especialmente en la segunda mitad de los años 60, igualaron aproximadamente la importancia de los pilares público y privado de la

sar de este incremento, la estrategia suiza de compensación interna descansa todavía en una política de bienestar que atribuye un lugar particularmente prominente al sector público. En términos generales, Suiza difiere de otros países no tanto por la magnitud de su gasto total en bienestar social como por su forma de financiación. A finales de los 70, entre el 18 y el 25 por 100 (dependiendo de la definición estadística) del producto nacional neto fue destinado a medidas de política social financiadas por los sistemas de seguros públicos y privados [169]. La comparación con Suecia, el Estado del bienestar por excelencia, nos conduce a tres conclusiones interesantes [170]. Primero, Suiza queda por detrás, aunque no demasiado, de Suecia en los gastos totales de sus sistemas de seguros públicos y privados. Segundo, la diferencia estadística que se refleja en los datos desaparecería probablemente si los ahorros privados fueran incluidos en la comparación. Finalmente, comparada con Suecia, Suiza ofrece un apoyo relativamente más generoso para las categorías de alta renta que para los niveles de renta medios. Puede decirse así que Suiza es a la vez un Estado del bienestar rico y, considerando la importancia de los ahorros privados, un Estado de bienestar para los ricos. En suma, el estado de bienestar social de base privada en Suiza refleja un fuerte anhelo por la seguridad distintivo de la sociedad suiza en general: «Desde la cuna hasta la sepultura, los suizos están asegurados contra todo» [171].

Instituciones políticas

Las políticas y medidas en Suiza se ven determinadas no sólo por las condiciones sociales particulares (una comunidad empresarial de orienta-

---

Seguridad Social Suiza. Sólo con la enorme expansión de las pensiones públicas en 1973 cuando, después de un referéndum, los beneficios casi duplicaron de un año a otro, cayó importancia relativa de las pensiones privadas a un 60 por 100 con respecto a las públicas. Para los 50 y 60, véase Ziegler, *Die Auswirkungen der betrieblichen Versicherungs- und Fürsorgeeinrichtungen,* pp. 29-31; Wyss, «AHV, Quo Vadis?» pp. 173-74. Para finales de los 60, véase *ibid.,* pp. 179-80; Hans Wyss, «AHV und Pensionskassen», *Schweizerische Zeitschrift für Sozialversicherung* 1970, núm.3: 167; y Saxer, *Soziale Sicherheit,* p. 105. Para mediados de los 70, véase Schweizerischer Handels- und industrie- Verein, *Jahresbericht 1976-77,* p. 34; Sozialversicherung in der Schweiz, IVW, Beitrage zur Sicherheitsökonomik, 1 (St. Gallen, 1977), p. 10; and Aubert, *So funktioniert die Schweiz,* p. 101. Una estimación algo diferente aparece en Frischknecht, «Entwurf zu einem Bundesgesetz», p. 259.

[169] *Lage und Probleme der schweizerischen Wirtschaft,* p. 360.

[170] *Social Security in ten Industrial Nations.* Esta comparación está basada en los planes de pensiones tanto públicos como privados. Estos datos están sesgados a favor de Suiza, porque están extraídos sólo de un cantón rico, Zurich. Véase también Willy Schweizer, *Die wirtschaftliche Lage der Rentner in der Schweiz* (Berna: Haupt, 1980), 1:144, 146.

[171] Schweingruber, *Sozialgesetzgebung der Schweiz,* p. 31.

ción internacional y un movimiento sindical conservador), sino por la forma que adoptan estas coaliciones en la red política. En el sistema suizo, los grupos de interés relativamente centralizados y con una amplia base, vinculados a las instituciones, son efectivos en la defensa del proceso político de las crisis exógenas. Aunque su número alcanza los millares, los grupos de interés suizos ofrecen un panorama ordenado [172]. Las organizaciones nacionales penetran a fondo en la vida económica y convergen en un pequeño número de asociaciones de élite. Al contrario que Austria, estos grupos, más que los partidos políticos, son los actores decisivos en la política. Entre las razones principales que se citan con frecuencia están el personal y los recursos superiores de los grupos; su organización y perspectiva nacional (no cantonal o local), y su prominencia en la negociación preparlamentaria que determina las decisiones políticas. Los miembros de los grupos son numerosos; de acuerdo con un estudio de opinión pública, el 68 por 100 de los encuestados a principios de los 60 pertenecían a una asociación profesional. Esta cifra supera sustancialmente el 15 ó 20 por 100 del electorado con pertenencia a un partido [173]. En definitiva, como dice Christopher Hughes, «la democracia suiza está adaptada para los grupos de presión, es una forma de gobierno calculada para llamar a tales grupos a la existencia y darles poder. El sistema podría continuar probablemente durante un tiempo sin partidos, pero sin grupos de presión no funcionaría de ninguna manera» [174].

En cuestiones de economía internacional, el Vorort es la asociación de élite más importante entre la comunidad empresarial suiza. Un observador y buen conocedor de la política suiza lo denomina «la fuerza política extraoficial más fuerte en Suiza y la que pone en cuestión la marcha

---

[172] Karl Meyer, *Verbände und Demokrate in der Schweiz* (Olten: Dietschi, 1968), p. 45; Sidjanski, «Interest Groups in Switzerland», p. 105; y Bundesamt für Industrie, Gewerbe und Arbeit, *Verzeichnis schweizerischer Berufs- und Wirtschaftsverbände,* 13th ed. (Berna: Verlag des Schweizerischen Handels- amtsblattes, 1974). Véase también Hanspeter Kriesi, «Collaborative Relationships in Swiss Politics: Interest Associations and The Federal Government» (artículo preparado para la Sesión Especial sobre «Voluntary Groups in Modern Society-Current Transnational Research Issues», IX Congreso Mundial de Sociología Uppsala, Suecia, agosto de 1978); Peter Heintz, «Die Interessenartikulation durch Verbände in der Schweiz» (artículo preparado para el coloquio internacional sobre la solución pre- y extraparlamentaria de los conflictos en las Democracias Industriales, Zurich, Forschungsstelle für Politische Wissenschaft», diciembre 1977).

[173] Jürg Steiner, *Gewaltlose Politik und Kulturelle Vielfalt: Hypothesen entwickelt am Beispiel der Schweiz* (Berna: Haupt, 1970), p. 127; Steiner, *Amicable Agreement versus Majority Rule: Conflict Resolution in Switzerland* (Chapel Hill: University of North Carolina Press, 1970), p. 110; y Klaus Schumann, *Das Regierungssystem der Schweiz* (Colonia: Heymanns, 1971), pp. 127-128.

[174] Christopher Hughes, *the Parliament of Switzerland* (Londres: Cassell, 1962), p. 34.

general de la democracia suiza» [175]. Es más que un grupo de presión normal intentando proteger los intereses empresariales en sentido estricto. En cambio, debido al pequeño tamaño y a su expuesta situación en la economía internacional, la postura del Vorort en cuestiones críticas se distingue por el hecho de que considera los efectos que las políticas concretas tendrían en el sistema económico y político de Suiza en su conjunto. Se centra en las políticas que afectan a la posición de Suiza en la economía internacional o que están referidas a los principios generales que gobiernan la economía de mercado suiza. Fiel defensor del liberalismo económico, el Vorort se opone a las tendencias proteccionistas de la comunidad empresarial de orientación nacional; intenta bloquear la mayoría de los desarrollos que favorezcan el poder del Estado en la política económica, y define una posición liberal e internacionalista en cuestiones de política económica nacional y extranjera.

Muy a diferencia de las principales asociaciones empresariales de la mayoría de los Estados europeos, el Vorort se halla muy centralizado en su representación de los intereses de los sectores secundario y terciario de la economía. Aunque sus 108 secciones reflejan más de veinte ramas diferentes de la economía suiza, el personal central que coordina los asuntos del Vorort es mínimo, y ha permanecido con el mismo tamaño durante los últimos cuarenta años [176]. La gran diversidad de los intereses económicos representados en la organización hace que la formación del consenso interno, especialmente entre los grupos empresariales implicados en los sectores nacionales e internacionales de la economía, sea esencial para el cumplimiento de los objetivos liberales del Vorort. Las cuestiones políticas centrales de las últimas dos décadas, tales como la inflación importada, los trabajadores extranjeros o la integración europea, con frecuencia han dividido profundamente a la comunidad empresarial. Aunque sabemos muy poco sobre cómo se alcanza el consenso dentro de la organización, está claro que en casi todas las cuestiones el Vorort ha llegado a un compromiso factible que él representa de forma efectiva en la política nacional. No existen análogos contemporáneos de la disensión abierta que inmovilizó al Vorort durante los grandes debates arancelarios hacia el cambio de siglo. La razón de la acertada representación de los intereses empresariales por parte del Vorort en la política suiza descansa

---

[175] *Ibid.*, p. 34; Bernhard Wehrli, *Aus der Geschichte des Schweizerischen Handelsund Industrie- Vereins: Zum hundertjährigen Bestehen des Vororts* (Erlenbach-Surich: Rentsch, 1970); y Wehrli, *The Vorort: A Leading Voice of Swiss Business* (Zurich: Federación Suiza de Comercio e Industria, 1975). Desafortunadamente ningún estudio examina el papel de la Federación Suiza de Comercio e Industria en el proceso político. Hanspeter Kriesi de la Universidad de Zurich está dirigiendo actualmente una investigación sobre esta cuestión.

[176] Wehrli, *Aus der Geschichte,* p. 98.

probablemente en la versión suiza del «centralismo democrático»: grupos geográficamente diversos e intereses económicos diferentes se adhieren a una posición política común a través de frecuentes consultas dentro de una asociación de élite centralizada. La importancia de este tipo de representación es evidente en toda la política suiza. Al contrario que el Vorort, por ejemplo, la Asociación Suiza de Pequeñas Empresas no está dominada por las grandes firmas, y, a pesar de ello, es muy eficaz en la organización, sobre una base territorial, de las exportaciones de las numerosas pequeñas y medianas empresas.

El hecho de que el Vorort represente a diversos segmentos de la comunidad empresarial da a su voz un peso especial en las relaciones con otros grupos organizados y con la burocracia federal. Las relaciones del Vorort con la Federación de Organizaciones de Empresarios Suizas (Zentralverband Schweizerischer Arbeitgeberorganisationen) son excelentes. Por mutuo acuerdo, la Federación hace hincapié en las cuestiones de negociación colectiva y política social, pero el Vorort conserva una gran influencia informal. Por el contrario, las disputas con organizaciones que representan a los segmentos empresariales de orientación nacional, la Asociación Suiza de Pequeñas Empresas y el Sindicato de Agricultores Suizo, son a veces acaloradas [177]. Sin embargo, esta es la única excepción al modelo uniforme y coherente de representación institucionalizada de los intereses empresariales.

Por el contrario, la estructura política de los sindicatos suizos está marcada por una descentralización mucho mayor y niveles mucho menores de concentración. A principios de los 70 podían contarse dentro de la Federación Suiza de Sindicatos otros cinco grandes sindicatos, con un total de 270.000 miembros [178]. No es sorprendente, pues, que «los trabajadores suizos carezcan de una unidad organizada formalmente» [179]. Esta falta de unidad se ve claramente dentro de la SGB también. La SGB está compuesta de dieciséis sindicatos industriales, pero las relaciones con sus sindicatos integrantes mayores y más importantes, los trabajadores del metal, no están exentas del conflicto y son menos estrechas que, por ejemplo, las relaciones entre la Federación Sindical de Alemania Occidental (Deutscher Gewerkschatsbund) y su sindicato de trabajadores del metal (IG Metall) [180]. Pueden citarse tres fuentes particulares de fragmentación organizacional. Una es la escisión entre los siete sindicatos profesionales

---

[177] Wehrli, *Aus der Geschichte,* pp. 104-5.

[178] *Gewerkschaften in der Schweiz* (1975), pp. 42-43.

[179] Siegenthaler, *Politik der Gewerkschaften,* p. 155.

[180] *Greuter, Der schweizerische Metall-Verband,* p. 141; Siegenthaler, *Politik der Gewerkschaften,* pp. 65, 158-70.

y los ocho industriales organizados bajo la sombrilla de la SGB. Aunque más del 90 por 100 de los miembros de la SGB están organizados en los ochos sindicatos industriales, el carácter especial de la industria suiza (por ejemplo, su fuerza en los productos altamente especializados y su sistema de formación profesional) hace más importante la escisión entre las orientaciones industrial y profesional en la descentralización de la SGB de lo que podría esperarse a la vista de los porcentajes [181]. Una segunda fuente es la división entre los sindicatos de trabajadores de cuello blanco y de cuello azul en el sector privado. Finalmente, la existencia de los sindicatos confesionales, particularmente la gran Federación Nacional Suiza de Sindicatos Cristianos (Christlich-Nationaler Gewerkschaftsbund der Schweiz, CNG), ha favorecido la fragmentación organizacional. Por razones de demografía, la proporción de mano de obra industrial sindicada representada por la SGB descendió desde un 85 por 100 en 1930 a un 82 por 100 en 1950 y a un 77 por 100 en 1973, mientras que las cifras correspondientes a la CNG aumentaron de 10 y 11 a 17 por 100. Un intento de fusión de los dos sindicatos, iniciado por la SGB, fracasó en 1963 [182].

Pero las relaciones entre la SGB y la CNG señalan también que no debería exagerarse la fragmentación organizacional de los sindicatos suizos. La cooperación entre estas dos grandes asociaciones de trabajadores, basada en una mezcla de solidaridad y oportunismo, ha sido en muchas ocasiones estrecha. Además, en su defensa de una neutralidad partidista y religiosa, la SGB se ha convertido incuestionablemente en la organización de trabajadores más importante con voz en las cuestiones nacionales que afectan a toda la fuerza de trabajo suiza [183]. Por otra parte, la reducción del número de sindicatos organizados a la sombra de la SGB, de más de cincuenta en 1900 a dieciséis en los años 70, ilustra la tendencia a largo plazo hacia una menor fragmentación dentro de la SGB [184]. A pesar de estas tendencias compensadoras, las cuales son notables en comparación con los sindicatos en algunos de los grandes Estados industriales, la organización del movimiento obrero suizo puede juzgarse como fragmentada en comparación con la comunidad empresarial suiza más unida institucionalmente, así como en comparación con el sindicato centralizado en Austria.

---

[181] Höpflinger, *Industrie-Gewerkschaften,* pp. 48, 82-83; Greuter, *Der schweizerische metall-Verband,* p. 41.

[182] *Gewerkschaften in der Schweiz* (1970), pp. 40-43; Siegenthaler, *Politik der Gewerkschaften,* pp. 80-81, 160-62; y Höpflinger, *Industrie-gewerkschaften,* p. 92.

[183] Siegenthaler, *Politik der Gewerkschaften,* pp. 90, 49.

[184] *Gewerkschaften in der Schweiz* (1970), pp. 24-25; Siegenthaler, *Politik der Gewerkschaften,* pp. 21-33.

El Estado suizo se distingue por una descentralización que no es característica ni de los empresarios ni de los sindicatos. La estricta separación de poderes estipulada en la Constitución suiza se observa también en la práctica; en un sistema que se distingue por la acumulación de papeles por parte de la élite política, no existen virtualmente superposiciones de personal entre el Parlamento y la rama ejecutiva del gobierno. A diferencia de Austria, los miembros del Consejo Federal (Bundesrat) tienen prohibido ocupar cargos de forma simultánea en los principales grupos de interés [185]. En la formulación y desarrollo de la política, el gobierno debe tener en cuenta a los cantones y a los grupos de interés. Si no asegura, al menos, un apoyo tácito a sus políticas en esos ámbitos diferentes, su política estará siempre expuesta al desafío en las elecciones. Generalmente, los recursos del gobierno y las capacidades institucionales son muy limitadas. Aunque un proyecto controvertido pasará a la Asamblea Federal, normalmente no podría ponerse en marcha sin el apoyo de los centros de poder externos al gobierno. La descentralización de las instituciones estatales suizas, especialmente en comparación con las de Austria, es extrema. Con cierta justificación, por tanto, Suiza ha estado caracterizada como una «prescripción por parte de un no-gobierno central) [186].

Esta prescripción se ve favorecida por un ejecutivo, el Consejo Federal, que encarna los principios de la eficiencia administrativa antes que la de los partidos políticos. Dos prácticas institucionales ilustran esta despolitización del ejecutivo. Primero, el que los siete miembros del gobierno sirven, en una doble función, como cabezas políticas elegidas para sus departamentos y simultáneamente como altos funcionarios civiles [187]. Segundo, los consejeros federales no indican en público la posición que han adoptado individualmente sobre las cuestiones políticas y se abstienen ante el criticismo abierto de las decisiones alcanzadas conjuntamente [188].

---

[185] Ulrich Klöti, *Die Chefbeamten der schweizerischen bundesverwaltung* (Berna: Francke, 1972), p. 144; F. Höpflinger y G. Geser, «"Active" and "Passive" Innovations in Swiss Public Administration» (Universidad de Zurich, n.d., mimeo); y Jürg Steiner, «Politische Prozesse», en Steiner, ed., *Das politische System der Schweiz* (Munich: Piper, 1971) pp. 130, 154.

[186] Breedham y Lee, «Even in Paradise», informe, p. 5.

[187] Klöti, *Chefbeamten der schweizerischen* p. 10. Esta fusión de funciones expresa una carencia más general de distinciones staff-line, características de las estructuras organizativas suizas. Véase J. Geser y F. Höpflinger, *Vier Kantonales Verwaltungen im Vergleich* (Zurich: Soziologisches Institut, Universidad de Zurich, 1977), p. 3. Véase también Thomas A. Baylis, «Collegial Leadership in Advancel Industrial Societies: The Relevance of the Swiss Experience», *Policy 13* (Fall 1980): 33-56; Schumann, *Das Regierungssystem der Schweiz,* pp. 178-234.

[188] Harold E. Glass, «Consensual Politics, Class and Dissatisfaction in Switzerland: The Importance of Institutions», *Kleine Studien zur Politischen Wissenschaft n.º 80 (Zurich: Forschungsstelle für Politische Wissenschaft,* Universidad de Zurich, 1976): 27.

La práctica suiza sitúa la doctrina británica de la responsabilidad colectiva del gabinete en su cima: el secreto se ha convertido en la marca de un tipo no partidista, sino administrativo de política ejecutiva.

La intrusión de los hábitos y normas burocráticas en la arena de la política ejecutiva ilustra la neutralización del poder del Estado más que la existencia de un poderoso servicio civil. La burocracia federal carece de unos modelos de carrera sancionados oficialmente y de la garantía de un empleo para toda la vida y observa los dictados de una *Proporz* lingüística. Comparado con el de Japón o el de Gran Bretaña, el servicio civil profesional no se halla fuertemente unido por una base, una preparación o unas perspectivas sociales [189]. En realidad, debido al carácter de fuerte entrelazamiento de la élite política suiza en general, la ausencia de una élite estatal cohesiva resulta particularmente sorprendente. En un país totalmente contrario a las doctrinas del estatismo, el servicio civil posee unos recursos y una información realmente limitados. En cambio, confían fuertemente en la cooperación de grupos organizados. Con razón, los suizos insisten en que el «Vorort en Zurich establece las pautas para el gobierno en Berna» (*Im Züricher Vorort werden die Weichen Für Bern gestellt*).

La burocracia federal suiza es relativamente pequeña (32.000) y la tasa de incremento desde 1945 ha sido relativamente lenta [190]. La compensación por su pequeño tamaño se produce a través de un sistema de *militia* de administración dispersa, la cual se apoya principalmente, en cuanto a su experiencia y capacidad administrativa, en los principales grupos de interés. Dado que confía tantas tareas, especialmente en cuestiones de política económica y social, a los principales grupos de interés económico, corre el riesgo de volver «a una serie de feudos parecidos a los gremios» [191]. En 1977, por ejemplo, existía un total de 834 comités de gobierno, 334 de ellos eran comisiones extraparlamentarias, con personal en su mayoría compuesto por personas independientes. Para cada uno de los 4.000 funcionarios altos o medios con preparación académica en uno de los 334 comités de asesoramiento existía un asiento para un «experto independiente» [192].

---

[189] Geser y Höpflinger, Vier Verwaltungen, pp. 1-2; Klöti, *Chefbeamten,* p. 152; Schuman, *Das Regierungsystem der Schweiz,* pp. 202-6; Willy Bretscher, «Das Verhältnis von Bundesversammlung und Bundesrat in der Führung der auswärtigen Politik», *Jahrbuch der Schweizer Vereinigung für Politische Wissenschaften* 6 (1966); 7-27; y Armin Daenike, «Die Rolle der Verwaltung in der Schweizerischen Aussenpolitik», *Ibid.,* pp. 61-74.

[190] Hanspeter Kriesi, *Entscheidungsstrukturen und Entscheidungsprozesse in der schweizer Politik* (Frankfurt: Campus, 1980), p. 35. Los números cambiaron de 14.000 en 1940 a 29.600 en 1945, 21.000 en 1950 y unos 32.000 en 1976.

[191] Meynaud, *Les organisations profesionnelles en Suisse,* p. 313, como se cita en Ruffieux, «Political Influence of Senior Civil Servants», p. 250.

[192] Germann y Frutiger, «Role Cumulation in Swiss Advisory Committees», pp. 1-3.

La democracia directa de Suiza restringe el ejercicio del poder por parte del gobierno federal. En 1977 y de nuevo en 1979, por ejemplo, el esfuerzo del gobierno para adoptar un impuesto sobre el valor añadido fue rechazado por referéndum. Si se compara con las autoridades provinciales o locales, el gobierno federal suizo recibe la parte más pequeña de la recaudación tributaria de entre todos los países de la OCDE, sean unitarios o federales —29 por 100 en comparación con la media para la OCDE del 58 por 100—. Como resultado, la puesta en marcha de la política implica generalmente una compleja negociación entre los diferentes niveles del gobierno [193].

La debilidad del Estado suizo se refleja en sus relaciones con el Banco Nacional y el sistema bancario privado. El Banco Nacional está virtualmente libre de la interferencia del gobierno en su política monetaria y esta autonomía le sitúa en la delicada posición de mediación en las relaciones entre el gobierno y la comunidad financiera. Incluso en esta situación, el Banco Nacional puede confiar en pocos de los instrumentos de la política monetaria que son el equipamiento estándar de otros bancos centrales. Los cambios en el tipo de descuento son bastante ineficaces, porque raramente se utilizan letras de cambio en Suiza; normalmente, el tipo de descuento es un instrumento político «pasivo», el cual puede, como mucho, tener algún efecto «psicológico». El Banco Nacional se ve seriamente limitado en su política de mercado abierto, porque la deuda del gobierno suizo excluye los pagarés a corto plazo. Además, dado que el Banco Nacional carece de las bases legales para imponer una exigencia de reserva mínima para expandir o contraer la oferta monetaria, regula la oferta monetaria a través de intervenciones en los mercados de divisas [194]. En ausencia de gran parte de los instrumentos políticos formales, el Banco Nacional ha depositado su confianza en los «acuerdos informales entre caballeros», de los cuales se han producido quince en total entre 1927 y 1970 [195]. La mayoría de esos acuerdos han estado referidos a la cuestión de cómo controlar el influjo de fondos extranjeros que fomentan el alza de la inflación. Aunque han existido fuentes ocasionales

---

[193] OCDE, *Public Expenditure Trends,* p. 90. Este panorama coincide con este estudio transnacional de política económica; véase Gottfried Berweger y Jean-Pierre Hoby, «Typologien für Wirtschaftspolitik» (Instituto de Sociología, Universidad de Zurich, mimeo, 1978), pp. 6-8.

[194] Gerhard Winterberger, *Probleme der schweitzerischen Wintschaftspolitik* (Berna: Stämpfli, 1957), p. 18; Iklé, *Switzerland;* y Tuchtfeldt, *Wachstumprobleme der schweizeriscehn Volkswirtschaft,* p. 13. Sobre las restricciones impuestas a la política monetaria y fiscal suiza, véanse respectivamente OCDE, *Economic Surveys: Switzerland* (1966), pp. 22-27, (1970), pp. 41-44.

[195] Hans Schaffner, *Dauer und Wandel in der schweizerischen Wirtschaft* (Zurich: Schweizerischer Handels- und Industrie- Verein, 1970), p. 9.

de conflicto y tensión —incluyendo los debates sobre el control de las exportaciones per cápita—, el Banco Nacional, mediante un ejercicio del poder «sutil y contenido», ha logrado llegar a compromisos informales [196]. Y el poder del Banco Nacional se ha visto fuertemente favorecido por el sistema de tipos de cambio flotantes, hasta el punto que a finales de los 70 la gestión del franco suizo en los mercados internacionales de capital llegó a ser mucho más importante que ninguna otra política del ciclo económico que el gobierno hubiera imaginado.

La supervisión política formal de los bancos suizos es débil. La Comisión de Banca (Eidgenossische Banken Kommission) es independiente del gobierno. Aunque la posición de la Comisión se ha visto fortalecida de alguna forma en los años 70, la supervisión inefectiva de los seiscientos bancos existentes en Suiza se ha visto confirmada, por ejemplo, por el escándalo que rodeó al Crédit Suisse en 1977 y el cierre del Banque Leclerc en 1978 [197]. Sin embargo, estos episodios espectaculares libraron a las operaciones bancarias de una intervención política. Al meditar acerca de las implicaciones políticas de estos incidentes, un funcionario de Zurich manifestaba un amplio consenso: «Bueno, no significa que los bancos vayan a perder ninguna de sus libertades. Simplemente se establecerá el límite de hasta dónde puede llegar» [198]. A principios de 1982, la Comisión de Banca decretó que en el futuro los bancos suizos tendrían que desglosar en su hoja de balance hasta qué punto habían recurrido a los bienes ocultos para absorber pérdidas; otro funcionario de la banca consideraba esta medida como un compromiso típicamente suizo. «Todavía se pueden tener reservas ocultas, pero ya no pueden tenerse pérdidas ocultas» [199]. En cualquier caso, cualquiera que sea la supervisión formal que pueda existir, es mucho más importante que las relaciones informales que vinculan a los bancos privados con el Banco Nacional. La propiedad privada del Banco Nacional le hace único entre los bancos centrales de los Estados industriales avanzados. El banco opera bajo ciertos controles políticos y devuelve una parte de sus ingresos en forma de pago de dividendos a los cantones y a los accionistas privados [200]. Su consejo de administración está bajo la supervisión de un sistema de comisiones controlado tanto por los bancos como por los gobiernos. Este círculo interno

---

[196] Winterberger, *Probleme der Wintschaftspolitik,* p. 49.

[197] Véase, por ejemplo, *New York Times,* 5 junio 1979, pp. D1, D4; Crossland «The Everlasting League», Informe p. 28; *World business Weekly,* 5 mayo 1980, p. 52; y Cohen, «Structural Change in International Banking», p. 70.

[198] *New York Times,* 5 junio 1979, p. D4.

[199] *Wall Street Journal,* 27 abril 1982, p. 31.

[200] Iklé, *Switzerland,* p. 34; George A. Codding, *The federal Government of Switzerland* (Boston: Houghton Mifflin, 1965), p. 135.

de poder ha sido considerado por un observador como «un *Gemeinde* (municipio) donde la ciudadanía recae sobre los gestores de las empresas, cuyos balances de situación son superiores a 500 millones de francos suizos» [201]. La autorregulación de la comunidad bancaria suiza ilustra la debilidad del Estado suizo.

El proceso político

Suiza descansa sobre un proceso político que premia la coordinación de los objetivos en conflicto mediante negociaciones políticas en el seno de la red política. Esta característica de la política cotidiana suiza es tan notable que el país ha estado caracterizado por una transformación que en 1945 partía de una «democracia del voto» (*Abstimmungsdemokratie*) hasta llegar a la «democracia de la negociación» (*Verhandlungsdemokratie*) [202]. Aunque el ámbito del proceso político es amplio, excluye las cuestiones de la inversión y del empleo, las cuales se dejan a la discreción de las empresas, y de las negociaciones colectivas libres entre empresarios y sindicatos. Además, las limitaciones con las que interviene el Estado en las cuestiones económicas y sociales facilita un proceso político que se halla centrado primeramente alrededor de la reconciliación de los diferentes grupos de interés; las relaciones entre los asuntos se realizan normalmente de forma implícita.

El cambio de Suiza hacia una «democracia de la negociación» entre los grupos se vio fortalecido de forma decisiva por el poder que los «Artículos Económicos» de la Constitución Federal conferían en 1947 a los grupos de interés. Esta innovación constitucional extendió el reconocimiento legal al gran poder que habían acumulado los grupos económicos durante la Depresión y la segunda guerra mundial, cuando se les confiaron un número cada vez mayor de tareas públicas. Todos los grupos susceptibles de ser afectados deben ser consultados antes de un cambio en la legislación y el gobierno puede apoyarse en ellos en el proceso de puesta en práctica. Para los sindicatos, en particular, los artículos económicos representaron un reconocimiento de vital importancia de su papel público (*Ordnungsfunktion*). El efecto de los artículos económicos ha sido el de trasladar la arena fundamental en la que se elaboraban las opciones políticas fuera de las deliberaciones en comités parlamentarios y los poderes de emergencia del gobierno. En cambio, se proporciona una tribu-

---

[201] Steinberg, *Why Switzerland?*, p. 156.

[202] Leonhard Neidhart, *Plebiszit und pluralitäre Demokratie: Eine Analyse der Funktion des schweizerischen Gesetzesreferendums* (Berna: Francke, 1970), pp. 313-19; Schumann, *Das Regierungssystem der Schweiz*, pp. 250-52.

na central a la formación pre y extraparlamentaria del consenso entre grupos de interés, incluyendo a los sindicatos y la burocracia estatal [203].

El consenso se forma a los niveles tanto de la formulación política como del desarrollo de esas políticas. Aunque los procedimientos varían de un caso a otro, la elaboración inicial de un proyecto suele hacerse generalmente bajo los auspicios del Consejo Federal, por parte del departamento correspondiente o por parte de las comisiones de trabajo que existen en ciertos departamentos del gobierno federal. A menudo, la burocracia estatal recibe apoyo en su trabajo de comités de expertos reunidos especialmente para ello, los cuales reflejan los intereses de los grupos más afectados por el proyecto, o mediante consulta informal con esos mismos grupos. En otras palabras, la propuesta inicial de la burocracia refleja o anticipa normalmente la posición política de los principales protagonistas; por lo general, no refleja una posición independiente del Estado.

Los gobiernos cantonales y los grupos de interés relevantes están entonces invitados a una segunda ronda en la formación del consenso, en la cual la propuesta legislativa original es revisada y elaborada. Las denominadas «comisiones de expertos» están creadas normalmente *ad hoc* con el fin de considerar la propuesta legislativa inicial. Los años que transcurrieron entre 1970 y 1979, por ejemplo, contemplaron el establecimiento de doscientas comisiones asesoras. En números absolutos los gobiernos federales y cantonales dominan la composición de esas comisiones, pero los miembros de los grupos de interés afectados y los expertos in-

---

[203] Kriesi, *Entscheidungsstrukturen und Entscheidungsprozesse,* pp. 108-13, 177-232, 247, 263-64, 335-38, 359, 437, 574, 587-682; Beat Hotz, *Politik zwischen Staat un Wirtschaft: Verbandsmässige Bearbeitung wirtschaftlicher Probleme und die daraus resultierenden Konsequenzen für die Aktivitäten des Staates im Falle der schweiz* (Diessenhofen: Rüegger, 1979); Linder, hotz and Werder, *Plannung in der schweizerischen Demokratie; Marjorie Mowlam,* «The Impact of Direct Democracy on the Influence of Voters, Members of Parliament and Interest Group Leaders in Switzerland» (Ph. D. diss., Universidad de Iowa, 1977), pp. 51-53; Werder, *Die Bedeutung der Volksinitiative,* p. 39; Beat Hotz y Hans Werder, «Bedingungen Politischer Planung in der Schweiz», *Annuaire suisse de science politique* 16 (1976): 79, 88-93; Walter Buser, «Fallen die Entscheide im Vorverfahren der Gesetzgebung?» *Documenta Helvetica* 1976, núm. 1:10-15; Hanspeter Kriesi, «Interne Verfahren bei der Ausarbeitung von Stellungnahmen in Vernehmlassungsverfahren», *Annuaire suisse de science politique* 19 (1979): 223-58; Georges Guggenheim, «Das Vernehmlassungsverfahren im bund: Eine statistische Untersuchung 1970-1976», *Kleine Studien zur Politischen Wissenschaft* núm. 142-143 (Zurich: Forschungsstelle für Politische Wissenschaft, University of Zurich, 1978); y André Jaeggi, «Between Parliamentary Weakness and Bureaucratic Strength: Interest Representation in Swiss foreign Relations» (artículo preparado para el seminario del ECPR sobre «Interest Representation in Mixed Polities», Lancaster, 29 marzo-4 abril 1981).

dependientes también se hallan bien representados [204]. Todos estos sectores representados coinciden en la inclinación a conceder a estas comisiones una naturaleza política. Los grupos de interés plantean con frecuencia presiones políticas sobre el gobierno con la intención de conseguir que se acepte al experto «neutral» por ellos elegido. Estos «Parlamentos en miniatura de grupos de interés» recogen el objetivo político fundamental de proveer de una base de datos y de un marco para el análisis aceptados por todos [205]. El hecho de que consigan esto en un lenguaje tecnocrático que despolitiza las cuestiones es el rasgo distintivo de un Estado que fundamenta sus políticas en un amplio consenso sobre las opciones políticas básicas.

El tercer paso en la formulación de una política es la «consulta» (*Vernehmlassung*) a la que obligan los Artículos Económicos de 1947, los cuales someten el consenso alcanzado en la comisión de expertos a una consulta más pública. La consulta adopta la forma de testimonio directo y conformidad con las declaraciones escritas, en las cuales están ampliamente representadas las grandes asociaciones económicas; entre octubre de 1969 y junio de 1971, por ejemplo, el gobierno inició treinta y cinco consultas. Los mayores grupos de interés se vieron incluidos entre veinte y veintisiete de esas consultas, mientras que más de otros trescientos grupos fueron consultados sólo entre una y cuatro veces [206]. El propósito evidente del gobierno es obtener más información y conocer los puntos de vista del sector privado; pero su objetivo político secreto y más importante tipifica la forma de democracia «negociadora» que surgió en la Suiza de posguerra. Los grandes grupos de interés utilizan la amenaza implícita que supone el reto a la legislación federal propuesta a través de un referéndum popular si sus deseos no se vieran reflejados de forma adecuada en la versión final del proyecto remitido al Parlamento. El poder político que ejercen todos los grandes grupos de interés, así como la prominencia que otorga la consulta, llevaron a un observador a apoyar a estos grupos específicos, «gabinetes económicos en la sombra», del sector privado [207].

El borrador final de la legislación es revisado una vez más por el departamento correspondiente o por un comité de trabajo de varios minis-

---

[204] Germann y Frutiger, «Role Cumulation», pp. 1-3.

[205] Erich Gruner, *Politische Fürhrungsgruppen im Bundesstaat* (Berna: Francke, 1973), p. 11.

[206] Bobby Gierisch, «Interest Groups in Swiss Politics» (Instituto de Sociología, Universidad de Zurich, 1974, mimeo), p. 76. Una actualización parcial que confirma esta conclusión puede encontrarse en Mowlam, «Impact of Direct Democracy», p. 78.

[207] Erwin ruchti, *Wirtschftpolitische Ketzereien: Kritische Anmerkungen zur scheweizerischen Wirtschaftspolitik* (Berna: Haupt, 1976), p. 19.

tros para reflejar el nuevo consenso que ha surgido durante las consultas. El Consejo Federal somete entonces el proyecto final al Parlamento, donde es considerado y debatido por parte de la comisión apropiada dentro de cada cámara o por una comisión *ad hoc* creada especialmente. Incluso en esta etapa están presentes los grupos de interés importantes. Sus portavoces en las audiencias parlamentarias actúan como «representantes delegados» (si trabajan a tiempo completo para su organización) o, lo más frecuente, como «intermediarios interesados» (si sirven a la organización a tiempo parcial o con capacidad honorífica). Tras la reafirmación del consenso político en la comisión parlamentaria, el pleno de la Cámara vota una por una las cláusulas del proyecto. En términos generales, las primeras etapas de la formación del consenso son de una importancia decisiva, especialmente la elaboración inicial de la propuesta y su primera discusión en la comisión de expertos. En base a diferentes fuentes de datos, dos estudios llegan a la conclusión de que el Parlamento no realiza cambios, o únicamente cambios menores, en el 80 por 100 de los proyectos que examina [208].

La puesta en práctica de una política ofrece una segunda expresión de la inclinación suiza a la formación del consenso a través de la política. Es característico del «sistema de *militia* de la administración» suiza (*Milizverwaltung*) el gran número de comisiones administrativas asociadas con departamentos concretos: estas comisiones se muestran muy activas en la puesta en marcha y la supervisión de la política. Sólo el Departamento de Asuntos Económicos se dice que había tenido más de sesenta comisiones de asesoramiento en 1961 [209]. En 1977 más de cuatro quintas partes de las 834 comisiones asesoras establecidas a nivel federal eran permanentes, muchas de ellas participaban en el desarrollo de políticas. De igual importancia son las Comisiones Permanentes del gobierno federal. Existen muy pocos análisis detallados de este complejo sistema: uno de los estudios realizados admite que el número de comisiones no puede averiguarse con claridad. Las estimaciones a principios de los 70 variaban «de más de 200» a «más de 400» [210]. Las Comisiones Permanentes ofrecen al gobierno información y consejo de forma continua y ofrecen un foro adecuado para la discusión. La representación en estas comisiones está fuertemente sesgada en favor de los grandes grupos de interés —agricultura, pequeña empresa, trabajadores e industria— y las normas que re-

[208] Mowlam, «Impact of Direct Democracy», pp. 83-84.

[209] Meynaud, *Organisations professionnelles en Suisse*, p. 312.

[210] Germann y Frutiger, «Role Cumulation», pp. 1-3. La acumulación de roles particularmente común en asuntos políticos y cuestiones de política económica. Véase Germann y Frutiger, «Les experts et la politique», pp. 99-127.

gulan la representación son revisadas con sumo cuidado. Esto incluye qué grupos estarán representados y cuántos delegados se permitirá enviar a cada grupo. En muchos casos, las Comisiones Permanentes están compuestas de forma «paritaria» con igual número de representantes de los trabajadores y de los empresarios (agricultura, pequeña empresa e industria). Sólo diez grupos de interés tienen presencia en más de seis de las ciento sesenta comisiones que contabilizó un analista a finales de los 60 [211]. Aunque las deliberaciones de las Comisiones Permanentes cubren un amplio campo de cuestiones técnicas y políticas, los expertos que trabajan en ellas, a menudo funcionarios importantes en grupos de interés y asociaciones profesionales, insiten en la naturaleza técnica y apolítica del trabajo de las comisiones [212].

La forma elaborada en que se establece un consenso duradero en cuestiones de política pública continúa expuesto al reto de las instituciones de la democracia directa. Estas instituciones, sin embargo, se han visto al mismo tiempo afectadas fundamentalmente por el proceso de formación del consenso. Existen dos tipos diferentes de referéndums populares, obligatorios (*obligatorisch*) y opcionales (*fakultativ*) [213]. Todos los cambios en la Constitución, decretos de emergencia extraconstitucionales, iniciativas populares y ciertos tipos de tratados internacionales están sujetos a referéndums obligatorios, *deben* someterse a votación popular. Todas las propuestas legislativas, decretos federales generales o decretos de emergencia constitucionales están sujetos a referéndum opcional; *pueden* someterse a votación popular si un determinado número de ciudadanos o de cantones así lo solicitan dentro de un período dado de tiempo.

Desde el final de la segunda guerra mundial, la importancia de la democracia directa suiza en la formación del consenso ha variado. Nunca se ha sustituido el referéndum popular por la negociación entre grupos

---

[211] Gierisch, «Interest Groups», pp. 29, 75, 121; Sidjanski, «Interest Groups», p. 107.

[212] Gierisch, «Interest Groups in Switzerland», p. 121; Segenthaler, *Politk der Gewerkschaften* p. 137. Una tendencia similar es observable en los partidos políticos; véase Steiner, *Gewaltlose Politik,* pp. 125-26.

[213] La institución de la democracia directa está considerada por algunos eruditos como una razón importante de por qué Suiza no debería considerarse como un sistema consensual. Véase, por ejemplo, Brian Barry, «[Review Article] Political Accommodation and Consociational Democracy», *British Journal of Political Science* 5 (octubre 1975): 480-90. Sobre el referéndum en general, véase Schumann, *Das Regierungssystem der Schweiz,* pp. 235-62; Jean-François Aubert, «Switzerland», en David Butler y Austin Ranney, eds., *Referendums: A Comparative Study of Practice and Theory* (Washington, D. C.: American Enterprise Institute, 1978), pp. 39-66. Véase también Roland Ruffieux *et al.,* La democratie referendaire en Suisse au XXᵉ siècle, vol. 1: *Analyse de cas* (Fribourg: Editions universitaires Fribourg, Suiza, 1972).

de interés. Por ejemplo, en cuestiones como las de los trabajadores extranjeros o el tamaño del presupuesto del gobierno se ha mantenido el intento original de la democracia directa, el control popular sobre el gobierno. Generalmente, sin embargo, la amenaza de desafío a las propuestas legislativas mediante referéndum, más que el referéndum mismo, se ha convertido en la parte crítica de la negociación para cada grupo de representantes [214]. Entre 1971 y 1978, por ejemplo, todas las cuestiones que habían sido resueltas mediante un compromiso genuino entre los líderes de los principales grupos de interés fueron aceptadas en las elecciones, todas las demás propuestas sometidas a la aprobación popular fueron rechazadas [215].

Apodada por Max Imbodem la *malaisehelvétique,* una creciente apatía política del electorado ha reflejado el aumento de la compleja negociación política y del compromiso que han sustituido gradualmente la tradicional combinación del gobierno por decretos de emergencia, de referéndums populares y de inercia. Por ejemplo, en 1952 se celebraron nueve referéndums, y quince años más tarde sólo se había celebrado uno. Entre 1945 y 1959 se celebraron un total de 59 referéndums, comparados con 26 entre 1960 y 1969; para los dos mismos períodos, la media anual descendió de 4,1 a 2,6 [216]. Además, a pesar de esta caída en el número de refrendos, el total de votantes pasó del 54 por 100 entre 1945 y 1969 al 43 por 100 en 1960-67. Al mismo tiempo, la tasas de aceptación del electorado se incrementó del 42 al 62 por 100 [217]. Previamente, el referéndum había sido un escollo potencial para las iniciativas políticas del gobierno. En los años 60 este panorama cambió: sólo dos propuestas gubernamentales sujetas a referéndum obligatorio fueron rechazadas por los votantes, y en su forma revisada se aprobaron finalmente [218].

En los años 70, sin embargo, cuando los problemas económicos y sociales han llegado a ejercer una mayor presión, la estrategia de negociación de los grupos de acudir a la amenaza del referéndum ha dado lugar

---

[214] Neidhart, *Plebiszit und pluralitäre Demokratie,* pp. 247-319; Berweger, *Investition,* pp. 218-19; Erich Gruner, *Regierung und Opposition im schweizerischen Bundesstaat* (Berna: Haupt, 1969), pp. 12-15; y Gerhard Lehmbruch, «Konkordanzdemokratie im politischen System der Schweiz», *Politische Vierteljahresschrift* 9 (1968): 455.

[215] Kriesi, *Entscheidungsstrukturen und Entscheidungsprozesse,* pp. 656-57.

[216] Calculado sobre los datos de Aubert, «Switzerland», pp. 50-64.

[217] Aubert, «Switzerland», pp. 45, 50-64. Véase también Steinberg, *Why Switzerland?,* p. 56; Benjamin R. Barber, *The Death of Communal Liberty: A History of Freedom in a Swiss Mountain Canton* (Princeton: Princeton University Press, 1974), p. 227; Schumann, *Das Regierungssystem der Schweiz,* pp. 236, 241-243; y Alois Riklin, *Stimmabstinenz und direkte Demokratie* (Zurich: Schweizerischer Aufklärungsdienst, 1979).

[218] Gierisch, «Interest Groups», p. 50.

a ciertas derrotas manifiestas. Por ejemplo, en cuestiones de importancia crítica que incluían la planificación regional, la política fiscal, la codeterminación, las fuerzas de seguridad federal, la imposición y los seguros sanitarios no se alcanzó ningún compromiso capaz de resistir el reto de una votación popular; los votantes rechazaron todas esas grandes propuestas legislativas. Además, en comparación con la media anual de 2,6 propuestas (referéndums obligatorios y opcionales) sobre las que el electorado había votado en los años 60, la media de 8,3 entre 1970 y 1978 invirtió el descenso. Esta increíble triplicación en los números absolutos, de 26 a 75, revela los límites del consenso a través de la negociación de los grupos de interés. Mientras que el descenso de votantes descendió ligeramente, del 43 por 100 en 1960-69 al 42 por 100 en 1970-78, la tasa de aceptación del electorado de las propuestas gubernamentales bajó del 62 al 49 por 100. El gobierno federal ha estado inmiscuyéndose en una cuestión detrás de otra mediante las prerrogativas tradicionales y de mandato constitucional, de aquí que el número de asuntos sujetos a referéndum obligatorio se haya incrementado de forma más tajante [de 5 (19 por 100 del total) en 1960-69 a 21 (28 por 100) en 1970-78] que la legislación gubernamental sujeta a referéndum opcional [de 8 (31 por 100) en 1960-69 a 12 (16 por 100) en 1970-78]. En definitiva, en los años 70, las élites políticas suizas se vieron fuertemente presionadas para lograr un consenso que funcionara en las principales cuestiones políticas. Con una frecuencia cada vez mayor, vieron cómo el consenso que habían alcanzado era amenazado y derrotado en las elecciones [219].

La democracia directa ha sido utilizada de forma defensiva, como un obstáculo ante el cambio, tanto como instrumento de cambio. Defensivamente, ha permitido transformar coaliciones de fuerzas conservadoras para prevenir la delegación de instrumentos políticos al liderazgo político en Berna. Por ejemplo, en los años 50 y 60, los parlamentarios de Berna favorecieron una mayor intervención gubernamental en la economía por aplastante mayoría, mientras que menos del 50 por 100 de los votantes suizos se inclinaban por este tipo de medidas [220]. En los años 70, la democracia directa se ha utilizado de forma ofensiva por parte de políticos

---

[219] Kriesi, *Entscheidungsstrukturen und Entscheidungsprozesse.* Véase también Werder, *Bedeutung der Volksinitiative,* p. 10; Aubert, «Switzerland», pp. 50-64; y Benno Homann, «Direct Democracy: Towards a New Theory Based on Recent Developments in Switzerland» (artículo preparado para el seminario del ECPR sobre «Referencia as New Forms of Participation», Lancaster, 29 marzo-4 abril 1981).

[220] Libbery, «The Socialist Party», pp. 195-97; Schumann, *Das Regierungssystem der Schweiz,* p. 240. Los portavoces de la extrema derecha rechazan así el sistema suizo de concordancia y son ardientes defensores de la democracia de referéndum. Véase Kriesi, *Entscheidungstrukturen und Entscheidungsprozesse,* pp. 668-69.

independientes y grupos *ad hoc* para demostrar su desacuerdo con los problemas pendientes de resolución derivados de los triunfos económicos y políticos suizos en los años 50 y 60 [221]. La oposición política, de forma significativa, no procede de los sindicatos; éstos han estado plenamente integrados en los procesos pre y extraparlamentarios, en los que se construye el consenso. Todavía hoy un número creciente de actores políticos de los años 70 se ha asido a la democracia directa como una potente arma para combatir a las élites políticas consensuales de Suiza. Estos actores han forzado una utilización cada vez mayor del gobierno mediante decretos de emergencia.

La institución de la democracia directa ha facilitado y perjudicado de esta forma al proceso político consensual. El lento pero efectivo método suizo de establecer un consenso político se persigue hasta llegar a pagar por él el coste de la inmovilidad política y la falta de innovación política por parte del gobierno federal [222]. Las cada vez mayores tensiones de los años 70 sugieren que en los 80 hará falta una considerable habilidad política para mantener el delicado equilibrio entre «el éxito tecnológico y el retraso político» que caracteriza a la política pública en Suiza [223]. Al mismo tiempo la democracia suiza de referéndums ha impulsado políticas innovadoras en ciertos asuntos cruciales, tales como la legislación nuclear; y ha ayudado a contener la explosividad política que adquirió el tema en estructuras nacionales más centralizadas, como la de Austria [224].

Esos retos, aunque serios, no han llegado a conseguir desplazar el modo ya establecido en Suiza de «hacer política». La búsqueda del consenso se elabora y desarrolla en diferentes arenas. De hecho, en cualquier cuestión importante es necesario un mínimo de consenso entre el titular del departamento federal implícito y los grupos más afectados para abrir el proceso de decisiones [225]. Aunque la secuencia del debate polí-

---

[221] Werder, *Bedeutung der Volksinitiative,* pp. 10, 22, 26, 30, 32, 35-36, 65, 97.

[222] *Ibid.*, pp. 46-48; Ruchti, *Wirtschaftspolitische Keizereien,* pp. 23, 38-39; Neidhardt, *Plebiszit und pluralitäre Demokratie,* p. 294; y Kurt Nüssli y Erwin Ruegg, «Ziele und Massnahmen in den Richtlinien der Regierungspolitik 1975-1979», *Kleine Studen zur Politischen Wissenchaft,* núms. 131-132 (Zurich: Forschugsstelle für Politische Wissenchaft, 1978), pp. 14, 30-38. Un tratamiento más general de este tema se encuentra en Raimund E. Germann. *Politische Innovation und Verfassungsreform: Ein Beitrag zur schweizerischen Diskussion über die Totalrevision der Bundesverfassung* (Berna: Haupt, 1975).
die Totalrevision der Bundesverfassung (Berna: Haupt, 1975).

[223] Baylis, «Collegial Leadership», p. 14.

[224] Margret Sieber y Hans Werder, «Environmental Politics in Switzerland: Do Piebiscitary Rights Matter?» (artículo preparado para el seminario del ECPR sobre «Environmental Politics and Policy», Lancaster, 29 marzo-4 abril 1981).

[225] Steiner, «Politische Prozesse», p. 133.

tico no se fija formalmente, las consultas a diferentes grupos conforman la versión del proyecto que el departamento federal encargado remitirá finalmente al Parlamento. El rasgo central de este complejo proceso de negociación política es el hecho de que todos los grupos interesados están directamente representados en cada escenario del debate político y en cada fase del proceso. Los representantes de los grupos y los burócratas discuten entre ellos una y mil veces hasta que se ha alcanzado un compromiso factible y aceptable.

El corporatismo liberal y los partidos políticos

Un rasgo distintivo de la estructura interna de Suiza es la «regulación cooperativa del conflicto» entre empresarios y trabajadores, entre los segmentos de la empresa con orientación nacional e internacional, entre industria y finanzas y entre industria y agricultura [226]. Debido a la extensión de las oportunidades a raíz de la liberalización de la economía internacional desde finales de los 50, Suiza ha dejado atrás los acuerdos corporatistas centrados en el Estado de los años 30 y 40 en favor de un corporatismo liberal. Este corporatismo liberal integra a todos los actores políticos y fuentes de oposición potencial importantes, difumina el conflicto y compensa la falta de instrumentos políticos en manos del gobierno. Como denuncia Paul Hofmann, «la gente que cuenta realmente en este país son unos pocos hombres que se conocen entre ellos, que han sido educados en las mismas escuelas y que han servido en las mismas unidades del ejército. Pueden pertenecer a diferentes partidos políticos, empresas o grupos en competencia, pero existe un consenso básico entre ellos para defender su *status quo*» [227]. Muy pocas asociaciones nacionales, quizá cinco, constituyen el núcleo central del corporatismo suizo. En palabras de Hanspeter Kriesi, «es realmente cierto que en Suiza (casi) todo el mundo coopera con (casi) todo el mundo» [228]. Puesto que el con-

---

[226] Lehmbrunch, «Konkordanzdemokratie», pp. 444, 446; Gruner, *Regierung und Opposition,* pp. 21, 40; Steiner, «Politische Prozesse», p. 138; Erich Gruner, «100 Jahre Wirtschaftpolitik: Etappen des Interventionismus in der Schweiz», *Schweizer Zeitschrift für Volkswirtschaft und Statistik,* 100, 1-2 (1964); 58-59, 66-67; y Gierisch, «Interest Groups», pp. 75, 80. Apéndice: estudio de casos de la política pública suiza se hallan en Neidhart, *Plebiszit und pluralitäre Demokratie,* pp. 247-319; Sidjanski «Interest Groups in Switzerland, pp. 106-15; *Siegenthaler,* Politik der Gewerkschaften, pp. 34-106; Steiner, *Gewaltlose Politik,* pp. 149-260; y Steiner, «Politische Prozesse», pp. 129-62.

[227] Paul Hofmann, «The Swiss Malaise», *New York Times Sunday Magazine,* 8 febrero 1981, p. 59.

[228] Kriesi, *Entscheidungsstrukturen und Entscheidungsprozesse,* p. 688.

senso se conforma en numerosas arenas con múltiples puntos de acceso, los grupos carecen generalmente de una estrategia institucional global y dejan que las decisiones *ad hoc* o las consideraciones tácticas a corto plazo determinen su comportamiento [229]. La incertidumbre acerca de quién está y quién no ejerciendo el poder en cuestiones concretas es una de las características suizas. Debido a esa incertidumbre, Jürg Steiner señala que «las situaciones de decisión en Suiza no son una especie de conferencia de alto nivel de representantes de segmentos específicos de la sociedad» [230]. Suiza es, por tanto, un campo infértil para la consulta política más centralizada que distingue al corporatismo social en Austria. Sin embargo, a pesar de las diferencias de forma en los dos países, ambos sistemas corporatistas son compatibles con un grado extraordinario de colaboración política.

Los líderes de la comunidad empresarial suiza se hallan íntimamente vinculados con las élites políticas y están implicados de forma activa en la marcha de las políticas económicas suizas. Incluso una empresa tan internacional en sus perspectivas como Nestlé tiene gran interés en los asuntos suizos. En 1974, el jefe del comité ejecutivo de la compañía ocupó un asiento en el consejo de Banca, el cual, al menos nominalmente, supervisa al Banco Nacional, y en 1975 fue nombrado por el Consejo Federal como miembro de la comisión suiza para la política de Comercio Exterior [231]. Por ello no fue del todo inesperado que un grupo de accionistas objetaran públicamente en 1981 al plan de Nestlé de nombrar a un alemán occidental para la dirección de la compañía. Estos escribían que «Nestlé disfruta de una posición extraordinaria y privilegiada en Suiza. Es, por ello, inconcebible —a largo plazo— que no sean los suizos los que asuman la presidencia o el cargo de director gerente» [232]. Aunque su demanda consiguió un apoyo reducido, el nuevo presidente de la empresa, elegido en 1982, fue suizo.

Los vínculos entre las esferas pública y privada son numerosos. Alrededor de la mitad de los actores políticamente más importantes en los años 70 habían trabajado tanto en el sector público como en el privado [233]. Como señala Hughes, «los cuerpos de funcionarios del ejército sui-

---

[229] Gierisch, «Interest Groups», pp. 117, 120, 138, 141, 144.

[230] Jürg Steiner, «Conclusión: Reflections on the Consociational Theme», en Howard R. Penniman ed., *Switzerland at the Polls* (Washington D. C.: American Enterprise Institute, 1983), p. 168.

[231] Höpflinger, *Das unheimliche Imperiun,* p. 28; Ziegler, *Zwitzerland: The Awful Truth,* pp. 25-26, 137-39.

[232] Citado en *Wall Street Journal,* 20 octubre 1981, p. 27.

[233] Kriesi, *Entschidungsstrukturen und Entscheidungsprozesse,* p. 529-32.

zo renuevan constantemente los contactos de las élites suizas desde todas condiciones. Muchos funcionarios civiles dirigentes mantienen abierta la posibilidad de pertenecer a las corporaciones suizas al menos durante algún tiempo en su carrera, un sistema que se hace posible por los contratos renovables de cuatro años más que por el nombramiento vitalicio del funcionariado civil suizo... Los consejeros federales se retiran de muy buen grado a las juntas de gobierno de la gran industria» [234]. Los estudiosos de la política suiza tienen muchos nombres para este sistema de política de colaboración, interpretada aquí como una forma particular de corporatismo: sistema de concordancia, democracia negociadora, sistema proporcional, acuerdos amigables, consenso. La doctrina del gobierno limitado encuentra su encarnación en una centralización del poder dentro de las instituciones participativas que cultiva el compromiso [235].

Una manifestación institucional clara de la estructura corporatista de Suiza es el Consejo Federal, un gobierno de todos los partidos que incluyó a un miembro del Partido Socialdemócrata entre 1941 y 1953, y dos desde 1959. «La noche de las elecciones, las redes de televisión no pueden declarar al ganador de las votaciones porque la elección no está estructurada de forma que exista un claro ganador o perdedor a nivel nacional» [236]. No existen procedimientos como los votos de censura en el Parlamento o refrendos nacionales para destituir a un gobierno. La palabra práctica institucional extendida de la representación proporcional *(Proporz)* de los grupos religiosos, lingüísticos y regionales se extiende también, aunque de forma modificada, a los grupos de interés económico. En las cuestiones económicas y sociales Suiza se distingue por una aversión por la política de oposición y la toma de decisiones competitiva. Es, en cambio, el modo consensual el más general. Este consenso no adopta la forma ni de un «acuerdo amistoso» entre unos pocos dirigentes ni de una regla mayoritaria [237]. «La decisión por la interpretación» está basada, por el contrario, en una combinación de la contabilización de los dirigentes y el peso del estatus característico de lo que un observador bien informado ha denominado un «método de decisión jerárquico con un fuerte elemento de manipulación» [238].

---

[234] Hughes, *Parliament of Switzerland,* p. 34.

[235] Kriesi, *Entscheidungsstrukturen und Entscheidungsprozesse,* pp. 31-32, 309, 358, 410.

[236] Jürg Steiner, draft of «Conclusion: Reflections on the Consociational Theme», manucript, p. 4. Véase también Adolf Gasser, «Der freiwillige Proporz im Kollegialen Regierungssystem der Schweiz», *Politische Studien* 165 (enero-febrero 1966): 269-76.

[237] Steiner, *Amicable Agreement.*

[238] Steiner, «Conclusion», p. 170. Véase también Jürg Steiner y Robert H. Dorff, *A*

La coalición que han formado los cuatro principales partidos políticos de Suiza en la rama federal durante los últimos veinticinco años posee unos fundamentos sociológicos y electorales distintos [239]. La diversidad cultural de Suiza divide la vida de los grupos organizados en líneas religiosas, etnolingüísticas y regionales. Ha evitado que surgiera un continuo izquierda-derecha como el eje central del conflicto político [240]. Bajo cualquier medida objetiva, Suiza sobrepasa a todos los pequeños Estados europeos en cuanto a su diversidad religiosa y ocupa un segundo lugar cercano a Bélgica en cuanto a diversidad etnolingüística. Pero debido a que las características demográficas de un pueblo no determinan sus percepciones, la diversidad cultural, como han señalado Jürg Steiner y sus colaboradores, no es lo mismo que la segmentación subcultural [241]. Toda una larga serie de estudios llegan a la misma conclusión: los efectos políticos de la diversidad cultural suiza se ven mitigados por un complejo modelo de divisiones entrecruzadas [242]. La identificación de los trabajadores está debilitada por el hecho de que las divisiones lingüísticas se cruzan con las líneas religiosas, de clase y regionales. Así, la estructura social suiza, en contraste con la de Austria, está caracterizada por una seg-

---

Theory of Political Decision Modes: Intraparty Decision Making in Switzerland (Chapel Hill: University of North Carolina Press, 1980).

[239] Höpflinger, *Industrie-Gewerkschaften,* pp. 90-93; *Gewerkschaften in der Schweiz* (1970), pp. 40-43; R. Inglehart y D. Sidjanski, «Dimensions gauche-droit chez les dirigeants et électeurs suisses» *Revue française de science politique* 24 (octubre 1974): 994-1025; Alan B. Reed, «Parties and Integration in Switzerland» (Ph. D. diss., Universidad de Texas en Austin, 1971); y Richard S. Katz, «Dimensions of Partisan Conflict in Swiss Cantons» (artículo preparado para el encuentro anual de la American Political Science Association: Nueva York, 3-6 septiembre 1981).

[240] Peter J. Katzenstein, «Economic Dependency and Political Autonomy: The Small European States en The International Economy» (Cornell University, noviembre 1978, mimeo), cuadro 6; Arend Lijphart, *Democracy in Plural Societies: A Comparative Exploration* (New Haven: Yale University Press, 1977), pp. 72-74; and Henry H. Kerr Jr., *Switzerlan: social Cleavages and Partisan Conflict* (Beverly Hills, California: Sage, 1974), pp. 25-26.

[241] Jeffrey Obler, Jürg Steiner y Guido Dierickx, Decision Making in Smaller Democracies: The consociational «Burden» (Beverly Hills, California: Sage, 1977), p. 8; y Steiner y Obler, «Does the Consociational Theory Really Hold for Switzerland?» en Milton J. Esman, ed., *Ethnic Conflict in the Western World* (Ithaca: Cornell University Press, 1977), pp. 322-25.

[242] Steiner y Obler, «Consociational Theory», p. 334; Kenneth McRae, «Introduction», en McRae, ed., *Consociational Democracy: Political Accommodation in Segmented Societies* (Toronto: McClelland & Stewart, 1974), pp. 21-23; Val R. Lorwin, «Segmented Pluralism: Ideological Cleavages and Political cohesion in the Smaller European Democracies», en *ibid.*, p. 121; Lijphart, *Democracy in plural Societies,* pp. 72-73, 77, 79, 82, 84, 89-97; Obler, Steiner y Dierickx, *Decision-Making,* pp. 11-12, Kerr, *Social Cleavage,* pp. 7, 14, 16; Arend Lijphart, «Religious vs. Linguistic vs. Class Voting: The "Crucial Experiment" of Comparing Belgium, Canada, South Africa and Switzerland», *American Political Science Review* 72 (junio 1979): 442-58.

mentación horizontal en lugar de vertical, y los grupos subculturales en Suiza, comparados con los de Holanda y Bélgica, aparecen también menos divididos [243].

Algunos otros factores inhiben el conflicto ideológico mediante el debilitamiento del poder de los partidos políticos. El federalismo suizo debilita el desarrollo de lealtades totalizadoras tales como la conciencia nacional o de clase y, en cambio, refuerza un fuerte particularismo. Los actores políticos se unen en mayorías inconscientes en cuestiones que son con frecuencia únicas de ciertas partes del país o que se perciben de forma diferente dentro de ellas [244]. No interesa para el propósito de este argumento si las fronteras entre las diferentes subculturas son vagas o tajantes [245]. El localismo y el federalismo suizos no conducen al surgimiento de una política basada en las clases sociales a nivel nacional.

Además, es un axioma general de la política suiza que el poder no reside en el Parlamento. Con bajos salarios y poco personal, los miembros del parlamento se reúnen únicamente durante cuatro sesiones de tres semanas cada año [246]. Las principales preocupaciones de los miembros del Parlamento descansan a menudo en los asuntos cantonales y locales más que en las cuestiones de política nacional. Más aún, los parlamentarios se reúnen y actúan generalmente como representantes de los grupos de presión. A finales de los 60, casi dos tercios de los doscientos miembros del Parlamento, en comparación con sólo la mitad en Austria, trabajan bien a tiempo completo o a tiempo parcial para varios grupos de inte-

[243] Steiner, *Gewaltlose Politik,* pp. 283-86. Las únicas excepciones son los vínculos relativamente estrechos entre sindicatos y los partidos de la izquierda. Véase también Gerhard Lehmbruch, *Proporzdemokratie: Politisches system und Politische Kultur in der Schweiz und in Österreich* (Tübingen: Mohr, 1967), p. 33; Lijphart, *Democracy in Plural Societies,* pp. 60, 104; Kenneth D. McRae. «The Structure of Political Cleavages and Political Conflict: Reflections on the Swiss Case» (artículo preparado para el seminario de ECPR/CES sobre la Suiza contemporánea, Ginebra, 19-24 junio 1975), pp. 10-11; y Harold E. Glass, «Subcultural Segmentation and Consensual Politics: The Swiss Experience» (Ph. D. diss., Universidad de North Carolina en Chapel Hill, 1975).

[244] Jürg Steiner, «The Principles of Majority and Proportionality», en McRae, ed., *Consociational Democracy,* p. 95; Lehmbruch, *Proporzdemokratie,* p. 37; y Kerr, *Social Cleavages,* pp. 27-30.

[245] Steiner, *Gezaltlose Politik,* p. 228; Lijphart, *Democracy in Plural Societies,* pp. 89-97, especialmente, pp. 91, 94.

[246] André Jaeggi, Victor Schmid y Bruno Hugentobler, «Die Chefbeamten des EPD: Eine Untersuchung zur Personalstruktur», *Kleine Studien zur Politischen Wissenschaft,* núm. 133 (Zurich: Forschungsstelle für Politische Wissenschaft, 1978), p. 2; Gierisch, «Interest Groups», p. 48; Gruner, *Politische Führungsgruppen,* p. 10; Schumann, *Das Regierungssystem der Schweiz,* pp. 145-78; y Paolo Urio, «Parliamentary Control over Public Expenditure in Switzerland»; Forschungszentrum für Schweizerische Politik, «Miliz- und berufsparlament» (Berna, 1972).

rés [247]. Su presencia puede explicar por qué el Parlamento tiene más de veinte comités de grupos de interés económicos y profesionales, los cuales atraviesan las líneas de los partidos [248].

Pero ya independientemente de la impotencia del Parlamento y de su penetración por los grupos de interés, los partidos políticos en Suiza están debilitados por su falta de coherencia ideológica y por la tradición de la democracia directa. Los partidos políticos carecen de carga ideológica porque sólo se implican en la deliberación de las políticas en etapas relativamente tardías del proceso, cuando todo lo que resta es ratificar un consenso que ya ha sido formado [249]. Dado que los partidos tienen que atraer a las circunscripciones extraordinariamente diversas que conforman el electorado suizo, generalmente amortiguan cualquier énfasis en las ideologías [250]. Finalmente, el sistema suizo de democracia directa expresa las cuestiones políticas del día [251]. El estado permanente de movilización electoral a todos los niveles del gobierno se ha mitigado a cambio de una organización de partidos centralizada. Y en la medida en que algunos de los referéndums e iniciativas de las últimas dos décadas han expresado el carácter de los movimientos concretos separadamente de los partidos políticos organizados, han reforzado una atrofia de los partidos

---

[247] Gruner, *Die Parteien in der Schweiz,* pp. 172-74; Schumann, *das Regierungssystem der Schweiz,* pp. 145-78; Hans-Peter Hertig, *Partei, Wählerschaft oder Verband? Entscheidungsfaktoren im eidgenössischen Parlament* (Berna: Francke, 1980); Anton Pelinka y Manfried Welan, *Demokratie und Verfassung in Österreich* (Viena: Europaverlag, 1971), p. 101; y Karl-Heinz Nassmacher, *Das österreichische Regieungssystem: Grosse Koalition oder alternierende Regierung* (Colonia: Westdeutscher Verlag, 1968), pp. 53-54.

[248] Gierisch, «Interest Groups», p. 24; Steiner, «Die politischen Prozesse», p. 130; Gruner, *Politische Führungsgruppen,* p. 70; Meyer, *Verbände und Demokratie,* pp. 82-83; Schumann, *Das Regierungssystem der Schweiz,* p. 156; y Gruner, «100 Jahre Wirtschaftspolitik», p. 88.

[249] Erwin Bucher, «Historische Grundlegung: Die Entwicklung der Schweiz zu einem politischen System», en Steiner, *Das politische system der Schweiz,* p. 50; Gierisch, «Interest Groups», p. 53; y Steiner, «Die politischen Prozesse», pp. 122-23, 144.

[250] Lijphart, *Democracy in Plural societies,* p. 84; Lembruch, *Proporzdemokratie;* y Roger Girod, «Switzerland: Geography of the Swiss Party system», in McRae, ed., *Consociational Democracy,* pp. 207-25. La única excepción notable es la débil alianza entre sindicatos y los partidos de la izquierda. Todavía al menos 100.000 afiliados no votan por los partidos de la izquierda y la representación de los sindicatos en el Parlamento es sólo del 15 por 100 del número total de parlamentarios. Véase Siegenthaler, *Politik der Gewerschaften,* pp. 139-41, y Schumann, *Das Regierungssystem der Schweiz,* pp. 61-131.

[251] Steiner, *Gewaltlose Politik,* p. 75; Gruner, *Politische Führungsgruppen,* p. 10; y Steinberg, *Why Switzerland?,* p. 79. Historical statistics on the outcomes of differente referenda types are given in Sidjanski, «Interest Groups in Switzerland», p. 111; in Gruner, *Politische Führungsgruppen,* p. 12; en Gierisch, «Interest Groups», p. 50; and in Harold E. Glass, «Consensus and Opposition in Switzerland: A Neglected Consideration», *Comparative Politics* 10 (abril 1978): 370-71.

políticos, que en otros países sólo recientemente ha llegado a constituir una fuente de amplia preocupación. Como observa Jonathan Steinberg, «el componente plebiscitario de la democracia suiza da lugar, de esa forma, a una politización total de la política suiza, lo cual conduce a lo opuesto, una falta de vida en la política diaria y una indiferencia ante ella» [252].

Sin embargo, por debajo de la apariencia consensual y próspera de la política suiza se esconde la escisión entre la izquierda y la derecha. En cuestiones religiosas y lingüísticas la segmentación subcultural se está debilitanto. Pero no sucede así entre los jóvenes en cuestiones relativas a la clase social [253]. Las divisiones de clase en Suiza generan actualmente casi todas las cuestiones centrales en la política suiza, con la única excepción del estatus político del Jura. En la medida en que los partidos se funden con sus grupos de interés anexos en la política suiza, la alianza notable es aquella que une a los sindicatos de base étnica o religiosa con sus respectivos partidos. Finalmente, en la concepción de los votantes suizos, los partidos de la izquierda poseen todavía una imagen distintiva de lo antiestablecido.

El ámbito del corporatismo liberal en Suiza es amplio. Cubre probablemente una serie más amplia de cuestiones que los acuerdos de colaboración en Austria. Al mismo tiempo, sin embargo, el carácter de la coalición social dominante en Suiza ha sido apartado ampliamente del orden del día en las consultas de colaboración y de toma de decisiones en unos temas que suelen ser prerrogativas ilimitadas de la empresa en una economía capitalista: inversión y empleo. En este punto, la diferencia con Austria no puede ser mayor. Los suizos están llenos de orgullo en cuanto al estilo consensual de su sistema de gobierno y a la estabilidad política de sus instituciones, las cuales descansan en una amplia despolitización de las cuestiones económicas. Al mismo tiempo, los suizos no están particularmente anhelando reconocer que por debajo de sus acuerdos corporatistas continúan existiendo tensiones económicas y políticas enraizadas en la naturaleza capitalista de la sociedad suiza. En realidad, para los suizos, el mismo término capitalismo connota un intenso conflicto, un conflicto que el corporatismo liberal, según ellos, ha logrado difuminar.

---

[252] Steinberg, *Why Switzerland?,* p. 80.

[253] Steiner y Obler, «Consociational Theory», p. 334; Gierisch, «Interest Groups», pp. 26, 28-29; Steiner, *Gewaltlose Politik,* pp. 285-86; Glass, «Consensual Politics, Class and Dissatisfaction», pp. 3, 15-16, 18; y Glass, «consensus and Opposition».

Alternativas ya analizadas

Las políticas que en Austria han sido centrales para que el sistema de corporatismo social afrontara el cambio no se han adoptado en Suiza. Esta diferencia entre dos formas de corporatismo democrático puede trazarse claramente en las áreas de empleo y política de rentas, las cuales ilustran las posibilidades políticas que no se han acometido en el sistema suizo de corporatismo liberal.

La política nacional de empleo en Suiza es rudimentaria. La historia reciente del sistema de seguros de desempleo en Suiza ilustra este punto. Las dos décadas de prosperidad y de pleno empleo en los años 50 y 60 explican por qué la construcción de un Estado del bienestar social parcial excluyo los seguros de desempleo obligatorios a nivel federal. A principios de los 70, sólo una sexta parte de los empleados suizos se hallaban cubiertos por el seguro de desempleo. Además, a mediados de los 70, al gobierno federal se le denegó el derecho de desarrollar una política más activa de la mano de obra centrada en el reciclaje. La protección efectiva contra el reajuste estructural, concluía un portavoz del gobierno, no puede conformarse de forma política, «a menos que una crisis económica acelere los acontecimientos» [254].

En 1975-76, los mercados laborales se contrajeron con una rapidez que superaba incluso el desastroso descenso de 1931-32 [255]. Los efectos económicos de tal contracción no pueden atribuirse únicamente a la población de trabajadores inmigrantes y al mercado laboral secundario de Suiza; algunos impactos fueron sentidos también por la propia mano de obra suiza sindicada. Por ejemplo, en 1974, el mayor sindicato industrial de Suiza, el de los trabajadores del metal, pagó a 202 beneficiarios 42,969 millones de dólares en compensación de desempleo sindical; en 1975, el sindicato tuvo que ayudar a 30.000 desempleados a un coste de 14,7 millones de dólares. Estas cifras igualan aproximadamente el incremento registrado en el desempleo suizo, de 111 personas en 1974 a más de 33.000 en 1976. El gobierno aumentó el nivel de ayuda por día y extendió el período de solicitud para el recibo del pago [256]. Estas medidas provisiona-

[254] OCDE, *Economic Surveys: Switzerland* (1980), p. 38.

[255] *Lage und Probleme der schwizerischen Wirtschaft,* 1:118. Más en general, véase Otto E. Sattler, *Die Arbeitslosenversicherung in einem marktwirtschaftlichen System: Dargestellt am Beispiel der Schweiz* (Zurich: Schulthess, 1973); Kurt Sovilla, «Neuordnung der Arbeitslosenversicherung», *Schweizerische Zeitschrift für Sozialversicherung* 1975, núm. 2: 115-33; y Saxer, *Soziale Sicherheit,* pp. 208-18.

[256] Schweizerischer Metall- und Uhrenarbeitnehmer-Verband, *Geschäftsbericht 1973, 1974, 1975,* pp. 393-94; *World Busines Weekly,* 2 junio 1980, p. 24.

les del gobierno proporcionaron el espacio necesario de respiro para el rápido desarrollo y aceptación de un programa de seguros al desempleo a nivel federal. Entró en vigor en 1977 y por primera vez se exigían contribuciones financieras a las empresas concretas. Aunque los estrechos mercados laborales suizos han ocultado el hecho ante muchos, el gobierno suizo valora la seguridad, especialmente la seguridad en el empleo y, por tanto, la estabilidad social. El desempleo masivo, tanto después de la primera guerra mundial como en los años 30, dejó una marca imborrable en la memoria colectiva del país. De esta forma, la amenaza de un amplio desempleo sigue siendo el desencadenante que podría ampliar rápidamente el limitado papel del gobierno federal en el área del bienestar social. Sin embargo, por ahora, la estrategia suiza de adaptación internacional hace que esto sea muy improbable. Debido a que el pleno empleo en Suiza se mantuvo durante mucho tiempo gracias a esta estrategia de adaptación internacional, el fondo acumuló 1,5 billones de dólares en reservas para los próximos cuatro años; en 1980-81, las contribuciones se redujeron del 0,8 al 0,3 por 100 de la nómina salarial [257].

Debido a que el movimiento sindical suizo no cambiará una posición más fuerte en los mercados de trabajo por una posición más débil en la política, se ha opuesto inflexiblemente a cualquier recorte de la libre negociación colectiva. Como resultado, Suiza no posee una política de rentas. Tras la devaluación del franco en 1936, el gobierno amenazó con desarrollar una estricta política de rentas mediante la arbitración de las luchas salariales; en 1937, empresarios y sindicatos de las industrias del metal y de la fabricación de relojes firmaron un Acuerdo de Paz ampliamente celebrado, que constituía la versión suiza del «compromiso histórico» [258]. Para el gobierno esto fue un paso calculado hacia el fortalecimiento de los acuerdos corporatistas; para los empresarios constituyó un compromiso de motivaciones tácticas para evitar lo que se percibía como una presión del gobierno para la firma legal de contratos; para los sindicatos supuso el reconocimiento de hecho de un papel en la negociación colectiva igual al de los empresarios; finalmente, para el país en su conjunto introducía un sistema para el encuadramiento de las luchas salariales que se ampliaría finalmente a casi todos los sectores industriales. Aunque carecía de fuerza legal la estipulación frecuentemente insinuada de una «obligación de paz» *(Friedenpflicht)* para todos los intentos y objeti-

---

[257] *World Business Weekly,* 2 junio 1980, p. 24 y 22 junio 1981, p. 42.

[258] Steinberg, *Why Switzerland?,* pp. 44-45; Hughes, *Switzerland,* pp. 115, 170-173; y Ulrich J. Hossli, «Die Beziehungen der Sozialparteien in der schweizerischen Maschinenund Metallindustrie, mit besonderer Berücksichtigung der Friedensverinbarungen von 1937/1954» (Ph. D. diss., Universidad of Basel, 1958).

vos de eliminar las huelgas y cierres patronales. En cambio, el sistema de múltiples lazos de arbitración entre empresarios y sindicatos excluye al gobierno y dirige casi todos los conflictos a nivel de planta o de sector industrial. Desde entonces, una generación de prosperidad y pleno empleo ha disminuido la importancia del sistema suizo de negociación colectiva. Los industriales y trabajadores suizos están satisfechos con sus pacíficas relaciones laborales y las estadísticas de huelgas en Suiza se hallan entre las menores del mundo [259]. Los trabajadores suizos se convierten así en un ejército que nunca ha luchado.

Por diversas razones, los acuerdos de las negociaciones colectivas en la industria *(Gesamtarbeitsverträge)*, que cubrían alrededor de dos tercios de la mano de obra industrial en los años 60 y 70, ofrecen un engañoso panorama de la centralización [260]. La negociación colectiva está centralizada y todas las tendencias hacia la negociación a nivel nacional han permanecido detenidas, porque los acuerdos que se produjeron durante las últimas tres décadas han provisto sólo la «base»: acuerdos a nivel de planta y sustanciales beneficios. Una generación de escasez de mano de obra ha conducido a una reducción dramática de los salarios diferenciales en los mercados laborales, haciendo así innecesaria una campaña centralmente coordinada en favor de la solidaridad salarial [261]. Los sindicatos nacionales están representados únicamente de forma débil a nivel de planta y su posición no se ve favorecida por la indización de hecho de los sala-

[259] Véanse las estimaciones de *Schweizerische Arbeiterbewegung: Dokumente zu Lage, Organisation und Kämpfen der Arbeiter von der Frühindustrialisierung bis zur Gegenwart* (Zurich: Limmat, 1975), pp. 400-402; en Siegenthaler, *Politik der Gewerkschaften,* p. 145; y en Höpflinger, *Industriegewerkschaften,* p. 58.

[260] Höpflinger, *Industrie-gewerkschaften,* p. 206; Siegenthaler, *Politik der Gewerkschaften,* p. 86; *Gewerkschaften in der Schweiz: Wesen und Struktur Einst und Jetzt* (Berna: Schweizerische Arbeiterbildungszentrale, 1975), pp. 20, 86; y Crossland «The Everlasting League», p. 11. En Suiza, en los años 60 y 70, los acuerdos de negociación colectiva que estipularon niveles más que mínimos de compensación deben extenderse a todos los trabajadores en un sector particular, redujeron los incentivos de los trabajadores para afiliarse a sindicatos locales. El número de trabajadores cubiertos por contratos que incluían una extensión de los acuerdos colectivos se duplicó aproximadamente entre 1960 y 1979 desde 138.000 a 250.000. Esto constituye hoy más de un tercio de todos los trabajadores cubiertos por acuerdos sectoriales, especialmente aquellos trabajadores de las empresas muy pequeñas. Este desarrollo puede contribuir así a la desmovilización política de los trabajadores, lo cual constituye el mayor desafío a los sindicatos suizos. Véase Höpflinger, *Industrie- Gewerkschaften,* pp. 198-99; Hossli, «Beziehungen der Sozialparteien», p. 86; y Charberl Ackermann and Walter Steinmann, *Historische Aspekte der Trennung und Verflechtung von Staat und Gesellschaft in der Schweiz: Die Genese der Verschänkung* (Zurich: Institut für Orts-, Regional- und Landesplanung, Forschungsprojekt «Parastaatliche Verwaltung», julio 1981), pp. 118-19.

[261] Siegenthaler, «Current Problems of Trade Union Party Relations», p. 273.

rios al coste de vida como un rasgo notable de la negociación colectiva suiza. La descentralización es debida no sólo a la diversidad regional y lingüística del país, sino también al hecho de que la organización empresarial ha preferido, con el consentimiento de los sindicatos, un gran número de arenas para la negociación colectiva, con el fin de mantener la flexibilidad económica y la adaptabilidad de la economía [262]. Comparado con las estadísticas de Alemania Occidental, por ejemplo, el número de contratos en la industria suiza del metal es desproporcionadamente grande; un considerable número de acuerdos se han firmado a nivel de planta. En un notable contraste con la asociación de élite de la comunidad empresarial, el *Vorort,* la asociación de empresarios está descentralizada hasta tal punto que deja completa autonomía a sus diferentes organizaciones anexas [263]. La federación de sindicatos caracteriza de esta forma una descentralización correspondiente en su jurisdicción de la negociación colectiva. Tal descentralización impide que los sindicatos extiendan su influencia a otras áreas de la política. Pero a pesar de estos numerosos impedimentos, los sindicatos permanecen firmemente comprometidos en las negociaciones autónomas con los empresarios. Estas negociaciones garantizan y reafirman el poder de los sindicatos, aseguran una mayor adaptabilidad al cambio económico y han conseguido sustituir la «paz industrial» por el «armisticio industrial» [264].

Sólo una vez en la historia suiza desde la posguerra, en 1948-49, existió una ligera posibilidad de que la política de rentas pudiera haber desbancado la libre negociación colectiva en interés de la competitividad suiza en dos mercados mundiales [265]. Pero el experimento fracasó cuando los sindicatos, debido a su debilidad política, se negaron a aceptar la extensión de una congelación de salarios temporal. Desde entonces, en tiempos de presiones inflacionistas, Suiza ha descansado ampliamente en un sistema inefectivo de supervisión de precios. Este sistema fue paralizado, por ejemplo, después de 1949, porque la supervisión de precios estaba siendo facilitada entonces por el predominio de los cárteles. A principios

---

[262] Schweizerischer Gewerkschaftsbund, *Tätigkeitsbericht 1972, 1973, 1974,* p. 25 y Tätigkeitsbericht, 1975, 1976, 1977 (n.p., n.d.), p. 27. Siegenthaler, *Politik der Gewerkschaften,* pp. 112, 129-30.

[263] Siegenthaler, *Politik der Gewerkschaften,* pp. 92-93, 129-130, 202, 204, 209, 210.

[264] Wüthrich, *Verbände und Politik,* pp. 9, 19; *Arbeiterbewegung,* p. 308; Höpflinger, Industrie- Gewerkschaften, pp. 142-143.

[265] Los desarrollos políticos están bien discutidos en Ackermann y Steinmann, *Historische Aspekte der Trennung und Verflechtung,* pp. 136-46; Hotz, *Politik zwischen Staat und Wirtschaft,* pp. 323-46; Aubert, *So funktioniert die Schweiz;* y Clive Loertscher y Georges Piotet, «Corporatist Patternes in Swiss Economic Policies in the Immediate Post-war II Period» (artículo preparado para la sesión conjunta del ECPR, Grenoble, 6-12 abril 1978).

de los 50 «un precio libre (era) la excepción en la economía suiza» [266]. Tras un nuevo fracaso para establecer una política de rentas en 1957, la inflación acelerada de principios de los 60 fue sentida en primer lugar por la recomendación de autolimitación por parte de la asociación empresarial de élite, y cuando fracasó ese esfuerzo, en parte debido a la exclusión de los sindicatos, por parte de medidas que afectaban en particular a las industrias de la construcción y la banca. En 1972, el gobierno intentó una vez más contener la inflación, propuso cinco medidas de emergencia, incluyendo una supervisión de precios, más tarde corregida por el Parlamento, por razones simbólicas, para supervisar los salarios al igual que los beneficios. Reacios a abandonar su fuerte posición en los estrechos mercados laborales suizos, los sindicatos se opusieron de nuevo enérgicamente. Una enmienda constitucional debatida con todo detalle y ratificada finalmente, en su forma modificada, mediante referéndum popular suprimía todas las referencias al control y supervisión de salarios y beneficios. Con la derogación de la supervisión de precios en 1978, tres décadas de presiones inflacionistas de forma intermitente habián demostrado al fracaso de cuatro intentos de crear una maquinaria institucional para la política de rentas.

El éxito económico y político de Suiza descansa en la capacidad para combinar la flexibilidad económica con la estabilidad política. La economía internacional contribuye de manera significativa al éxito suizo. Sin la posibilidad de enviar a sus países a un cuarto de millón de trabajadores extranjeros, Suiza habría experimentado en los años 70 una tasa de desempleo superior al 10 por 100 y una crisis política de grandes proporciones. Al mismo tiempo, el éxito suizo descansa en una red política que moviliza el consentimiento para afrontar el cambio. Los grupos de interés que confían en la democracia directa de Suiza más que en los partidos, la burocracia estatal o el gobierno son centrales para la reafirmación perpetua de su consenso político.

La eficacia con la que han organizado su fortaleza alpina asegura a los suizos una contribución distintiva a la teoría y la práctica del capitalismo liberal. Con cierta justificación, Suiza ha sido denominada el «último triunfo de gobierno permisivo» [267]. Manteniendo su posición competitiva en la economía internacional, el capitalismo en Suiza ha producido un aburguesamiento más que un empobrecimiento. Esto es evidente en la incorporación de los sindicatos en la economía política suiza. El corporatismo liberal suizo crea de esta forma las condiciones políticas esenciales para afrontar el cambio económico.

---

[266] Citado en Hotz, *Politik zwischen staat und Wirtschaft,* p. 131.

[267] Beedham y Lee, «Even in Paradise», Informe, p. VI.

Las estructuras políticas en Suiza constituyen una excepción a casi todas las generalizaciones fáciles que los defensores de la izquierda y la derecha ven en la «crisis estructural» del capitalismo y la «crisis de ingobernabilidad» de la democracia liberal. Y Suiza desafía a todas las ortodoxias económicas con su envidiable récord económico de mantener el pleno empleo mientras se reduce rápidamente el número total de puestos de trabajo, de conseguir una relativa estabilidad de precios a la vez que las monedas extranjeras empujaban sin quererlo sus reservas de dinero al alza y de convertirse en el país industrial más próspero mientras se reduce drásticamente el tamaño de su economía desde mediados de los 70; mientras que los sistemas multipartidistas de toda Europa muestran signos crecientes de inestabilidad, el sistema suizo se mantiene con sólo cambios imperceptibles. Además, sus principales grupos de interés se las arreglan para convivir al lado de los movimientos sociales que se han mostrado contrarios a las negociaciones políticas de los grupos de interés en muchos otros países europeos. Refugio de estabilidad y consenso, Suiza ofrece un marcado contraste con la inestabilidad y la conflictividad del resto del mundo. Para aquellos que argumentan que «la civilización de los negocios está en declive» [268], Suiza sería una prueba viviente de que el capitalismo está vivo y en buen estado en, al menos, un país.

[268] Robert L. Heilbroner, *Business Civilization in Decline* (Nueva York: Norton, 1976).

4. EL CORPORATISMO DEMOCRÁTICO EN AUSTRIA Y SUIZA

Austria y Suiza poseen diferentes estructuras internas. En Austria la escena política está dominada por un sindicato centralizado y un amplio sector público. La búsqueda de una estrategia de adaptación nacional y de compensación pública refleja la posición realmente débil del segmento empresarial con orientación internacional. Por el contrario, son los negocios y las finanzas internacionales los actores centrales en la Suiza contemporánea. La estrategia de adaptación global y de compensación privada que persigue Suiza en la economía internacional refleja la victoria que han conseguido los negocios internacionales sobre la comunidad empresarial de orientación interna, así como sobre los sindicatos suizos y la izquierda política. A pesar de que en ambos países los trabajadores y los empresarios acomodan sus divergentes intereses en una red política, cuya forma contribuyen a determinar, las instituciones austríacas están más centralizadas y politizadas que las de Suiza.

El proceso político en estos dos países difiere en el alcance y el modo de negociación. En Austria, la negociación está centrada en las cuestiones económicas y, en concreto, en las cuestiones cruciales de inversión y empleo. En Suiza, la esfera de la negociación es más amplia e incluye fácilmente materias no económicas, aunque excluye las de inversión y empleo. La forma de negociación austríaca tiende a las relaciones trilaterales entre sindicatos, mundo empresarial y Estado, mientras que el modo característico de Suiza es bilateral e incluye a los empresarios y los sindicatos o a la industria y las finanzas. Los intercambios entre los diferentes sectores de la política tienden a ser, por tanto, más explícitos en Austria que en Suiza. Finalmente, tanto Austria como Suiza renuncian a políticas que al otro lado de sus fronteras comunes aparecen como opciones naturales. El cuadro 2 resume, en términos cuantitativos, algunas diferencias básicas en el carácter de empresarios y trabajadores en estos dos

CUADRO 2. *Empresarios y trabajadores en Suiza y Austria*

	Suiza		*Austria*	
	Rango[a]	*Valor*	*Rango*[a]	*Valor*
A. *La comunidad empresarial por su grado de orientación nacional o internacional (1971)*				
1. Producción internacional en filiales extranjeras en el porcentaje de exportaciones	1	236%	7	3%
2. Inversión extranjera directa por trabajador, en dólares	1	3.077	7	13
3. Exportación por trabajador, en dólares	4	1.906	7	1.046
4. Balance general total de los tres mayores bancos/PNB	1	1,070	6	0,217
5. Media de (1) a (4)	1		7	
B. *Atributos estructurales de los movimientos obreros (1965-80)*				
6. Porcentaje de la mano de obra sindicada (%)	7	24%[b]	5	50%
7. Unidad organizativa de los sindicatos[c]	5,5	0,7	1	1,0
8. Poder de confederación en la negociación colectiva[c]	7	0,4	1	0,8
9. Amplitud de la negociación colectiva[c]	7	0,8	2	1,0
10. Consejos obreros y codeterminación[c]	7	0,3	3	1,0
11. Media de (6) a (10)	7		2	
C. *Poder relativo de los partidos socialdemócratas*				
12. Porcentaje de la base electoral socialdemócrata en el gobierno (1956-73)[d]	6	31	4	46
13. Porcentaje de votos para los partidos socialdemócratas en las elecciones más próximas a 1970	7	23%	1	50%
14. Porcentaje de años durante los cuales participaron los partidos socialdemócratas en el gobierno (1956-63)	1,5	100%	4	77%
15. Porcentaje de carteras gubernamentales obtenidas por los partidos socialdemócratas (1965-81)	6	29%	1	73%
16. Media de (12) a (15)	5		2	
D. *Medidas institucionales de centralización de empresarios y trabajadores*				
17. Monopolio asociativo de las asociaciones de élite empresariales[e]	1,5	10	4	5
18. Monopolio asociativo de los sindicatos[f]	7	7	3	3,5
19. Media de (17) a (18)	2,5		5,5	

Fuentes:

Fila 1: Peer Hull Kristensen y Jørn Levinsen, *The Small Country Squeeze* (Roskilde, Dinamarca: Instituto de Economía, Política y Administración, 1978), p. 121.

Filas 2-4: Herbert Ammann, Werner Fassbind y Peter C. Meyer, «Multinationale konzerne der Schweiz und Auswirkungen auf die Arbeiterklasse in der Schweiz». Copia a multicopista (Instituto de Sociología, Universidad de Zurich, 1975), pp. 106-7.
Filas 6-10, 15: David R. Cameron, «Social Democracy, Corporatism and Labor Quiescence: The Representation of Economic Interest in Advanced Capitalist Society» (artículo presentado a la Conferencia sobre Representación y Estado: Problemas de gobernabilidad y legitimidad en las democracias de Europa Occidental, Universidad de Stanford, octubre de 1982), cuadros 6 y 4.
Filas 12-14, 18: Philippe C. Schmitter, «Interest Intermediation and Regime Governability in Contemporary Western Europe» (artículo preparado para el encuentro anual de 1977 de la American Political Science Association, Washington, D. C., 1-4 septiembre de 1977). Apéndice.
Fila 17: Vorort des Schweizerischen Handels- und Industrievereins, «Der Aufbau der europäischen Industrie-Spitzenverbände: Ergebnisse einer Unfrage (Stand: Ende 1975), copia a multicopista (Zurich, 1977), p. 16.
[a] Número de orden obtenido entre los siete ricos Estados europeos pequeños (Suiza, Austria, Holanda, Bélgica, Suecia, Noruega y Dinamarca).
[b] Esta cifra se acerca al mínimo del período posbélico. La salida de trabajadores extranjeros ocasionó un brusco incremento de la cifra de 38 por 100 a finales de los 70. Si se toma esta cifra más elevada, el orden de Suiza en la fila 6 cambia de 7 a 6, mientras que el número de orden de la fila 11 permanece igual.
[c] La metodología para asignar una puntuación a los diferentes países está explicada en Cameron, «Social Democracy, Corporatism and Labor Quiescence», notas 59-63.
[d] Este indicador mide el porcentaje de votos correspondientes a partido o partidos en el gobierno en las anteriores elecciones que ahora han obtenido los partidos socialdemócratas.
[e] Este indicador varía de 0 a 12. Mide el número de organizaciones empresariales en diferentes sectores económicos que están incluidas en la asociación de élite empresarial.
[f] La metodología para la asignación de puntuaciones está explicada en Schmitter, «Interest Intermediation».

países. Comparados entre sí y contemplados en el contexto más amplio de otros Estados europeos pequeños, Austria y Suiza constituyen formas polares de socialismo democrático y de capitalismo liberal.

Pero estas diferencias son sólo una parte de la historia. Existen a la vez similitudes sustanciales en las políticas de los dos países, similitudes que justifican el que se les denomine variantes del corporatismo democrático. Por ejemplo, los datos imprecisos que poseemos sobre la centralización institucional (cuadro 2, filas 17 y 18) ilustran con números lo que el análisis de los capítulos anteriores exponía con palabras: en ambos países, el actor dominante, los sindicatos en Austria y los negocios en Suiza, se halla altamente centralizado. Analizando las relaciones entre el mundo de los negocios y los sindicatos, vemos cómo aparece un grado de similitud que no revelaría un análisis centrado exclusivamente en la estructura bien de los empresarios bien de los sindicatos.

Estas variantes del corporatismo democrático conducen a consecuencias políticas similares. Ambos países integran de forma muy estrecha al Estado y la sociedad. Poseen instituciones estables que protegen el proceso de negociación política frente a las crisis externas. Apoyados en asociaciones de élite centralizadas y con una amplia base para limitar la agenda pública mediante la creación de un consenso interno duradero, abandonan a la burocracia estatal en una relativa pasividad y en una falta de autonomía. El proceso político en ambos países es previsible. Modificando y reafirmando continuamente el consenso en las estrategias y estructuras políticas, este proceso descansa en intrincadas negociaciones políticas entre asociaciones de élite y el Estado para compensar la relativa pasividad de la burocracia estatal. Finalmente, incorpora dentro de sí mismo a casi todas las fuentes potenciales de oposición importantes.

También es cierto, por supuesto, que a pesar de las similitudes, el contenido de la política y la forma de las medidas adoptadas difieren en Austria y en Suiza. Por ejemplo, en las políticas del mercado de trabajo, la tendencia a marginar a estratos sociales específicos —trabajadores inmigrantes, mujeres y gente anciana— es mayor en el corporatismo liberal de Suiza que en el corporatismo social de Austria. Pero nada indica que exista un serio conflicto en cuanto a la distribución del poder en estos dos Estados. Adaptadas a la consecución de objetivos diferentes, ambas variantes del corporatismo democrático poseen una capacidad distintiva para movilizar el consenso político ante el cambio.

La reducción de las desigualdades políticas

Los acuerdos corporatistas en Austria y en Suiza incluyen en una estructura densamente entramada a unos oponentes políticos que en los grandes Estados industriales preferirían generalmente moverse a su manera. La completa penetración institucional en la sociedad y la relegitimación de esas instituciones a través de una formulación y desarrollo ininterrumpidos de políticas, reconstruye y mejora continuamente las juntas y los límites de la estructura. La movilización del consenso se ve facilitada por el estrechamiento de las desigualdades entre los diferentes actores, tanto en el socialismo democrático de Austria como en el capitalismo liberal de Suiza. En las sociedades capitalistas, el mundo empresarial disfruta de más ventajas inherentes con respecto a los trabajadores. Pero en el capitalismo austríaco, el poder de unos fuertes empresarios y del Estado está circunscrito; en el capitalismo suizo el poder de unos sindicatos y un Estado débiles se halla sobredimensionado. Esta reducción de las diferencias de poder no constituye una convergencia «natural» entre dos actores —empresarios y trabajadores y sus aliados respectivos— que tienen categorías iguales y disponen de recursos similares en una economía capitalista. Es, en cambio, un punto muerto obligado por la necesidad que perciben los actores de una cooperación política dentro de las limitaciones y oportunidades de las estructuras corporatistas. La consecuencia de esta reducción de las diferencias de poder en ambas sociedades es el fortalecimiento de sus acuerdos corporatistas.

Austria. El corporatismo social austríaco, a menudo mal interpretado como una mera forma de reconciliación, es a la vez una válvula de seguridad y un peligro. Es una válvula de seguridad porque ofrece una salida políticamente segura de las tensiones, y un peligro porque ofrece un medio de contener los conflictos en escalada. Su principal consecuencia política es la de limitar el poder de los actores favorecidos por la propia estructura del Estado capitalista austríaco: la comunidad empresarial, la cual posee los medios de producción, el Estado, con su amplio dominio sobre la mayoría de las esferas de la sociedad y economía austríacas.

La nacionalización de muchas de las grandes corporaciones industriales y financieras ha trasladado el poder desde la comunidad empresarial austríaca hacia un sindicato deseoso de participar en el ejercicio del poder. Este desplazamiento ofrece el fundamento económico para un equilibrio de poder entre los dos principales partidos, el SPÖ y el ÖVP, así como sus organizaciones afines que representan los intereses de la empresa y los trabajadores y de los empresarios. Lo característico de este equilibrio consiste en una adaptación política de los objetivos divergentes. Esta funciona a través de acuerdos que evitan a la burocracia estatal y que admiten de forma implícita o explícita el poder de veto que cada uno de los principales contrincantes disfruta en relación a las desviaciones sustanciales que se produzcan con respecto a la estrategia austríaca de adaptación nacional y de compensación pública.

Aunque Austria es esencialmente capitalista, su sistema político limita el poder de la comunidad empresarial. La estructura organizacional del conservador ÖVP es quizá el ejemplo más obvio [1]. El ÖVP no es un partido unificado, sino una coalición de tres federaciones. La Liga Empresarial, numéricamente débil, ha ejercido tradicionalmente una influencia

---

[1] Adolf Stirnemann, *Interessengegensätze und Gruppenbildungen innehalb der Österreichischen Volkspartei: Eine empirische Studie* (Viena: Institut für Höhere Studien und Wissenschaftliche Forschung, 1969), especialmente pp. 46-47, 74; Erich Andrlik, «The Organized Society: A Study of "Neo-Corporatist" Relations in Austria's Steel and Metal Processing Industry» (Ph. D. diss., M.I.T., 1983), pp. 127-29.

que comenzó a menguar sólo en los años 70. La Federación de Empleados y Trabajadores (ÖAAB) es la mayor de las tres federaciones y disfruta del más amplio atractivo electoral. La tercera es la Liga Campesina, con una buena organización y representación, cuya influencia política en Austria se ha reducido sólo de forma muy lenta debido a su pertenencia a muchas de las instituciones centrales del país.

Las fisuras dentro de, y entre, las diferentes fracciones del ÖVP debilitan a la comunidad empresarial. Las fisuras internas en la Liga Empresarial, por ejemplo, son tan numerosas como en la Cámara Económica Federal e incluyen cuestiones políticas tales como la búsqueda de una política del tipo de cambio dura o blanda, de una política arancelaria más o menos liberal y de un sistema de distribución en los mercados nacionales regulado o liberal. Además, los intereses empresariales en el ÖVP incluyen también a la Federación de Industriales Austríacos, la cual representa los intereses de las grandes empresas privadas, así como a la Cámara Económica Federal, portavoz de la pequeña industria, artesanos, sector servicios y profesionales. Construir un compromiso entre estos diferentes intereses empresariales significa normalmente apartarse de la búsqueda de una posición nada ambigua y bien definida que favorece en la empresa libre una postura negociada que se aproxima a un consenso favorable sobre un cierto control de los mercados. Esta tendencia se ve reforzada por el hecho de que la influencia de la Liga Empresarial dentro del partido descendió gradualmente en la pasada década, mientras que la influencia de la Federación de Empleados se incrementó.

Pero la orientación ideológica del ÖAAB deriva más del corporatismo autoritario de los años 30 que de las políticas preconizadas por la Liga Empresarial del ÖVP en los años 50. Además, como el elemento del ÖVP con un mayor atractivo electoral, el ÖAAP ofrece un importante puente con el movimiento sindical austríaco. De hecho, representa a los sindicatos demócratacristianos, los cuales, en términos de su tamaño total, dominan los sindicatos del sector público, el cuarto mayor entre los sindicatos constituyentes de la federación de sindicatos. La ascendencia política del ÖAAB creó en el ÖVP de los años 70 una imagen idéntica de las ideas del SPÖ de los años 50. El corporatismo social austríaco promete al ÖVP el acceso a la política económica y social en lo que a veces se considera (erróneamente, como se defiende en este libro) como un «estado sindical». Y las estructuras corporatistas permiten dictar sentencia a nivel de planta en relación a los múltiples problemas que desde 1974 ha creado el sistema austríaco de codeterminación. En cierta manera, el poderoso ÖAAB consiste en un «gabinete de socialdemócratas» que nunca permitiría al ÖVP formular una política empresarial agresiva. Esto explica, por ejemplo, por qué en 1980 el ÖAAB demandó subsidios masivos para la asediada industria del acero en Austria. El efecto consiste en impedir la articulación política de un punto de vista empresarial «natural». Al igual que en Suiza, la interpretación institucional incorpora a la mayoría de las fuentes de oposición de forma tal que asegura una política consensual.

Como resultado, los empresarios rechazan ellos mismos el ejercicio de una plena autonomía empresarial. Los negocios forman parte de una red de fuerzas políticas que condiciona el comportamiento de las empresas de forma tan fundamental que es imposible caracterizar esa integración ya sea como «voluntaria» o como «obligada». En gran medida la comunidad empresarial austríaca extrae sus normas del mismo sistema de asociación económica y social. El gran sector nacionalizado y un gobierno que (a través de su política de compras y los subsidios a la inversión) afecta tangiblemente a la prosperidad empresarial, constituyen obvios constreñimientos al ejercicio unilateral del poder del mercado. Así se produce la participación de la comunidad empresarial, juntamente con los sindicatos, en una amplia variedad de acuerdos de autoadministración económica y social.

Un buen ejemplo de la abrogación empresarial del poder del mercado podemos encontrarlo en el área de la fijación de precios [2]. Los incrementos de precios concedidos por la Comisión Mixta adquieren sanción moral a los ojos del público; y más importante, otros segmentos de la comunidad empresarial insisten en la aprobación de la Comisión Mixta como un certificado de unas tasas de beneficio apropiadas, es decir, no excesivas. Además, la comunidad empresarial austríaca depende, probablemente más que las comunidades empresariales de otros Estados industriales avanzados, de los servicios y contactos políticos que le ofrecen sus asociaciones de élite. En un país que ha experimentado formas diferentes de controles de precios a lo largo de los últimos cincuenta años, incluso las grandes sociedades multinacionales de base extranjera aceptan de sus filiales unas políticas de fijación de precios y de empleo que son particularmente austríacas por su forma de adoptar las normas no sólo del mercado, sino de un sistema de supervisión del mercado aceptado colectivamente. La incertidumbre en cuanto a las múltiples sanciones potenciales en la compleja red política austríaca y la anticipación de la reacción sindical fuerte y hostil, ejercida bien directamente o bien indirectamente a

[2] Bernd Marin, *Die Paritätische Kommission: Aufgeklärter Technokorporatismus in Österreich* (Viena: Braumuller, 1982), pp. 101-4, 106-7. Véase también Bernd Marin, «Freiwillige Disziplin? Preiskontrolle ohne autonome Sanktionspotenz-Österreichs Paritätische Kommission», Wirtschaft und Gesellschaft 7, 2 (1981): 161-97.

través del gobierno, da lugar a negocios privados que limitan su propio poder para establecer niveles de precios para sus productos.

Sin embargo, al mismo tiempo, las estructuras corporatistas austríacas dieron a la comunidad empresarial una protección considerable contra una izquierda con un poder cada vez mayor en los años 70. Las empresas nacionalizadas en Austria son miembros de la Cámara Económica Federal. Así, la principal organización que representa los intereses económicos de las pequeñas empresas recibe un apoyo financiero por parte de las grandes empresas públicas a las que se opone en la política. Durante gran parte de los años 70, por ejemplo, el ministro de Industria y Comercio del SPÖ insistió en la unanimidad en los organismos asesores del Ministerio en prácticamente todas las cuestiones importantes que afectaran a la estructura de la industria austríaca. Esta norma de procedimiento otorgó a los empresarios austríacos una mayor voz en la política de lo que les habría correspondido de otra forma. La reorganización financiera en 1981-82 del nacionalizado y segundo mayor banco con fondos públicos ilustra también este punto. Las negociaciones estuvieron dirigidas por el ministro de Finanzas y la dirección del banco. Unicamente en los últimos momentos se consultó y preguntó a la oposición parlamentaria, el ÖVP, para apoyar el plan. La posición conciliadora del canciller eventual entre el SPÖ y el ÖVP exigía informes bianuales del consejo de dirección al comité que habían designado los dos partidos en 1981 para supervisar los subsidios concedidos a la industria del acero austríaca.

A lo largo de los años de posguerra se ha mantenido un precario equilibrio entre el conflicto y la cooperación. Este ha logrado sobrevivir porque siempre ha sido el actor político más débil el que ha protegido con más fuerza el sistema corporatista austríaco. Así pues, en los años 70, la comunidad empresarial en Austria estaba vinculada incluso más fuertemente a la comunidad económica y social que los sindicatos [3]. Además, dado que la crisis económica hace más valiosa la cooperación, el creciente poder de las estructuras corporatistas incrementa el poder de la comunidad empresarial. En las regiones en que la crisis de la industria del acero ha sido particularmente aguda, Styria y Alta Austria, la comunidad económica y social en el país opera actualmente a nivel regional. Generalmente, justo antes de las elecciones provinciales y federales, las consultas y el compromiso se tornan infrecuentes. Pero inmediatamente después de que se ha realizado el recuento de los votos, empresa y sindica-

[3] Anton Pelinka, *Modellfall Österreich? Möglichkeiten und Grenzan der Sozial-partnerschaft* (Viena: Braumuller, 1981), pp. 40-42; *Der Österreich-Bericht: Presseübersicht* 25 marzo, 1982, p. 1.

tos, ÖVP y SPÖ, deciden conjuntamente una misma línea de acción. La lucha por la distribución del poder en Austria, condicionada como está por los avances de la economía internacional, no termina resultando en una suma-cero, sino en una suma positiva. En definitiva, el mismo sistema de comunidad económica y social que limita el poder de la comunidad empresarial, impide de igual forma las sanciones en manos de los sindicatos y del gobierno.

La conformidad de los partidos políticos es la principal razón de la pasividad de la burocracia; Austria ha experimentado una neutralización partidista del poder del Estado. Como señala Uwe Kitzinger, «las posiciones que incluyen a los principales actores del proceso de toma de decisiones económicas suelen traer consigo oportunismo ideológico y poder; por tanto, a constituir una materia vital para los partidos y la gente» [4]. El ÖVP y el SPÖ han estado incluso en un desacuerdo persistente en cuanto al papel del sector público en la economía. Como resultado, el potencial de control político sobre la economía que ofrece el conjunto del sector público a la burocracia ha permanecido parcialmente insatisfecho. El ÖVP ha estado interesado tradicionalmente en limitar el ámbito del sector público y en disponer de la conformidad de la gestión empresarial ante las consideraciones económicas. Los líderes del SPÖ, por otro lado, siempre han argumentado que una economía planificada y de mercado son mutuamente complementarias; el sector nacionalizado en particular debería por tanto considerar los efectos de su estrategia en el conjunto de la economía (y en particular en los mercados laborales) más que sólo en los beneficios empresariales. Estas concepciones conflictivas de los objetivos del poder económico han embotado tanto el potencial para la intervención estatal en la economía como el potencial para la vigorización de la competencia en los mercados austríacos. Los partidos políticos han neutralizado el poder del Estado con la penetración partidista de las industrias nacionalizadas asutríacas y los bancos nacionalizados, así como con los requerimientos institucionales de su política industrial.

Sin embargo, es necesario insistir en que esta neutralización del poder del Estado fue el resultado de un intenso conflicto partidista en el seno de un entorno político supuestamente consensual. Para la última generación, el control político sobre la economía pública austríaca ha estado determinado por las elecciones. El control se reflejó hasta 1966 en la reorganización de las competencias ministeriales negociadas por los dos principales partidos en sus acuerdos de coalición; después de 1966, en la

[4] Uwe Ktzinger como se cita en Andrew Shonfield, *Modern Capitalism: The Changing Balance of Public and Private Power* (Londres: Oxford University Press, 1965), p. 194.

reorganización administrativa de las empresas públicas impuesta tras las victorias del ÖVP y del SPÖ, de 1966 a 1970 respectivamente [5]. Y durante el período de posguerra el poder del sistema proporcional fue ejercido de forma más inmediata en las empresas nacionalizadas a través de una asignación política de los puestos de gestión de alto nivel y de nivel medio [6]. De hecho, para el sector nacionalizado el sistema proporcional fue sancionado legalmente en 1956. Esto explica por qué, ya en 1959, la imparcial Comisión Económica para Europa de las Naciones Unidas llegaba a la conclusión de que aunque el sector de la empresa pública en Austria es amplio (y comprende más monopolios que en cualquier otro lugar), mantiene una mayor independencia con respecto al control gubernamental (que en el Reino Unido) [7]. Pero el poder político está compartido y, por tanto, neutralizado, no sólo entre sino también en el interior de las empresas. A mediados de los años 60, la Unión de Trabajadores Austríacos del Hierro y del Acero (Vereinigte Österreichische Eisen- und Stahlwerke, Voest) se consideraba con frecuencia como un baluarte de poder «rojo»; incluso tres de cada seis puestos de alta dirección —el presidente del consejo, el director general adjunto y uno de los dos directores adjuntos— estaban ocupados de hecho por el conservador ÖVP [8].

El paso al gobierno de un solo partido desde 1966, la reorganización interna de las empresas públicas a finales de los 60 y principios de los 70,

---

[5] Ferdinand Lacina, *The Development of the Austrian Public Sector since World War II* (Universidad de Texas en Austin, Institute of Latin American Studies, Office for Public Sector Studies, Technical Papers Series n.º 7, 1977), pp. 12-17; Christian Smekal, *Die verstaatliche Industrie in der Marktwitschaft; Das österreichische Beispiel* (Colonia: Heymanns, 1963), pp. 23, 27, 40-45; Rupert Zimmermann, *Verstaatlichung in Österreich: Ihre Aufgaben und Ziele* (Viena: Verlag der Wiener Volksbuchhandlug, 1964), pp. 69-114; Dennison 1. Rusinow, «Notes toward a Political Definition of Austria, Part IV», *AUFS Reports* (junio 1966): 5-8, 13-14; Stephan Koren «Sozialisierungsideologie und Verstaatlichungsrealität in Österreich», en Wilhelm Weber, ed., *Die Verstaatlichung in Österreich* (Berlín: Duncker & Humblot, 1964), pp. 79-110, 334; Oskar Grünwald y Herbert Krämer, *Die verstaatliche österreichische Metallindustrie* (Frankfurt: Europäische Verlagsanstalt, 1966), pp. 23-31; y Alexander van der Bellen, «The Control of Public Enterprises: The Case of Austria», *Annals of Public and Co-operative Economy* 52, 1-2 (enero-junio 1981): 73-96.

[6] Koren, «Sozialisierungsideologie», p. 91.

[7] Naciones Unidas, Comisión Económica para Europa, *Economic Survey of Europe* 1959, Parte 3, cap. 5, p. 35. En los años 60, por ejemplo, de los 89 miembros del comité de dirección y el presidente del comité estudiado sólo dos eran independientes. Esta clara división partidista de las posiciones de poder económico hizo posible que otro estudio calculara que en los años 60, en las industrias nacionalizadas austríacas, las empresas dominadas por ÖVP poseían 67.000 empleados, mientras que las dominadas por el SPÖ tenían 53.000. Véase, respectivamente, Christof Gaspari y Hans Millendorfer, *Prognosen für Österreich: Fakten und Forneln der Entwicklung* (Viena: Verlang für Geschichte und Politik, 1973), p. 117, y Smekal, *Die verstaatliche Industrie*, p. 55.

[8] Rusinow, «Notes», Part IV, p. 20.

así como la implantación gradual y con éxito del SPÖ en el poder en los años 70, han tendido a disminuir esta explícita politización de la vida económica [9]. No está, sin embargo, nada claro que la aparente despolitización «signifique realmente hacer desaparecer de la escena a la otra parte», como predecía un alto burócrata en 1966 [10]. El *holding* de las empresas nacionalizadas austríacas, el ÖIAG, fundado por el Partido Socialista a principios de los 70, mantiene elementos clave del sistema proporcional legislado en 1956, aunque esos elementos no están codificados en la ley de empresas que gobierna otras partes de la actuación del ÖIAG. Su consejo de supervisión, por ejemplo, no es elegido en la reunión anual de accionistas. Por el contrario, sus quince miembros son nominados por los partidos políticos de acuerdo con su fuerza en el parlamento, y tres de los miembros son designados por el gobierno [11]. Este acuerdo concede al ÖVP una representación muy sustancial de sus intereses a la vez que asegura al SPÖ una mayoría de trabajadores. En los años 70, el ÖVP controlaba las designaciones de 61 de los 136 puestos disponibles en los consejos de supervisión de las empresas nacionalizadas bajo el control del ÖIAG. Cinco de los diez presidentes y 18 de los 37 directores estaban también ocupados por *managers* con estrechos lazos con el ÖVP. El SPÖ controla prácticamente todos los demás puestos. «La lealtad de estos directores designados políticamente hacia sus partidos respectivos varía de un caso a otro», escribe Erich Andrlik, «aunque casi todos son miembros de suborganizaciones de partidos que los unen en una atmósfera informal de club» [12]. El canciller Kreisky reafirmó repetidamente la continua validez de esta institucionalización del corporatismo austríaco [13]. Además de limitar el poder del Estado, su reafirmación concuerda con el ÖVP, como la voz de la comunidad empresarial austríaca, en una presencia y un poder políticos en la economía política austríaca que a la vez limita y favorece su posición.

La neutralización partidista del poder de la burocracia estatal es también evidente en las relaciones de la burocracia con los bancos austríacos nacionalizados [14]. Durante gran parte de los años de posguerra los bancos lograron mantener al gobierno a distancia mientras levantaban sus im-

---

[9] *Ibid.*, pp. 20-21. Véase también, Organización para la Cooperación y Desarrollo Económico (OCDE). *The Industrial Policy of Austria* (París, 1971), pp. 69-71.

[10] Citado en Rusinow, «Notas», Parte IV, p. 20.

[11] Lacina, *Development of the Austrian Public Sector,* p. 16.

[12] Erich Andrilk, «Labor-Management Relations in Austria's Steel Industry» (San Francisco, mayo 1982, mimeo), pp. 12-13: Andrlik, «The Organized Society», p. 190.

[13] Véase, por ejemplo, *Kurier,* 22 mayo 1976; *Arbeiterzeitung,* 11 mayo 1977.

[14] «The Austrian Lesson in Economic Harmony», *Euromoney,* suplemento (mayo 1979).

perios industriales de acuerdo, en gran medida, con los criterios del mercado [15]. La autonomía política de los bancos se vio favorecida por su reprivatización parcial entre 1956 y 1959, la creciente necesidad del gobierno federal de créditos en los 60 y 70 y la relativamente fuerte base de capital de los bancos [16]. A pesar de los formidables poderes que la legislación referente a las instituciones de crédito da al Ministerio de Finanzas, el gobierno, en la práctica, ha delegado la mayor parte de este poder a las diversas asociaciones de instituciones bancarias [17]. Además, entre 1949 y 1970, el ministro de Finanzas recayó, sin interrupción, en manos del conservador ÖVP, el cual no estaba interesado en un mayor desarrollo de los instrumentos gubernamentales de intervención financiera. Desde 1970, el gobierno del SPÖ ha continuado reconociendo la fuerte representación del ÖVP en los altos puestos financieros y ha resistido a la tentación de reducir drásticamente la presencia y la influencia del ÖVP en los bancos nacionalizados austríacos. En sus reflexiones sobre las primeras dos décadas de la Segunda República, uno de los primeros estudiosos de las industrias nacionalizadas en Austria llegaba a la conclusión en 1964 de que «en Austria los grandes bancos de inversión nacionalizados han sido muy negligentes en la prestación de sus servicios al sector público» [18]. A finales de los años 70, podría decirse en una línea similar que «los socialistas dicen sin dificultad que ellos necesitan al Partido Popular, conservador, para dirigir los bancos estatales» [19].

A pesar de su importancia económica, los bancos nacionalizados no han llegado nunca a ser mucho más que un fútbol político, al igual que las industrias nacionalizadas. Sin embargo, el sistema proporcional austríaco ha regido aquí de igual manera. En los años de posguerra, el mayor banco nacionalizado, el Creditanstalt, ha sido «negro», y el que ocupa el segundo lugar, el Länderbank, «rojo» [20]. Dada la línea ascendente de la fuertes deudas, el consejo de dirección del Länderbank fue reduci-

---

[15] Karl Socher, «Die öffentlichen Unternehemen im öterreichischen Banken- und Versicherungssystem», en Weber, ed., *Verstaatlichung in Österreich,* p. 446; Lacina, Development of the Austrian Public Sector, p. 12; y Van der Bellen, «The Control of Public Enterprises», pp. 84-87.

[16] Véase Socher, «Die offentlichen Unternehmen», p. 381, y Lacina, *Development of Austria's Public Sector,* p. 13; Socher, «Die öffentlichen Unternehmen», pp. 437-39, 451 y 385-88.

[17] Socher, «Die öffentlichen Unternehmen», pp. 444-45, 454.

[18] Edmond Langer, «Nationalisations in Austria», *Annals of Public and Cooperative Economy* 35 (1964): 115-63.

[19] Sarah Hogg, «A small House in Order», *Economic,* 15 marzo 1980, Informe p. 3.

[20] Con el anterior ministro de Finanzas Androsch, ocupando la dirección del Creditans-talt en 1981, es al menos concebible que «este equitativo sistema de códigos de las ideologías políticas pueda ya eliminarse». Véase *World Business Weekly,* 8 diciembre 1980, p. 50.

do sumariamente en la primavera del 1981; pero el principio de representación paritaria de empresas y sindicatos negros y rojos se adhirió de forma estricta en su sustitución. El nombramiento del principal portavoz parlamentario del ÖVP en cuestiones económicas, el profesor Stefan Koren, como presidente del Banco Nacional en 1978 ilustra también que el poder político continúa siendo compartido en los años 70. Un estudio detallado del papel que juega el Banco Nacional llegaba a la conclusión a principios de los 60 de que «en la práctica, el Banco Nacional en Austria no depende tanto del gobierno como de los principales partidos políticos y de los principales grupos de interés» [21]. A finales de los 70, otro análisis captaba el espíritu de la comunidad económica y social, la cual domestica el conflicto político sin abolirlo, caracterizando la situación en los siguientes términos: «En principio, el Banco Nacional es independiente. En la práctica, actúa siempre de común acuerdo con el Ministerio de Finanzas, pero parece que los dos actúan como socios perfectos, aunque disientan en público» [22].

El intento del SPÖ por establecer la maquinaria institucional que permita una política industrial activa servirá como ilustración final de la neutralización partidista del poder del Estado. A finales de los 60, la burocracia en Austria sufría una debilidad organizacional que debilitó su habilidad para la gestión política coherente [23]. El Ministerio de Industria y Comercio fue reorganizado de manera que incluía secciones que centraban su trabajo en ramas concretas de la industria y algunos de sus funcionarios civiles recibieron una formación adicional. Entre 1968 y 1970 se iniciaron seis medidas políticas diferentes, a través de las cuales el gobierno austríaco esperaba fomentar la innovación y la reforma de la tradicional estructura industrial austríaca. Pero sólo dos de ellas —el establecimiento del Fondo de Promoción de la Investigación industrial y el Grupo de Trabajo para la Promoción de patentes— constituían medidas políticas específicas [24]. Se recogieron y publicaron de forma regular nuevos datos sectoriales desde 1973 en adelante [25]. Los bancos nacionalizados, sin embargo, eran muy reacios a ir más allá de las limitadas misiones de auxilio financieras en defensa del pleno empleo. De esta forma, el go-

[21] Socher, «Die öffentlichen Unternehmen», p. 372. Véase también pp. 370-73, 381-82.

[22] «The Austrian Lesson», p. 9. Véase también *Austrian Information* 30, 5 (1977): 2.

[23] Beirat für Wirtschafts- und Sozialfragen, *Vorschläge zur Industriepolitik* (Viena: Ueberreuter, 1970), pp. 33-36.

[24] OCDE, *Polticies for the Stimulation of Industrial Innovation: Country Reports* (París, 1978), vol. 22, pp. 24-25.

[25] *Ibid.*, p. 23. Véase también *Branchenindikatoren: Studie erstellt vom Österreichischeschen Institut für Wirtschaftspolitik im Autrag des Bundesministeriums für Handel, Gewerbe und Industrie* (Viena: Bundesministerium für Handel, Gewerbe und Industrie, 1973).

bierno del SPÖ presionó por el desarrollo de nuevas instituciones en la preparación de una activa política industrial. Pero las limitaciones de esta política pronto se hicieron visibles. La nueva Comisión de Industria, establecida en 1976 y presidida por el canciller, no evolucionó, como había temido el ÖVP, en una agencia de planificación centralizada. Por el contrario, se convirtió también en otro órgano de consulta encargado de preparar informes detallados de la situación en importantes sectores industriales. La comisión tampoco presionó por una política de concentración, como había temido la comunidad empresarial. Fomentó en cambio, en sus primeras sesiones, una ampliación de las relaciones cooperativas entre las medias y las pequeñas empresas austríacas [26]. Dado que los socios aliados naturales del SPÖ se hallan en la industria a gran escala, esta política dio lugar a un fortalecimiento de la base política en oposición al ÖVP, la cual favorece generalmente a las pequeñas y medianas empresas. En definitiva, desde el mismo comienzo, la comisión empezó a operar no como una palanca en manos de los burócratas del gobierno ansiosos de reformar la estructura industrial austríaca, sino como otro pilar institucional que reforzaba las estructuras corporatistas austríacas.

El corporatismo social en Austria limita el poder de los fuertes, reduce las diferencias de poder y se recrea constantemente a la vez que construye espacios para las negociaciones políticas que permitan la flexibilidad económica. Pero la mejora del conflicto de clases depende, en parte, de una convergencia de objetivos políticos que es esencial para el consenso y la estabilidad política del país. Como se dijo en el Congreso de Estados Unidos, «la comunidad social... no significa sólo que todos navegamos en el mismo barco; también significa que estamos dispuestos a orientar el barco en una dirección en la que coincidimos la mayoría de nosotros» [27]. La adaptación política sigue siendo siempre compleja e incierta precisamente porque las limitaciones institucionales de la estructura del país conforman los objetivos políticos de los actores sin determinarlos plenamente. Como explicaba el canciller Kreisky, «la gente de izquierdas se opone a la participación social y la gente de derechas también se opone, pero cada una por diferentes razones... lo que hemos hecho en Austria es un proceso de sublimación de los valores de clase, encontrar una forma más sublime para nuestras divergencias. Y funciona... sin necesidad de institucionalizarla. Si la institucionalizáramos, acabaría-

[26] *Die Presse,* 8 junio 1976; *Jahrbuch der österreichischen Wirtschaft 1976/I: Tätigkeitsbericht der Bundeswirtschaftskammer* (Viena: Bundeswirtschaftkammer, 1977), pp. 30-34.

[27] Profesor Seidel, como se cita en un discurso del Congreso: Congreso de EE. UU., Comité Económico Conjunto, *Austrian Incomes Policy: Lesson for the United States,* 97th Cong., 1st sess., 2 junio 1981 (Washington, D. C., 1981), p. 6.

mos con el sistema. ¿Saben por qué?. No porque yo esté en contra de las instituciones, sino porque este sistema sólo posee una sanción real: el decir que abandonaremos el juego. No estamos obligados. No se nos impone. Esta amenaza, la de abandonar la mesa, es la razón más poderosa para permanecer en ella» [28].

Suiza. El corporatismo liberal de Suiza crea sus propias presiones institucionales para la negociación cooperativa y una política consensual. Entre estas presiones están la presencia política de dos cámaras legislativas, la influencia de los cantones, un proceso legislativo con dos pasos en el que las enmiendas constitucionales preceden a menudo a importantes cambios legislativos, un proceso de formación política extraparlamentario y, lo más importante, el referéndum y la iniciativa popular. Estas limitaciones institucionales apuntan a unas fuertes posiciones de veto afianzadas institucionalmente para todos los grupos importantes. El resultado, discutido a menudo en Suiza, es un proceso político decididamente orientado por el *statu-quo,* el cual premia los pequeños avances. Los cambios políticos a gran escala no se acometen fácilmente. La principal consecuencia política del corporatismo suizo es la de fomentar la fuerza de una izquierda estructuradamente débil en la coalición social gobernante en el país y hacer posible, bajo ciertas condiciones, la movilización y aplicación de los poderes del Estado.

A pesar de su debilidad, el movimiento obrero suizo revela una fuerza sorprendente. Parte del poder de los sindicatos de trabajo deriva de las condiciones extremadamente favorables de los mercados laborables en Suiza durante los últimos treinta años. Debido a la escasez de mano de obra, los sindicatos resistieron con éxito repetidos intentos de contener la inflación mediante los recortes en la libre negociación colectiva. Además, la libre negociación colectiva cubre una amplia serie de cuestiones: incluye las medidas de bienestar social (como las ayudas suplementarias para los hijos) establecidas en otros países por la legislación nacional. Los sindicatos conciben su papel no como meros agentes en la negociación colectiva *(Tarifpartner),* sino también como agentes sociales *(sozialpartner).* De esta forma, incluyen en sus negociaciones con los empresarios otras cuestiones además de la regulación de las condiciones de trabajo. En comparación con Alemania Occidental, las medidas de bienestar del gobierno suizo son inferiores; pero los programas de seguridad social del sindicato de los trabajadores del metal son considerablemente más extensos y generosos que los mismos planes en el sindicato de trabajadores del metal de Alemania Occidental. La diferencia es más nota-

---

[28] Citado en «The Austrian Lesson», p. 23.

ble en las áreas de desempleo, pensiones, accidentes y enfermedad [29]. Mediante este sistema, los sindicatos han ganado una altura política en Suiza que protegen profundamente, en especial a la luz de la posición política nada envidiable de la izquierda en otras circunstancias. «Nosotros nos defendemos a nosotros mismos», escribía el primer presidente del sindicato de los trabajadores del metal y de la federación de sindicatos, «contra los intentos de las políticas sociales de cualquier tinte político de sabotear nuestros acuerdos con los empresarios» [30]. El sindicato del metal consideraba, así, como un éxito el hecho de que en la industria suiza del metal en los años 60, los salarios brutos representaran una parte mucho mayor de la nómina salarial total que en Italia o Francia [31].

Los instintos antiestatistas quedaron reflejados en la fuerza y duración de los seguros privados, adaptados a las preferencias del movimiento obrero. A finales de los 60, la Federación Suiza de Sindicatos (SGB) defendió con tenacidad, y al final de forma victoriosa, el principio y la práctica de los seguros privados frente a los esfuerzos de la izquierda del Partido Socialdemócrata por establecer un plan de pensiones nacional y unificado [32]. Como demostró este conflicto, los sindicatos suizos valoran el principio de la autoayuda organizada más altamente que el principio del colectivismo. Sin embargo, la autoayuda conlleva sus propios costes. Por ejemplo, el mayor sindicato industrial suizo, el del metal y de fabricantes de relojes (Schweizerischer Metall- und Uhrenarbeitnehmer-Verband, SMUV) poseía a mediados de los 60 un fondo de huelga de tres millones de dólares. Más de veinticinco millones de dólares, por otra parte, se invirtieron en programas de seguridad social para sus miembros, apartándose, de esa forma, del control directo del sindicato [33]. Incluso si se toma en cuenta la «absoluta obligación de paz» (*absolute Friedenspfincht*) en la negociación colectiva suiza, este modelo de inversión se iguala nada menos que con el desarme unilateral.

---

[29] *Die Gewerkschaften in der Schweiz: Wesen und Struktur Einst und Jetzt* (Berna: Schweizerische Arbeiterbildungszentrale, 1970), p. 26; *Die Gewerkschaften in der Schweiz* (Berna: Unionsdruckerei, 1975), pp. 19-20; y Dieter Greuter, *Der Schweizerische Metallund Uhrenarbeiter-Verband und die Industriegewerkschaft Metall für die Bundesrepublik Deutschland: Ein Vergleich* (Berlín: Duncker & Humblot, 1972), pp. 77,194.

[30] Véase E. Wüthrich, *Verbände und Politik* (Berna: Schweizerischer Metall- und Uhrenarbeiter-Verband, 1963), p. 19.

[31] *Ibid.*, p. 20.

[32] Hans Werder, *Die Bedeutung der Volksinitiative in der Nachkriegszeit* (Berna: Francke, 1978), pp. 61-64; Jürg K. Siegenthaler, «Labor and Politics: Switzerland» (Universidad Americana, Washington, D. C., n.d., mimeo), pp. 13-15.

[33] Greuter, *Schweizerischer Metall-Verband*, p. 66. Véase también Marco de Nicolo, *Die Sozialpolitik des schweizerischen Gewerkschaftsbundes* (1860-1960) (Winterthur: Keller, 1962).

Desde 1947, la legislación pública ha sancionado la elevación de los sindicatos por encima del papel de meros agentes de la negociación colectiva. En un reconocimiento explícito del papel de ley y orden de los sindicatos en las relaciones industriales (*Ordnungsfunktion*), los acuerdos colectivos estipulan con frecuencia que los sindicatos tienen derecho a recoger cuotas (*Solidaritätsbeiträge*) entre los que no son miembros [34]. La ley prevé también una «extensión de la negociación colectiva» (*Allgemeinverbindlichkeitserklärung*), lo cual estipula que, bajo ciertas condiciones, a un acuerdo alcanzado entre la asociación de empresarios y los sindicatos deben adherirse tanto los miembros como los que no lo son, del sector industrial o grupo profesional. En otras palabras, los acuerdos privados contractuales pueden adquirir la fuerza de una ley pública.

Las relaciones institucionalizadas entre los sindicatos y la burocracia gubernamental y los negocios convierten al SGB actualmente en el grupo de interés más importante bajo cualquier medida de representación formal en la política [35]. A finales de los 70, el Partido Socialdemócrata ocupaba el Ministerio de Finanzas y el de Exteriores, posiciones claves para la organización de las relaciones de Suiza con los mercados mundiales. El principal funcionario encargado de las cuestiones de desarrollo económico interno es un importante representante sindical [36]. La izquierda suiza disfruta de representación institucional en todos los consejos de asesoramiento y en las comisiones de expertos importantes, los cuales marcan los nudos de decisión en la red política suiza. Y en todas las materias, todos los grupos, incluyendo a los sindicatos, especialmente afectados potencialmente por la política gubernamental, tienen el derecho constitucional, cumplido en la práctica diaria, a participar en el proceso de «consulta» (*Vernehmlassung*). La amenaza implícita de cada grupo de desafiar las políticas que no puede apoyar, mediante la organización de un referéndum, fortalece la posición de la izquierda y la compulsión suiza al compromiso.

---

[34] François Höpflinger, *Industrie-Gewerkschaften in der Schweiz: Eine soziologische Untersuchung* (Zurich: Limmat, 1976), pp. 122-24; Karl Meyer *Verbände und Demokratie in der Schweiz* (Olten: Dietschi, 1968), pp. 87-88.

[35] Hanspeter Kriesi, *Entscheidungsstrukturen und Entscheidungsprozesse in der Schweizer Politik* (Campus: Frankfurt, 1980), p. 316; Bobby M. Gierisch, «Interest Groups in Swiss Politics» (Instituto Sociológico, Universidad de Zurich, 1974, mimeo), pp. 119-23, 139-42, 153; Dusan Sidjanski, «Interest Groups in Switzerland», *Annals of the American Academy of Political Science* 413 (mayo 1974): 105; y Marjorie Mowlam, «The Impact of direct Democracy on the Influence of Voters, Members of Parliament and Interest Group Leaders in Switzerland» (Ph. D. diss., Universidad de Iowa, 1977), p. 78.

[36] Jürg Steiner, «Conclusión», en Howard R. Penniman, ed., *Switzerland at the polls* (Washington, D. C.: American Enterprises Institute, 1983), pp. 173-74.

Pero dado que mantienen una posición central en la formulación de políticas, especialmente en cuestiones de política social, los sindicatos no se apoyan en el referéndum, el mal es el instrumento político de los poco conocidos en política [37]. Durante los últimos treinta años, los sindicatos no han emprendido ni una sola gran campaña de referéndum. Además, a pesar de sus mayores recursos financieros, los sindicatos han sido mucho más reacios que el Partido Socialdemócrata a emprender iniciativas populares [38]. Los sindicatos no necesitan tales iniciativas unilaterales: las políticas elaboradas, por ejemplo, en el área del bienestar social han incluido todas las principales demandas del movimiento obrero, debido simplemente a que los sindicatos han estado presentes en todas las etapas de la consulta preparlamentaria [39]. No es, por tanto, una sorpresa que los sindicatos estén entre los más ávidos defensores del principio de la autonomía de grupo. Se reúnen con la comunidad empresarial suiza en una activa oposición a cualquier forma de política de ventas que pueda entorpecer la libre negociación colectiva; y los sindicatos participan activamente en la formación del Estado del bienestar privatizado de Suiza [40].

En contraste con los sindicatos, el Partido Socialdemócrata posee una inclinación mucho mayor a apoyarse en la democracia directa [41]. Esta inclinación se ha mantenido firme a pesar del alivio de los conflictos políticos en cuestiones de política económica, los cuales eran numerosos cuando los socialdemócratas alcanzaron el poder por primera vez entre 1944 y 1952, y a pesar de las serias limitaciones financieras bajo las que opera el partido. Ya que ninguna de las numerosas iniciativas políticas patrocinadas por el Partido Socialdemócrata desde 1945 ha sido aprobada en las elecciones, la resolución de las tensiones en el seno del partido, más que

[37] Mowlam, «Impact of Direct Democracy», pp. 80, 148-49; Kriesi, *Entscheidungsstrukturen und Entscheidungsprozesse,* p. 359.

[38] Mowlam, «Impact of Direct Democracy, pp. 56-57; Werder, *Bedeutung der Volksinitiative,* pp. 22, 46-48, 66-67; y Klaus Schumann, *Das Regierungssystem der Schweiz* (Colonia: Heymanns, 1971), p. 247.

[39] Greuter, *Schweizerischer Metall-Verband,* p. 108; Kenneth R. Libbey, «The Socialist Party of Switzerland: A Minoritu Party and Its Political System» (Ph. D. diss., Universidad de Siracusa, 1969), pp. 147-48; y Jürg Siegenthaler, *Die Politik der Gewerkschaften: Eine Untersuchung der öffentlichen Funktionen schweizerischer Gewerkschaften nach dem Zweiten Weilktrieg* (Berna: Francke, 1968), pp. 55-60.

[40] OCDE, *Economic Surveys: Switzerland* (1978), pp. 42-43; Jürg K. Siegenthaler, «Current Problems of Trade Union-Party Relations in Switzerland: Reorientation versus Inertia». *Industrial and Labor Relations Review* 28 (enero 1975): 272; y Schweizerischer Gewerkschaftsbund, *Tätigkeitsbericht* 1972, 1973, 1974 (n.p., n.d.), pp. 26-27.

[41] Libbey, «Socialist Party», pp. 191-218; Kenneth R. Libbey, *«Initiatives, Referenda and Socialism in Switzerland», Government and Opposition* 5 (verano de 1970): 307-26; Mowlam, «Impact of Direct democracy», pp. 141-142; y Kriesi, *Entscheidungsstrukturen und Entscheidungsprozesse,* p. 107.

las esperanzas de éxito electoral, ha sido la primera razón para esa preferencia continua del partido por la participación popular directa en la política. La democracia directa hace tolerable las entrelazadas presiones políticas entre un liderazgo de partido que ha sido parte del gobierno desde 1959 y unas gentes que prefieren con frecuencia jugar un papel de oposición [42].

El papel especial de los sindicatos suizos en cuestiones de negociación colectiva y bienestar social contribuye a mejorar algunas de las desigualdades básicas del poder entre los principales actores políticos suizos. Pero como demuestra un reciente y globalizador estudio con todo detalle, existe todavía un profundo abismo entre la mejora y la eliminación [43]. Contrarios a la ideología suiza, las nociones de representación proporcional en la política están restringidas a diferencias regionales y lingüísticas; no abarcan a las diferencias socioeconómicas [44]. En cuestiones de política económica y al contrario que Austria, los sindicatos suizos y la izquierda política juegan un papel insignificante. E incluso en el área de mayor fuerza, la política social, los sindicatos suizos no pueden imponer soluciones; sólo pueden vetar aquellas a las que se oponen [45]. Aunque los sindicatos están integrados en el corporatismo liberal suizo, su representación es numéricamente inferior a la de los empresarios, carece del peso combinado de los intereses empresariales y los sitúa más cerca de los grupos marginales de la sociedad suiza de lo que lo está cualquier segmento de la comunidad empresarial [46]. La acumulación de papeles políticos, que en Austria es un signo del poder de la izquierda, es en Suiza un signo de debilidad [47]. Esta debilidad se ve reflejada en el amplio criticismo del proceso de toma de decisiones por parte de los miembros de la élite sindical y de la izquierda política [48].

La ironía está en que, a pesar de este criticismo, los sindicatos y la izquierda se han convertido en prisioneros del corporatismo suizo. Se abrazan a él como si fuera el único mecanismo político imaginable por el que pueden alcanzarse las decisiones que favorecen los intereses sindicales, bajo el ojo vigilante de un electorado fragmentado y abrumadoramente conservador [49]. Los sindicatos encuentran muy difícil desafiar cual-

---

[42] Mowlam, «Impact of direct Democracy», pp. 63, 148-50, 178.
[43] Kriesi, *Entscheidungsstrukturen und Entscheidungsprozesse, passim.*
[44] *Ibid.*, pp. 410, 577.
[45] *Ibid.*, pp. 517-18, 578, 652-53, 675, 693.
[46] *Ibid.*, p. 377.
[47] *Ibid.*, pp. 414, 578.
[48] *Ibid.*, pp. 621-26.
[49] *Ibid.*, pp. 663-65.

quiera de las premisas políticas fundamentales del sistema global. El resultado ha sido que las divisiones de clase ocultas bajo el consenso no han encontrado expresión en las instituciones existentes; que la desmovilización política de los trabajadores jóvenes está ya muy avanzada; y que los sindicatos y la izquierda carecen de una estrategia de cambio elaborada por sus propios debates ideológicos en objetivos específicos [50]. En realidad, el objetivo primario de los sindicatos hoy es ampliar su afiliación. Buscan revigorizar su estructura organizativa en un esfuerzo por contrarrestar las perjudiciales consecuencias de los últimos veinte años, así como la reducción aparentemente inevitable de la fuerza de trabajo en las décadas futuras. El cambio en el nombre del mayor sindicato industrial, el del metal, de sindicato de «trabajadores» a sindicato de «empleados» en 1972, ilustra estas preocupaciones [51]. Irónicamente, la cooptación del movimiento obrero es en parte voluntaria porque, a diferencia de Austria, los sindicatos y la izquierda política se adscriben a la noción de una equivalencia aproximada de la política económica, dominada por la comunidad empresarial y de política social, fuertemente influenciada por los sindicatos [52].

El corporatismo liberal suizo fomenta artificialmente el poder de la izquierda. Se ha olvidado fácilmente, por ejemplo, que al Partido Socialdemócrata se le concedieron dos escaños en el Consejo Federal en 1959, debido no tanto a su propia fuerza como al intenso conflicto existente entre los dos partidos burgueses dominantes, los liberales y los católicos. En 1968, veinte de los veinticinco cantones suizos presentaron gobiernos de coalición en los que los socialdemócratas estaban incluidos; pero en ninguna parte controló la izquierda una mayoría en el ejecutivo cantonal [53]. Además, el poder de los sindicatos y de la izquierda de la red política suiza descansa fuertemente en la delegación especial del poder público, especialmente en las áreas de negociación colectiva y bienestar social. Esta delegación fortalece a un sector débil de la sociedad, al movimiento obrero, de la misma forma que los aranceles protegen a la agri-

---

[50] *Ibid.*, pp. 579, 695-96. Véase también Höpfliger, *Industrie-Gewerkschaften*, p. 120; Harold E. Glass, «Consesual Politics, Class and Dissatisfaction in Switzerland: The Importance of Institutions», *Kleine studien zur Politischen Wissenschaft*, núm. 80 (Zurich: Forschungsstelle für Politische Wissenschaft, Universidad de Zurich, 1976), pp. 16, 18; y Autorenkollektiv, *Krise: Zufall oder Folge des Kapitalismus? Di schweiz und die aktuelle Wirtschaftskrise. Eine Einführung aus marxistischer Sicht* (Zurich: Limmat, 1976).

[51] Siegenthaler, «Current Problems of Trade Union-Party Relations», p. 278; Schweizerischer Gewerkschaftsbund. *Tätigkeitsbericht* 1972, 1973, 1974, p. 29.

[52] Kriesi, *Entscheidungsstrukturen und Entscheidungsprozesse*, pp. 377-78, 689-90, 694-95.

[53] Schumann, *Das Regierungssystem der Schweiz*, pp. 214-15, 225.

cultura y una aplicación poco severa de la legislación de cárteles protege a los negocios nacionales. La fuerza que todos esos sectores sociales reciben de la regulación del poder público es considerable; pero es un tipo de fuerza frágil, que no compensa plenamente de la asimetría fundamental existente en las relaciones de poder de la sociedad suiza.

Pero esto no sucede sólo a los sindicatos y la izquierda; bajo ciertas condiciones, el poder del Estado suizo se ve también inflado. Sería un error considerar como impotentes al gobierno o a la burocracia estatal. El gobierno ofrece información y dirección al trabajo de la asamblea federal, la cual es, a decir de todos, su inferior, tanto en poder como en estatus. Además (de alguna manera paradójica), la debilidad del gobierno vis a vis con los organizados grupos de interés puede actuar en ciertas ocasiones como una fuente de fuerza. Las inevitables divisiones y conflictos entre los grupos, con mucho más poder en el sector privado, elevan con frecuencia al gobierno al papel de árbitro, disfrutando así de amplios poderes discrecionales [54]. A través de una hábil elección de las arenas para la discusión y una programación cuidadosa del proceso político, el gobierno puede llegar a conseguir un impacto importante de la política [55]. Y, al menos, en términos numéricos la burocracia federal y los cantones dominan las primeras etapas de la consulta preparlamentaria, de trascendental importancia [56].

La fuerza del Estado también se manifiesta en otras dimensiones de la vida suiza. Los asuntos económicos y los de seguridad están para los suizos, igual que para los japoneses, íntimamente ligados. En el área de la política agraria, por ejemplo, esta unión ha fomentado políticas que muestran un Estado suizo en una posición de fuerza y de decisión desa-

---

[54] Roland Ruffieux, «The political Influence of Senior Civil Servants in Switzerland», en Mattei Dogan, ed., *The mandarins of Western Europe: The Political Role of Top Civil Servants* (Nueva York: Wiley, 1975), pp. 2245-47.

[55] Peter Gaehler, «Les institutions suisses officielles et semi-officielles d'expansion économique à l'etranger» (Ph. D. diss., Universidad de París, 1969), pp. 218-19; Gierinch, «Interest Groups», p.49; Leonhard Neidhart, *Plebiszit und plutalitära Demokratie: Eine Analyse der Funktion des schweizerischen Gesetzesreferendums* (Berna: Francke, 1970), pp. 301, 304, 315; Kriesi, *Entscheidungsstrukturen und Entscheidungsprozesse*, p. 88; y George J. Szablowski, «Central Agencies in Europe and Ottawa: A Comparative Analysis» (Artículo preparado para el seminario sobre Smaller European Democracies and European-Canadian Comparisons, Universidad de Ontario Oeste, 17-19 diciembre 1979).

[56] Raimund E. Germann y Andreas Frutiger, «Role Cumulation in Swiss Advisory Committees» (artículo preparado para el seminario del ECPR sobre Interest Groupas and Gobernments, Florencia, 25-30 marzo 1980); André Jaeggi, «Between Parliamentary Weakness and Bureaucratic Strength: Interest Representation in Swiss Foreign Relations» (artículo preparado para el seminario sobre Interest Representation in Mixed Polities, Lancaster, 29 marzo-4 abril 1981).

costumbradas [57]. La necesidad de incrementar la autosuficiencia en la agricultura fue una de las lecciones importantes que aprendieron los suizos de la segunda guerra mundial. En 1939, la agricultura suiza cubría sólo el 30 por 100 del consumo público de cereales panificables y no producía casi frutas o vegetales. En 1975, más del 70 por 100 de los cereales panificables y de la fruta y el 40 por 100 de los vegetales se producían nacionalmente. Además, los suizos son autosuficientes en cuanto a carne y patatas [58]. Estos drásticos cambios en la autosuficiencia fueron el resultado de una política enérgica y consciente. Cada cinco años, los suizos formulan un plan en el que deciden qué deberá producir la agricultura suiza y en qué cantidad. Tales planes han afectado también a la política suiza de comercio exterior en el área de la agricultura. Suiza decidió a favor de pertenecer al GATT en 1966, sólo después de que fuera eximido del principio de libre comercio en la agricultura —un suceso único en los anales de la organización.

Pero el paso a la autosuficiencia trajo consigo una sobreoferta crónica de productos de granja y la amenaza de un deterioro medioambiental a largo plazo (debido a la intensa aplicación de fertilizantes y el creciente volumen de aguas residuales no tratadas). A finales de los 70, por tanto, la política suiza comenzó a limitar el número de vacas permitidas por acre. Ese avance hacia la autosuficiencia requería, pues, una mayor acción por parte de un estado suizo siempre activo en el intento de afrontar las consecuencias no deseadas de su política. Irizangi Bloomfield describe el cambio: «Como los valores económicos liberales con su énfasis en los costes de factores a corto plazo erosionan la ética tradicional de administración de los recursos naturales, un tipo intrusivo de intervención gubernamental se ha llevado a cabo para proteger el futuro... Existían opciones políticas abiertas que permitían a Suiza actuar a un nivel de intromisión y coerción que los mismos suizos pretenden odiar» [59]. El Estado suizo, llevado por un amplio consenso político e inmerso en una ideología que protege la libertad individual como un componente más que un antídoto del colectivismo comunal, bajo condiciones de crisis, puede recurrir a residuos de fuerza fácilmente supervisables [60].

---

[57] Este párrafo está en deuda con Irirangi Coates Bloomfield, «Public Policy. Technology and the Environment: A Comparative Inquiry into Agricultural Policy Approaches and Environmental Outcomes in the United States and Switzerland» (Ph. D. diss., Universidad de Boston, 1981), especialmente pp. 194, 221, 231, 235, 242, 249-50, 257. Véase también Dietrich Fischer, «Invulnerability without Threat: The Swiss Concept of General Defense», *Journal of Peace Research* 19, 3 (1982): 218-19.

[58] Boomfield, «Public Policy, Technology and the Environment», pp. 181-82.

[59] *Ibid.*, pp. 225, 232.

[60] Benjamin R. Barber, *The Death of Communal Liberty: A History of Freedom in a Swiss Mountain Canton* (Princeton: Princeton University Press, 1974).

La experiencia en otras arenas de la política confirma esta sugerencia. En cuestiones como defensa o monetarias, que tocan el mismo centro de los intereses vitales de los suizos, el laborioso proceso de consulta colaborativa, característico de casi todas las demás cuestiones económicas y sociales, es menos prominente [61]. Por ejemplo, a diferencia de Austria, parte de los bajos aranceles suizos sobre las importaciones es una sobretasa impuesta para financiar un vasto programa de preparación económica en caso de guerra. Esto es parte de un programa mayor de defensa civil, que pretende proteger al 90 por 100 de la población suiza contra un ataque nuclear [62]. El estado de preparación militar constante se ve reflejado en el hecho de que, cuarenta años después del final de la segunda guerra mundial, alrededor de la mitad de la burocracia federal total está empleada por el Departamento de Defensa [63]. Y, como reveló un escándalo en la comunidad de inteligencia Suiza, a finales de los 70, Suiza no tenía uno sino dos servicios gubernamentales de inteligencia. Ambos estaban dirigidos por el mismo funcionario, quien, además, encabezaba también una organización privada paralela [64]. Cuando la Reina de Inglaterra visitó Suiza en mayo de 1981, los periodistas ingleses quedaron atónitos por la amplitud de las medidas de seguridad, las cuales compararon algunos con las de una fuerte dictadura [65].

La cuestión de los trabajadores extranjeros favorece también el papel de la autoridad estatal y refleja una presencia de un estado enérgico y oculto, a menudo supervisado. El movimiento fascista suizo nunca consiguió un amplio apoyo en los años 30, pero la vena xenófoba del país intensificó los temores a la influencia externa. Las leyes restrictivas de la inmigración, que rigen todavía hoy, datan de ese período [66]. Además, la policía federal, para extranjeros, es singularmente eficaz y omnipresente en la identificación de los inmigrantes ilegales. Trabajando en cercana cooperación con las autoridades cantonales del mercado de trabajo, es

---

[61] Paolo Urio, «Parliamentary Control over Public Expenditure in Switzerland», en David L. Coombes, ed., *The Power of the Purse: A Symposium on the Role of European Parliaments in budgetary Decisions* (Nueva York: Praeger, 1975), p. 319.

[62] *Jahrbuch der österreichischen Wirtschaft 1976/I,* p. 110.

[63] Kriesi, *Entscheidungsstrukturen und Entscheidungsprozesse,* p. 36.

[64] *New York Times,* 1 febrero 1981, p. 13. Véase también *Der Spiegel,* 21 diciembre 1981, p. 108.

[65] Peter Bichsel, *«Das Ende der Schweizer Unschuld», Der Spiegel,* 5 enero 1981, p. 108.

[66] Dietrich Thränhardt, «Ausländische Arbeiter in der Bundesrepublik, in Österreich und der Schweiz», *Neue Politische Literatur* 20, 1 (1975): 68-69; Hans-Joachim Hoffman-Nowotny y Martin Killias, «Switzerland», en Ronald E. Krane, ed., *International Labor Migration in Europe* (Nueva York: Praeger, 1979), p. 49.

un símbolo altamente visible del poder del Estado [67]. Aún más, la drástica expansión en el número de trabajadores extranjeros en los años de posguerra ha tenido escaso efecto en la política restrictiva de nacionalización del país. A finales de los 70, más de la mitad de los extranjeros en Suiza estaban en posesión de la exigencia formal de doce años de residencia para la nacionalización; pero menos del 10 por 100 de los solicitantes han conseguido la concesión de la ciudadanía desde 1951. En 1975, el número de trabajadores extranjeros nacionalizados era de 10.000, alrededor de un 1 por 100 de la mano de obra extranjera [68]. El fuerte rol que desempeña el Estado se vio reforzado también por la adopción de una política de inmigración altamente restrictiva en los años 70; se basa en un sistema de cuotas y está administrada por el gobierno federal al igual que por los cantones [69].

En el área de la política económica exterior, las cercanas relaciones entre las empresas, los sindicatos y el gobierno han ayudado a fomentar el poder del Estado [70]. Comparadas con los otros pequeños Estados europeos (igual que los grandes países industriales avanzados), las íntimas conexiones entre las empresas y el gobierno son únicas [71]. Estas conexiones consisten en consultas personales e informales, así como en contactos institucionalizados. Las instituciones parapúblicas, tales como la Oficina para el Desarrollo Comercial, y el reciente crecimiento de comisiones comerciales «mixtas» que organizan las relaciones comerciales de Suiza con la Unión Soviética, Irán y Arabia Saudita, ofrecen las arenas en las que los funcionarios del gobierno y los representantes empresariales cooperan en la puesta en marcha de la política comercial. Para la empresa en Suiza, es una práctica normal el estar representada directamente en las negociaciones comerciales internacionales [72]. Además, existe una Comi-

---

[67] Mark J. Miller, «French and Swiss Seasonal Workers: Western Europe's Braceros» (artículo preparado para la conferencia europeísta de 1980, patrocinada por el Council for European Studies, Washington, D. C.), p. 25; Hoffman-Nowotny y Killias, «Switzerland», p. 54.

[68] Hoffman-Nowotny y Killias, «Switzerland», pp. 55-58.

[69] *Ibid.*, pp. 54, 61.

[70] Bernhard Wehrli, *Aus der Geschichte des Schweizerischen Handels- und Industrie-Vereinds: Zum hundertjährigen Bestehen des Vororts* (Erlenbach-Zurich: Rentsch, 1970), pp. 109-14; Hans Vogel, «Das Verhältnis von Staat und Wirtschaft in den schweizerischen Aussenbeziehungen», *Annuaire suisse de science politique* 16 (1976): 245-64; Vogel, *Die Schweizerische Aussenwirtschaftspolitik: Domäne halbstaatlicher Verwaltungs- ung Entscheidungsstruktuen* (Zurich: Institut für Orts-Regional- und Landesplanung, Forschungsprojekt «Parastaatliche Verwaltung», August 1981); Dusan Sigjanski, «Les groupes de pression et la politique étrangere en Suisse», Annuaire suisse de science politique 6 (1966): 28-45.

[71] Sidjanski, «Interest, Groups in Switzerland», p. 109; Victor H. Umbricht, «Wirtschafliche Aussenpolitik», Schweizer Rundschau 66, 4-5 (1967): 294.

[72] Wehrli, *Geschichte des Industrie-Vereins,* pp. 18-19; Sidjanski, «Interest Groups in

sión Consultiva para la Política Comercial Exterior, a la cual el Consejo Federal está obligado a consultar en todas las cuestiones comerciales importantes. Sus treinta a cuarenta miembros, que provienen de los principales grupos de interés, no llegan a un acuerdo en las cuestiones políticas más sobresalientes a través del voto mayoritario, sino a través de prolongadas discusiones que conducen a soluciones de compromiso aceptadas por todos [73].

Debido a la necesidad de incrementar la competitividad suiza en las exportaciones, esta comisión consultiva fue sustituida en 1975 por el Comité Asesor para Política Económica Exterior. Reúne a un círculo más restringido de grupos y actúa como el principal portavoz de las industrias suizas de exportación [74]. Esta, más que la Comisión Consultiva, fue la que llegó a la serie de decisiones políticas destinadas a fortalecer el sector de exportación en 1975 y 1976. El verdadero centro de poder, la Delegación Permanente para Negociación Económica, es todavía más exclusiva que la Comisión Consultiva o el Comité Asesor. Carece de cualquier fundamento legal para su poder [75]. La pertenencia a ella no es fija; pero normalmente está restringida a los altos funcionarios del gobierno, los líderes de los principales grupos de interés y un número reducido y variable de invitados, dependiendo de la cuestión que se esté discutiendo. Las invitaciones para asistir a sesiones concretas se extienden a individuos más que a sus instituciones, y la delegación permanente no guarda registros escritos. Aquí todos los hilos avanzan juntos mientras que, bajo los auspicios del Estado, un pequeño grupo establece las decisiones fundamentales con las que Suiza afronta la economía internacional.

No es extraño que las soluciones elaboradas en estos círculos exclusivos se vean desafiadas en las elecciones. En 1976, por ejemplo, una coa-

---

Switzerland», pp. 109-10; Norbert Kolhase y Henri Schwamm, eds., *La négociation CEE-Suisse dans le Kennedy Round* (Lausana: Centre de recherches européennes, 1974), pp. 165-67; y Gottfried Berweger, *Investition und Legitimation: Privatinvestitionen in Entwicklungsländern als Teil der Schweizerischen Legimationsproblematik* (Diessenhofen: Ruegger, 1977), p. 244.

[73] René M. W. Vogel, *Politique commerciale suisse* (Montreux: Leman, 1966), p. 349; Vogel, «Staat und Wirtschaft», p. 262; y Guntram Rehsche, *Schweizerische Aussenwirtschaftspolitik und Dritte Welt; Ziele und Instrument. Exportförderung kontra Entwicklungspolitik* (Adliswil: Institut für Sozialethik, 1977), p. 65.

[74] *Finanz und Wirtschaft,* 9 septiembre 1976; *Neue Zürcher Zeirung,* 26 septiembre y 16 diciembre 1976.

[75] Hans C. Binswanger and Reinhardt Büchi, «Aussenpolitik und Aussenwirtschaftspolitik», en Alois Riklin, Hans Haug, y Hans C. Binswanger, eds., *Handbuch der schweizerischen Aussenpolitik* (Berna: Haupt, 1975), p. 701; Kohlhase y Schwamm, *Négociation CEE-Suisse,* pp. 166-67: Sidjanski, «Interes Groups in Switzerland», p. 110; y Vogel, «Staat und Wirtschaft», pp. 262-63.

lición entre votantes de la derecha tradicional que desconfiaba de la creciente implicación de Suiza en las organizaciones internacionales y votantes de la nueva izquierda opuestos a las instituciones financieras internacionales, unieron sus fuerzas en un referéndum. Consiguieron vetar un proyecto, ya aprobado por las dos cámaras de la Asamblea Federal, que habría extendido un préstamo a la Agencia de Desarrollo Internacional [76]. Pero en una perspectiva más amplia, tales incursiones públicas en los pasillos interconectados del poder son muy raras en el área de la política exterior. Entre 1920 y 1974 fueron aprobados siete de las ocho medidas de política exterior que el gobierno tuvo que someter a referéndum popular; sólo una de las catorce iniciativas populares elaboradas contra la política gubernamental fue aceptada [77]. Normalmente, pues, el público no desafía la estrecha cooperación que existe entre las asociaciones de élite y el gobierno en el área de la política económica exterior. André Jäggi y Margaret Sieber resumen así la situación: «En general, la toma de decisiones en la política económica exterior es diferente de la toma de decisiones en las cuestiones internas. La eficacia, flexibilidad y rapidez en la política económica exterior centralizada y oligárquica es funcional con respecto a los rápidos cambios del régimen económico internacional. La toma de decisiones consensual más bien conservadora, pragmática y larga... es funcional con respecto a la democracia y la legitimidad» [78].

Las estrictas limitaciones impuestas al poder del Estado descentralizado suizo son ellas mismas, al igual que en Estados Unidos, una fuente de fuerza fundamental, especialmente en tiempos de crisis económica. La Constitución suiza, en palabras de Jane Kramer, es una «especie de informe de trabajo, que redescribe y redefine constantemente su autoridad» [79]. El voto popular ha enmendado este sumario noventa veces desde la última revisión constitucional de 1874. El recurso a eludir las prácticas democráticas en tiempos de crisis posee antecedentes históricos. Por ejemplo, entre 1919 y 1939, la mitad de todas las leyes y decretos federales fueron promulgados bajo la cláusula de emergencia constitucional y fueron así apartados de todo control popular. El 60 por 100 de estas me-

[76] Véase el debate entre Schwarzenbach y Jolles en *Neue Zürcher Zeitung,* 21 mayo y 29 mayo 1976.

[77] Guido A. Keel, «L'influence des groupes d'interêt politiques sur la politique étrangére suisse», en Riklin. Haug y Binswarger, *Handbuch,* p. 313.

[78] André Jäggi y Margret Sieber, «Interest Aggregation and Foreign Economic Policy: The Case of Switzerland» (artículo preparado para el seminario del ECPR sobre Interest Groups and Governments, Florencia, 25-30 marzo 1980), p. 46.

[79] Jane Kramer, «A Reporter in Europe», *New Yorker,* 15 diciembre 1980, p. 140. Véase también Charles F. Schuetz, *Constitutional Change-Swiss Style* (Universidad de Carleton: Departamento de Ciencia Política. 9 Ottawa, abril 1982).

didas fueron aprobadas entre 1930 y 1938 [80]. En los años 50 y 60, por el contrario, el proceso político estuvo marcado generalmente por negociaciones largas y complejas y acuerdos informales. El programa antiinflación de 1964, elaborado, debatido y adoptado en una semana en una atmósfera de crisis, constituyó una notable excepción [81].

Pero desde principios de los 70, esta excepción ha llegado casi a ser la norma. Por ejemplo, con la llegada de los tipos flexibles de cambio, el decreto de emergencia para la Protección de la moneda en 1971, otorga al Consejo Federal y al Banco Nacional unos amplios poderes discrecionales que ya habían sido utilizados constantemente en los años 70 [82]. Un programa antiinflación más severo (1972), una política de planificación regional (1972), una política fiscal (1975) y el programa de seguro de desempleo (1975-76) constituyen ejemplos sobresalientes de una creciente utilización en el gobierno mediante decretos de emergencia. Entre 1971 y 1976, el gobierno promulgó nueve decretos de emergencia extraconstitucionales, todos los cuales fueron aprobados por referéndum obligatorio (entre 1949 y 1970 sólo se han promulgado tres decretos como éstos). De forma similar, entre 1971 y 1976, el gobierno promulgó quince decretos de emergencia constitucionales, alrededor de un 10 por 100 del número total de proyectos aprobados y alrededor del 15 por 100 de las cuestiones políticas significativas, ninguna de las cuales se vio apelada por el referéndum opcional estipulado por la constitución (entre 1949 y 1970 sólo se han promulgado siete de estos decretos) [83]. El gobierno mediante decretos de emergencia reduce el número de puntos de intervención en el proceso político, así como el número de participantes [84].

De esta forma, la democracia directa en los años 70 desafió a una creciente proposición de decisiones políticas. Pero debido al proceso corporatista de su política, Suiza ha quedado muy lejos de volver al modelo de crisis de los años 30. En términos generales, sus políticas extraparlamentarias muestran unos compromisos previsibles entre todos los principales actores. El corporatismo suizo fortalece las débiles y reducidas desigualdades políticas y crea el contexto político necesario para la flexibilidad

---

[80] Jörg P. Müller, *Gebrauch und Missbrauch des Dringlichkeitsrechts* (Berna: Haupt, 1977), p. 8; Schumann, *Das Regierungssystem der Schweiz,* pp. 175-78.

[81] Sidjanski, «Interest Groups in Switzerland», p. 114.

[82] Willy Linder y Kurt Braendle, eds., *Volkswirtschaft der Schweiz: Dokumentation* (Zurich: Universidad de Zurich, Sozialökonomisches Seminar), 1:193-94.

[83] Müller, *Gebrauch und Missbrauch,* pp. 12-15; Kriesi, *Entscheidungstrukturen und Entscheidungsprozesse,* p. 138; y Jaeggi, «Between Parliamentary Wakness and bureaucratic Strength», p. 5, nota 3.

[84] Kriesi, *Entscheidungsstrukturen und Entscheidungsprozesse,* pp. 229, 247, 597-59, 614-17, 651-52.

económica. La adaptación política de las diferentes fuerzas sociales se produce en la estructura consensual de un corporatismo liberal que fomenta el poder de los sindicatos y el Estado y restringe las fuentes potenciales de oposición. El elaborado proceso de construcción de compromisos duraderos reúne a los mismos grupos de interés principales alrededor de diferentes mesas.

La política corporatista descansa en una combinación de representación y de autodisciplina colectivas. En las tentaciones a las que está sujeta y las transformaciones que produce el corporatismo tiene un impacto comparable, aunque no equivalente, tanto sobre la mano de obra como sobre los negocios. Las interpretaciones neomarxistas tienden a insistir, como hace John Stephen, en que el «corporatismo representa un punto muerto en la lucha de clases en las que el poder económico y político de la clase trabajadora es suficiente para forzar una concesión sustancial del capital, pero insuficiente realmente para participar en el centro del proceso de acumulación» [85]. Pero esta línea de argumentación fracasa en el examen de los diferentes papeles que juegan los empresarios en sociedades capitalistas tan distintas como Suiza y Austria, y ofrece así una interpretación parcial de la política corporatista. En Suiza y Austria, el corporatismo no es un pretexto para estabilizar el capitalismo mediante la extracción de concesiones de la mano de obra. El corporatismo democrático es un mecanismo que integra los intereses de clase en conflicto en una más amplia concepción de bienestar nacional modelado por la vulnerabilidad que rodea a las economías abiertas. El secreto hacia su éxito político, tanto en su encarnación suiza como en la austríaca, descansa en la habilidad para alcanzar un equilibrio entre las presiones sociales por la competencia política, por un lado, y las presiones generadas por el mercado para un compromiso político, por otro.

En un libro publicado hace sesenta años, el socialista austríaco Otto Bauer acuñó la frase «el equilibrio de las fuerzas de clase» como una precondición precaria que justifica, en tiempos de gran crisis nacional —la pérdida de un imperio, hiperinflación, hambre y políticas de estabilización impuestas internacionalmente—, la formación de alianzas temporales entre las clases [86]. Durante la última generación, diferentes disposi-

---

[85] John D. Stephens, *The Transition from Capitalism to Socialism* (London: Macmillan, 1979), p. 123.

[86] Otto Bauer, *Die österreichische Revolution* (Viena: Wiener Volksbuchhandlung, 1923), Parte 4. Véase también Helmut Widder, *Parlamentarische Strukturen im politischen System: Zu Grundlangen und Grunfragen des österreichischen Regierungssystems* (Berlín: Duncker & Humblot, 1979), pp. 206-11; y Werner Land, «Krisenmanagement durch Neokorporatismus», *Politische Vierteljahresschrift* 22 (abril 1981): 13.

ciones corporatistas han rutinizado esta precondición precaria. Uno de los resultados ha sido la reducción relativa de las desigualdades políticas entre empresarios y mano de obra y el Estado. Por supuesto, los compromisos políticos alcanzados en Suiza y Austria son siempre imperfectos. En realidad, el aforismo de Count Taafe sobre el equilibrio de intereses entre las partes austríaca y húngara del imperio del siglo XIX caracterizan convenientemente la negociación en Austria y Suiza hoy, un estado de «insatisfacción amistosa». Pero la reducción de las desigualdades políticas que se encuentra en ambas variantes de corporatismo democrático inducen a los actores políticos, más que en otras estructuras nacionales, al compromiso antes que a maximizar sus intereses. Como resultado, las estructuras corporatistas tienen una gran capacidad para absorber políticamente las consecuencias del cambio económico.

Convergencias políticas

El corporatismo democrático explica algunas otras convergencias anómalas en la forma en que Suiza y Austria responden al cambio económico. En cuestiones de política industrial e inversión por parte de sociedades extranjeras, por ejemplo, las actividades de los gobiernos cantonales y las provisiones de la ley corporatista suiza llenan el vacío dejado por el aparentemente pasivo gobierno federal. Por el contrario, en una serie de diferentes áreas, los instrumentos políticos en Austria para la intervención en la economía son sorprendentemente limitados.

En el sistema federal suizo, la crisis económica de los 70 animó a una serie de gobiernos cantonales a desarrollar sus propias políticas de ajuste industrial específicamente regionales. En términos generales, los cantones más activos fueron aquellos que poseían industrias en declive que sufrían problemas de ajuste estructural. Los problemas estructurales de la industria suiza se afrontaron políticamente, y a diferencia de Austria, de una forma regionalmente descentralizada. Las respuestas políticas que se apoyaban en políticas de imposición y explotación, así como subsidios limitados y garantías de préstamos, estaban diseñadas para atraer a nuevas empresa a las regiones en declive o para fortalecer y diversificar la estructura de producción de corporaciones. Ocho de los venticinco cantones suizos habían decretado lo que podría denominarse un «programa de política industrial» a finales de los 70 y otros cuatro se hallaban en proceso de realización. La mayoría de los cantones restantes tenían a su disposición una serie de instrumentos legislativos para conseguir objetivos similares. Cualquiera que fuera su base legislativa, los programas cantonales insistían en una serie de incentivos, pero, de forma significativa, evitaron los grandes gastos. Además, debido a las diferentes circunstancias económicas, la puesta en marcha de las políticas varía profundamente, desde una forma administrativa en la que la política se lleva a cabo por amplio consenso, como en Neuchâtel, hasta una forma colaborativa donde se discute la política, como en Solothurn. Los análisis detallados sugieren que las políticas de ajuste industrial se han llevado a cabo de una forma *ad hoc* modelada por horizontes breves de tiempo; los cantones son así fuentes improbables de políticas de transformación estructural a largo plazo [87].

Pero también puede encontrarse una política industrial embrionaria en el sector privado suizo. Las firmas incapaces de financiar sus programas de inversión a través de las ganancias retenidas acuden a los grandes bancos privados en busca de crédito o acceso a los mercados de capital. Pero ya no es infrecuente escuchar llamadas a los bancos para la provisión de capital riesgo limitado para los proyectos de inversión prometedores a las empresas relativamente pequeñas, proyectos con fuertes efectos potenciales de crecimiento para otros segmentos de la empresa. Además, los bancos suizos están comprometidos ocasionalmente en la protección de empresas vitales para la salud de considerables segmentos de la industria suiza. Si la política industrial se debate en Suiza en algún sitio, es en la comunidad financiera; aunque el debate se desarrolle todavía en voz baja [88].

Así pues, en tiempos de crisis, las políticas de préstamos bancarios parecen estar dirigidas, al menos en parte, a facilitar los esfuerzos de tran-

---

[87] Beat Hotz, «Möglichkeiten und Grenzen Kantonaler Wirtschaftspolitik», *Annuaire suisse de science politique* 18 (1978): 183-210; Walter Steinmann, *Grundlagen, Träger, Entscheidungsprozesse und parastaatliche Aspekte der Wirtschaftsförderungspolitik* (Zurich: Institut für Orts-Regional-, und Landesplanung, Forschungsprojekt «Parastaatliche Verwaltung», octubre 1980); Charbel Ackermann y Walter Steinmann, *The Representation of Private Actors in the Policy Implementation Process and the Implementation Structure* (Zurich: Institut für Orts-, Regional-, und Landesplanung, Forschungsprojekt «Parastaatliche Verwaltung», marzo 1981), pp. 14-23; Walter Hess, *Regional- und raumordnungspolitische Ziele und Massnahmen von bund und Kantonen* (Berna: Haupt, 1979), pp. 34, 76-85, 147-49, 152-59; OCDE, *Economic Surveys: Switzerland* (1979), pp. 44-47; Wolf Linder, Beat Hotz y Hans Werder, *Planung in der Schweizerischen Demokratie* (Berna: Haupt, 1979), pp. 313-44; Heinz Hollenstein y Rudolf Loertscher, *Die Struktur- und Regionalpolitik des Bundes: Kritische Würdigung und Skizze einer Neuorientierung* (Diessenhofen: Rüegger, 1980); y Charbel Ackermann y Walter Steinmann, «Privatized Policy-Making: Administrative and Consociational Types of Implementation in Regional Economic Policy in Switzerland», *European Journal of Political Research* 10 (1982): 173-85.

[88] Robert Holzach, *Banken und Stukturpolitik* (Aargau: Aargauische Industrie- und Handelskammer, 1977); R. A. Jeker, *Die Schweizer Banken in den achtiger Jahren* (Zurich: Credit Suisse, 1979).

sición y cambio en sectores selectos de la industria. El sector bancario suizo, además, incluye a 29 bancos cantonales, con bienes de más de 54 billones de dólares en 1980; muchos de estos bancos obtienen su capital de los gobiernos cantonales. Algunos de ellos rivalizan con los cinco grandes bancos privados en tamaño, y desde que incluso el Banco Nacional es de propiedad privada, estos bancos cantonales son lo más parecido que tiene el país a instituciones bancarias estatales. A diferencia de los bancos privados, han operado hasta la fecha casi exclusivamente en los mercados nacionales. Expresando un interés especial y una obligación hacia las economías cantonales, no interfiere, sin embargo, con la insistencia en consideraciones estrictamente comerciales en sus políticas crediticias. Por supuesto, se producen excepciones. Entre 1967 y 1978, por razones de política social, los bancos cantonales imponían tipos de interés considerablemente menores para las hipotecas nacionales que las de los bancos privados. E incluso en el área de la política industrial, los bancos cantonales están tentados a veces a ignorar el principio del mercado. A finales de los 70, el minúsculo Nidwaldner Kantonalbank ignoraba este precepto en una ola de chauvinismo cantonal y, como resultado, acumuló pérdidas sustanciales por su apoyo excesivamente benevolente de las compañías locales [89].

Suiza ha tomado también precauciones contra la compra de la parte del capital extranjero perteneciente a las empresas suizas, en contra de sus deseos. En general, el gobierno es muy liberal en su tratamiento de la propiedad extranjera de empresas suizas. El influjo anual de inversión extranjera directa aumentó de 197 millones de dólares en 1967-69 a 517 millones en 1973-75 (estas cifras están muy por encima de los 39 millones y los 126 millones registrados en Austria en los mismos períodos) [90]. Orgullosos en su confianza plena en los mercados, informa la OCDE, Suiza «no supedita el establecimiento de las empresas internacionales a ninguna regla especial» [91]. Sólo el control intermitente de la especulación monetaria y los movimientos de capital a corto plazo han provocado breves

---

[89] *World Business Weekly,* 4 febrero 1980, pp. 51-52, y 7 julio 1980, p. 33; Peter Heseler, «Die Rolle der öffentlichen Banken in der Kreditwirtschaft der Schweiz», *Zeitschrift für öffentliche und gemeinwirtschaftliche Unternehmen* 3, 1 (1980): 12-26; y Walter Steinmann, *Die Entstehung öffentlicher und gemischtwirtschaftlicher unternehmungen in der Schweiz* (Zurich: Institut für Orts-Regional-, und Landesplanung, Forschungsprojekt «Parastaatliche Werwaltung», mayo 1980), pp. 13-20.

[90] United Nations, *Transnational Corporations in World Development: A Reexamination* (Nueva York: EE.UU, Consejo Económico y Social, Comisión sobre Sociedades Transnacionales 1978), p. 238.

[91] OCDE *Interim Report of the Industry Committee on International Enterprises* (n.p., n.d.), p. 14.

excepciones a esta postura liberal. El gobierno suizo no posee control de las agencias o protección de la inversión extranjera; a diferencia de Austria, los gobiernos cantonales o las comunas, y no el gobierno federal, son los que extienden incentivos que favorecen a las empresas locales y extranjeras; y los requerimientos exigidos son idénticos para las firmas extranjeras y las nacionales [92]. Además, la legislación suiza no contiene restricciones en cuanto a la nacionalidad de los accionistas.

Pero esta imagen cosmopolita es tan engañosa como la noción de que las fuerzas del mercado en el área que afecta a los intereses vitales de Suiza tienen un papel ilimitado. Las permisivas regulaciones gubernamentales en cuestiones de inversión extranjera deben considerarse junto con las normas legales que regulan la conducta corporativa que de hecho impide las adquisiciones extranjeras. La mayoría del consejo de directores de sociedades anónimas suizas deben ser ciudadanos suizos que vivan en Suiza. Y cuando se trata de cuestiones de propiedad, los bancos suizos y sus corporaciones multinacionales, en cuanto a su orientación internacional, permanecen siendo muy suizos. Las provisiones específicas de la legislación de empresas suizas aseguran que la propiedad permanecerá en manos suizas [93]. Los diferentes tipos de acciones tienen diferentes derechos de voto en los encuentros anuales de accionistas. Las acciones nominativas *(Namensaktien)* tienen el mismo derecho de voto por acción que los títulos de acciones habituales, aunque hayan sido emitidas, generalmente, como una fracción del precio de los títulos de acciones habituales. Las acciones nominativas están reservadas para grupos o individuales específicos, por ejemplo, miembros de una familia o ciudadanos suizos. No pueden ser intercambiadas en el mercado abierto, y normalmente, las corporaciones suizas han emitido acciones nominativas en número suficiente y a las personas adecuadas, para controlar cualquier discusión sobre la propiedad. Además, el consejo de dirección de la empresa puede dar su consentimiento a cualquier cambio en la propiedad de estas acciones, y el acuerdo puede rechazarse sin obligación de desvelar la razón. Los accionistas dan, generalmente, a los bancos un poder de procuradores para votar sus acciones en el encuentro anual de accionistas, y la política normal de los bancos es apoyar al consejo de dirección de la compañía. Finalmente, debido a que se permite a las empresas suizas encubrir sus «bienes ocultos», a las empresas extranjeras les resulta casi imposible evaluar el valor de una empresa suiza adquirida mediante compra. Este sistema

[92] Naciones Unidas, *Transnational Corporations: A Reexamination,* p. 176.

[93] François Höpflinger, *Das Unheimliche Imperiun: Wirtschaftsverflechtung in der Schweiz* (Zurich: Eco, 1978), pp. 80-81; Karl Arnold, «Defences to Takeovers: Switzerland», *International business Lawyer* 8, 2 (1980): 41-43.

global de regulaciones y prácticas asegura un reducido número de control de los propietarios suizos sobre las empresas suizas. Cuando Sandoz intentó adquirir McCormick en la primavera de 1980, pudo hacerlo gracias a una base nacional incuestionada: una mayoría abrumadora de acciones de Sandoz son propiedad de suizos. Como señalaba Robert Metz, «parece casi imposible para un no suizo adquirir una de las sociedades instaladas en Suiza» [94].

Igualmente dignas de mención son las limitaciones impuestas a la intervención política en Austria. En cuanto a su activismo autoproclamado, la política industrial austríaca se distingue por una limitación del poder gubernamental y una inclinación hacia la improvisación. En los años 60, por ejemplo, los debates políticos y las políticas concernientes al ajuste industrial siguieron, más que precedieron, al proceso de reestructuración gradual de 1961-68, siendo anulados por la fase de crecimiento impulsado por la exportación que comenzó en 1968. En los años 70, las políticas austríacas se centraron primordialmente en la protección contra el impacto del cambio externo en la defensa de puestos de trabajo más que en generar nuevos puestos mediante la aceleración de la modernización industrial de largo alcance. Los discursos políticos hacían parecer a la política industrial austríaca como uno de los más importantes diseños políticos para la transformación estructural tan prominentes en los esfuerzos japoneses y franceses de los años 60 y 70. Pero en realidad, la política austríaca consistía en una serie de pequeños ajustes. Una evaluación reciente favorable de la década de política industrial socialista llegaba a la conclusión, en 1981, de que las demandas programáticas del SPÖ no se han alcanzado; en definitiva, «el gobierno socialista no ha logrado materializar sus objetivos de política industrial» [95]. Los instrumentos financieros a disposición del gobierno se han ido fragmentando progresivamente y han perjudicado a la dirección política central. Y los generosos incentivos de inversión del Estado no han sido suficientemente selectivos.

Los políticos austríacos, al igual que los suizos, son conscientes de la importancia de las presiones del mercado a las que no puede hacerse caso omiso. Considerando el enorme tamaño de la propiedad o control estatal sobre la industria, es notable la cautela con la que ha dirigido su política

---

[94] Robert Metz, «Swiss Defense on Takeovers», *New York Times*, 9 abril 1980, p. D6.

[95] Hans Wehsely, «Industriepolitik in den siebziger Jahren- Rückblik und Ausblick», *Österreichische Zeitschrift für Politikwissenschaft* 1981, núm. 3: 34; Wolfgang C. Müller, «Economic Success without an Industrial Strategy: Austria in the 1970», *Journal of Public Policy* 3 (febrero 1983): 119-30.

industrial [96]. A lo largo de todo el período de posguerra, el gobierno ha otorgado mucha mayor importancia a un enfoque de la industria indirecto y global, en contraste con un enfoque directo y sectorial. Al igual que en Suiza, la política de moneda fuerte durante la mayor parte de los años 70 obligó a las industrias de exportación austríacas a defender enérgicamente su posición competitiva en los mercados mundiales, mediante el ajuste a los acelerados cambios experimentados en las estructuras de producción y mezclas de productos. El efecto ha sido una revigorización de la estructura industrial austríaca, a través de una acción gubernamental indirecta. Mientras tanto, los intensivos subsidios estatales a la inversión están asignados en gran parte de formas indirectas y no selectivamente. Incluso si consideramos sólo el 15 por 100 de subsidios totales a la inversión concedidos de forma selectiva, la burocracia estatal responde generalmente a los acercamientos de las empresas individuales y sus bancos. Es poco usual que la misma burocracia estatal proponga proyectos de inversión específicos [97].

En este punto empezó el debate político de finales de los 70. Algunos segmentos del SPÖ empezaban entonces a argumentar que el apoyo a la inversión a través de unas compensaciones por devaluaciones aceleradas llegaría a ser menos importante que la creación de incentivos selectivos para las empresas innovadoras y las nuevas líneas de productos [98]. Por ejemplo, bajo uno de los programas austríacos de subvención por intereses, se hallan desponibles un total de 310 millones de dólares entre 1978 y 1984 para proyectos que se consideren deseables bajo un punto de vista estructural y del empleo. Pero esto no cambia el carácter general de la política austríaca [99]. A mediados de los 70, las ayudas indirectas a la in-

---

[96] Hannes Androsch, «Die Rolle der österreichischen Wirtschaft in der arbeitsteiligen Weltwirtschaft der achziger Jahre», *ÖIAG Journal* 1 (abril 1977): 3-5; Horts Knapp, «Spätherbst oder neuer Frühling: Informationen und Impressionen zur Industriepolitik», *Finanznachrichten,* 28 enero 1977, pp. 1-8; y *Die Presse,* 27 enero 1977. Véase también el artículo informativo de Helmut Kramer, «Glanz und Elend der Strukturpolitik», *Die Industrie,* 12 julio 1974, pp. 5-7.

[97] Anton Stanzel, «Vorstellungen Staatlicher Strukturpolitik», *Wirtschaftspolitische Blätter* 25, 5 (1978): 69.

[98] Entrevistas, Viena, junio 1981. Véase también *Österreich muss vorne bleiben: Entwurf für das SPÖ. Wirtschaftsprogramm* (Viena: SPÖ, 1981), p. 6 y Wilhelm Hankel, *Prosperity amidst Crisis: Austria's Economic Policy and the Energy Crunch* (Boulder, Colo.: Westview, 1981), pp. 44, 66-68, 73-74.

[99] Se ha estimado que esta medida subvencionará un total de 2,75 billones de dólares en un período de cinco años. Esto representaría alrededor del 8 por 100 de la inversión total para 1977 y el 90 por 100 de la inversión fija. Véase OCDE, *Economic Surveys: Austria* (1978), p. 25.

versión superaban a las ayudas directas en relación de uno a nueve [100]. A juzgar por la intensa oposición política, es probable que el nuevo enfoque que el SPÖ ha creado en la comunidad empresarial austríaca complemente, más que reemplace, a los enfoque indirectos existentes. Además, en los años 80, el gobierno carecerá de las cantidades masivas de capital necesario para corregir la fuerte tendencia de las políticas existentes hacia un apoyo indirecto y general a la inversión.

La moderación política puede observarse en otras medidas económicas que ejercen una influencia directa sobre el ajuste industrial. La política fiscal anticíclica austríaca no se asemeja a lo que en los grandes estados industriales se denominaría planificación a medio plazo de las finanzas públicas. De hecho, los pronósticos a medio plazo de los gastos públicos no se introdujeron hasta mediados de los 60 y, desde entonces, sólo se han aplicado con una enorme vacilación [101]. El ministro de Economía Wolfgang Schmitz observaba en 1967 que estos pronósticos «no predicen lo que ocurrirá, ni describen qué debería ocurrir», lo cual fue cierto durante los años 70 [102]. En general, los gastos públicos no son la herramienta favorita por la que el gobierno establece con claridad las prioridades políticas a medio o largo plazo. Esta limitación del poder del gobierno se ve ilustrada por los obstáculos que encuentra su política de déficit del gasto. Por ejemplo, el gobierno federal nunca ha ejercido un gran control sobre las decisiones de gasto de los gobiernos provinciales y municipales —lo cual constituye una fuente de debilidad política. Comparado con el de las provincias, el papel del gobierno federal como recaudador de impuestos se redujo realmente en los años 70. Y durante los 60 y los 70, estos niveles más bajos de gobierno no siguieron y, a veces, actuaron en contra a la política de gasto anticíclica del gobierno federal. Por ejemplo, en los 70, cl SPÖ controlaba tanto el gobierno de la ciudad de Viena como el gobierno federal situado en Viena; pero las políticas del gasto de estos dos gobiernos variaron profundamente a lo largo de la década [103].

Otros episodios apuntan también a las persistentes limitaciones políticas que afectan al gobierno austríaco, inhibiendo una búsqueda activa

[100] Véase también más adelante el cap. 2, las notas 133-137. Una razón menor de 4:1 aparece en Gunther Ttichy, «Wie wirkt das österreichische System der Investitionsförderung?» *Quartalshefte* 1980, núm. 1:20.

[101] Ernst Eugen Veselsky, «Möglichkeiten und Grenzen von Budgetprognosen in Österreich», *Quartalshefte* 1969, núm. 1: 34-36; OCDE, *Economic Surveys: Austria* (1970), pp. 43-47.

[102] Citado en Veselsky, «Moglichkeiten und Grenzen», p. 36.

[103] Adolf Nussbaumer, «Die Grenzen der Staatsverschuldung», *Quartalshefte* 1976, núm. 4: 22-24: OCDE, *Economic Surveys: Austria* (1976), p. 24.

de la intervención económica. En general, el gobierno carece de la habilidad para influir poderosamente en las decisiones de inversión (en contraste con las de empleo) del sector nacionalizado. Cuando una de las empresas más rentables y con éxito de entre las nacionalizadas, las Líneas Aéreas Austríacas, eligió un nuevo equipo telefónico en 1976, Siemens, como la representante de la industria nacional austríaca se vio desplazada por una compañía sueca y perdió un contrato amplio y lucrativo [104]. Las Líneas Aéreas Austríacas querían el mejor producto al menor precio y no tenían interés en ampliar las políticas gubernamentales de compras e investigación y desarrollo.

En cuestiones de financiación de la exportación, las consideraciones de mercado continúan modelando las políticas del Banco de Control Austríaco. En este sistema bifrontal de tipos de interés, la porción variable fluctúa profundamente en respuesta a los cambios en los mercados internacionales de capital. Además, en notable contraste con el caso de Suiza, los programas de ayuda a la exportación en Austria no pudieron establecerse en industrias o productos concretos, pero fueron aplicados en forma general. Como contribuidora financiera y benefactora de estos programas, la comunidad empresarial no fue capaz de llegar a un acuerdo sobre una lista de prioridades en la provisión de fondos [105]. Además, el veto que impuso el Nationalbank sobre la extensión de los créditos a la exportación para la financiación de períodos de producción de menos de un año (típicos de industrias de bienes de consumo) ilustra también las limitaciones impuestas a los esfuerzos del gobierno por estimular las exportaciones. Bajo la forma de promoción de la exportación, tales créditos, como señalaba el banco, llegaba a suponer una mejora, motivada políticamente, de la base de capital de empresas o sectores industriales particulares. Y esto, pensaba, era antitético con los principios de la economía de mercado austríaca [106]. También en este caso, el enfoque restringido de Austria mantiene un notable contraste con el apoyo enérgico y selectivo de Suiza a sus industrias de bienes de consumo orientadas a la exportación.

El gobierno federal ha perdido incluso control sobre las decisiones de gasto de una serie de fondos independientes establecidos en los años 60

[104] *Die Presse,* 31 agosto 1976.

[105] *Wiener Zeitung,* 6 noviembre 1974.

[106] En 1975, se cambió esta política para permitir de nuevo la extensión de los créditos a corto plazo que abarcan los períodos de producción. Estos créditos se concedían, sin embargo, a los tipos comerciales y allí veían simplemente el problema de liquidez de las empresas austríacas sin mejorar su base de capital. Véase *Die Presse,* 12 febrero 1975, y *Die Wirtschaft,* 25 junio 1975.

y 70, con el propósito de mejorar la infraestructura de la economía [107]. Sus numerosos programas de inversión son muy complejos y completamente desconcertantes. Un estudio reciente, encargado a finales de los 70 por el gobierno federal, concluye: «lo que más falta hace a la política estructural selectiva de Austria es la claridad. En la medida en que todas esas actividades y programas están desprovistos de un desarrollo comprensivo y de un presupuesto estructural que abarque, al menos, un período legislativo, el peligro persiste en que sólo los enterados sabrán y serán capaces de hacer uso de los programas existentes» [108]. Esta descripción concuerda difícilmente con un estado socialista activo deseoso de reestructurar su economía. Sin embargo, capta la lógica del corporatismo social austríaco y la interminable secuencia de compromisos por la que se compensa a los diferentes grupos y sectores por los cambios en los mercados internacionales y nacionales.

Las restricciones del gobierno son evidentes en sus recientes avances hacia unos métodos más selectivos de intervención industrial. El establecimiento de dos pequeñas sociedades de Participación de Capital en 1977 estuvo diseñado para fortalecer la base de capital de empresas dinámicas pertenecientes a sectores con altos potenciales de crecimiento [109]. Aunque el establecimiento de tales corporaciones había sido debatido desde finales de los 60, su puesta en marcha se retrasó para mejor ocasión debido al choque entre la insistencia del gobierno en una sociedad centralizada y de fundación pública y la preferencia de la comunidad empresarial por múltiples instituciones privadas. La estructura de las dos pequeñas corporaciones establecidas en 1977 sigue en gran medida las recomendaciones de la comunidad empresarial [110]. Esas corporaciones no sólo no ofrecen al gobierno un instrumento útil para una política activa; es, de

---

[107] Nussbaumer, «Grenzen der Staatsverschuldung», p. 19; Gunther Tichy, «Theoretische und praktische Probleme der österreichischen Staatsverschuldung», *Quartalshefte* 1975, núm. 2: 28; y Vereinigung Österreichischer Industrieller, *Zur Wirtschaftspolitik,* 2d ed., (Viena: 1975), pp. 30-33.

[108] Hankel, *Prosperity amidst Crisis,* p. 76. Véase también Erich Haas y Hans Wehsely, «Die direkte Investitionesförderung in Österreich 1948 bis 1978», *Wirtschaft und Gesellschaft* 3, 3 (1977): 245.

[109] *Die Presse,* 14 diciembre 1976; *Wochenpresse,* 3 agosto 1977; *Arbeiterzeitung,* 29 septiembre 1976; *Salzburger Nachrischten,* 1 julio 1977; y Jörg Schram, «Die Förderung der langfristigen Unternehmensfinanzierung durch Haftungen: Die Realisiserung des EE-Fonds-Konzeptes», en Werner Clement y Karl Socher, eds., *Empirische Wirtschaftsforschung und monetäre Ökonomik: Fertschrift für Stephan Koren zum* 60. *Geburtstag* (Berlín: Duncker & Humblot, 1979), pp. 225-34.

[110] Helmut Dorn, «Zur Vorgeschichte der Kapitalbeteiligungsgesellschaften in Österreich», *Wirtschaftspolitische Blätter* 25, 3 (1978): 115-16; *Jahrbuch der österreichischen Wirtschaft* 1977/I, pp. 102-3.

hecho, bastante razonable interpretar su establecimiento como un intento del gobierno de aliviar los temores en la comunidad empresarial austríaca, extendidos a mediados de los 70, de que el impulso a través de grandes proyectos industriales, socavaría las nuevas iniciativas privadas en la economía de mercado austríaca. El compromiso que alcanzaron el SPÖ y el ÖVP en diciembre de 1981, concerniente a los espectaculares incrementos en los subsidios a la industria del acero, obligó al gobierno a aumentar tanto el número de esas fuentes de capital riesgo para las empresas privadas como la escala de sus operaciones, sin la intervención del estado. La ayuda del ÖVP a los subsidios para la industria nacionalizada del acero fue negociada en contra del apoyo del SPÖ a la ayuda adicional para las pequeñas y medianas empresas austríacas en nombre de una estrategia de crecimiento orientada a la inversión. La *Proporcionalidad* austríaca requería paquetes de ayuda de aproximadamente 125 millones de dólares para la porción «roja» del programa y otros tantos para la porción «negra» [111]. Tales acuerdos políticos, encaminados a satisfacer las demandas conflictivas, se ven facilitados por la estructura corporatista austríaca. Como señala el anterior secretario de estado: «tan admirado en el extranjero, el modelo austríaco está basado en... un paralelismo de planificación y mercado... La ideología de nuestra "planificación de la estructura" es débil y pragmática. Expresa escepticismo más que convicción. Austria es pequeña y, por tanto, fácilmente comprensible. Todo el mundo entiende muy bien las imperfecciones de la competencia de mercado y de la planificación estatal» [112].

En resumen, Suiza y Austria expresan los conflictos políticos en cuanto a las opciones económicas en el lenguaje de la comunidad social más que en el del conflicto de clases. Los términos del discurso político son resultado de los determinantes externos e internos de la política y las diferentes medidas. Ello no significa que los conflictos políticos hayan sido sustituidos por la búsqueda cooperativa del interés nacional. En ambos países, los actores políticos persiguen diferentes intereses y se adhieren a diferentes visiones de lo que constituye una buena sociedad. Pero a través de sus redes políticas, esas diferencias se enganchan juntas a un proceso interminable de ajustes políticos a pequeña escala. Aunque la forma institucional y el carácter del proceso político difieren en las variantes liberal y social del corporatismo, las consecuencias políticas de estas dos variantes de corporatismo democrático son, como he desarrollado en este

[111] *Die Presse,* 21 octubre y 11 diciembre 1981.

[112] Former State Secretary Veselsky citado en Fritz Klenner, *Die österreichischen Gewerkschaften: Vergangenheit und Gegenwartsprobleme* (Viena: Verlag des Österreichischen Gewerkschaftsbundes, 1979), 3: 2104.

capítulo, esencialmente las mismas: consiguen limitar el ejercicio unilateral del poder, reducir las desigualdades políticas entre los actores y, como mostrarán los dos próximos capítulos, organizar a estos actores para apoyar las estrategias políticas que compaginan la flexibilidad con el cambio económico.

5. LA POLITICA DE CAMBIO EN LA INDUSTRIA TEXTIL

Los capítulos 2 y 3 analizaban las políticas austríaca y suiza haciendo hincapié en las coaliciones sociales, las instituciones políticas y el proceso político que ha permitido a ambos países conseguir unos niveles extraordinariamente altos de éxito económico y legitimidad política en el mundo de posguerra. Más que enfatizar las diferencias entre el socialismo democrático austríaco y el capitalismo liberal suizo, el capítulo 4 insistía en sus similitudes bajo el encabezamiento más general de corporatismo democrático. Este capítulo y el siguiente combinarán las similitudes y diferencias, mostrando con mayor detalle, tanto a nivel sectorial como de empresa, cómo las variantes social y liberal del corporatismo han afrontado políticamente la crisis económica.

El pacto corporatista está abierto a diferentes tipos de opciones. Los despidos, por ejemplo, se aceptan más rápidamente en Suiza que en Austria. Pero la industria textil suiza ilustra también cómo el corporatismo fomenta la adopción de contramedidas que refuerzan el consenso. Por el contrario, a pesar de los instintos intervencionistas austríacos, en el textil como en el resto de la industria, los líderes políticos son completamente conscientes del hecho de que deben enfrentarse a la competencia de mercado. En ambos casos es notable la capacidad de los actores políticos para concebir sus propios intereses en unos términos amplios y no reducidos y para resistir a la tentación de sacrificar los intereses a largo plazo por consideraciones de corto plazo. Esta capacidad para comportarse estratégicamente, como señalé anteriormente, es un resultado del corporatismo democrático y a la vez uno de sus refuerzos políticos esenciales.

La predominancia política de empresarios o trabajadores infunde una amplia concepción del propio interés. Consciente de la importancia de la armonía social para un éxito global, la comunidad empresarial en Suiza no se opone de forma estricta a las concesiones a los sectores industriales o parte de los sectores fuertemente presionados. Por el contrario, el movimiento obrero en Austria está interesado sólo en reducir el cambio económico, no en oponerse a él. En cada caso, una amplia concepción del propio interés refuerza la estabilidad política y la flexibilidad económica del país. Con gran contraste, las comunidades empresariales débiles o los movimientos obreros débiles tienen una concepción estrecha del interés propio. Tienden de forma rígida a oponerse a sus oponentes nacionales y, enfrentados a las amenazas económicas sobre su existencia, defender políticas contrarias a la adaptación, tales como protecciones arancelarias o de los puestos de trabajo. Esta no es la respuesta característica en Suiza y Austria. Sus acuerdos corporatistas movilizan el consenso político, aunque bajo condiciones políticas drásticamente diferentes. La ideología corporatista de la participación social está sustentada en Suiza por la necesidad de apaciguar a la mano de obra en interés de la competitividad internacional; en Austria, mediante la debilidad de la comunidad empresarial frente a la competencia de los mercados mundiales. Las diferencias entre los intereses económicos y las ideologías políticas de los representantes sindicales y los hombres de negocios, así como en la centralización y politización de los acuerdos corporatistas austríacos y suizos, tienen importantes consecuencias para las diferentes partes de la sociedad. Pero la característica inclusionista del corporatismo en ambas variantes explica por qué el consenso se moviliza de forma satisfactoria.

En tiempos de crisis económica, el rasgo distintivo del corporatismo democrático —la reducción de las desigualdades políticas— se hace crucial para la habilidad del sistema político de reconfirmar su propia legitimidad. Las industrias están escindidas interiormente en formas complejas que hacen relativamente fácil para las asociaciones de élite de los negocios, aliarse con un segmento particular de la industria, un segmento que favorezca ampliamente los acuerdos y las medidas políticas existentes. Al mismo tiempo, la postura cooperativa del gobierno y los sindicatos sirve para mantener unidos a los segmentos de la industria disidente a las estructuras corporatistas. Como resultado, y a pesar de los trastornos económicos masivos, las alianzas políticas que pudieran amenazar a estas estructuras no aparecieron en Austria en los 70 y en Suiza nunca fueron más que un embrión. Así pues, el corporatismo actúa como amortiguador de las repercusiones de los trastornos económicos. Consigue recrear su legitimidad política por la manera en que modela las respuestas de los líderes políticos ante la adversidad económica.

En términos macroeconómicos, a Suiza y Austria les ha ido bien; todas las estadísticas disponibles atestiguan esta proposición. Sin embargo, esas estadísticas ocultan amplias variaciones en sectores industriales particulares y empresas concretas. Algunos sectores han contemplado un declive permanente a lo largo de las últimas dos décadas; los textiles y los relojes en Suiza y los textiles y el acero en Austria han experimentado todos ellos cambios económicos adversos de una gran magnitud. Estas cuatro industrias se aproximan a las condiciones bajo las que los grandes estados industriales han optado generalmente por el proteccionismo o por las políticas de transformación estructural. Hasta mediados de los 70, la industria suiza del reloj y la del acero en Austria disfrutaron de posiciones internacionales de fuerza atípicas en las industrias de los estados pequeños. Los relojes suizos dominaban los mercados mundiales en términos de ventas, el acero austríaco en términos de innovación tecnológica. Las dos industrias fueron centrales también para las políticas nacionales. En ambos países, por el contrario, la industria textil ocupa una posición débil en los mercados internacionales. La dura competición exterior y la pérdida de terreno en el mercado interno y en el número de puestos de trabajo han socavado la posición de esta industria en la política doméstica. A pesar de estas diferencias, los líderes políticos y económicos en ambos países han logrado desviar los desafíos potenciales al diseño global de su vida política ayudando a aquellas que se producen en industrias afectadas de forma adversa en su ajuste al cambio. Como escribe Gerhard Lehmbruch, «en términos generales, la política industrial y, en particular, la reestructuración de las industrias con problemas parece ser un campo en el que los acuerdos corporatistas en la empresa a niveles medio y micro son cada vez de mayor importancia» [1]. A través de sus políticas de ajuste, los austríacos y los suizos han mantenido sus acuerdos políticos corporatistas; y han logrado, mediante una respuesta flexible a las presiones exteriores, convivir con el cambio, antes que intentar frenarlo.

Cuatro casos ilustran cómo el corporatismo consigue movilizar el consenso. Y lo logran mostrando cómo Suiza y Austria aceptan los resultados dictados por las fuerzas del mercado. Suiza reconoce el poder del mercado libremente, tanto en los textiles como en la relojería. En los años 70, cientos de empresas y decenas de miles de puestos de trabajo fueron eliminados en ambos sectores sin demasiado debate público y sin protestas políticas. Pero en el caso de las grandes empresas, de nuevo sin debate y sin protesta, los suizos encontraron un modo de organizar un programa de ayuda enormemente complejo, amplio y caro sobre la base de la ini-

---

[1] Gerhard Lehmbruch. «Introduction», en Gerhard Lehmbruch y Philippe C. Schmitter, eds., *Pattern of Corporatism Policy-Making* (Beverly Hills, California: Sage, 1982), p. 27.

ciativa privada. La aceptación de las consecuencias del mercado tiene, pues, sus límites, incluso en Suiza. En Austria, por el contrario, la aversión a aceptar las consecuencias del mercado provocó una amplia intervención gubernamental en los textiles entre 1975 y 1978. Pero la disposición del gobierno a absorber los cortes del cambio tiene sus límites impuestos por los constreñimientos de la política austríaca, por los costes ascendentes de los subsidios en una era de contracción de los recursos, y por el evidente fracaso del gobierno en asegurar un nivel adecuado y estable de empleo. Al final, se aceptó el colapso de la industria textil en el este de Austria sin grandes repersusiones públicas. La crisis de la industria del acero en Austria, que se ha intensificado a principios de los 80, revela también una mezcla similar de falta de voluntad para aceptar simplemente los dictados del mercado y la capacidad para fomentar la competitividad mediante la racionalización y la diversificación. Hasta ciertos límites, las exigencias del mercado se aceptan incluso en Austria. Así, a pesar de sus diferentes puntos de partida o inclinaciones políticas, Suiza y Austria convergen en sus respuestas a los requerimientos del mercado. En tiempos de crisis, Suiza se ve forzada a la intervención en el mercado, Austria hacia la aceptación del mismo.

Esta convergencia también se observa en las respuestas políticas que *no* eligen estos países. Dado que el gobierno suizo carece de la mayoría de los instrumentos considerados normalmente indispensables para una política industrial, no es sorprendente que no se haya desarrollado una política de transformación sectorial. Pero podría esperarse una adecuada política gubernamental que intentará exportar, al menos, algunos de los costes del cambio sufrido por los productos a otros países, particularmente a aquellos del lejano Este que presionan duramente a las empresas suizas. Pero a pesar de las insistentes demandas políticas por parte de las empresas del sector textil y de los relojes, no se han debatido seriamente tales políticas y mucho menos se han intentado. Austria, por el contrario, con una economía menos internacionalizada y una tradición más limitada y menor compromiso con el principio del libre comercio, ha recurrido en ocasiones a formas modificadas de protección, trasladando algunos costes del cambio a los productores extranjeros de textiles y acero. Incluso podía haberse esperado que el gobierno, que controla todos los instrumentos para un política industrial y enormes recursos en el área de la política económica, explotará la crisis que acompaña al fracaso económico con el fin de desarrollar políticas a largo plazo de transformación sectorial. Pero hasta la fecha no se han buscado o desarrollado tales políticas comprensivas. El Estado suizo huye del proteccionismo porque carece de poder sobre sus socios comerciales en el exterior. El Estado austríaco no reestructura su industria en general porque carece de poder sobre la sociedad. En cambio, ambos países buscan políticas industriales flexibles que emanan de sus estructuras corporatistas nacionales.

El sector textil ilustra los problemas de las industrias de bienes de consumo de la Primera Revolución Industrial, experimentando bajas tasas de crecimiento económico y una seria competencia en la importación [2]. Sus numerosas pequeñas y medianas empresas son todavía, generalmente, de propiedad y funcionamiento familiar. Los productores suizos y austríacos con éxito ocupan nichos rentables en el mercado con productos especializados. No disfrutan posiciones de poder en el mercado teniendo en cuenta la invulnerabilidad relativa de la empresa tanto ante sus fuentes de abastecimiento como a sus salidas en el mercado [3]. Dado que la mano de obra tiende a ser extranjera y femenina, la posición de los sindicatos es generalmente débil. Y aunque a menudo tienen grandes necesidades de créditos, las pequeñas y medianas empresas poseen sólo un acceso muy limitado a las fuentes externas de financiación. Con una descripción como ésta, el sector no se halla organizado fácilmente en asociaciones centralizadas de negocios o comerciales; y difícilmente puede ser controlado por los burócratas del gobierno.

CUADRO 3. *El sector textil en Suiza y Austria*

	Suiza		*Austria* *	
	Tejidos	*Confección*	*Tejidos*	*Confección*
Empleo	(miles)			
1970	60[a]	48[b]	66[c]	36[d]
1980	36[e]	28[b]	45[f]	33[d]
Empresas	(número)			
1970	727[a]	1.019[b]	714[g]	550[d]
1980	501[e]	631[b]	565[f]	510[d]
Tamaño medio de las empresas	(% de trabajadores del sector)[h]			
Menos de 19	5	9	4	4
20-99	31	49	20	38
100-499	33	35	49	51
Más de 500	11	7	27	7

[2] Organización para la Cooperación y el Desarrollo Económico (OCDE). *Structural Problems of the Textile and Clothing Industry* (París, 1977). Constituye un sucinto y útil informe de los problemas del sector y de las políticas de los Estados industriales en los años 70.

[3] David B. Yoffie, «Adjustment in the Footwear Industry: The Consequences of Orderly Marketing Agreements», en John Zysman y Laura Tyson, eds., *American Industry in International Competition: Government Policies and Corporate Strategies* (Ithaca: Cornell University Press, 1983), pp. 328-32.

CUADRO 3. *El sector textil en Suiza y Austria (continuación)*

	Suiza		Austria *	
	Tejidos	*Confección*	*Tejidos*	*Confección*
Gastos en investigación y desarrollo	(% de I + D total)			
1969	2,3[i]		1,0[j]	
1975	1,7[i]		2,0[j]	
Intensidad de exportación	(% de producción total) **			
1970	47[i]	24[b]	41[j]	21[j]
1980	64[i]	32[l]	70[f]	43[d]
Penetración de importaciones	(% de producción total) **			
1970	54[i]	78[b]	44[j]	17[j]
1980	70[i]	120[l]	80[f]	45[k]

Fuentes:

[a] *Textilindustrie 1975* (Zurich: Schweizerische Textilkammer, 1976), p. 48.

[b] Gesamtverband der Schweizerischen Bekleidungsindustrie, «Die Bekleidungsindustrie im Überblick: Eine permanente Dokumentation» (Zurich, mayo de 1982), p. 13. Los datos son para 1971.

[c] Hans Wehsely, «Industriepolitik in den siebziger Jahren: Rückblick und Ausblick» *Österreichische Zeitschrift für Politikwissenschaft* 1981/1; p. 30. Los datos son para 1969.

[d] *Die österreichische Bekleidungsindustrie: Weissbuch 1980* (Viena: Fachverband der Bekleidungsindustrie Österreichs, 1980), pp. 12, 17, 27. Los datos de exportación son para 1979.

[e] *Textilindustrie 1980* (Zurich: Schweizerische Textilkammer, 1981), p. 45.

[f] *Die österreichische Textilindustrie im Jahre 1980* (Viena: Fachverband der Textilindustrie Österreichs, junio 1981), pp. 2, 31. Apéndice, Tabla 8.

[g] *Chemiefasern Textilindustrie* núm. 5 (mayo 1981), p. 364. Los datos son para 1971.

[h] Las cifras suizas son de *Statistisches Jahrbuch der Schweiz 1981* (Berna, 1981), pp. 160-61; las cifras austríacas son de *Statistisches Handbuch für die Republick Österreich 1981* (Viena, 1981), p. 314.

[i] Silvio Borner *et al.*, «Structural Analisys of Swiss Industry 1968-1978: Redeployment of Industry and the International Division of Labour» (Basle: Industrial Consulting and Management Engineering Co., 1978), pp. 52-53, 71. Las cifras están basadas en valores absolutos y son para los años 1970 y 1977.

[j] Beirat für Wirtschafts- und Sozialfragen. *Vorschläge zur Industriepolitik II* (Viena: Üeberreuter, 1978), pp. 95, 103.

[k] *Jahrbuch der österreichischen Wirtschaft* 1979/2 (Viena: Bundeskammer des gewerblichen Wirtschaft, 1980), p. 106.

[l] Gesamtverband der Schweizerischen Bekleidungsindustrie, cartas al autor, junio 1982.

* La existencia de un gran número de empresas muy pequeñas (Gewerbe) que no están cubiertas por un censo industrial separado impide una comparación estricta de los datos, pero no invalida las tendencias más generales aquí apuntadas.

** Dado que los datos suizos están basados en valores brutos, los datos pueden no ser estrictamente comparables.

La descentralización del sector textil y la vulnerabilidad de muchas de sus empresas le empuja a buscar ajustes industriales que exportarían los costes del cambio a través de la intervención directa entre los mercados domésticos e internacionales. La industria busca generalmente protección contra la competencia exterior a través de una variedad de formas que incluyen medidas *ad hoc,* tales como restricciones voluntarias a la exportación y barreras arancelarias invisibles y medidas más sistemáticas, tales como el Acuerdo Multi-Fibras, el cual coordina, a nivel internacional, las políticas de los países de la OCDE y de los productores a bajo coste del tercer mundo [4].

El cuadro 3 presenta algunos de los datos estadísticos que caracterizaron la industria textil en Suiza y Austria durante los años 70. En términos de empleo, la industria textil austríaca era ligeramente mayor y se contrajo menos drásticamente, sobre todo en el sector del vestido, que soportaba fuertes presiones. La reducción del número total de empresas ofrece la evidencia de la mayor descentralización de la industria textil suiza (reflejados en los datos sobre el tamaño medio de las empresas). El rápido desarrollo de la industria textil austríaca durante los 70, la dejó más expuesta a los mercados mundiales de lo que lo estaba la industria textil suiza. Finalmente, la parte relativa del presupuesto total para investigación y desarrollo destinado a los textiles, aunque es reducido en ambos países, se incrementó drásticamente en Austria y descendió en Suiza. Estos datos estadísticos proveen de unos útiles puntos de referencia para las historias concretas de las dos industrias textiles.

Considerando los trastornos económicos que han sufrido estas dos industrias en las dos últimas décadas, podría esperarse que éstas hubieran respondido a la creciente competencia internacional tratando de transformar la propia naturaleza de sus respectivos pactos sociales —para cambiar, en definitiva, la forma en que se dirige la vida política. Y esto no es lo que ha ocurrido, según mis argumentaciones. La movilización nacional del consenso en Suiza y Austria alrededor de la tarea de afrontar el cambio económico consiguió que se incluyera a las industrias textiles. Los textiles ofrecen, así, un excelente caso para examinar cómo se ve ayudado o perjudicado el cambio en los factores económicos de producción por la naturaleza de la política. Ilustrar, en suma, cómo el corporatismo afronta el cambio.

---

[4] Vinod Kumar Aggarwal, «Hanging by a Thread: International Regime Change in the Textile-Apparel System, 1950-1979» (Ph. D. diss., Universidad de Stanford, 1981).

Los textiles suizos

A pesar de un declive a largo plazo de la importancia relativa del empleo y las exportaciones, los textiles y la confección alcanzaron juntos el puesto número cuatro entre las mayores industrias suizas a finales de los 70 [5]. En los años de posguerra la industria del vestido se expandió con un ritmo mucho mayor que los textiles y el empleo en esas dos industrias crecio ligeramente de 104.000 en 1950 a 115.000 en 1971 [6]. Como en el resto de la economía suiza, la disponibilidad de mano de obra extranjera y barata en la posguerra fue esencial para la expansión económica. Los trabajadores extranjeros ocupaban el 12 por 100 de los puestos de trabajo en la industria textil en 1950, el 36 por 100 en 1960 y el 50 por 100 en los años 70 [7].

La inversión por parte de productores extranjeros fue también notable en la expansión económica de la industria en los años 60. En 1968, la inversión extranjera directa alcanzó los 162 millones de dólares, alrededor de una quinta parte de la inversión extranjera directa en Suiza. A finales de los 60 las empresas extranjeras empleaban entre el 10 y el 20 por 100 de la mano de obra total en la industria textil [8]. Sólo la industria del petróleo de capital intensivo experimentó una penetración mayor por parte del capital extranjero. En los años 50, 60 y 70, la orientación interna-

---

[5] Alfred Bosshardt, Alfred Nydegger, y Heinz Allenspach, *Die schweizresiche Textilindustrie im internationalen Konkurrenzkampf* (Zurich: Polygraphischer Verlag, 1979); Lukas A. Geiges, «Strukturwandlungen in der schweizerischen Textilindustrie: Eine historische und statistische Studie» (Ph. D. diss., Universidad de Zurich, 1964); Hans Rudin, «Stand und Probleme der schweizerischen Wirtschaft: XXI. Die schweizerische Textilindustrie», *Wirtschaftspolitische Mitteilungen* 23 (diciembre 1967), y Walter Bodmer, *Die Entwicklung der Schweizerischen Textilwirtschaft im Rahmen der übrigen Industrien und Wirtschaftszweige* (Zurich: Berichthaus, 1960).

[6] Alfred Bosshardt y Alfred Nydegger, «Stand und Probleme der schweizerischen Wirtschaft: IX, Die schweizerische Textil- und Bekleidungs-industrie», *Wirtschaftspolitische Mitteilungen* 15 (octubre 1959): 4, 7; Kurt H. Fischer, «Koncentration und Kooperation in der schweizerischen Textil-wirtschaft» (Ph. D. diss., Universidad de Zurich ¿Winterthur: Schellenbergñ, 1969), y *Neue Zürcher Zeitung*, 17 junio 1981.

[7] La media para la industria de confección en los años 70 es de un 60 por 100. Véase Gesamtverband der Schweizerischen Bekleidungsindustrie (GSBI), «Die Bekleidungsindustrie im Überblick: Eine permanete Dokumentation», (Zurich: mayo 1982), p. 16, y *Neue Zürcher Zeitung,* 18 junio 1981.

[8] Hans-Joachim Meyer-Marsilius, «Auswirkungen der Kooperations- und Konzentrationsbestrebungen der schweizerischen Textil- und Bekleidungsindustrien in der Praxis», *Deutschland-Schweiz* 19, 8 (1970): 453; *Neue Zürcher Zeitung*, 19 octubre 1968; *Wirtschaftsförderung*, Abenddienst, 30 noviembre 1971, pp. B1, 652, y *Finanz und Wirtschaft*, 4 diciembre 1971.

cional de la industria se vio reflejada también en la proporción creciente de productos vendidos en los mercados mundiales. Las exportaciones de textil, menos del 40 por 100 de la producción en 1959, crecieron hasta aproximadamente un 60 por 100 en 1979; los vestidos, del 10 por 100 a alrededor de un 30 por 100 [9].

Pero Suiza, como los demás países, contempló una acelaración de los problemas en los años 70. El empleo en el textil cayó bruscamente: la reducción del 45 por 100 entre 1971 y 1981 queda muy por encima de la tasa media de descenso en otras industrias suizas [10]. Sólo en 1974-76, entre el 15 y el 20 por 100 de los trabajadores perdieron su empleo; alrededor del 15 por 100 de la mano de obra restante continuó con menos horas [11]. El número de empresas también descendió rápidamente, siendo una de las razones el descenso de la demanda extranjera de productos suizos cuando el franco suizo se revalorizó drásticamente [12]. Otra de las razones fue la creciente penetración de los mercados suizos por importaciones, especialmente de ropa a bajo coste. Entre 1967 y 1977, el balance comercial negativo de la industria del vestido se cuadruplicó y en 1980 era de 1,02 billones de dólares. Entre 1971 y 1978, las importaciones desde Asia triplicaban su proporción en el total de las importaciones textiles, del 6 al 19 por 100 [13].

Estas evoluciones adversas de las condiciones del mercado se vieron reforzadas por la política. La industria ha sufrido considerablemente al fracasar en el cambio de la mano de obra suiza y en el de las políticas de los tipos de cambio. Dado que aproximadamente la mitad de su mano de obra total y casi todos los trabajadores descualificados son de origen extranjero, la industria se benefició enormemente del influjo ilimitado de mano de obra extranjera en los años 50 y 60 [14]. Las fuertes restricciones que impuso el gobierno federal en los años 70 sobre cualquier nueva en-

---

[9] Bosshardt y Nydegger, «Schweizerische Textil- und Bekleidungsindustrie», p. 14; Entrevistas, Zurich, junio 1981. Es interesante señalar que en el caso del textil, Suiza comienza ahora a acercarse al nivel de participación internacional que tenían sus operaciones antes de la primera guerra mundial.

[10] GSBI, «Bekleidungsindustrie im Überblick», p 13; Ulrich Albers, «Textilindustrie behauptet sich im internationalen Konkurrenzkampf», *Schweizerische Kreditanstalt Bulletin* 86 (diciembre 1980), p. 16.

[11] Industrieverband Textil, Verband der Arbeitgeber der Textilindustrie und Verein Schweizerischer Textilindustrieller, eds., *Textilindustrie 1980* (Zurich: abril, 1981), p. 45; 1976 (Zurich: abril 1977), p. 41, y 1975 (Zurich: abril 1976), p. 10.

[12] *Neue Zürcher Zeitung,* 17 junio 1981, p. 23; GSBI, «Bekleidungsindustrie im Überblick», p. 13.

[13] GSBI, «Bekleidungsindustrie im Überblick», p. 10.

[14] Véase, por ejemplo, *St. Galler Tagblatt*, 5 mayo 1973, y *Tages-Anzeiger*, 4 junio 1977.

trada de trabajadores extranjeros creó una aguda falta de mano de obra en la industria, especialmente en tiempos de fuerte demanda del mercado (como en 1977, por ejemplo, cuando aumentó el empleo en un 8 por 100). A lo largo de los años 70, la llamada de la industria por un enfoque gubernamental más flexible a la cuestión de los permisos a los trabajadores extranjeros no obtuvo respuesta. Esta impotencia política reforzó la racionalización de la industria, la cual aceleraría los descensos tanto en el empleo como, indirectamente, en la fuerza electoral.

Es igualmente importante señalar que la industria textil suiza protestó ruidosamente, pero sin resultado, contra el implacable movimiento ascendente de la moneda suiza en los años 70 [15]. Para una industria que depende de las exportaciones para su supervivencia, la increíble revalorización del franco en 1978 originó una crisis que superó la gran caída de 1975 y que fue comparable a la experiencia de los años 30. La industria textil luchó duramente por desviarse ampliamente de la postura liberal suiza en la economía internacional, pero su llamamiento por unas regulaciones monetarias estrictas o restricciones en los movimientos de capital cayeron en oídos sordos. Estas medidas temporales, que el Banco Nacional suizo adoptó en respuesta a las demandas de los sectores de exportación —tales como la imposición de tipos de interés negativos y restricciones temporales en las inversiones exteriores en extranjeras en Suiza—, fueron inefectivas. Otros sectores industriales pudieron oponerse a los serios costes de una política de moneda fuerte con más facilidad debido a sus grandes instalaciones productivas localizadas en el exterior. Pero desde 1945 la industria suiza del textil y el vestido se había desviado un poco de su estrategia tradicional elaborando productos de alta calidad en el país con tecnologías avanzadas. La industria se enfrentó, de esta forma, a un reto verdaderamente serio.

Los fracasos políticos y las dificultades económicas de los 70, así como el anuncio de la venida de tiempos peores, impulsaron a la consecución de esfuerzos concertados para solucionar la fragmentación institucional de la industria y, como se esperaba, su impotencia política. El conglomerado Bührle hizo un llamamiento por la formación de una asociación de élite ya en 1967 [16]. El número de asociaciones comerciales disminuyó de 54 a finales de los 50, hasta 48 a finales de los 60 y 35 a mediados de los 70 [17]. Las crecientes presiones derivadas del acuerdo suizo de libre co-

---

[15] *Schweizerische Handels-Zeitung*, 1 noviembre 1979; *Neue Zürcher Zeitung*, 18 octubre 1973, y *Finanz und Wirtschaft*, 10 diciembre 1975.

[16] *Zürcher Woche*, 24-25 enero 1970, y *Textil-Revue*, 23 noviembre 1967.

[17] Ernst Nef, «Das Verbandswesen in der Textilindustrie», *Mitteilungen über Textilindustrie* 2 (febrero 1969); *Textil-Revue*, 18 octubre 1975; *Textil-Revue*, 23 diciembre 1968;

mercio con la Comunidad Europea en los años 70, se anticiparon en una ola de fusiones organizativas a finales de los 60; en 1972 dieron lugar a la formación de la primera asociación de élite en la industria, la Cámara del Textil Suiza (Schweizerische Textilkammer), la cual organiza a las empresas implicadas en todas las etapas de la producción. Sin embargo, es una organización relativamente débil, diseñada únicamente para reforzar la consulta y la cooperación informales que caracterizaron a la industria de los años 50 y 60 [18]. De hecho, la Cámara del Textil se ocupa de cuestiones de política económica delegando en gran parte las diferentes tareas a diferentes organizaciones miembros; por ejemplo, deja las cuestiones de negociación colectiva a dos diferentes asociaciones de empresarios [19]. Su principal objetivo es coordinar los intereses divergentes en la industria y constituirse en su representante en la política lo mejor que pueda. Sin embargo, carece de una estructura centralizada y de un mandato claro; por ello, su confianza en el principio de la unanimidad a la hora de alcanzar las decisiones es un síntoma de los serios límites que acompañaron a su actuación en los años 70 [20].

Dado este modelo de fragmentación en la representación de intereses intrasectorial, esperaríamos ver el intento de la industria de capitalización en la fuerza política de la asociación empresarial de élite suiza, el *Vorort*. Pero el *Vorort* representa los intereses financieros e industriales que se oponen fuertemente a cualquier interferencia continuada con los principios del mercado y a cualquier intento prolongado de reducir la paz en el cambio económico. Así pues, en su demanda de ralentización de la revalorización del franco mediante la intervención administrativa en los mercados de cambio exterior, la industria textil se enfrentó a la abrumadora oposición de los principales bancos suizos y las gigantes sociedades multinacionales. Mientras los bancos veían amenazados sus intereses económicos más directamente que las multinacionales, ambos se opusieron a un cambio en la política porque estaban comprometidos con los preceptos económicos políticos y filosóficos del liberalismo económico. Además,

---

Basler Nachrichten, 5 noviembre 1970, y *Neue Zürcher Zeitung*, 3 noviembre 1971, y 16 febrero 1977. Véase también Arnold Kappler, «Die Möglichkeiten Kollektiver Exportpublizität der schweizerischen Textilindustrie, dargestellt am Beispiel der "Exportwerbung für Schweizer Textilien"» (Ph D. diss., Universidad de St. Gallen ¿Winterthur: Schellenbergñ, 1973); Justus R. A. Hoby, «Der schweizerische Baumwollwaren-Export» (Ph. D. diss., Universidad de Zurich, 1957), y Franz Adolf Tschan, «Die Aufgaben der Wirtschaftsverbände in der Schweizerischen Textilwirtschaft» (Ph D. diss., Universidad de Berna, 1960).

[18] *Neue Zürcher Zeitung*, 25 septiembre 1961, y *Textil-Revue*, 9 febrero 1970.

[19] *Neue Zürcher Zeitung,* 28 marzo 1972; *Textil-Revue*, 20 marzo 1972, y Kappler, «Moglichkeiten Kollektiver Exportpublizitat», pp. 31-32.

[20] *Textilindustrie 1975*, p. 22, y *Textilindustrie 1979*, pp. 35-43.

en la cuestión del incremento del número de trabajadores extranjeros en algunos años «buenos» tras las profundas recesiones de 1974-75 y 1978-79, la industria textil hizo frente a la oposición implacable del gobierno federal respaldado por un fuerte movimiento de base, el cual había conseguido hacia 1970 definir la meta de la política de la mano de obra suiza como una reducción a largo plazo en el número de residentes extranjeros.

La debilidad política de la industria se ve reforzada por el regionalismo suizo. Sólo en seis de los veintiséis cantones contaba la industria con más de una quinta parte de la fuerza de trabajo en los años 70. Además, los conflictos internos en la industria siguen siendo preocupantes. Particularmente prominentes son los conflictos entre empresas situadas en el Canton oriental de St. Gallen, el cual se especializa en productos de un alto valor añadido para los mercados internacionales y las empresas situadas en el cantón de Zurich, orientadas más hacia los mercados nacionales. A finales de los 70, no era infrecuente en los diferentes segmentos de la industria el mantener sus desacuerdos dentro del *Vorort* en cuestiones importantes de comercio exterior y ayuda gubernamental, a pesar de la negociación intensiva e informal y los esfuerzos concertados de la Cámara del Textil por forjar una plataforma unida. Dado que la Cámara del Textil no posee ni voz ni voto en el *Vorort,* se ve seriamente limitada en cualquier esfuerzo que haga por representar los intereses de la industria de forma más eficaz dentro de la comunidad empresarial en general.

El hecho de que la industria textil raramente se exprese a través de una única voz en las deliberaciones del *Vorort,* disminuye todavía más ya escasas probabilidades de la industria para construir una coalición con otras industrias, tales como relojes, que podía haber defendido diferentes políticas. De hecho, en algunas opciones políticas importantes la industria textil se vio vencida no por los bancos y las multinacionales, sino por los intereses de las industrias con ellos relacionadas. Por ejemplo, los productores textiles sugirieron en ocasiones que podrían obtener mayores beneficios de la industria textil y de maquinaria si se redujera el ritmo de la difusión tecnológica internacional. Dado que Suiza cuenta con más de la quinta parte del comercio total de la OCDE en cuanto a maquinaria textil y puesto que la industria suiza está vendiendo de forma creciente sus licencias por todo el mundo, el interés del sector textil en monopolizar el conocimiento tecnológico es comprensible. Pero tales intentos se encontraron con la dura oposición de los productores de maquinaria textil, los cuales son altamente competitivos en los mercados mundiales y no tienen interés por subvencionar indirectamente las decayentes fortunas de los productores textiles suizos sacrificando oportunidades de ventas y beneficios en el exterior. En sus objeciones, los productores de maquinaria textil pudieron contar con el apoyo de casi todas las ramas competitivas de la industria suiza [21]. De esta forma, careciendo del poder para transformar las medidas centrales de la estrategia suiza en la economía internacional, la industria textil no tuvo más oportunidad que la de apoyarse en su propia iniciativa para seguir siendo competitiva en los mercados internacionales.

Enfrentada a los cambios desfavorables y las derrotas políticas de los años 70, la industria textil suiza redobló su ofensiva exportadora en los mercados mundiales, con el coste de unos beneficios descendentes y un ritmo de inversión sostenidamente alto. Con la esperanza de asegurar su viabilidad a largo plazo, las empresas eligieron una combinación de declive cuantitativo y crecimiento cualitativo, complementando la tradicional estrategia industrial de exportación con un nuevo énfasis en la producción extranjera, tan común en otros sectores de la industria suiza [22]. Esta orientación de la exportación requiere altas inversiones. Incluso en medio de la profunda recesión de 1974-75, las inversiones industriales en el país fueron aproximadamente seis veces mayores que la media anual que recomendaba un grupo de expertos europeos para mantener una industria textil moderna y competitiva en los años 80 [23]. Además, los esfuerzos de la industria por seguir siendo competitiva podría, a pesar de las diferencias políticas, recurrir a sus vínculos tradicionales con la industria de maquinaria textil una fuente de gran fuerza. A expensas de su propia investigación y desarrollo, la industria de maquinaria textil siguió adquiriendo patentes y licencias de la industria de maquinaria textil, así como de la industria química.

Los esfuerzos concertados de la industria por modernizar y racionalizar sus estructuras de producción y mantener así su competitividad en los mercados internacionales, son evidentes incluso en las estadísticas pesimistas de los 70. En 1974-75, por ejemplo, las exportaciones de productos textiles y de confección cayeron sólo en un 5 por 100, comparado con una media del 8 por 100 para los productos manufacturados suizos en conjunto y más del 20 por 100 para lo relojes [24]. Aunque incapaz de com-

---

[21] VATI, «Volkswirtschafliche Bedeutung und Struktur der schweizerischen Textilindustrie» (Zurich: n. d.), p. 4; *Textilindustrie 1979*, pp. 19-34.

[22] Silvio Borner, «Ist der Standort Schweiz für einen Industriebetrieb, insbesondere für die Textilindustrie, noch richtig? *Mitteilungen über Textilindustrie: Mittex* 10 (octubre 1979): 373-78; *Neue Zürcher Zeitung*, 19 octubre 1973, y Hans Rudin, «Die Konzentration in der Textilindustrie», *Neue Zürcher Zeitung*, 13 abril 1970.

[23] *Textilindustrie 1976*, p 23.

[24] *Krise, Zufall oder Folge des Kapitalismus? Die Schweiz und die aktuelle Wirtschaftskrise. Eine Einführung aus marxistischer Sicht* (Zurich: Limmat, 1976), p. 53.

pensar el creciente vacío comercial de confección suiza, el comercio textil todavía se duplicó en los años 70 [25]. Además, el valor medio de las exportaciones suizas de tejidos superó el valor medio de las importaciones textiles en un 50 por 100 [26]. En los mercados en expansión para los tejidos de alta calidad, la industria suiza sigue siendo altamente competitiva.

Por esta razón, la política comercial suiza en los textiles ha sido liberal durante los años 70. Aunque los aranceles suizos sobre los productos textiles se encuentran entre los más bajos del mundo, la cuestión de las importaciones baratas provenientes de los países menos desarrollados, a diferencia de lo que ocurre en Austria y otros estados industriales avanzados, no fue una preocupación importante de la industria. Bajo las disposiciones del Acuerdo Multi-Fibras, Suiza no negoció restricciones voluntarias a la exportación ni impuso restricciones de ningún tipo. En contraste con las Comunidades Europeas, Suiza estaba dispuesta a extender el Acuerdo Multi-Fibras en 1977 sin imponer nuevas restricciones a la exportación textil de los países menos desarrollados. A diferencia de Austria, no participó nunca en el acuerdo a largo plazo sobre los tejidos de Algodón (LTA), diseñado para limitar el crecimiento de las exportaciones textiles provenientes de los países menos desarrollados. La amplia penetración en los mercados suizos por parte de productos extranjeros refleja esa política de importación fuertemente liberal. En realidad, el grado en que han penetrado en los mercados suizos los textiles producidos en los países menos desarrollados es bastante mayor que en Austria o en la Comunidad Europea.

Las derrotas industriales, en los 70, de la mano de obra nacional y las políticas de divisas repiten simplemente, en un marco más amplio, su falta de éxito a la hora de influir en la política nacional durante la década anterior. Realmente, la fuerza política de la industria se ha visto profundamente debilitada por su orientación exportadora, la cual limita fuertemente sus propias demandas de protección. Y esto se produce por la simple razón de que se reexporta una proporción mucho mayor de las importaciones de textiles de lo que se consume en Suiza. Conscientes de los serios límites que plantean las demandas proteccionistas, aquellos segmentos de la industria de confección especialmente lesionados por las importaciones extranjeras, tales como la industria de calcetines, defienden cada vez más las campañas de «Compre suizo» como un remedio parcial a las presiones del mercado que ejercen los productores extranjeros. La primera razón por la que algunos segmentos de la industria demandan

---

[25] Albers, «Textilindustrie», p. 16.
[26] *Neue Zürcher Zeitung*, 19 octubre 1973.

una protección selectiva ante la importación es para utilizarlo como una palanca en las negociaciones políticas con el fin de abrir nuevos mercados extranjeros para las exportaciones suizas. En su limitación, el proteccionismo es presentado por la industria como una herramienta adicional para la promoción de la exportación [27]. Comparadas con las de la industria textil austríaca, estas aspiraciones y logros proteccionistas son realmente modestos. Reflejan el clima político de un país donde el liberalismo se halla tan profundamente arraigado que los contratos del gobierno destinados a apoyar la industria de la confección suiza se extendieron en 1979, al menos en un caso, a un productor austríaco que se quejaba de una discriminación injusta [28].

En un esfuerzo por compensar a la industria de sus fracasos políticos en las cuestiones centrales de la mano de obra y del tipo de cambio de divisas y para cimentar lazos entre el gobierno y la industria en áreas donde existía un acuerdo ambivalente —una política comercial liberal—, el gobierno extendió las formas limitadas y temporales de ayuda económica en tiempos de gran crisis durante los años 70. Como parte de un «programa para el Alivio de las Dificultades Económicas» especial (*Botschaft Über Massnahmen zur Milderung Wirtsehaftlicher Schwierigkeiten*), el ejército suizo realizó un considerable pedido de 18 millones de dólares en 1979, el cual benefició a gran parte de las empresas más débiles en la industria de la confección. En un estallido de fervor patriótico y preocupados por la salud de los soldados suizos durante las frías noches de invierno, los fabricantes de prendas de vestir repartieron camisetas tan largas, como se quejaron algunos, que llegaban a la rodilla. A finales de los años 50, la política de compras del ejército en cuanto a productos textiles y prendas de vestir era decididamente procíclica; esta decisión, fijada para contrarrestar el ciclo económico, representaba, así, cierta ayuda para las empresas con problemas [29]. Una política de compras anticíclica difícilmente parecería una victoria política de proporciones significativas en la vecina Austria, pero en la economía política suiza representó un logro modesto para la industria textil [30].

En general, sin embargo, los esfuerzos del gobierno por subvencionar la industria, bien directa o indirectamente, han sido limitados. Incluso en

[27] *Textilindustrie 1977*, pp. 41-43.

[28] *Textil-Revue*, 19 febrero 1979, pp. 231-32.

[29] *Textil-Revue*, 13 agosto 1979, y *St. Galler Tagblatt*, 6 marzo 1959.

[30] Las empresas de los sectores del textil y la confección también tenían derecho a los subsidios de 600.000 dólares que llegaron con la inversión de 6 millones de dólares de beneficios bloqueados bajo las provisiones del programa de estabilización del empleo en años anteriores. «Arbeitsbeschaffungsreserven der privaten Wirtschaft: Die Arbeitsbeschaffungsaktion 1975/76 im Rüblick», *Mitteilungsblatt für Konjunkturfragen* 37, 1 (1981): 2-5.

los peores tiempos, la industria ha alabado siempre el principio de la autoayuda. Uno de los diarios comerciales favoritos en la industria, reconociendo la utilidad de las ayudas temporales a la exportación, argumentaba que tales medidas no podrían justificarse para largos períodos de tiempo [31]. Y mientras el presidente de la asociación de élite de la industria de la confección daba la bienvenida a un subsidio gubernamental para la promoción privada de la industria, insistía al mismo tiempo en que el «Estado no debería tener la capacidad para influir en la vida económica o para cambiar las estructuras industriales y reemplazar así las decisiones de la empresa» [32].

Habría que señalar que la industria recibió una asistencia sustancial en su campaña de exportación de los años 70; pero es típico de la economía política suiza que la ayuda no viniera del gobierno [33]. A mediados y finales de los 70, los productores textiles recibieron una serie de facilidades crediticias del Banco Nacional Suizo, así como de los grandes bancos privados. Tales créditos preferenciales estaban destinados a fomentar su posición competitiva en los mercados mundiales [34]. En la primavera de 1975, la Asociación de Bancos Suizos y el Banco Nacional Suizo firmaron un acuerdo que concedía créditos a la exportación a corto plazo con tipos preferenciales para las industrias de bienes de consumo tales como textiles y relojes. En 1976, los grandes bancos comerciales acordaron nuevamente extender los créditos a la exportación por diez años con unos tipos fijos, no variables, a esas mismas industrias de bienes de consumo. A finales de 1977, sólo la Sociedad Bancaria Suiza había abierto líneas de créditos de 54 millones de dólares, incluyendo 12,5 millones para los productores textiles; según declaraba el banco, su subvención de los tipos de interés costó 2,08 millones de dólares en 1977 y 5 millones entre 1975 y 1977 [35]. Otra estimación habla de una subvención poco usual de 10,4

---

[31] *Textil Revue*, 1 mayo 1978, p. 726.

[32] Citado en *Textil-Revue*, 25 junio 1979, p. 916.

[33] *Handelsblatt*, 20 febrero 1975; *der Bund*, 9 septiembre 1978; *Textilindustrie 1980*, pp. 15-26, y *Textilindustrie 1978*, pp. 26-31.

[34] *Basler Nachrichten*, 9 octubre 1975; *Vaterland*, 2 noviembre 1976; *Neue Zürcher Zeitung*, 28 enero 1977, y Handelsblatt, 3 noviembre 1977.

[35] *Textil-Revue*, 26 junio 1978; *Schweizerische Arbeitgeber-Zeitung* 26 (1978): 460. Es importante señalar que este acuerdo no requería que los bancos privados incurrieran en tales pérdidas, dado que podían haber traspasado sus pérdidas al Banco Nacional. Pero en aquel momento, los tipos de interés eran muy bajos y los bancos poseían líquidos en exceso y la elección, sea cual fuera la razón, de soportar ellos mimos las pérdidas. En la medida en que los bancos estaban llevando los créditos subvencionados al uno era de altos tipos de interés a principios de los 80, sus pérdidas pueden haber incrementado. Sin embargo, esto afectaría sólo a los créditos extendidos a las industrias suizas de bienes de inversión que negocian contratos a largo plazo.

millones de dólares, estando financiadas las tres quintas partes por los bancos privados [36]. El apoyo de la industria en estos créditos preferenciales a la exportación aumentó en más de ocho veces hacia la mitad de la década, de 38,75 millones de dólares en 1975 a unos 333 millones en 1977 [37].

El Seguro contra los Riesgos de la Exportación se extendió hasta incluir la cobertura de los riesgos derivados de las realineaciones monetarias. Las empresas en la industria textil solicitan a su asociación comercial, antes que a una comisión federal, sus seguros contra los riesgos de la exportación. La Cámara del textil, a cambio, recibe una asignación de unas cuotas fijas a los tipos imperantes por parte de una Comisión federal. Además, entre 1976 y 1978, el Banco Nacional Suizo acordó tomar parte en los mercados de cambio en nombre de la industria textil con tipos más bajos que los comerciales. Aunque ayudaban a una industria falta de liquidez, estas medidas, como acusaron algunos críticos, no representaron más que subsidios ocultos a la exportación. Adoptados sobre plazos de seis o doce meses, fueron ampliados varias veces antes de su desaparición en 1980, cuando disminuyó la revalorización del franco suizo. Todas estas concesiones intentaban ayudar a los sectores industriales como los textiles, los cuales, se pensaba, estaban en medio de una adaptación estructural de amplio alcance.

Esta ayuda a la exportación industrial dirigida por los bancos se vio reforzada por unas políticas gubernamentales menos costosas. En 1975, se encarga a las embajadas suizas en España e Irán que preparen estudios de mercado para las exportaciones textiles suizas [38]. La industria textil siguió adelante con una extensa y detallada propuesta concerniente al establecimiento de representantes comerciales extranjeros, que podrían ser destinados a las 87 embajadas de Suiza, los 39 Consulados Generales y 61 Consulados [39]. El gobierno aceptó la propuesta, remodelada bajo el ejemplo del elaborado sistema austríaco de promoción de las exportaciones, enmendada y aplicada en seis embajadas que cubrían las exportaciones suizas en el Golfo Pérsico, el lejano Este, Africa y Latinoamérica. Finalmente, dado que muchas otras formas de ayuda financiera concluyeron en 1979 y 1980, el gobierno federal decidió contribuir con una subvención de 1,98 millones de dólares para la promoción colectiva de las

---

[36] *Neue Zürcher Zeitung*, 17 febrero 1978; Schweizerischer Handels- und Industrie-Verein, *Jahresbericht 1977/78* (m. p.: n. d.), pp. 105-6.

[37] *Textilindustrie 1975,* p. 15, y *1977,* p. 18.

[38] *Textilindustrie 1975,* p. 14.

[39] *Neue Zürcher Zeitung*, 9 septiembre 1975; *Textilindustrie 1975*, pp. 16-22.

exportaciones industriales [40]. En suma, aunque ha sufrido duras derrotas en las opciones políticas importantes que afectaban a su bienestar económico, la industria no se ha separado de los acuerdos corporatistas suizos. La organización de un amplio veto político a través de una coalición de industrias perjudicadas por la estrategia suiza, prometía escasas recompensas; pero la conformidad trajo sus propias compensaciones.

El tejido corporatista en el que está inmersa la industria textil fue particularmente estrecho en las relaciones de la industria con la mano de obra. La crisis fortaleció la cooperación más que el enfrentamiento. Uno de sus signos fue que en el textil, como en otros sectores, emergieron nuevas formas de cooperación institucional entre empresarios y sindicatos en una «Comisión Mixta» (*Gemischte Kommission*) [41]. La Comisión está constituida de forma paritaria por representantes de la Asociación de Empresarios de la Industria Textil (Verband der Arbeitgeber der Textilindustrie, VATI) y los dirigentes de los cuatro sindicatos participantes en la negociación colectiva del textil. Creada bajo las condiciones de crisis económica de 1975, la Comisión ofrece un foro para la consulta y el intercambio de información, la discusión de cuestiones que afectan a la industria y una mayor institucionalización de las relaciones cooperativas. Destinada a fomentar la creación del consenso a través de un intercambio libre de información, especialmente antes del comienzo de la negociación colectiva, la Comisión Mixta es una respuesta institucional de un sector específico para fortalecer la comunidad social entre empresarios y trabajadores en un momento en el que la industria estaba despidiendo grandes cantidades de trabajadores, introduciendo menos horas y afrontando el doloroso tema de la rápida adaptación a las condiciones cambiantes del mercado. En 1977, la Comisión Mixta se había convertido en un modelo para un sistema de «Comisiones de Personal» (*Personalkommission*) a nivel de planta, el cual, según las expectativas, «informaría», «discutiría» y «codeterminaría» las cuestiones de las relaciones laborales [42]. Como respuesta a las demandas sindicales de codeterminación de mediados de los 70, estas comisiones de personal están destinadas a institucionalizar a nivel de planta las relaciones cooperativas entre empresarios y sindicatos ya evidentes a nivel del sector.

---

[40] *Textil-Revue*, 25 junio 1979, p. 916; *St. Galler Tagblatt*, 17 febrero 1979, y *Neue Zürcher Zeitung*, 4 noviembre 1972. El sistema de promoción privada de la exportación se describe en *St. Galler Tagblatt*, 29 enero 1976. En general, véase Kappler, «Möglichkeiten Kollektiver Exportpublizität»; Hoby, «Der schweizerische Baumwollwaren-Export».

[41] *Textilindustrie 1975*, p. 32; *1976*, p. 40, y *1977*, pp. 52-53.

[42] *Tages-Anzeiger*, 10 noviembre 1978.

Empresarios y sindicatos pudieron cooperar más fácilmente porque la pérdida de puestos de trabajo estaba concentrada entre los trabajadores extranjeros y las mujeres, los cuales constituyen el 75 por 100 de la mano de obra industrial, muchos más que el verdadero centro del movimiento obrero, los varones trabajadores suizos. La increíble reducción en la mano de obra de la industria textil y de confección en los años 70 no alteró la proporción entre trabajadores suizos y extranjeros. Sin embargo, los números absolutos muestran la importancia de la reserva industrial de trabajadores extranjeros. De 44.000 puestos de trabajo perdidos a lo largo de la década, sólo el 46 por 100 pertenecían a ciudadanos suizos. Aunque la política discriminatoria no afectó a los trabajadores extranjeros, las mujeres disminuyeron en número desproporcionadamente alto. Los funcionarios oficiales han evitado cuidadosamente el estudiar qué es lo que ha pasado con esta parte de la mano de obra. Podemos especular que las mujeres volvieron a sus casas en una cultura impregnada por los valores tradicionales de la mujer como ama de casa y económicamente dependiente. A nivel federal, después de todo, el sufragio femenino fue concedido en 1971, alrededor de un siglo después que en la mayoría de los otros estados industriales. Dado que los costes del ajuste derivados de las condiciones adversas del mercado eran soportados en gran parte por una fuerza de trabajo demasiado débil políticamente para protestar, la decisión de reducir drásticamente el empleo en los años 70 recayó exclusivamente sobre los empresarios. Las consecuencias de tal debilidad están ilustradas por una negociación colectiva en la industria de la confección a finales de los 70. Las preocupaciones por la seguridad en el trabajo, creadas por la revalorización del franco para muchas empresas, limitaron seriamente el poder de los sindicatos. Los modestos incrementos salariales desaparecieron en un período de cinco años. La indización automática de los salarios y un salario por un decimotercero mes de bonificación anual, demandas que los sindicatos habían ganado en los primeros acuerdos, fueron rescindidas en favor de consultas y negociaciones periódicas que tienen que tomar en consideración las condiciones del mercado. Sin embargo, la obligación de paz absoluta, que prohibía toda acción huelguística mientras durara el contrato, se mantuvo.

Los límites que impone la debilidad a los sindicatos se ven agrandados por el control limitado de las asociaciones de empresarios en textiles y confección sobre sus miembros. Esto es particularmente evidente en el sector de confección. Debido a la precaria situación económica de la empresa, su asociación de élite (Gesamtuerband der Schweizerischen Bekleidungsindustrie, GSBI) surgió grudualmente entre 1965 y 1972 y continuó su consolidación a lo largo de los 70. Pero a pesar de la convergencia defensiva de los intereses económicos y políticos de todos los segmentos de la industria, sólo 330 de las 631 empresas que todavía operaban a finales de los 70 eran miembros de la organización. Sólo 160 empresas habían firmado el acuerdo marco de negociación colectiva para la industria, y esta cifra relativamente baja incluye a 100 empresas situadas en el cantón de Tessin, el área de mayor concentración industrial, que había hecho obligación legal la firma de este contrato [43]. Como oposición a su propia asociación comercial, muchos empresarios habían sido contrarios desde finales de los 60 a la contribución a un Fondo de Solidaridad financiado (a un modesto nivel) a partes iguales por empresarios y trabajadores y desembolsado a nivel de la empresa bajo una estricta supervisión de la organización de empresarios. Dado que los miembros del sindicato obtienen sus contribuciones mediante su descuento del Fondo de Solidaridad, los empresarios temen que esto fortalezca la posición del pequeño número de trabajadores organizados a nivel de planta. Un informe periodístico observaba en 1974 que «el incumplimiento empresarial de un acuerdo de negociación colectiva en la industria a tal escala es probablemente único en Suiza» [44]. Muchas empresas que no han firmado el contrato ofrecen beneficios similares o incluso mayores en la negociación a nivel de planta; pero muchas otras ofrecen menos. Bajo los acuerdos colectivos de toda la industria, las cláusulas de ajuste social protegen a los empleados en caso de bancarrota empresarial; a veces están especificados en los acuerdos a nivel de planta aunque los recursos financieros necesarios estén ausentes. Cuando las empresas cierran, los trabajadores, aunque generalmente puedan encontrar nuevos puestos de trabajo, tienen que soportar la mayor parte de los costes del ajuste en estas plantas [45].

¿Cómo puede explicarse el comportamiento de los sindicatos? La afiliación sindical, siendo reducida, está fuertemente concentrada entre los trabajadores varones suizos. Los cuatro sindicatos que participan en la negociación colectiva en la industria textil, por ejemplo, representan del 10 al 25 por 100 de la mano de obra y sólo el 10 por 100 en confección. Este bajo nivel de sindicación se explica por el hecho de que la fuerza de trabajo en estos dos sectores está compuesta en gran medida por mano de obra marginal, la cual no se organiza fácilmente. Dos terceras partes de la mano de obra en la confección son extranjeros, mientras que en el tex-

---

[43] *Tages-Anzeiger*, 13 marzo 1980, y *Basler Zeitung*, 23 mayo 1980.

[44] *Berner Zeitung*, 11 diciembre 1974. Véase también *Neue Zürcher Zeitung*, 28 febrero 1968. La situación ha cambiado considerablemente si se compara con la de 1957. De las 24 negociaciones colectivas del sector, 9 fueron conducidas a nivel federal y 5 a nivel cantonal. Véase Tschan, «Aufgaben der Wirtschaftsverbände», p. 114.

[45] *Tages-Anzeiger*, 13 marzo 1980.

til representan la mitad; cuatro quintas partes son mujeres [46]. La respuesta de los sindicatos no fue, pues, la combatividad industrial, sino la negociación dirigida por un espíritu de comunidad social en un intento de proteger el empleo de la mano de obra masculina y sindicada en el centro económicamente viable de la industria. Esto no fue con todo irracional. El reducido mercado laboral suizo hizo menos necesaria la lucha de los trabajadores. Comparados con la media del 85 por 100 en todos los países industrializados, las ganancias de la industria textil suiza, medidas en comparación con la media resultante para todas las manufacturas, representaban un 93 por 100, la cifra más alta en el mundo industrializado y mucho mayor que el 70 por 100 correspondiente a Austria [47].

En los primeros momentos de la industrialización, la adaptabilidad de la industria textil suiza en los mercados mundiales impresionó de tal modo al Parlamento Británico, que en 1835 envió una comisión para que estudiara el éxito fenomenal de este pequeño pero peligroso rival. La búsqueda ilimitada del libre comercio, la flexibilidad y la adaptabilidad en el afrontamiento de nuevas condiciones y la disposición a convivir con los costes del cambio eran entonces el secreto del sector; hoy todavía siguen siendo de la mayor importancia [48]. La política no ha impedido los cambios en los factores de producción; como ha escrito un reconocido observador de la industria: «Para resumir, Suiza todavía está situada favorablemente como lugar de trabajo, gracias a ciertas condiciones ventajosas y especiales, tales como la estrecha colaboración entre las autoridades públicas y el Banco Nacional Suizo, entre los empresarios y los trabajadores, entre la industria y la banca, así como entre las industrias del textil, maquinaria y química» [49].

La convergencia de la flexibilidad económica y la estabilidad política está, pues, conseguida, y conseguida por vías políticas. La experiencia de la industria textil suiza ilustra la compatibilidad del corporatismo liberal y el cambio económico. La esencia del corporatismo descansa en una reducción de las desigualdades de poder que favorece la cooperación. Es una cooperación que no proviene del altruismo, sino del cálculo de las ventajas a largo plazo que derivan de la adhesión de la comunidad em-

---

[46] *Neue Zürcher Zeitung*, 24-25 mayo 1975, y *Textil-Revue*, 21 marzo 1977. *Chemiefasern Textilindustrie* núm. 4 (abril 1981), pp. 264-66.

[47] Robert Plant. *Industries in Trouble* (Ginebra: Oficina Internacional del Trabajo, 1981), p. 49.

[48] Borner, «Standort Schweiz», p. 373; *Mitteilungen über Textilindustrie: Mittex* 10 (octubre 1979), 373.

[49] H. G. Meierhofer, «The Textile Industry Is out of the Doldrums», *Crédit Suisse Bulletin* 85 (Invierno 1979/80), p. 16.

presarial. Por ejemplo, la ayuda especial que concedió la comunidad financiera suiza en apoyo de las compañías de exportación constituyó un esfuerzo deliberado de la parte dominante de la comunidad empresarial, las grandes corporaciones en sectores de crecimiento industrial y los bancos (los beneficiarios de la política suiza de moneda fuerte), por aligerar las cargas que pesaban sobre otras partes de la Comunidad empresarial (las cuales soportan los pesados costes políticos). Esta disposición de créditos preferenciales, hay que destacar, no fueron concedidas de forma totalmente voluntaria. Los productores de textiles y relojes amenazaron con demandar el establecimiento de un banco especial de crédito a la exportación, dirigido por el gobierno si los bancos privados, y en particular los más grandes, no respondían positivamente, como al final hicieron [50]. El gobierno contribuyó también con medidas de compensación política. Las diferentes formas de ayuda que concedió a partir de 1975 eran muy baratas económicamente y muy valiosas políticamente, para asegurar a la industria que no sufriría las consecuencias de un rápido cambio económico desasistido. En conjunto, estas diferentes medidas servían al propósito de apaciguar a un considerable, aunque no dominante, segmento de la industria suiza.

Empresas en dificultades (1): Glattfelden

Los rasgos característicos del corporatismo liberal suizo se hacen patentes cuando las empresas entran en dificultades. El cierre de la sección de tejido de la Compañía de Hilado y Tejido de Glattfelden y el despido de 100 trabajadoras, la mayoría extranjeras, en una mano de obra de 230, se asemeja a las más de 200 instancias de cierres empresariales en las industrias textiles y de confección suizas entre 1976 y 1980 [51]. Como en Glattfelden, muchas empresas se encontraban en el sector con más dificultades de la industria; pero a diferencia de otras empresas, los trabajadores de Glattfelden habían mostrado, según los niveles de la industria textil suiza, un grado inusual de combatividad. En la depresión económi-

---

[50] *Neue Zürcher Zeitung*, 23 diciembre 1975; Guntram Rehsche, *Schweizerische Aussenwirtschaftspolitik und Dritte Welt: Ziele und Instrumente. Exportförderung kontra Entwicklungspolitik* (Adliswil: Institut für Sozialethik, 1977), p. 66, y Gerhard Winterberger, *Die Zusammenarbeit von Staat und Privatwirtschaft bei der Exportförderung* (Zurich: Schweizerischer Handels- und Industrie-Verein, 1976), p. 12.

[51] Este episodio está recogido en los siguientes períodos, *Volksrecht*, 23-24 enero 1981; *Neue Zürcher Zeitung*, 31 enero-1 febrero y 3 febrero 1981; *Tages-Anzeiger*, 10 febrero 1981; *Gewerkschaft Textil-Chemie-Papier*, 12 febrero 1981; *Volksrecht*, 2 marzo 1981; *Neue Zürcher Zeitung*, 3 marzo 1981; *Volksrecht*, 3 marzo 1981; *Gewerkschaft Textil-Papier*, 5 marzo 1981; *Volksrecht*, 17 marzo 1981; *Vaterland*, 1 abril 1981, y *Tages-Anzeiger*, 6 mayo 1981.

ca de 1975, por ejemplo, habían protestado con éxito contra el despido de 75 trabajadores. Se contentaban, en cambio, con menos horas de trabajo y la renuncia al sistema de salarios fijos. En 1979, organizaron con éxito una huelga de aviso de una hora para que se cumpliera la semana laboral de 44 horas especificada en el acuerdo de negociación colectiva, a pesar de las objeciones de la dirección, que había insistido en añadir media hora extra a la semana. En el mismo año, los trabajadores presionaron también a la dirección para elevar el salario del 40 por 100 de las mujeres trabajadoras, en su mayoría extranjeras, hasta el salario mínimo estipulado en los acuerdos de negociación colectiva.

Las razones para el cierre de la sección de tejido de la empresa incluían la creciente competencia internacional, la menor demanda y el retraso inversor de la década precedente. Los fondos de inversión necesarios para recuperar la competitividad eran, simplemente, demasiado elevados para una empresa mediana. Los beneficios en el hilado habían soportado las pérdidas en tejidos y durante quince años no se obtuvieron pagos por dividendos. En 1975, la firma dejó de pagar los salarios fijados, las bonificaciones por turnos de trabajo nocturno y cualquier pago tras más de dos días de ausencia por enfermedad. No obstante, la decisión de 1981 de despedir a más de dos quintas partes de los empleados de la compañía llegó de forma inesperada. Sin ningún tipo de debate o consulta con el consejo de fábrica, los sindicatos o los líderes políticos locales, la empresa despidió a 100 trabajadores con notificación de dos semanas. La falta de una consulta previa y oportuna violaba el documento del acuerdo de negociación de dos semanas. La falta de una consulta previa y oportuna violaba el documento del acuerdo de negociación colectiva con los sindicatos y el espíritu del sistema industrial de interés social. El apresuramiento de la directiva fue debido quizá al hecho de que a mediados de enero, la producción total de la sección de hilado de la empresa para el año 81 ya había sido vendida, dejando a la sección de tejido sin sus pedidos nacionales tradicionales. En definitiva, la directiva había decidido reestructurar el negocio únicamente alrededor de su operación de hilado, más rentable, antes de revelar su decisión de despedir a todos sus tejedores.

La desición de la empresa fue recibida con reuniones de protesta organizadas durante las horas de trabajo en el interior de la fábrica y con demandas seriamente expresadas por los sindicatos. Obtuvieron un mes de plazo en el despido de los trabajadores y una promesa de que se explotarían todos los caminos para anticiparse al cierre de la sección de tejido. Los trabajadores buscaron aliados políticos fuera de la empresa. Entraron en contacto con el consejo municipal y pidieron que se realizaran todos los esfuerzos posibles para prolongar la producción al menos durante el verano. La sección local del Partido Democrático Socialista y la Federación de Sindicatos de la zona sur del cantón de Zurich respaldaron públicamente las demandas. El Ministerio de Economía cantonal ofreció sus buenos servicios —no sus subsidios— para alcanzar una solución satisfactoria en el conflicto. Se organizó una concentración pública, seguida por la mayoría de los trabajadores, sindicalistas, políticos y representantes de las organizaciones de emigrantes italianos y turcos.

Además de la construcción de una alianza política, los trabajadores prepararon, en los términos más generales, una serie de planes que, en su opinión, mantendrían en funcionamiento la sección de tejido. Esos planes incluían la adquisición municipal de los edificios y la maquinaria y su subsiguiente puesta en marcha por parte de la empresa, la formación de una empresa independiente, la fusión con otras firmas interesadas, la diversificación de productos y la posible formación de una cooperativa de trabajadores. Pero todas estas propuestas tienen un aire de irrealidad alrededor. El comité de solidaridad de los trabajadores carecía de todas las informaciones específicas importantes en las que basar sus recomendaciones y no disponía de la experiencia necesaria para desarrollar un plan concreto, lo cual consideraban la empresa y la federación de empresarios como condición previa para unas negociaciones serias. Además, incluso bajo la mejor de las circunstancias, el plazo límite de tres semanas que había establecido la dirección habría sido sumamente imposible de cumplir.

De mayor importancia para la mayoría de los trabajadores, el consejo de fábrica y los sindicatos fue su habilidad para trabajar juntos con el director de la empresa y la Federación de Empresarios en la formulación de un «plan social», método por el que los trabajadores despedidos en Suiza obtendrían cierta protección ante las dificultades que conlleva el desempleo o los traslados. Afortunadamente, las condiciones económicas de la empresa eran tales, que la generosidad de la directiva, públicamente proclamada, expresada en el lenguaje de una obligación paternalista hacia los trabajadores despedidos, no fue mera fachada. Las negociaciones entre los tres sindicatos directamente afectados, la dirección y la organización de empresarios de la industria textil dieron lugar a un «plan social» que la mano de obra de la empresa aceptó. El plan establecía disposiciones para la ayuda a los trabajadores en su búsqueda de nuevos puestos de trabajo, para el reciclaje de aquellos que lo necesitaran, disposiciones para la movilización y la garantía de una cobertura de un seguro continuo y el derecho a vivir en la vivienda de la empresa durante quince meses más, transfiriendo las contribuciones anteriores de los trabajadores y la empresa al fondo de pensiones de la empresa para el nuevo empresario y garantías de indemnizaciones por despido a los trabajadores de acuerdo con su edad y tiempo al servicio de la empresa, así como con sus necesidades individuales. A diferencia de los trabajadores de otras empresas enfermas que se declaran en bancarrota sólo después de que han utilizado todos los bienes de la empresa, incluyendo, a veces, el fondo de pensiones, en Glattfelden, los trabajadores despedidos recibieron unos pagos sustanciales que caían dentro del rango típico de la industria textil [52]. Además, los 100 trabajadores despedidos pudieron elegir entre varios cientos de vacantes laborales que se habían registrado en la compañía tras las pocas semanas que siguieron a la decisión. En el estado de bienestar privatizado y en los reducidos mercados laborales suizos, la pérdida del empleo no elimina necesariamente la base material de la existencia de un trabajador.

Pero el despido impone serias dificultades al individuo, incluyendo el proyecto de trasladar a la propia familia, abandonar a los amigos y cambiar de ocupaciones. No es raro en la industria textil que en este caso, como en muchos otros, la mayoría de los trabajadores despedidos fueran mujeres italianas y turcas. Muchas de ellas, tras un período de muchos años, habían empezado el lento proceso de integración en un entorno extraño. Para estas trabajadoras, los costes de la interrupción fueron especialmente elevados. El ayuntamiento y los ciudadanos sufrieron también con dureza la eliminación de cien puestos de trabajo, por no existir otro empresario importante en el municipio, y muchos habitantes hubieron de trasladarse al vecino Bülach o a la más distante Zurich para ganarse la vida. Los problemas del municipio eran, al menos en parte, culpa suya. Había vendido previamente todas las tierras municipales declaradas de uso industrial a la empresa, convirtiendo a Glattfelden en un pueblo con una sola empresa. Los esfuerzos por atraer otra empresa al municipio habían fracasado porque la otra empresa Glattfelden no quería competencia entre la reserva local de trabajadores. Sin embargo, la contribución de la compañía en la recaudación tributaria total del municipio fue de menos del 2 por 100, es decir 10.800 dólares en 1980, alrededor de una tercera parte menos que en 1975.

Las lecciones políticas que extrajeron todos los que asistieron a la concentración de protesta final, fue la impotencia de los trabajadores, del consejo de fábrica, de los sindicatos y del ayuntamiento, su falta de información y experiencia necesaria para hacer propuestas realistas y viables para contestar la decisión de la directiva; la necesidad de compartir

[52] *Textilindustrie 1980*, pp. 31-33.

el poder en el interior de la fábrica, y la necesidad de construir alianzas políticas más amplias y fuertes entre las diferentes líneas étnicas y regionales. Estas conclusiones comprensibles reflejaban la gran dificultad de los trabajadores para oponerse a las prerrogativas de la dirección para contratar y despedir libremente en una economía capitalista. Subrayan también la dificultad de encontrar aliados en un marco político que favorece la fragmentación.

Para un estudio del corporatismo y del cambio económico, Glattfelden contiene también otras enseñanzas en lo que respecta al ajuste. La empresa había tenido dificultades durante mucho tiempo. Con el fin de mantener los niveles de empleo en la sección de tejidos, los beneficios hacía tiempo que habían comenzado a sufrir las consecuencias. Los trabajadores celebraron su reunión final después de que la mayoría de ellos hubieran votado en favor del plan social que habían elaborado sus representantes con la dirección. En la discusión de las consecuencias del despido, el consejo de fábrica y los sindicatos participaron plenamente en las deliberaciones y lograron extraer considerables ventajas para los trabajadores afectados. Dentro del contexto de la industria textil suiza a finales de los 70, el plan que elaboraron trabajadores, sindicatos y dirección ofreció a los trabajadores una protección financiera considerable para absorber parte del golpe de la pérdida de los puestos de trabajo y para suavizar la transición a otro empleo. Y, de manera crítica, todos los participantes conocían la alternativa, existían los trabajos bien pagados, no sólo como abstracción estadística, sino como una realidad mientras empresas suizas cercanas y de lejos hacían ofertas concretas. Cuando la empresa Glattfelden fracasó, la lógica del desarrollo del mercado se respetó, no de forma instantánea de acuerdo con criterios estrictos de rentabilidad, sino con cierto retraso y vacilación. Finalmente, el episodio refleja la disyunción entre la impotencia colectiva y el bienestar individual tan típico del corporatismo liberal suizo.

Los textiles austríacos

Comparado con el textil en otros Estados industriales avanzados, la industria austríaca es todavía relativamente grande. A lo largo de los 60, por ejemplo, su nivel de empleo permaneció casi invariable. Y a finales de los 60, el declive industrial se vio suavizado por el *boom* sin precedentes de la economía austríaca. Estas circunstancias fortuitas reflejaban la posición de Austria en la economía internacional: una mezcla de relativo retraso económico (comparada con Europa Occidental) y un relativo avance económico (comparada con Europa Oriental).

El capital extranjero, especialmente en los centros de confección de bajos salarios al este de Austria, prolongó las condiciones económicas favorables y expandió incluso su capacidad. La Cámara de Trabajo austríaca comprobó a finales de los 70 que los inversores extranjeros favorecían en general los sectores del textil y la confección, junto con las industrias eléctrica y papelera [53]. Mientras tanto, en los años 60, Austria comenzó a importar mano de obra extranjera (principalmente desde Yugoslavia y Turquía). A finales de los 70, la proporción de trabajadores extranjeros empleados en los textiles era mayor que en cualquier otra industria austríca: en 1978, 12.500 trabajadores, más de una quinta parte de la mano de obra industrial, eran extranjeros [54]. La expansión de la capacidad y la relativa abundancia de mano de obra mejoró la posición competitiva del sector en los mercados internacionales y fomentó su atractivo en la economía nacional. A lo largo de los años 60 y primeros 70, el empleo en la industria se incrementó y los salarios que se pagaban en textiles y confección redujeron el espacio que los separaba de los salarios medios pagados en la industria austríaca en su conjunto [55].

No obstante, el empleo en el textil descendió bruscamente en los años 70. La industria textil austríaca no experimentó nada parecido a la pérdida de medio millón de puestos de trabajo o los 3.500 cierres de fábricas que decían haber sufrido los miembros de la Comunidad Europea en los años 70 [56]. Pero, para los niveles austríacos, el descenso del empleo fue muy considerable. En realidad, entre 1974 y 1979, la reducción del empleo en textiles y confección fue mayor que en cualquier otro sector industrial y superó, por un amplio margen, el descenso correspondiente a la industria austríaca en conjunto [57]. Entre 1974 y 1978, la pro-

---

[53] *World Business Weekly*, 22 octubre 1979, p. 51; Josef Peischer, «Auslandseinfluss in der österreichischen Wirtschaft nimmt zu», *Information über Multinationale Konzerne* 1981, núm. 2:4. Sólo unas 500 de las empresas eran estudiadas.

[54] OCDE para asuntos sociales, mano de obra y Educación, «Continuous Reporting System on Migration: SOPEMI 1979» (París, 1979), p. 30; *Gastarbeiter: Wirtschaftliche und soziale Herausforderung* (Viena: Europa Verlag, 1973), pp. 18-32.

[55] Bundeswirtschaftskammer Vienna, *Pressedienst*, 23 julio 1971; *Handelskammer Niederösterreich, Mitteilungen*, 18 septiembre 1970; carta de Österreichischer Arbeiterkammertag al ministro de Asuntos Sociales, Viena, 1 septiembre 1972, p. 3, y *Jahrbuch der österreichischen Wirtschaft, 1973/2: Tätigkeitsbericht der Bundeswirtschaftskammer* (Viena: Bundeskammer der Gewerblichen Wirtschaft, 1974), p. 180.

[56] *Die Presse*, 19 julio 1977.

[57] Hans Wehsely, «Industriepolitik in den siebziger Jahren-Rückblick und Ausblick», *Österreichische Zeitschrift für Politikwissenschaft* 1981, núm. 1:31, entre 1971 y 1978, el total de los 24.000 puestos de trabajo perdidos en textiles y confección superó las pérdidas en todos los demás sectores; *Der Kuner*, 30 enero 1979. Entre 1980 y 1982 descendió de más de 45.000 a 39.000: *Weiner Zeitung*, 23 abril 1983.

ducción descendió en una décima parte, el número de empresas también cayó bruscamente en los años 70.

Este declive en la suerte económica de la industria fue debido en gran medida a la competencia de los productores extranjeros, especialmente en Alemania Occidental, Italia, Suiza y, en el caso de la confección, en Europa del Este. Pero es importante resaltar que aún en 1979, sólo el 5 por 100 de los textiles y el 12 por 100 de las prendas de vestir se importaban de Asia. En 1980, las importaciones de textil superaron a las importaciones en más de 193 millones de dólares —en la industria de la confección, la diferencia se había elevado a 262 millones de dólares en 1979. La diferencia en cuanto a importaciones, que se había hecho patente desde finales de los 60, todavía seguía creciendo [58].

Austria ha intentado vivir con el cambio económico en los últimos años, a través de una cautelosa mezcla de liberalización comercial y subsidios temporales. En el período posbélico, la reducción gradual de los aranceles y cupos ha constituido una fuente de tensión potencial por su compromiso con una política de pleno empleo. A mediados de los 70, la política austríaca de liberalización del comercio con la Comunidad Europea, el COMECON y los países menos desarrollados había progresado más que nunca. Y el sector industrial más directamente afectado fue el de los textiles. Cualesquiera que sean las ventajas para la economía austríaca en su conjunto, la creciente apertura a la economía internacional fue ciertamente contraria a los estrechos intereses de la industria textil.

A finales de los 50, Austria se adhería todavía a una política proteccionista en la economía internacional y, a diferencia de Suiza y de los países escandinavos, impedía casi por completo las importaciones de textil provenientes de los países menos desarrollados. En 1962, el GATT empujó a Austria hacia la liberalización, insistiendo en que duplicara sus importaciones de textiles de algodón en los cinco años siguientes. En el mismo año, el Acuerdo a Largo Plazo sobre Tejidos de Algodón llevó a la protección austríaca de los textiles de una imposición de restricciones comerciales unilaterales a la negociación bilateral de las mismas. Pero Austria era reacia al cambio; un informe de la UNCTAD realizado cinco años después (en 1967) separaba al país como el ejemplo más notable de una economía de mercado desarrollada que no había logrado liberalizar sus

---

[58] *Österreichische Textilindustrie im Jahre 1980* (Viena: Fachverband der Textilindustrie Österreichs, junio 1981), pp. 18-19; Vereinigung österreichischer Industrieller, Viena, *Pressedienst*, 12 noviembre 1976, y Fachverband der Textilindustrie Österreichs, *Die österreichische Bekleidungsindustrie Wessbuch 1980 (n. p.: n. d.)*, p. 30.

cupos altamente restrictivos bajo el Acuerdo a Largo Plazo [59]. A finales de los 60, incluso los productores textiles suizos se quejaban de ciertas políticas proteccionistas austríacas [60].

La cautelosa actitud austríaca hacia la liberalización económica también tuvo su expresión en los años 70. En la primera parte de la década, los niveles arancelarios medios en Austria para los productos textiles eran alrededor del 16 por 100, el doble que en Suiza y considerablemente mayores que en Suecia (12 por 100) y en la Comunidad Europea (10 por 100) [61]. Los aranceles textiles en Austria han sido blanco ocasional del criticismo de los miembros del GATT [62]. Además, el gobieno austríaco eximió parcialmente a su industria textil de la ampliación de las preferencias comerciales concedidas en general a los países menos desarrollados bajo los auspicios del GATT. En el acuerdo de la Ronda de Tokio, firmado en 1979, la reducción de los aranceles medios austríacos en textiles era aproximadamente del 10 por 100, la mitad del recorte suizo y se hallaba muy por debajo de los recortes realizados por Japón y Suecia (35 por 100) [63]. Es de destacar, sin embargo, que a pesar de la cautelosa confianza de Austria en el proteccionismo, el gobierno, la burocracia, la industria y los sindicatos evitaron las medidas explícitas y unilaterales de protección, para las que las leyes que prohibían el *dumping* extranjero y que aseguraban unos acuerdos en el mercado de forma ordenada, ofrecían unos amplios campos legales [64]. Dado que la política austríaca opera

---

[59] UNCTAD, *Nontariff Barriers: Study of the Origins and Operation of International Arrangements Relating to Cotton Textiles* (New Delhi, TD/20/Supp 3, octubre 1967), pp. 61-62, 65, 66. Véase también Gerard Curzon y Victoria Curzon, «The Management of Trade Relations in the GATT», en Andrew Shonfield, eds., *International Economic Relations of the Western World 1959-1971*, vol. 1: *Politics and Trade* (Londres: Oxford University Press, 1976), pp. 209-10, 263-64; Gerard Curzon, *Multilateral Commercial Diplomacy: The General Agreement on Tariffs and Trade and Its Impact on National Commercial Policies and Techniques* (Londres: Michel Joseph, 1965), p. 254, y Gardner C. Paterson, *Discrimination in International Trade: The Policy Issues 1945-1965* (Princeton: Princeton University Press, 1966), pp. 308-311.

[60] *Neue Zürcher Zeitung*, 15 diciembre 1967.

[61] Hans Mayrzedt, *Multilaterale Wirtschaftsdiplomatie zwischen westlichen Industriestaaten als Instrument zur Stärkung der multilateralen und liberalen Handelspolitik* (Berna: Lang, 1979), p. 501.

[62] *Die Presse*, 8 enero 1973, y *Wochenpresse*, 29 enero 1975.

[63] Institute of Developing Economies, Regional Development Unit, *The Textile Industry un Japan: Present Situation, Problems and Prospects* (Tokyo: Seminario Countries, 11-18 diciembre 1979), apéndice 9.

[64] *Wochenpresse*, 29 enero 1975, *The jahrbuch der österreichischen Wirtschaft*, issued annually by the Bundeswirtschaftskammer, contiene un útil resumen de la política comercial austríaca y común afecta, entre otros, a los textiles y la confección.

generalmente no mediante decretos administrativos, sino a través de un consenso político, estas dos leyes se han usado realmente poco.

La actitud austríaca hacia el cambio, así como su temperamento político quedan ilustrados en su respuesta inicial a las serias dificultades que atravesó la industria de calcetines en 1977. Las importaciones provenientes de Israel, Francia e Italia se vendían sólo a una parte de los costes de producción austríacos, poniendo en peligro a cinco mil puestos de trabajo. Enfrentados a unas presiones políticas crecientes tanto desde la empresa como desde los sindicatos, el ministro de Comercio e Industria respondió, no con cupos o directrices de precios, sino con un acuerdo entre caballeros con los importadores austríacos, el cual les autorizaba a importar un par de calcetines baratos por cada cinco pares de producción nacional. Sin embargo, los resultados no fueron alentadores: se incrementó el fraude, especialmente entre las cadenas de grandes almacenes austríacos, algunos de ellos de propiedad extranjera. El gobierno introdujo, subsiguientemente, precios de importación mínimos, pero demostraron ser igualmente infructuosos. Los grandes importadores de calcetines se aseguraron de que las facturas de sus proveedores extranjeros recogieran el precio administrativo y luego recibían créditos por la diferencia entre el precio administrativo y el real en cuentas de bancos extranjeros. El Ministerio de Comercio Exterior abolió el sistema a finales de 1979, porque, según declaró, las violaciones de precios habían sido casos excepcionales. Al mismo tiempo, como señalaban los productores de Austria, las importaciones habían crecido de 24 a 52 millones de pares entre 1977 y 1979, mientras que la producción doméstica descendió de 76 a 60 millones de pares [65].

La ineficacia de estas medidas proteccionistas no fue debida únicamente a los importadores. Algunos datos nos sugieren que la industria textil austríaca, en sí misma, importa cada vez más productos que ya no pueden producirse de forma competitiva en Austria. En realidad un gran productor textil en dificultades, ayudado finalmente por los subsidios gubernamentales había contratado 35 millones de pares de calcetines de Rumania, durante un período de cinco años a mediados de los 70. En un clásico episodio de trasladar el ajuste al cambio dentro de las fronteras nacionales, Suiza se convirtió en uno de los mercados favoritos de Austria para vender sus excedentes de calcetines. Así, como muestra el caso de los calcetines austríacos, las políticas proteccionistas son más fácilmente manejables en el papel que en la realidad. En este ejemplo, como en

---

[65] *Kurier*, 20 octubre y 12 diciembre 1977; *Neue Zürcher Zeitung*, 8 noviembre 1979.

otros, la era del «nuevo proteccionismo» coincidió con una expansión continuada del comercio internacional.

Las negociaciones comerciales internacionales permitieron en ocasiones vislumbrar otras oportunidades políticas al gobierno austríaco para regular la paz en el cambio. En los años 70, en el marco del Acuerdo Multi-Fibras (MFA), el gobierno austríaco negoció la vigilancia voluntaria de la exportación con once países que estaban amenazando a los productores textiles austríacos, especialmente en los segmentos de la industria de producción masiva y con unos costes no competitivos [66]. Fuera del MFA, diversas organizaciones de fabricantes de la industria textil austríaca habían limitado ellas mismas las importaciones mediante una negociación de restricciones voluntarias a la exportación con los socios comerciales del este austríaco, con la esperanza de hacer que esos países compraran una gran proporción de la producción austríaca. Además, el gobierno y la industria austríacos favorecieron abiertamente la renovación del Acuerdo Multi-Fibras hacia líneas en cierta manera más liberales que las preconizadas por los grandes estados industriales y, en particular, la Comunidad Económica Europea. Esta renovación constituyó una forma pragmática de defender un sistema de comercio liberal, del que Austria había obtenido grandes beneficios, contra la creciente ola de proteccionismo, especialmente en la Comunidad Europea y Estados Unidos.

Decir que los austríacos querían un MFA relativamente liberal es, sin embargo, muy diferente a decir que los austríacos favorecían el libre comercio. Por el contrario, el gobierno austríaco prefería unos límites al libre comercio negociados de una forma internacional como el MFA a los avances unilaterales austríacos que podrían invitar a represalias por parte de países extranjeros. Con el nuevo MFA, la política austríaca a finales de los 70 se hizo, pues, más restrictiva. Por ejemplo, la importación ilegal de tejidos y prendas de vestir provenientes del lejano Oriente falsificados con marcas alemanas, holandesas e italianas, obligó al gobierno austríaco a introducir un sistema de vigilancia de declaración de las importaciones en doce categorías de productos en el verano de 1977. Estas declaraciones tenían que ser aprobadas por el Ministerio de Comercio e Industria en Viena antes de que los aduaneros pudieran permitir a las embarcaciones extranjeras entrar en el mercado austríaco. En palabras de un funcionario, el ministerio actuaba «rápidamente», «automáticamente» y «libre de impuestos».

---

[66] *Die Presse,* 2 abril 1974; *Wochenpresse,* 29 enero 1975; *Parlamentskorrespondenz*, II-2564 der Beilagen zu den Stenographischen Protokollen des Nationalrates, XIV. Gesetzgebungsperiode, y *Die Presse*, 5 julio 1979.

Pero, al igual que con los calcetines, la intervención política en el comercio textil tropieza con la ineficacia del control administrativo. Según señalaba el Ministerio de Comercio e Industria, el fraude se extendió rápidamente y alrededor de las dos terceras partes de las declaraciones de importación examinadas contenían datos falseados. Sin embargo, a decir de un funcionario del Ministerio de Comercio, el grupo de funcionarios que inspeccionan en las provincias y en Viena la verdadera avalancha de más de medio millón de declaraciones al año, sólo tienen el tiempo justo para rellenarlas correctamente [67]. Un sistema como éste, con suerte, podrá descubrir sólo unas pocas de las instancias fraudulentas más evidentes, como el envío de 70.000 camisas provenientes de Gambia (país que carece incluso de la más rudimentaria capacidad para la producción de camisas), o las importaciones de italia etiquetadas como «made in Hong Kong» [68].

En general, pues, las restricciones comerciales mediante la intervención administrativa fueron ineficaces en intentar detener cierto tipo de importaciones. Pero crearon un sistema de aviso previo que registró flujos comerciales cambiantes y ofreció al gobierno una base para la negociación de restricciones voluntarias de la exportación bajo el MFA con exportadores particulares en categorías seleccionadas de productos. Por ejemplo, en la primavera de 1978, en un clima internacional de creciente hostilidad hacia la ofensiva exportadora de Japón fueron menos de 30.000 en el último trimestre de 1977. El Ministerio de Comercio Exterior se dispuso, anticipándose al fuerte incremento en la importación de camisas, a abrir negociaciones comerciales con Japón. El comercio de textiles fue un pretexto para destapar cuestiones más amplias de política comercial, tales como el deseo austríaco de convertirse en un proveedor más importante para Japón en la industria automovilística [69].

Por otro lado, a diferencia de Suiza, el gobierno austríaco no ofreció disposiciones especiales, fuera de su bien organizado sistema de representantes comerciales, para fortalecer la capacidad de exportación de la industria. Sólo muy recientemente, la Cámara de Economía Federal, la asociación de élite del mundo de los negocios, decidió ir más allá de la organización de ferias comerciales ocasionales como su principal respuesta a la creciente participación de la industria en los mercados extranjeros [70]. Las condiciones favorables en los mercados nacionales de finales

---

[67] Interview, Viena 1981; Die Wirtschaft, 6 enero 1981.
[68] *Die Wirtschaft*, 6 enero 1981 y 24 junio 1980.
[69] *Die Presse*, 21 marzo 1978.
[70] *Textilindustrie 1980*, p. 18.

de los 60 y principios de los 70 habían hecho de las exportaciones el principal estimulante del crecimiento industrial sin un apoyo especial del gobierno. A principios de los 80, los segmentos de la industria textil austríaca, orientados a la exportación, tales como la industria del bordado en la provincia occidental de Voralberg, exportaban al extranjero más del 90 por 100 de sus productos altamente especializados, comparado con las dos terceras partes para la industria en su conjunto. Pero dado que es un país pequeño, Austria no puede ejercer casi ninguna influencia en los avances de los mercados exteriores, sean éstos tan importantes como la continua devaluación del dólar durante los años 70, o de menor trascendencia, como el cierre de los mercados nigerianos en 1977 (el cual afectó a las exportaciones austríacas de encajes) [71]. La insistente demanda de la industria por una financiación que cubriera también la producción para la exportación no fue tenida en cuenta por el gobierno. Un programa especial de crédito a la inversión (*Investitionsmilliarde*) asignado a toda la industria austríaca en un intento de mantener la demanda agregada ante la contracción de los mercados de exportación, excluía los fondos para créditos a corto plazo que la industria textil necesitaba seriamente. Y la fuerte revalorización del Schilling provocó que ni el gobierno ni los bancos ayudaran a los productores textiles en los mercados de exportación.

La producción exterior, además, no es una opción que pueda perseguir la industria textil austríaca para contrarrestar los efectos de la revalorización. Muy diferente de las empresas suizas, los fabricantes de prendas de vestir se han opuesto fuertemente a la producción exterior en los campos en los que conduzca a una pérdida de puestos de trabajo en Austria y confunden las relaciones entre la industria y los importadores. La industria textil no ha sido tan hostil. Las relativamente escasas peticiones por parte de empresas que desean abrir instalaciones de producción en el extranjero son examinadas por la asociación comercial de la industria textil dentro de la Cámara de Economía Federal y en ocasiones atraen fallos favorables. Pero la cuestión de la producción exterior sigue siendo muy controvertida y raramente se discute en público. En realidad, el gobierno ha negado explícitamente la ayuda estatal para los proyectos de inversión extranjera de aquellas aventuradas empresas textiles que buscaban incrementar la rentabilidad y el crecimiento trasladando la producción del exterior [72].

El gobierno ha realizado esfuerzos por mejorar la base nacional de la industria textil; pero se ha enfrentado a grandes problemas en el camino.

---

[71] *Die Presse*, 4 abril 1973; Austrie Presse Agentur, *APA Konjunktur*, 17 julio 1976.
[72] *Wiener Zeitung*, 6 abril 1976; *Frankfurter Allgemeine*, 17 octubre 1970.

En abstracto, la política austríaca intenta fomentar fuertemente una cooperación entre empresas y las *joint ventures;* pero, en la práctica, la cooperación efectiva entre las empresas requiere vínculos financieros, y éstos no se forjan fácilmente [73]. En comparación con otros sectores industriales relativamente grandes, las empresas familiares (como Hämmerle, Rhomsberg, Cyetzner, Mäşer y Ganahl) poseen unas espléndidas tradiciones de independencia a las que volver la vista constantemente. El lugar prominente de las empresas extranjeras en la industria textil austríaca tiende también a inhibir la cooperación entre las empresas. Y, mientras el gobierno ha empezado a reconocer que una base de capital insuficiente es lo que constituye la seria debilidad de la industria, y especialmente de sus empresas pequeñas y a menudo más dinámicas, las acciones del gobierno han contribuido muy escasamente a la infusión de nuevos capitales [74]. Los bancos nacionalizados austríacos, además, se mantuvieron al margen hasta finales de los 70, tras haber renunciado a sus *holding* en la industria textil a finales de los 50 [75].

El gobierno austríaco sólo fue más allá de sus medidas *ad hoc* de ayuda parcial cuando las riquezas decrecientes de la industria textil, especialmente en la parte este del país, provocaron un fuerte colapso (Vöslau, la cual examino con detalle más adelante) y pusieron en peligro un gran número de puestos de trabajo, amenazando con retirar la política de pleno empleo del gobierno. En un esfuerzo por fusionar a algunos de los grandes productores austríacos con problemas en un gran grupo industrial (Textilfusion-Ost), el gobierno concedió subsidios a la inversión por valor de 17,5 millones de dólares en 1976-77, lo cual constituyó el comienzo de una ayuda cara pero limitada. En otras palabras, la medida era poco más que una concentración de productores marginales, iniciada y supervisada por el gobierno, y subsidios limitados con el objetivo de salvar puestos de trabajo. La defensa gubernamental de puestos de trabajo fue esencialmente un amortiguador, que retrasó algunos de los impactos del

---

[73] Esta es una de las conclusiones centrales del informe de una comisión consultiva del gobierno, así como la legislación del sector industrial aprobada por el Parlamento en 1909. Véase Beirat für Wirtschafts- und Sozialfragen, *Vorschläge zur Industriepolitik* (Viena: Ueberreuter, 1970).

[74] *Die Presse*, 26 agosto 1970. Es la industria austríaca de confección, la infusión de inversión extranjera, realizada generalmente en respuesta a los salarios diferenciales internacionales, tuvo sólo carácter de corto plazo. Véase, por ejemplo, *Die Presse*, 5 septiembre 1970; Michel Weber, «Die österreichische Textilindustrie und deren Probleme im Rahmen der Integration (Masters Thesis, Hochschule für Welthandel, Viena 1970), p. 148, y *Wochenpresse*, 29 enero 1975.

[75] Karl Socher, «Die öffentlichen Unternehmen im österreichischen Banken- und Versicherungssystem», en Wilhelm Weber, ed., *Die Werstaatlichung in Österreich* (Belín: Duncker & Humblot, 1964), pp. 409-10.

cambio económicos, más que un escudo que obstruyera el avance del mercado.

Las empresas orientadas a la exportación, especializadas y competitivas de la provincia occidental de Vorarlberg, que representaban algo menos de la mitad de la producción total de la industria, eran abiertamente críticas ante la política del gobierno. Tradicionalmente, la mayoría de estos productores habían existido únicamente como subcontratistas de mano de obra barata para productores suizos de mayor calidad. Pero durante los años 60 y 70, muchos de ellos se habían reagrupado y lograron reestablecer con firmeza su competitividad en segmentos especializados del mercado. Se inclinaban fuertemente hacia las diferentes formas de cooperación entre empresas en el sector privado, más que hacia la concentración industrial bajo el patrocinio del gobierno [76]. Además, sus problemas económicos diferían radicalmente de aquellos de la industria en la parte este del país. Al igual que en Suiza, el problema más crítico lo constituía la reducción de los trabajadores cualificados, lo cual empujó cada vez más a las empresas a cancelar los pedidos al extranjero para incrementar la proporción de importaciones relativas a su propia producción, y a considerar la posibilidad de trasladar parte de sus instalaciones productivas al exterior y, hasta cierto punto, al este de Austria [77]. La descentralización regional de la industria y sus diferentes problemas económicos evocaban, según algunos observadores, las tradicionales diferencias partidistas, así como los conflictos regionales entre Este y Oeste.

Pero cuando la crisis se extendió a algunas de las mayores empresas familiares del oeste austríaco en 1981, quedó claro que el corporatismo social austríaco alcanzaba igual al Este y al Oeste, a los rojos y a los negros. En el verano y el final de 1981, la amenaza de una pérdida repentina de otros 3.500 puestos de trabajo obligaron al canciller a convocar una serie de «encuentros en la cumbre» en su propio despacho entre los líderes de la industria, los sindicatos y el gobierno [78]. La inclinación tradicional de la industria por la cooperación chocó con la insistencia del gobierno por una completa fusión. Pero a finales del otoño de 1981 se acordó un primer paquete de medidas de 2,5 millones de dólares. Fue finan-

---

[76] *Vorarlberger Nachrichten,* 19 marzo y 4 noviembre 1976; Sarah Hogg, «A Small House in Order», *Economist,* 15 marzo 1981, Survey, p. 17; *Basler Zeitung,* 4 abril 1979, y *St. Galler Tagblatt,* 15 agosto 1975.

[77] *Vorarlberger Nachrichten,* 2 de marzo de 1979 y 12 de diciembre de 1980.

[78] Este episodio está recogido en los siguientes periódicos, *Die Wirtschaft*, 14 julio 1981; *Profit,* 20 julio 1981; *Kurier*, 8 agosto 1981; *Tiroler Tageszeitung*, 13 agosto 1981; *Kurier*, 12 octubre 1981; *Vochenpresse*, 21 octubre 1981; *Salbuzger Nachrichten*, 24 noviembre 1981; *Kurier,* 25 noviembre 1981; *Vorarlberger Nachrichten*, 17 y 22 abril 1982; *Tiroler Tageszeitung*, 23 julio 1982; *Börsen-Kurier*, 29 julio 1982, y *Die Presse*, 21 enero y 19 marzo 1983.

ciado, a partes iguales, por el gobierno federal, los gobiernos provinciales del Tirol y Vorarlberg, y los dos mayores bancos nacionalizados. Con un coste de 6,28 millones de dólares, el gobierno federal adoptó en la primavera de 1982, un programa (Textillösung-West) que expresaba un compromiso entre la cooperación y la fusión. Se creó un *holding* para los fondos destinados a la reestructuración de las empresas en dificultades. En el verano de 1983, el programa parecía haber tenido éxito. El empleo en las empresas afectadas se había reducido sólo en una tercera parte, y no en la mitad proyectada originalmente; el gobierno no había incrementado su compromiso financiero original y las empresas esperaban, evidentemente, el momento de realizar operaciones rentables. Dado que la operación de ayuda se produjo en una región políticamente conservadora, la controversia pública entre empresa y gobierno fue mayor de lo que lo había sido unos años antes en el Este, y el papel de los sindicatos fue menor. Pero en ambos episodios fue similar la lógica mediante la que el gobierno intentó absorber los fuertes impactos económicos y suavizar, así, la transición en una industria inevitablemente en declive.

Ya a finales de los 70, el fracaso evidente del gobierno en detener el brusco descenso del empleo con su apoyo a las empresas débiles había conducido a un cambio de política encaminado a una mejora estructural de la industria. En vez de apoyar a las empresas con dificultades que amenazaban con cerrar sus puertas, el gobierno federal decidió subvencionar el 10 por 100 del coste de un nueva maquinaria entre 1979 y 1983 [79]. Las presiones subsiguientes por parte de las industrias de confección y piel llevaron a su inclusión en este programa de subsidios. Las empresas eran elegibles en tanto que pudieran probar que la vieja maquinaria estaba siendo desechada simultáneamente y que la capacidad de producción no aumentaba, y entonces podían recibir el subsidio en adición a otros programas gubernamentales que facilitaban la inversión, cada uno de los cinco años para la industria textil 772.500 millones para la industria de confección. Entre 1979 y 1981, este programa gubernamental afectó a un total de 125 millones de dólares en inversiones. Sólo en 1981, alrededor de un 60 por 100 de la inversión en maquinaria fue subvencionada en la industria textil, mientras que en confección fue de un 30 por 100.

Esta ayuda gubernamental reflejaba las demandas del interés social austríaco, así como la intención del gobierno de asegurar un futuro viable al núcleo competitivo de la industria. Sin embargo, habría que subra-

---

[79] *Jahrbuch der österreichischen Wirtschaft, 1978/2*, p. 104; *Die Presse*, 5 y 25 enero 1979; *Vorarlberger Nachrichten*, 27 febrero 1979; *Wirtschaft für Alle* 5 mayo 1979); *Wiener Zeitung*, 15 mayo 1979; *Vorarlbergs Wirtschaft Aktuell*, 29 junio 1979, pp. 4-6, y *Wiener Zeitung*, 30 marzo 1982.

yar que el gobierno no adoptó el programa a causa de la fuerza política de la industria textil. Si algo es notable en este sector es su debilidad política. La industria textil austríaca carece de una representación política eficaz en el seno de la comunidad empresarial y de los sindicatos. En los consejos de los partidos y en el Parlamento sus portavoces suelen estar faltos de imaginación e influencias políticas [80].

El gobierno realizó, pues, un esfuerzo consciente por compensar a la industria textil de algunas de la pérdidas económicas que había sufrido y para mostrar, a través de la elección de ciertas medidas, que continuaba fuertemente comprometido con la industria mientras ésta debiera afrontar nuevos cambios económicos. Los costosos, aunque temporales, programas de subsidios adoptados a finales de los 70, ilustran la lógica del comportamiento del gobierno. Aunque la participación de la industria en los subsidios públicos directos descendió de un 20 por 100 en 1970 a un 4 por 100 en 1975, el gobierno federal, una vez que hubo comprendido la magnitud de la crisis económica, no dudó en ofrecer recursos considerables [81]. Tras otros dos años, el gobierno llegó a la conclusión de que su política de fuertes subvenciones a un pequeño número de grandes empresas no competitivas, había sido un costoso fracaso. Sin embargo, en un solo año se había comprometido con un programa organizado y concebido de forma diferente de ayudas destinadas no a las grandes empresas no competitivas, sino a las pequeñas empresas competitivas. Estas rápidas orientaciones en cuanto a política, así como el compromiso de sumas considerables de capital, indicó a diferentes segmentos de la industria la intención del gobierno de ayudar a las empresas a superar la cresta del reajuste estructural sin intentar hacer caso omiso a las presiones del mercado.

La política de subsidios de 1979 muestra el espíritu con el que fueron concedidas las compensaciones políticas ante el cambio económico. Cada empresa debía enviar su petición a la Asociación de Industria en la Cámara de Economía Federal, la cual, tras revisarla y aprobarla, la presentaba a las reuniones bisemanales regulares de un comité especial que asesoraba al Ministerio de Comercio e Industria (a diferencia de Suiza, los bancos, fueran públicos o privados, no estaban encargados de la selección de las peticiones). Las deliberaciones del comité asesor estaban basadas en datos que no permitían una evaluación cuidadosa de la viabilidad económica de una empresa a largo plazo; en realidad, a menudo se

---

[80] *Osterreichische Textil-Mitteilungen*, 25 abril 1975.

[81] Beirat für Wirtschaft- und Sozialfragen, *Vorschläge zur Industriepolitik II* Viena: Ueberreuter, 1978), pp. 45-46.

demostró tarea imposible de establecer la equivalencia en términos de capacidad entre la nueva maquinaria a la que se destinaba la inversión y la vieja maquinaria que iba a ser desechada [82]. De forma similar, era difícil imponer otras restricciones menores sobre las empresas que recibían la ayuda; el proyecto de inversión debía asegurar puestos de trabajo en Austria. Las ofertas de los abastecedores austríacos debían ser consideradas antes que las de los proveedores extranjeros, y en tiempos de crisis económica la empresa debería producir para los mercados interiores [83].

En el estudio de las solicitudes, el comité actuaba bastante superficialmente. Aunque el programa estaba inspirado por la política industrial selectiva del Japón, de hecho no era selectivo, a muy pocas empresas se les negó la ayuda. Dado que el programa no estaba dirigido a las áreas de mayor debilidad en la industria, es decir, el diseño y el marketing, su intento político fue en vano. La política gubernamental de concentrar a las grandes empresas enfermas del este austríaco, había constituido un fracaso; este nuevo programa benefició a un segmento diferente de la industria y a una región distinta. El hecho de que la política del gobierno estuviera pasando un mal momento al producir los resultados económicos deseados, es menos señalable que el hecho de que el gobierno, con muy escasa información y bajo unas presiones fiscales crecientes, debería haber pasado del costoso fracaso de una vieja política a la costosa experimentación de una nueva, manteniendo así su apoyo a la industria en su conjunto.

Una de las razones de la flexibilidad del gobierno en sus respuestas a la crisis es que la organización de la economía política del país contiene y limita las diferencias entre los intereses sectoriales. Las asociaciones de élite austríacas ofrecen arenas en las que pueden exponerse los intensos conflictos que existen entre los diferentes segmentos de la industria sin paralizar la política del gobierno. En las cuestiones de restricciones a la importación, por ejemplo, la oposición política de los importadores austríacos, afectados de forma negativa por la adopción de declaraciones de importación y el desplazamiento subsiguiente hacia una mayor protección, como la estricta aplicación de regulación de las marcas textiles austríacas tras enero de 1979, condujeron a reñidas discusiones con los productores textiles en el seno de la asociación de élite de empresarios [84]. Algunos importadores enfurecidos, se dice, solicitaron miles de copias de los nuevos impresos cuando se introdujeron las declaraciones de impor-

[82] *Kurier*, 14 febrero 1979.

[83] *Vorarlberg's Wirtschaft Aktuell*, 29 junio 1979, p. 6.

[84] *Die Presse*, 19 julio 1977; *Overösterreichische Nachrichten*, 10 agosto 1977; *Wiener Zeitung*, 3 agosto 1977; *Die Presse*, 26 julio 1978, y *Die Wirtschaft*, 22 agosto 1978.

tación. Sin embargo, la gran fuerza de las asociaciones de élite austríacas descansa precisamente en el hecho de que los intereses contradictorios se tratan primeramente a través de negociaciones políticas realizadas en el seno de la comunidad empresarial y aceptadas por todas las empresas y asociaciones comerciales. La negociación política en las asociaciones de élite ha hecho que sea innecesario para la industria textil el adoptar la «vía pública» en la búsqueda de nuevas soluciones políticas o de aliados políticos.

Un proceso similar de contención de la oposición política al rápido cambio económico puede observarse en el movimiento sindical. En las plantas textiles, los trabajadores suelen apoyar las medidas proteccionistas para defender los puestos de trabajo existentes. El liderazgo central de la federación de sindicatos, por otro lado, contempla su tarea como una educación de sus miembros en torno a los beneficios de los mercados internacionales abiertos para Austria. La tarea de mediación entre estos dos puntos de vista conflictivos recae en el sindicato textil, el cual se adhiere muy estrechamente a la posición política de los líderes centrales, pero agradece la flexibilidad cuando viene a imponer medidas proteccionistas o subsidios temporales para satisfacer a sus miembros.

En los años 70, con la reducción del empleo y la decreciente afiliación sindical, el sindicato se debilitó al tiempo que lo hacía la industria en su conjunto [85]. El gobierno intentó proporcionar una compensación pública y, mediante la concesión de ayudas económicas, señalar que seguía estando fuertemente comprometido con la idea del pleno empleo. Las medidas específicas reafirmaron tal compromiso. En 1975, el gobierno amplió de tres a siete meses el período durante el cual los trabajadores textiles con jornada reducida podían recibir un apoyo especial del Estado [86]. En parte como resultado de esta política, en 1977 la industria tenía sólo ochocientos trabajadores con jornada reducida [87]. Al mismo tiempo, el gobierno austríaco reafirmó su derecho, sancionado legalmente, de vetar los despidos de más del 10 por 100 de la mano de obra en cualquier empresa.

Bajo cualquier circunstancia, sería difícil para los líderes sindicales, con una afiliación cada vez menor, mantener un ataque continuo a la política gubernamental, particularmente dado que el gobierno no ha nece-

---

[85] Alexander Vodopivec. *Die Dritte Republik: Machtstrukturen in Österreich* (Viena Molden, 1976), p. 55.

[86] *Österreichische Textilmitteilungen*, 3 octubre 1975.

[87] *Ibid.*, *Die Presse*, 27 septiembre 1974, y *Frankfurt Allgemeine Zeitung* (Blicke Durch die Wirtschaft), 2 octubre 1974.

sitado ser convencido de que la pérdida de puestos de trabajo debe compensarse en la medida de lo posible. Los sindicatos favorecen la completa modernización de la industria, incluso a riesgo de que ello ocasione nuevas reducciones del empleo. Su objetivo a largo plazo no descansa en la defensa de una industria en dificultades con bajos salarios, sino en la reducción del 30 por 100 del salario diferencial que a finales de los 70 distanciaba los salarios medios del sector textil con respecto a aquellos de los sectores en crecimiento, tales como los del metal y la ingeniería [88]. En el desarrollo de esta política, el sindicato puede confiar en una mano de obra que está menos sindicalizada que en otros sectores. Sin embargo, las cifras de organización sindical del 50 por 100 de la fuerza de trabajo en textiles y el 42 por 100 en confección son mucho mayores que en Suiza.

La industria textil austríaca ha soportado enormes cambios durante los años 70. La búsqueda cautelosa del libre comercio y una ayuda sustancial, aunque limitada, a los productores, redujo las transformaciones en los factores de producción sin intentar detenerlas. Los problemas de la industria no han finalizado en modo alguno. Los cambios se producen con tanta rapidez, que el segmento «sano» de la industria en el oeste austríaco estaba experimentando, a principios de los 80, problemas más serios que la parte «enferma» del este. Pero los industriales y los funcionarios del gobierno en Austria son bastante optimistas. La industria textil continuará siendo competitiva en diferentes segmentos del mercado y, en un futuro previsible, seguirá siendo un sector de empresas medianas en la economía. En el proceso de desaceleración del cambio económico que está transformando la industria, las políticas del gobierno hacen posible que todos aquellos afectados —trabajadores y hombres de negocios, funcionarios elegidos y público en general— se adhieran a la noción de que vivir con el cambio económico a gran escala era tolerable mientras se llevaran a cabo esfuerzos de compensación tanto en términos económicos como políticos.

Empresas en dificultades (2): Vöslau

El espectacular fracaso de la mayor empresa textil austríaca a finales de los 70 ilustra la forma en que funciona el corporatismo social cuando las empresas se encuentran en un verdadero problema [89]. La fusión en

[88] *Arbeiterzeitung*, 10 marzo 1978; *Kurier*, 14 febrero 1979, y *Tiroler Tageszeitung*, 11 mayo 1979.

[89] Este episodio puede trazarse a través de los siguientes periódicos, *Die Presse*, 13 y 20 septiembre 1975; *Die Presse*, 6 octubre 1975; *Volkstimme*, 10 octubre 1975; *Bank und Bör-*

1975 de tres grandes productores textiles había sido provocada por el temor al desempleo, temor alimentado por el serio deterioro de las condiciones económicas de una de las más antiguas empresas textiles de Vöslau. Al promover la fusión, el gobierno intentó intervenir de forma activa en el proceso de ajuste industrial.

Los debates preliminares en torno a la concentración y racionalización de la producción en estas empresas había empezado a finales de los 60; sin embargo la idea permaneció adormecida durante el prolongado crecimiento económico de los años 1968 a 1974. La profunda recesión de mediados de los 70 acabó bruscamente con esas condiciones económicas favorables; y, de las tres empresas que el gobierno había seleccionado para la fusión, la de Vöslau había incurrido en pérdidas de 3,21 millones de dólares en 1974; la segunda resultó insolvente; y sólo la tercera estaba operando en la ilegalidad. La fusión unificó la mayor parte de la producción en las provincias orientales y creó una gran empresa competitiva con un volumen de negocios de aproximadamente 60 millones de dólares, empresas que podían ofrecer puestos de trabajo seguros a sus 1.800 empleados. El plan estaba destinado a reducir, sólo en el caso de la empresa Vöslau, el número de productos de 400 a 25 y a eliminar, con la aprobación del sindicato, 700 puestos de trabajo del total combinado de las tres empresas que eran de 2.500. La fusión atrajo el apoyo de los accionistas y directivos del sindicato de los bancos privados y nacionalizados y del gobierno. Sin embargo, cinco años y 70 millones de dólares después, el gobierno admitiría que la empresa no podía ser recuperada.

La infusión de capital nuevo fue masiva. A partir del 1 de enero de 1976, la nueva base de capital de la compañía se vio fortalecida por la conversión de 2,8 millones de dólares de créditos por parte del mayor banco nacionalizado austríaco, el Creditanstalt, y de 1,1 millones de dólares por parte del banco privado más conocido en Austria, Schoeller, en acciones de la empresa. Junto con el Creditanstalt, Schoeller asumió el control mayoritario de la nueva compañía. Mientras tanto, y por su parte, el gobierno federal hizo disponibles, a través de dos de sus fondos para la inversión, los 7,5 millones de dólares que se necesitaban para las inversiones de 1976-77 y se mostró de acuerdo, a instancias de los bancos, en

---

se, 8 noviembre 1975; *Die Presse*, 15, 16 y 24 enero 1976; *Wiener Zeitung*, 11 febrero 1976; *Arbeiter-Zeitung*, 15 febrero 1976; *Die Presse*, 3 marzo y 24 mayo 1976, 5 abril y 12 mayo 1978; *Volksstimme*, 27 mayo 1978; *Neue Zeit*, 30 mayo 1978; *Wiener Zeitung*, 28 junio 1978; *Die Presse*, 22 julio 1978; *Frankfurter Allgemeine Zeitung*, 4 agosto 1978; *Arbeiterzeitung* 29 noviembre 1978; *Die Presse*, 7 y 19 diciembre 1978; *Vorarlberger Nachrichten*, 12 diciembre 1978; *Wochenpresse*, 13 diciembre 1978; *Vorarlberger Nachrichten*, 27 febrero y 15 marzo 1979; *Börsen-Kurier*, 7 agosto 1980.

asegurar esta cantidad a través de sus préstamos y fondos de garantía para la inversión. Además, el Ministerio de Asuntos Sociales contribuyó con otros 670.000 dólares de los fondos austríacos del mercado de trabajo. El plan de reorganización dejó, pues, al mayor banco nacionalizado con una inversión directa considerable en la nueva compañía y obligaba al gobierno a financiar y asegurar las inversiones de la empresa durante dos años.

Pero esos dos años arrojarían unas prometedoras expectativas y esperanzas iniciales. Las pérdidas de 6 millones de dólares en 1976 y de más de 12 millones en 1977 exigieron la infusión de seis nuevos millones de dólares en el verano de 1977. Doce meses después se produjo una nueva infusión masiva, de más de 27,5 millones de dólares, y la apertura de líneas de crédito adicionales. En unas tensas negociaciones que incluían al ministro de finanzas socialista, al director de Creditanstalt y al representante de Schoeller (el cual, casualmente, era también presidente de la Federación de Industria), los bancos, principalmente el Creditanstalt, acordaron añadir considerables inversiones y facilidades crediticias mientras que el gobierno prometía, una vez que se hubiera aprobado la legislación necesaria por parte del Parlamento, reembolsarles los 9,6 millones de dólares de créditos sobre los que la empresa había incumplido el pago. Como parte de un paquete para salvar a la empresa, el sindicato aceptó una reducción del empleo de 1.600 a 800 en 1980.

Durante los seis meses siguientes, la desconfianza de las empresas textiles relativamente sanas de la provincia occidental de Vorarlberg halló su expresión en la decidida oposición del conservador ÖVP. Se refería a esta política industrial que intentaba defender los puestos de trabajo en las compañías en problemas sin conceder una ayuda similar a otras empresas de la industria, como de arbitraria e imprudente. El gobierno no consiguió que el Parlamento adoptara una legislación que habría ofrecido el capital adicional, impidiendo así a los bancos el solicitar otros 6,9 millones de dólares por deudas incobrables.

En diciembre de 1978, la empresa Vöslau se declaró en bancarrota. En opinión del director del Creditanstalt, habrían sido necesarios nuevos subsidios, quizá de 36 millones de dólares, para mantener la empresa a flote durante el año siguiente. El gobierno del SPÖ no podía continuar financiando una compañía con déficit tan enormes y recortando continuamente el empleo. Todo incluido, el gobierno había perdido alrededor de 70 millones de dólares en su intento de salvar a una empresa fracasada. Al mismo tiempo, el nacionalizado Creditanstalt había llegado a participar financieramente en la fusión, principalmente por razones políticas. Junto con el gobierno, estaba interesado en establecer un ejemplo de lo que se consideraba en ese momento como un importante experimento de política industrial. Pero terminó poseyendo las tres cuartas partes de una compañía en bancarrota que había dejado impagados millones de dólares en préstamos.

Los contrastes con Suiza son claros. El desempleo de cientos de trabajadores no fue dejado a la discreción de la gestión privada, pero galvanizó en cambio la acción política al más alto nivel, provocada por la presión de los sindicatos, de las directivas y de un banco privado —todos los cuales estaban interesados en preservar el funcionamiento de la empresa. Para traducir sus objetivos políticos en acción, el gobierno del SPÖ pudo confiar en un amplio apoyo político entre la industria y los sindicatos, y disponer de una larga serie de instrumentos financieros. Pero la fuerte intervención política en los mercados rápidamente cambiantes demostró ser comercialmente inviable y extremadamente costosa; los mercados no podían pasarse por alto en la acción política. Incluso antes de declararse en bancarrota, la compañía había eliminado ya a más de la tercera parte de su mano de obra inicial, y estaba proponiendo un nuevo recorte del 50 por 100. Así pues, la intervención del gobierno no fue tanto una política a largo plazo de transformación estructural como un intento de motivaciones tácticas para compensar por las condiciones del mercado en rápido deterioro con subsidios cada vez mayores.

El fracaso de la empresa, y la pérdida por parte del gobierno de 70 millones de dólares en lo que llegó a ser una fútil defensa de puestos de trabajo en un sector industrial desprotegido, provocó escasa acritud política; los partidos interesados estaban o bien implicados directamente en las decisiones o bien eran apartados de ellas. Por ejemplo, la preocupación por los subcontratistas y los trabajadores afectados negativamente por la bancarrota empujaron al nacionalizado Creditanstalt, que ya había perdido millones de dólares, a gastar otros 4,5 millones. Y se desarrollaron plenamente las instituciones del mercado de trabajo austríaco para facilitar la transición de los trabajadores a nuevos puestos de trabajo. De forma similar, en Suiza, la empresa Glattfelden, en su «Plan Social» preveía una serie de servicios y asistencia financiera para despedir a las trabajadoras extranjeras, reñidos con la noción de que los suizos abusan de un proletariado importado y que su método de ajuste es dejar que el avance del mercado marque su propio curso. Es cierto que en Suiza los trabajadores dependen de la sola discreción de la directiva. Pero aunque los trabajadores no estaban protegidos por sindicatos fuertes, existían procedimientos institucionales para evitar un empobrecimiento inminente. Además, durante años, los gestores de Glattfelden y Vöslau habían sacrificado beneficios y dividendos en el intento de defender el empleo y con la esperanza de que llegarían tiempos mejores. Finalmente, el pleno empleo en ambos países servía para crear un ajuste más sencillo en la industria textil. Las cuestiones del ajuste industrial no pueden separarse de las condiciones macroeconómicas que conforman la política.

En ambos países, la industria padeció la liberalización internacional que persiguieron Suiza y Austria en grados diferentes en los años 70. En los 70, las reducciones en el número de empresas y la eliminación de puestos de trabajo fue mayor en la industria textil suiza que en la austríaca. Por otro lado, los productores austríacos experimentaron mayores tasas de cambio que los productores suizos, si lo medimos en cuanto a los cambios que se produjeron en el grado de penetración de importaciones y de orientación a la exportación. Ambos países eran capaces de realizar un ajuste flexible, cada cual de forma distintiva. El mayor coste que pagó la industria textil austríaca, de orientación más interior, derivaba de la creciente liberalización; la industria textil suiza, más orientada internacionalmente, padeció fuertemente la revalorización del franco suizo y la prohibición impuesta a la importación de trabajadores extranjeros.

Para ayudar a los productores del país y proteger el empleo, Suiza concedió ayudas temporales a la exportación mientras que Austria practicaba una protección selectiva. El intento del gobierno por defender los puestos de trabajo existentes en la industria textil señala los límites de la tolerancia austríaca ante el cambio, así como su escasa habilidad para resistirlo. Ni la ambición política ni los recursos financieros desplegados en la infructuosa misión de rescate de Vöslau a mediados de los 70 existirían unos cuantos años después. Sin embargo, los dos casos, Vöslau y Glattfelden, y las políticas nacionales más generales, Suiza y Austria, señalan una importante convergencia en los años 70: aunque de formas diferentes, ambos países compensaban los costes del cambio económico mientras convivían con él.

Estos dos casos muestran cómo Suiza y Austria convergen en las tres características definitorias del corporatismo democrático. Primero, Galttfelden y Vöslau subrayan la presencia de una «ideología del interés social» en ambos países. Las ilustraciones son numerosas: empresarios y sindicatos crearon una nueva área institucional para la consulta en Suiza; los puntos de vista de sindicatos y gobierno fueron compatibles en Austria; el gobierno federal suizo acertó calladamente las consecuencias del cambio económico resultante de una adaptación armoniosa entre empresarios y sindicatos; y los empresarios austríacos aceptaron los resultados de la política, acordada entre el gobierno y los sindicatos, de frenar el ritmo del cambio económico. Segundo, las asociaciones de élite empresariales demostraron ser muy importantes en ambos países para el esclarecimiento y resolución de los intensos conflictos políticos dentro de y entre los sectores. Como resultado, los conflictos políticos en el seno de la comunidad empresarial no inmovilizaron el orden del día público ni la maquinaria gubernamental. Además, el sindicato austríaco se hallaba en posición de poder responder ante el descontento de las masas. Finalmente, en sus políticas de ajuste, Suiza y Austria coincidían en el intento, en términos económicos y políticos, de equilibrar las pérdidas que la industria se vio obligada a absorber. Los objetivos económicos y políticos estuvieron, por ejemplo, unidos inextricablemente en el programa de créditos a la exportación organizado por los bancos suizos y en el programa de ayuda interior ofrecido por el gobierno austríaco.

Pero los dos casos ilustran también una divergencia en las formas que adopta el corporatismo. En el caso suizo, los bancos juegan un papel mucho más importante que el gobierno federal. Además, la renovación del compromiso de empresarios y de sindicatos con el principio de la adaptación se produce a nivel sectorial más que en los centros políticos. Así pues, en términos generales, el corporatismo liberal suizo tiende hacia la despolitización y la descentralización. En el caso austríaco, el gobierno federal es más importante que los bancos, y las relaciones consensuales entre sindicatos y gobierno se dan a los más altos niveles políticos. En general, por lo tanto, el corporatismo social austríaco tiende hacia la politización y la centralización. A pesar de sus diferencias en cuanto a la forma, ambas variedades de corporatismo convergen en la compensación a la industria textil, dentro de unos límites, por algunas de las pérdidas en las que incurrió ésta debido al rápido y adverso cambio económico. Suiza y Austria han cultivado, así, sus capacidades para «dar las puntadas precisas» al reparar sus tejidos corporatistas.

6. LAS POLITICAS DE CAMBIO EN LAS INDUSTRIAS DEL ACERO Y DE LOS RELOJES

La industria austríaca del acero y la suiza de los relojes ofrecen, igual que los textiles, una manera instructiva de examinar cómo el corporatismo afronta el cambio. Aunque estas cuatro industrias experimentaron problemas de ajuste diferentes en los años 70, todas afrontaron serios retos a su competitividad internacional y bruscos descensos de su prosperidad económica. Su historia reciente muestra que el corporatismo tiene la capacidad para apaciguar a aquellos que se ven afectados por el cambio. En esa búsqueda por compensar, dentro de los límites que permitan los mercados internacionales, las dificultades del rápido cambio económico y la incorporación política de los sectores con problemas, Austria y Suiza convierten la política en el elemento central de su proceso de ajuste.

Las características inclusivistas del corporatismo difuminan la oposición —y la difuminan de forma tan efectiva que los sectores con problemas no van buscando aliados para atacar los fundamentos de la política austríaca y suiza. Sorprendentemente, sin embargo, la dificultad económica se convierte en la ocasión para relegitimar y reforzar los acuerdos corporatistas; el hecho es particularmente claro en el acero y los relojes. Estas dos industrias ocupan posiciones importantes en la política austríaca y suiza y han disfrutado tradicionalmente de un peso considerable en los mercados internacionales. Cuando cientos o miles de trabajadores se enfrentan a la pérdida de sus puestos de trabajo, y cuando millones o cientos de millones en capital de inversión se hallan en peligro de ser anulados como pérdidas, el corporatismo nos muestra la manera de movilizar el consenso en el contexto de crisis.

La industria del acero ejemplifica rasgos típicos de una industria de bienes intermedios de la Segunda Revolución Industrial, una industria que ha experimentado tasas medias de crecimiento económico en unos mercados nacionales estables y que sólo en los últimos años se ha visto expuesta a una seria competencia exterior por parte de los productores a bajo coste [1]. La industria está generalmente dominada por unas pocas grandes corporaciones, frecuentemente nacionalizadas y a menudo unidas en acuerdos parecidos a los cárteles. Dado que inventó y patentó el método de producción mediante explosión de oxígeno, la industria del acero austríaca disfrutó, durante los años 50 y 60, una posición de poder en el mercado caracterizada por un alto grando de invulnerabilidad. En los años 70, la industria del acero austríaca comenzó progresivamente a producir para nichos especializados del mercado. La fuerza de trabajo se halla generalmente bien organizada, y las corporaciones financian normalmente los enormes programas de inversión de la industria. Pero la prolongada crisis económica hace a estas corporaciones dependientes de fuentes externas de capital, y como resultado, sus negocios están a menudo controlados o gestionados de forma indirecta por la burocracia estatal. La centralización de la industria del acero y su necesidad de mercados estables fomentan generalmente una estrategia política de ajuste enfocada hacia una transformación sectorial a largo plazo, complementada por intentos a corto plazo de exportar los costes del cambio. Los acuerdos cartelísticos formales y los acuerdos por un mercado en orden son fácilmente controlados en los mercados internacionales y pueden llegar a convertirse en vías adecuadas para desviar la presión económica cuando las crisis cíclicas y estructurales coinciden.

La industria relojera muestra las características de una industria de bienes de consumo que combina elementos de la Primera, la Segunda y la Tercera Revolución Industrial. Hasta mediados de los 70 experimentó un alto crecimiento económico en mercados de rápida expansión. La industria está compuesta por numerosas pequeñas empresas y unas cuantas corporaciones grandes que en ocasiones juegan un papel importante en las asociaciones comerciales y en las federaciones nacionales de empresarios. La posición dominante que disfruta la industria relojera suiza en el mercado mundial le concede un grado de poder en el mercado internacional poco frecuente, el cual sólo se vio seriamente amenazado por la introducción de los relojes electrónicos de los competidores japoneses y norteamericanos en los años 70. A pesar de la fragmentación del sector, los trabajadores cualificados están normalmente bien organizados debido a sus vínculos con otros sindicatos más poderosos. Las necesidades de inversión de pequeñas empresas y de grandes corporaciones han sido satis-

---

[1] Organización para la Cooperación y el Desarrollo Europeo (OCDE), *Industrial and Structural Adaptation of the fon an Steel Industry* (París: 1976).

fechas mediante beneficios no distribuidos o créditos bancarios. La dependencia con respecto a los mercados de exportación impidieron la exportación de los costes del cambio y fomentaron el ajuste industrial sin excesiva intromisión gubernamental.

Unas cuantas estadísticas sumarias ilustran los rasgos específicos de las industrias (véase el cuadro 4). El empleo y el número de empresas en cuanto a relojes descendió bruscamente en los años 70, mientras que permanecieron estables o descendieron ligeramente en el acero austríaco. En términos de las mismas, la industria austríaca del acero está más centralizada y concentrada que la industria relojera suiza. La orientación exportadora del acero austríaco se incrementó considerablemente en los años 60 y 70, aunque no se aproximara ni remotamente a la dependencia de los relojes suizos con respecto a los mercados mundiales. Al mismo tiempo, el mercado del acero austríaco estaba abierto cada vez más a los productores extranjeros.

La creciente participación de los relojes importados o de sus componentes en los mercados suizos refleja una reorientación de esta industria, la cual descansa crecientemente en la producción extranjera y en el montaje nacional. Finalmente, la participación relativa de estas dos industrias en los presupuestos totales de investigación y desarrollo en estos países se mantuvo bastante estable; pero la cifra correspondiente a Austria es cuatro o cinco veces mayor que la de Suiza. Esta visión de conjunto ofrece puntos de referencia para un examen detallado de las dos industrias.

El acero austríaco

Lo distintivo de la industria del acero austríaca desde 1945 descansa en las ventajas comparativas que derivaron de las innovaciones tecnológicas a principios de los 50 [2]. El método de producción del acero por ex-

[2] Véase Ericht Andrlik, «The Organized Society: A Study of "NeoCorporatist" Relations in Austria's Steel and Metal Precessing Industry» (Ph. D. diss., MIT, 1983), especialmente pp. 243-88. Véanse también Stephan Koren, «Sozialisierungsideologie und Verstaatlichungsrealität in Österreich», en Wilhelm Weber, ed., *Die Verstaatlichung in Österreich* (Berlín: Duncker & Humblot, 1964), pp. 165-265; Oskar Grünwald y Herbert Krämer, *Die verstaatliche österreichische Metallindustrie* (Frankfurt: Euripäische Verlagsanstalt, 1966); Margit Scherb, «Ökonomische Auswirkungen des Internationalisierungsprozesses auf kleine Industriestaaten: Dargestellt am Beispiel der verstaatlichten österreichischen Eisen- und Stahlindustrie», *Österreichische Zeitschrift für Politikwissenschaft,* núm. 3, 1978, pp. 275-90; Dennison I. Rusinow, «Notes toward a Political Definition of Austria», Partes IV y V, *AUFS Reports ihre Aussenhandelsverflechtung* (Viena: Signum, 1980), y Oskar Grünwald, «Steel and the State in Austria», *Annals of Public and Co-operative Economy,* 51 (diciembre 1980) pp. 309-43.

CUADRO 4. *Los sectores de la relojería suiza y el acero austríaco*

	Suiza		*Austria*	
	Relojes	*Elaboración de hierro y metales*	*Productos metálicos*	*Productos de ingeniería y construcciones de acero*
Empleo		(miles) [a]		
1970	89	39	58	65
1980	47	39	63	79
Empresas		(número) [b]		
1970	1.177	14	504	423
1980	776	26	767	731
Tamaño medio de las empresas		(% de trabajadores del sector) [b]		
Menos de 20	9	—	4	3
20-99	37	5	22	17
100-499	34	6	41	31
Más de 500	20	89	33	49
Gastos en investigación y desarrollo		(% de I + D total) [c]		
1969	3,6	0,2	5,8	10,7
1975	3,7	0,2	5,1	8,8
Intensidad de exportación		(% de producción total) [c]		
1970	90-95	69	30	57
1980	90-95	66	37	61
Penetración de importaciones		(% de producción total) [c]		
1970	5-10	29	35	76
1980	7-15	28	48	67

Fuentes:

[a] Las cifras suizas provienen de Wirtschaftsforderung, *Artikeldienst,* 1 junio 1981; las cifras austríacas son de Hans Wehsely, «Industriepolitik in den siebziger Jahren Ruckblick und Ausblick», *Österreichische Zeitschrift für Politikwissenschaft,* núm. 1: 1981, p. 30 (los datos son para 1969 y 1979).

[b] Las cifras suizas son de *Statistisches Jahrbuch der Schweiz 1981* (Berna, 1982), pp. 154, 156 y 160-61; las cifras austríacas provienen de *Statistisches Handbuch für die Republick Österreich 1981* (Viena, 1982), p. 312-14.

[c] Las cifras austríacas provienen de Beirat für Wirtschafts- und Sozialfragen, *Vorschläge zur Industriepolitik II* (Viena: Ueberreuter, 1978), pp. 95, 103 (los datos de exportación e importación son para 1970 y 1977). Las cifras suizas son para la línea 4 de Silvio Borner *et al.,* «Structural Analysis of Swiss Industry 1968-1978: Redeployment of Industry and the International División of Labour» (Zurich: Industrial Consulting and Management Engineering Co., 1978), p. 71; para la línea 5 de Maigret Sieber, *Die Abhangigkeit der Schweiz von ihrer internationalen Umwelt: Konzepte und Indikatoren* (Zurich: Huber Fravenfeld, 1981), p. 170, y para la línea 6 las estimaciones están basadas en entrevistas realizadas en Biel y Zurich, 1981.

plosión de oxígeno, denominado L-D por Linz y Donawitz, concedió a Austria un liderazgo tecnológico que le aseguró considerables ventajas en la producción de acero. La proporción del acero crudo producido en Austria mediante modernos equipamientos aumentó de un 36 por 100 en 1954 a un 49 por 100 en 1978 [3]. En 1967 sólo Japón y Holanda, que introdujeron la nueva tecnología sobre una base comercial en 1957-58, pudieron equipararse a Austria en la proporción de acero producido por el método de L-D.

Las ventajas de la nueva tecnología en cuanto a los costes fueron considerables, y los costes capital para la construcción de nuevas instalaciones estaban un 25-30 por 100 por debajo de aquellas tecnologías más viejas [4]. El liderazgo tecnológico de Austria conllevó nuevas ventajas; aparte de la fuerza general que obtuvo la industria del acero de la efectividad de sus costes en los años 50 y 60, esta innovación progresiva fue de considerable importancia en la expansión de la construcción con acero y la producción de maquinaria. Y dado que el 70 por 100 de la expansión subsiguiente de la industria internacional del acero se produjo en el acero producido con el método de L-D, Austria estableció también unos sólidos fundamentos para la exportación de fábricas de aceros integradas. Entre 1963 y 1968, el Voest construyó alrededor de una tercera parte de todas las plantas de acero L-D que se pusieron en funcionamiento en todo el mundo. Estas nuevas plantas elevaron la producción de la industria del acero austríaco por un factor de diez [5].

---

[3] Österreischisches Institut für Wirtschaftsforschung, «Die Ausbreitung neuer Technologien: Eine Studie über zehn Verfahren in neum Industrien», *Monatsberichte,* supplement 87 (septiembre 1969), p. 5; Kurt Wicht, «Die Entwicklung des LD-Verfahrens und dessen Auswirkungen auf die VÖES-AG von 1959 bis 1972» (Ph. D. diss., hochschule für Welthandel, Viena: 1975), p. 7; *Volksstimme,* 15 febrero 1980; Grünwald y Krämer, Österreichische *Metallindustrie,* p. 38, y Rusinow, «Notes», Parte VI, p. 10, note 5. Véanse también Robert A. Blecker, «The Diffusion of the Basic Oxygen Process and the Decline of the American Steel Industry» (artículo preparado para el seminario de Historia Social de la Ciencia Universitaria de Stanford, 30 noviembre 1982); G. S. Maddala y Peter T. Knight, «International Diffusion of Technical Change: A Case Study of the Oxygen Steel Making Process», *Economic Journal,* 77 (septiembre 1967) pp. 531-58, y Guy Herregat, «Managerial Profiles and Investment Patterns: An Analysis of the International Diffusion of the Basic Oxygen Steel Process» (Ph. D. diss., Universidad de Lovaina, 1972).

[4] En un estudio se estima que la reducción de coste fue de un 15 por 100 para una producción de acero de 1 a 2 toneladas anuales. Véanse Institut für Wirtschaftsforschung, «Ausbreitung neuer Technologien», p. 6; Ferdinand Lacina, *The Development of the Austrian Public Sector since World War II* (Universidad de Texas, Austin, Institute of Latin American Studies, Office for Public Sector Studies, Technical Papers Series núm. 7, 1977), p. 21, y Kleiner, *Österreichs Eisen- und Stahlingustrie,* pp. 43-44, nota a pie de página 98.

[5] Un cálculo reciente de la extensión mundial de L-D aparece en *L-D Process Newsletter,* núm. 71 (Linz: Voest-Alpine Engineering and Contracting Division, marzo 1981). So-

Lo impresionante de estos avances son las insignificantes sumas que recibía Austria por la exportación de una tecnología revolucionaria. En realidad, Austria parece haber entregado su tecnología casi de forma gratuita en los años 50 y 60. Parte de esta generosidad fue involuntaria. En Estados Unidos son los productores norteamericanos quienes se atribuían el haber descubierto, y no imitado, la tecnología L-D. Este caso fue decidido realmente en el área procesal en contra de la empresa austríaca. Como resultado, el Voest no obtuvo ni un solo centavo por derechos de licencia en el mercado norteamericano.

Las negociaciones con los productores japoneses de acero son más reveladoras que el episodio norteamericano. En 1956, la Alpine-Montan Austríaca (Oesterreichisch-Alpine Montangesellschaft) asignó a Nippon Kokan los derechos de propiedad o solicitud de la nueva tecnología en Japón, le concedió una licencia exclusiva para utilizar los derechos de patente o solicitar la patente con derecho de sublicencia en Japón, y con un intercambio ilimitado de los conocimientos, incluyendo todas la futuras mejoras de la tecnología. A cambio, Nippon Kokan pagó a la empresa austríaca un total de 1,4 millones de dólares, que quizá en 1950 no fueran insignificantes, pero que juzgados en retrospectiva eran un miseria [6]. La medida aceleró, pues, bastante la expansión de una tecnología que, a cambio, fortalecería los avances adversos del mercado que afectaron tanto a la industria austríaca del acero en los años 70.

Durante un cierto tiempo, sin embargo, el liderazgo tecnológico fortaleció las economías de escala creadas por la fuerte expansión de la capacidad austríaca bajo la ocupación alemana. El Plan Marshall y la reconstrucción y rearme posbélicos ofrecieron unas condiciones de mercado que favorecían la rápida expansión [7]. En realidad, la industria nacionalizada del acero fue tan importante en la economía política austríaca que entre 1948 y 1951 el Voest recibió una tercera parte de la ayuda del Plan Marshall, constituido por 1,4 billones de dólares [8]. La industria era así capaz de reconstruir y expandir sus instalaciones con las más avanzadas tecnologías.

---

bre la difusión internacional de la innovación tecnológica austríaca en aceros y sobre el futuro de la industria en Austria, véase también Frans Geist, «Die Zukunft der österreichisceh Stahlindustrie», *West-Ost Journal* núm. 6 (diciembre 1976) pp. 31-33.

[6] Cartas al autor de Nippon Kokan, 6 marzo y 8 abril 1980.

[7] Georg Vajta, «Die Zusammenhänge zwischen Stahlintensitär un Sozialprodukt-Struktur in Österreich», *Wirtschaftspolitische Blätter,* 21, 2 (1974) pp. 195-98.

[8] Scherb, «Ökonomische Auswirkungen», p. 283, y Grünwald and Krämer, *Österreichische Metallindustrie,* p. 127. Además, los sectores de hierro y acero recibieron más de la mitad de la ayuda total concedida a las industrias nacionalizadas.

Alrededor de 1960, la producción y el empleo se habían incrementado de forma masiva en una industria que tras su inversión inicial por parte de la ayuda del Plan Marshall estaba ampliamente autofinanciada e inmersa profundamente en los mercados internacionales [9]. Así pues, entre finales de los 50 y finales de los 70, la intensidad de exportación de la industria nacionalizada autríaca permaneció sin cambios en un tercio de su producción. Pero el principal productor en la industria del acero, el Voest, estaba exportando dos terceras partes de su producción total a finales de los 70 [10]. Como ejemplo de su importancia, el superávit de exportación de Austria en acero y hierro cubría las tres cuartas partes de su déficit de importación de vehículos de motor.

La demanda mundial fue menos boyante en los años 60, y el adelanto tecnológico que erosionaba a la industria austríaca se reflejó en un descenso del 50 por 100 en los beneficios entre 1962 y 1966; los salarios por horas se incrementaron tres veces más rápidamente que la productividad [11]. Las tradicionales desventajas estructurales se hicieron evidentes, siendo la principal entre ellas la importación de materias primas (casi todo el carbón de coca necesario y dos tercios del oro de hierro). Sin embargo, la crisis del acero que comenzó a partir de 1974 iba a producir efectos menos dramáticos en Austria que en otras partes. Entre 1974 y 1976 se produjeron recortes en la producción que eliminaban 3.000 puestos de trabajo por desgaste natural y mediante la introducción de cursillos de formación para los trabajadores que de otra forma habrían sido empujados al sistema de jornada reducida [12]. Pero el acero austríaco realizó notablemente bien la absorción de una menor demanda de acero sin recurrir a los despidos masivos. Todos los demás países productores de acero del mundo industrial avanzado perdieron muchos más puestos de trabajo; y otras industrias, como los textiles austríacos, por ejemplo, tuvieron que absorber muchas más pérdidas de empleo en los años 70.

[9] Koren, «Sozialisierungsideologie», pp. 112-14, y Grünwald y Krämer, *Österreichische Metallindustrie,* p. 125.

[10] Koren, «Sozialisierungsideologie», p. 123; ÖIAG, *Journal,* n/um. 2, 1979, p. 14; Rupert Zimmermann, *Verstaatlichung ind Österreich: Ihre Aufgaben und Ziele* (Viena: Wiener Volksbuchhandlung, 1964), p. 126; Herbert Koller, «Die wirtschaftlichen Aspekte der Stahlfusion», *Neue Technik und Wirtschaft,* núm. 8 (agosto 1973), pp. 162-64, y *Die Presse,* 30 octubre 1975. Habría que señalar que en los años 70 la producción del Voest de 4,5 millones de toneladas sólo era el 10 por 100 de la mayor empresa japonesa, Nippon Steel.

[11] Herbert Koller, «Die österreichische Eisen- und Stahlindustrie in den vergangenen 50 Jahren», *Stahl und Eisen,* 20 diciembre 1976, p. 1288. Erich Andrilik, «Labor-Management Relations in Austria's Steel Industry» (San Francisco, mimeo, 1982), p. 7, citas de un estudio sobre el sector del acero realizado en 1968. Véase también, Andrlick, «The Organized Society», pp. 253-54.

[12] Scherb, «Ökonomische Auswirkungen», p. 286.

Los representantes industriales y los funcionarios del gobierno previeron una continuación de la crisis en la industria europea del acero para los años 80 a 85 y planearon reducir el empleo, en gran parte mediante el desgaste natural, en otros 4.000. Estas proyecciones eran demasiado optimistas: el empleo en el sector del acero descendió en 3.500 puestos sólo en 1981. Sin embargo, entre 1975 y 1981, un tercio de los trabajadores del acero auropeos perdieron sus empleos, mientras que en Austria sólo fue un 10 por 100 [13]. La actividad económica de la industria nos hace volver, pues, a un análisis político.

La política impregna cada rincón y cada poro de la industria del acero en Austria. Dominada primero por los intereses italianos y más tarde por el cártel Thyssen, este sector sirvió durante los años de entreguerras a los intereses de los productores extranjeros más que a los de la economía austríaca. Tras la guerra, la industria nacionalizada adquirió una importancia vital para la reconstrucción del país y el consenso austríaco sobre la propiedad pública no se vio nunca amenazado seriamente [14]. Sin embargo, la misma importancia de la industria hizo converger en el intenso conflicto existente entre los dos principales partidos políticos, el conservador ÖVP y el socialista SPÖ, sobre el papel adecuado del sector público en una economía de mercado capitalista. Estos conflictos políticos, expresados en desacuerdos sobre qué productos debía producir el sector, impidieron la elaboración de una política coherente de transformación estructural a lo largo de los años 60.

En realidad, desde 1945 la industria del acero austríaca sólo ha experimentado una transformación estructural. Facilitado por el control temporal del gobierno sobre la inversión, el «plan del hierro y el acero» de 1947-48 conformó tanto la reconstrucción y expansión de la base industrial fuertemente dañada como el desarrollo de líneas complementarias de productos en las dos mayores empresas de acero austríacas, el Voest y Alpine-Montan. El plan del acero eliminó la competencia entre las dos, aunque la oposición americana inicial evitó su fusión total hasta 1973 [15]. Sin embargo, este plan del acero se ha mantenido como el único caso en

---

[13] *Wiener Zeitung,* 22 julio 1982.

[14] Koler, «Die österreichische Eisen- und Stahlindustrie». Para los años de entreguerras, véase la historia de Grünwald y Krämer, *Österreichische Metallindustrie.* Esta aceptación de la propiedad pública de los sectores del hierro y del acero puede explicarse en parte por la fuerte posición que ocupan las empresas extranjeras en el sector metalúrgico austríaco. Véanse *Die Presse,* 2 octubre 1971, y *Frankfurter Zeitung* (Blick durch die Wirtschaft), 3 abril 1976.

[15] Grünwald and Krämer, *Osterreichische Metallindustrie,* pp. 35-36, y Scherbb, «Ökonomische Auswirkungen», p. 282.

el que el gobierno austríaco participaba directamente en la planificación de la reestructuración de la industria. Desde finales de los años 40, las políticas se han centrado en la organización industrial y en la relación entre las estrategias corporatistas y las políticas nacionales relacionadas con los precios, el empleo y la inversión. Pero estas políticas vistas en conjunto carecían de lo que podría denominarse legítimamente «transformación industrial». Generalmente, el gobierno se ha apoyado en gran medida en la industria del acero para lograr los objetivos económicos y políticos que implicaban primeramente a la economía general.

Los dirigentes políticos austríacos reconocieron una crisis potencialmente peligrosa en el acero antes que en los textiles. La reforma organizativa de la industria a finales de los 60 y principios de los 70 se vio impulsada por la creciente preocupación por la racionalización de la estructura industrial austríaca, expresada simbólicamente en los programas de 1968 del PSÖ y del ÖVP. De igual importancia es que entre 1966-1970 el gabiente del ÖVP, encabezado por el canciller Klaus, intentó construir un escudo institucional protector alrededor de las industrias nacionalizadas, incluyendo al acero, con la esperanza de apartarlas, de una vez por todas, del control político directo, uno de los principales pilares de fuerza de los socialistas en las dos primeras décadas de la Segunda República. La ley de 1970 que establecía la Corporación Austríaca para la Administración Industrial como un *holding* de empresas del vasto sector nacionalizado austríaco ordenaba la concentración de diferentes industrias para finales de 1973, el año en que el acuerdo austríaco de libre comercio con la Comunidad Europea se haría efectivo. A pesar de la abrumadora presencia del gobierno y las presiones que ejercía sobre la industria del acero, las presiones por la concentración encabezadas por la ÖIAG y el Voest tropezaron con una fuerte oposición [16]. Alpine-Montan, el segundo productor de acero, se opuso a la fusión rotundamente. La directiva y el consejo de fábrica declararon conjuntamente que la empresa «se oponía a la decisión arbitraria del propietario de la industria», es decir, el Estado [17]. Las diferencias en las estrategias corporatistas, los conflictos regionales y la oposición de los consejos obreros, temerosos de la pérdida de los puestos de trabajo, explican la escisión apenas oculta entre los dos mayores productores de acero austríacos. Bajo la presión del acuerdo de libre comercio, los primeros pasos hacia la concentración industrial sólo comunicaron casi en los últimos meses de período de cuatro años que ha-

[16] Frank Geist, «Zur Entwicklung der verstaatlinchen Eisen- und Stahlindustrie», *Neue Technik und Wirtschaft,* 25 (diciembre 1971), pp. 276-78; *Die Presse,* 14 enero 1972; *Ecco,* 20 abril 1974, pp. 16-20, y *Die Presse,* 12 junio 1975.

[17] *Die Velt,* 23 marzo 1972.

bía concedido el Parlamento para este propósito [18]. El conflicto fue igualmente intenso cuando tres empresas nacionalizadas y más reducidas que producían aceros especiales: Gebrüder Bohler, Schoeller-Bleckman, Stahlwerke y Steirische Gusstahlwerke, fueron incluidas en la fusión. En 1975, sin embargo, estos tres productores nacionalizados, que habían estado a menudo enzarzados en una dura competencia en los mercados extranjeros, fueron fusionados e incorporados al Voest bajo el nombre de Empresa de Aceros Especializados (Vereinigte Ededlstahlwerke, VEW) [19].

Sin embargo, la imposición de una estructura institucional centralizada no implica que el gobierno austríaco pudiera imponer una transformación estructural en respuesta a los mercados cambiantes. No existen, por ejemplo, directivos del gobierno; a lo largo de los 70, la industria nacionalizada del acero dirigió sus negocios casi sin interferencia directa del gobierno. Además, debido a la decidida oposición en parte de la industria del acero nacionalizada, la ÖIAG sólo tenía derecho a ser «informada» sobre la estrategia corporatista hasta 1981. Los conflictos que existían entre el *holding* de empresas y sus filiales serían tratados en comisiones *ad hoc*. La autonomía financiera de la industria evitó la imposición de políticas de transformación estructural por parte de los burócratas del gobierno. Por ejemplo, en el área de investigación y desarrollo el Voest estaba generando el 97 por 100 de los fondos necesarios a principios de los 70 dentro de la empresa [20]. Además, el Voest, la mayor empresa austríaca, posee acceso directo a los mercados de capital nacional e internacional para completar las inversiones financiadas a través de beneficios no distribuidos.

Cuando la industria del acero experimentó unas considerables pérdidas a finales de los 70, recibió subsidios gubernamentales. Pero la representación proporcional de los dos mayores partidos en las juntas de la ÖIAG y del Voest aseguró que la nueva dependencia financiera de la industria del acero fuera gestionada no a través de la intervención burocrática, sino mediante los acuerdos de colaboración elaborados por los líderes de los partidos. Los años 70 contemplaron, además, cómo las élites locales y regionales, especialmente en Styria, intervenían de forma muy

---

[18] Koller, «Wirtschaftliche Aspekte», p. 162.

[19] *Ibid.*, pp. 162-63; *Die Presse*, 12 junio 1975; *Frankfurter Zeitung* (Blick durch die Wirtschaft), 11 abril 1975; *Jahrbuch der österreichischen Wirtschaft*, 1976/I: *Tätigkeitsbericht der Bundeswirtschaftskammer* (Viena: Bundeskammer der Gewerblichen Wirtschaft, 1977), pp. 30-31, y *Die Presse*, 1 diciembre 1977.

[20] Erwin Plöckinger, «Die industrielle Forschung in der österreichischen Stahlindustrie», *Berg und Hüttenmannische Monatshete»*, núm. 5 (mayo 1974), p. 191.

efectiva para defender los puestos de trabajo existentes en las pequeñas plantas no competitivas. Tales alianzas territoriales eran extremadamente complejas: en Styria, por ejemplo, el ÖVP gobernaba una provincia cuyos consejos locales estaban dominados por el SPÖ. La continua divergencia entre el SPÖ y el ÖVP y, de forma creciente, entre los líderes políticos federales y locales en torno a los objetivos del poder económico impidieron la formación de un acuerdo sobre la transformación estructural, incluso siendo la industria dependiente financieramente del gobierno.

Impedimentos similares habían funcionado en los años 60. En palabras de un alto funcionario civil en la cancillería, «el ÖVP no era lo suficientemente fuerte para hacer prevalecer un plan económico general» [21]. Así pues, los conflictos políticos entre los dos grandes partidos se reprodujeron en miniatura en las salas de consejo de la industria, retrasaron el paso de la producción de bienes intermedios a bienes finales y el desarrollo de nuevas líneas de productos en los segmentos de la industria situados en Styria [22]. El efecto neto del conflicto partidista fue el de retrasar el ajuste industrial que la situación de competitividad decreciente de los años 70 haría finalmente inevitable.

Así pues, el conflicto entre los principales partidos políticos y en el seno de la industria impidieron el control político directo. El gobierno se apoyó, en cambio, en el gran sector nacionalizado austríaco para modelar la economía del país por medios indirectos. En algunos casos muy visibles, el gobierno utilizó sus amplias industrias nacionalizadas para acomodar a los oponentes políticos fuertes. A mediados de los 50, la Unión Soviética recibió una parte considerable de producción a cambio de la concesión de la soberanía austríaca. En el mismo año, la industria nacionalizada del petróleo pagó 11,5 millones de dólares a los granjeros por un programa de apoyo a los precios de la leche [23]. Pero estos casos eran poco frecuentes. En las dos décadas siguientes el gobierno prefirió ejercer una influencia sobre los precios, la inversión y el empleo por vías indirectas. La eficacia en cuanto a costes de los años 50 permitió bajos precios nacionales para el acero, que fortalecieron a la industria manufacturera austríaca en los mercados internacionales. Como señalaba la OCDE, «mediante el cobro de bajos precios en el país para esas materias primas y bienes semielaborados, de acuerdo con la política gubernamental de precios, estas industrias realizaron una importante contribución a la estabi-

[21] Citado en Grünwald y Krämer, *Österreichische Metallindustrie,* p. 117.

[22] Scherb, «Ökonomische Auswirkungen», pp. 283-84, y Kleiner, *Österreichs Eisenund Stahlindustrie,* pp. 30-31, 60-61.

[23] Rusinow, «Notes», parte IV, p. 17, y Zimmermann, *Verstaatlichung in österreich,* pp. 27, 94.

lización de la sitación económica general y un desarrollo favorable de las industrias de bienes elaborados —en su mayoría de propiedad privada» [24].

Los dos principales partidos apoyaron esta política general por diferentes razones. El ÖVP favoreció la tendencia política de antiinflación y su apoyo por parte de la producción de propiedad privada; el SPÖ respaldó la política porque sitúa a las industrias nacionalizadas en el papel de benefactoras y de modelos para el resto de la industria austríaca. Aunque las estimaciones varían entre la cifra de 7,75 millones de dólares y la de 31 millones al año, no hay duda de que la industria del acero perdió sumas muy considerables [25]. Ya a principios de los 70 los precios nacionales austríacos estaban todavía muy por debajo de los de la Comunidad Europea.

Sin embargo, el acuerdo de libre comercio que firmó Austria con la CEE requería el incremento gradual de los precios interiores a los niveles europeos [26]. Este brutal descenso en las diferencias entre los precios de acero nacionales y mundiales recortó otra medida que ilustraba la importancia estratégica de la industria del acero en la economía austríaca. Antes de 1945, cuando los precios interiores estaban generalmente muy por debajo de los niveles de precios internacionales, los productores de acero austríacos habían concedido un recorte de precios especial a los clientes nacionales que transformaran el acero crudo y exportaran los productos ya manufacturados; en efecto, la industria del acero ofreció un subsidio para la exportación de bienes manufacturados austríacos. La industria continuó rebajando los precios interiores después de 1945, cuando éstos quedaban muy por debajo de los precios del mercado mundial, lo cual constituía una carga financiera adicional para la industria en el cumplimiento de los objetivos de la política general del gobierno. A principios de los 60, los descensos en los precios llegaron a un 10 por 100 del precio del acero y afectaron a alrededor de un 4 por 100 de las exportaciones austríacas [27]. En general, pues, la política de precios del gobierno tras la

---

[24] OCDE, *The Industrial Policy of Austria* (París, 1971), p. 69.

[25] Estimaciones diferentes se citan en Christian Smekal, *Die verstaatlichte Industrie in der Markwirtschaft: Das österreichisches Beispiel* (Colonia: Heymanns, 1963), p. 102; Grünwald y Krämer, *Österreichische Metallindustrie,* pp. 38-39; Kleiner, *Österreichs Eisen- und Stahlindustrie,* p. 32, y Scherb, «Ökonomische Auswirkungen», p. 283.

[26] Scherb, «Ökonomische Auswirkungen», p. 285; Lacina, *Development of the Austrian Public Sector,* p. 19. Sobre el sistema de ????, véanse más en general Smekal, *Die verstaatlichte Industrie,* pp. 100-107, 111-114; Eduard März, *Österreichs Wirtschaft zwischen Ost und West: Eine sozialisierungsidelologie»,* pp. 135-50, y Zimmermann, *Verstaatlichung in Österreich,* pp. 125-26.

[27] Smekal, *Die verstaatliche Industrie,* p. 103, y Zimmermann, *Verstaatlichung in Österreich,* p. 143.

guerra llegó a requerir que la industria del acero contribuyera a la política de estabilización austríaca a través de una reducción de los beneficios [28].

En los años 70, el compromiso del gobierno socialista con el pleno empleo prevaleció claramente sobre los cálculos de beneficios de los productores de acero. Ya en 1968, un año después de que se estableciera la ÖIAG, una empresa consultora extranjera, Booz-Allen and Hamilton, llegó a la conclusión de que la mano de obra de este sector era demasiado amplia [29]. Pero el *boom* prolongado de la economía austríaca a finales de los 60 y principios de los 70 había ocultado tal debilidad estructural. Desde 1974, a las industrias austríacas nacionalizadas, y a la del acero en particular, se les ha pedido la contribución al pleno empleo a través de decisiones corporatistas que responden no sólo a la situación en el mercado, sino también a los objetivos sociales generales. En los años 70, el Voest-Alpine siguió este modelo ya de larga tradición; en concreto, llevó mucho cuidado en cómo y cuándo reducía el número de sus trabajadores. La empresa no podía permitirse el negar las demandas de sindicatos y del consejo de fábrica, así como las preferencias políticas del canciller y de su partido [30]. La razón era eminentemente política: la dirección es responsable ante un consejo de directores constituido por personas designadas por el gobierno, tanto socialistas como conservadores, y enlaces sindicales con la industria [31].

La presencia de fuerzas políticas comprometidas fuertemente con el pleno empleo es sólo una parte de la historia; la otra es el reconocimiento explícito por parte de la dirección de que sus objetivos tienen que coincidir con objetivos sociales más amplios, incluso cuando al hacerlo reduzcan sus beneficios. La tasa de inversión en la industria nacionalizada del acero, a diferencia de la industria privada, era mayor y constante en la crítica recesión de los años 1975 y 1976 y, como se mencionó antes, la industria redujo su fuerza de trabajo sólo en unos miles a finales de los 70 [32]. Esta reducción se logró mediantes bajas naturales más que por des-

---

[28] *Eco,* 20 abril 1974, pp. 16-20; *Die Presse,* 5 noviembre 1974, y März, *Österreich Wirtschaft zwirtschaft zwischen Ost und West,* pp. 79-80.

[29] Chris Cvii, «Their Own Kind of Miracle», *Economist,* 28 julio 1973, Informe, p. 8, y Andrlik, «Labor-Management Relations», p. 7.

[30] Koller, «Österreichische Stahlindustrie»; *Stenographisches Protokoll,* 6; *Sitzung des Nationalrates der Republik Österreich,* XIV. *Gesetzgebungsperiode,* 3 diciembre 1975, pp. 366-67; *Die Presse,* 30 octubre 1975, y *New York Times,* 12 octubre 1975.

[31] Cviic, «Their Own Kind of Miracle», Informe, p. 8.

[32] Ewald Nowotny, «Verstaatlichte und private Industrie in der Rezescison: Gemeinsamkeiten und Unterschiede», *WISO,* 2 (mayo 1979), p. 82; Sarah Hogg, «A small House

pidos. Además, las plantas utilizaban programas de formación en servicios especiales financiados por el Ministerio Federal de Asuntos Sociales, para poder realizar reducciones de trabajo sin pasar realmente a jornadas reducidas. A diferencia de la industria privada austríaca, la cual refleja los avances del mercado de forma bastante directa, la industria del acero (y las industrias nacionalizadas en general) intentaron de esta forma absorber el impacto del fuerte declive industrial de 1975 antes de filtrarlo de forma gradual en la economía austríaca.

La industria aceptó las pérdidas en la productividad más que en el empleo, incluso cuando se requerían menores costes de venta [33]. La rentabilidad se vio afectada, obviamente, y los costes han sido considerables —entre 1975 y 1981, el Voest-Alpine sufrió unas pérdidas totales de más de 400 millones de dólares y en 1980 y 1981 arrastró al conjunto del sector nacionalizado austríaco en el déficit. Sin embargo, el gobierno austríaco consiguió, hasta finales de los 70, no tener que conceder subsidios directos. En palabras del canciller Kreisky, «un gobierno tiene que valorar equilibradamente a todos los trabajadores y empleados» [34]. Sin embargo, las pérdidas fueron cubiertas mediante medidas financieras adoptadas en la ÖIAG. Esencialmente, los costes fueron soportados por aquellas empresas e industrias nacionalizadas que operaban de forma rentable: en 1981, las pérdidas de los mayores productores de acero austríacos subieron vertiginosamente y el gobierno decidió intervenir con garantías financieras y subsidios para el pago de intereses que totalizaban los 375 millones de dólares; en 1982 se concedieron otros 375 millones, y el gobierno estaba preparado para pagar unos subsidios considerables más adelante. La ÖIAG consiguió esta suma en los mercados de capital, y el gobierno federal pagó parte de los intereses indirectamente de sus presupuestos. Comparado con la de los 70, esto constituyó una nueva línea de apoyo destinado a proteger el empleo [35].

El compromiso político con el pleno empleo se ha complementado desde 1974 con inversiones a gran escala en modernización y racionalización. Entre 1975 y 1979, el Voest invirtió alrededor de 1,2 billones de dólares sin subsidios gubernamentales. Asimismo, la ÖIAG no recibió subsidios directos del gobierno y consiguió el capital que necesitaba de los mercados abiertos con las garantías del gobierno. Pero las pérdidas masivas que

---

in Order», *Economist,* 15 marzo 1980, Informe p. 9, y Andrlik, «Labor-Management Relations», pp. 9-10.

[33] Nowotny, «Verstaatlichte und private Industrie», pp. 77-81 y 85, nota 20.

[34] Hogg, «A Small House in Order», Informe, p. 9.

[35] *Die Presse,* 9 marzo 1978; *Arbeiterzeitung,* 12 y 27 septiembre 1978; *Wiener Zeitung,* 21 noviembre 1980, y *World Business Weekly,* 9 marzo 1981, p. 24.

obtuvo el Voest durante la prolongada crisis desde 1975 le concedió cierta influencia para extraer un apoyo parcial de la ÖIAG y del gobierno para su programa de inversión de 1,13 billones de dólares para los años 1978 a 1983. En un momento de déficit presupuestarios en escalada, la contribución financiera del gobierno adoptó la forma de subsidios directos por los intereses, así como de renuncia a su demanda de un dividendo nominal de la ÖIAG [36].

Estas considerables infusiones de capital son una de las razones de por qué a la industria del acero austríaca le fue relativamente bien en los años 70. Entre 1975 y 1980 se desguazaron un millón de toneladas de instalaciones obsoletas. La proporción de fundición continua en el total de la producción de acero austríaca se situó en el 58 por 100 en 1981, comparado con el 60 por 100 en Japón y el 20 por 100 en Estados Unidos [37]. Además, la modernización ha acelerado el paso de Voest-Alpine desde la producción de acero no transformado a bienes manufacturados, incluyendo tuberías y contenedores de alta presión, refinerías de petróleo, embalses, barcos, polos de servicios públicos, productos de ingeniería y fábricas de acero integrados. En conjunto, estas nuevas líneas de montaje constituían el 40 o el 45 por 100 de la producción total de la empresa en 1980, un porcentaje mayor que el de cualquier otro productor de acero de Europa occidental. La empresa espera alcanzar la proporción del 60 por 100 hacia 1990. Dado que la industria del acero es tan moderna, los subsidios austríacos por tonelada de acero representan sólo 3.300 dólares, comparados con los 41,63 dólares en el resto de Europa occidental [38].

Los buenos contactos con los socios comerciales de la Europa del Este constituyen una ventaja considerable en el paso a productos de alto valor añadido. En 1981, por ejemplo, Austria firmó un contrato con la Unión Soviética para el envío de 800.000 toneladas de tuberías sin junturas valoradas en 880 millones de dólares. Un pedido de esta magnitud exigía inversiones de alrededor de 69 millones de dólares en la fábrica de tuberías del Voest en Kinbderg (Styria). En la creciente división del trabajo en los mercados de acero internacionales, la industria austríaca del acero está muy en la vía de la concentración en productos elaborados, mientras deja los *inputs* necesarios a otros países que disfrutan de menores niveles

---

[36] Oskar Grünwald, «Austrian Industrial Structure and Industrial Policy», en Sven W. Arndt, ed., *The Political Economy of Austria* (Washington, D. C.: American Enterprise Institute, 1982), p. 144, y *News from Austria,* 21 abril 1981.

[37] *News from Austria,* 25 noviembre 1980, pp. 3-4, y Grünxald, «Austrian Industrial Structure», p. 145. *Arbeiterzeitung,* 3 marzo 1982, cita una cifra del 65 por 100.

[38] *Der Österreich-Bericht,* 8 junio 1983, p. 1.

salariales y mejores localizaciones en las principales vías marítimas mundiales.

En su encuentro con una creciente competencia exterior, Austria intenta desarrollar medidas políticas que fortalezcan la posición competitiva de su industria del acero. En 1981, más del 70 por 100 de la producción del Voest fue vendida en el extranjero. El comercio con el Este sigue siendo de gran importancia; amplios contratos, como el acuerdo de 1,3 billones de dólares alcanzado en 1980 para construir una gran planta de acero en la República Democrática Alemana, sólo pueden asegurarse cuando el gobierno ofrece generosas facilidades de crédito y tipos de interés subvencionados. Mientras tanto, la ayuda extranjera a los países menos desarrollados se ha utilizado para ampliar el mercado de los productores austríacos, favoreciendo así la producción doméstica y el empleo. Esta afinidad entre las industrias nacionalizadas y la ayuda económica se refleja en la propia organización de la burocracia estatal. La oficina encargada de la ayuda económica se localizó finalmente en la sección que trataba los problemas de las industrias nacionalizadas austríacas [39].

Los mercados internacionales son de esta forma fuente de oportunidades a la vez que de constreñimientos. La política del acero austríaca debería considerarse dentro del contexto más amplio de sus relaciones con la Comunidad Europea y la extensión del proteccionismo en los mercados de acero internacionales desde mediados de los 70. Desde 1977 Austria ha sido beneficiaria indirecta de algunos acuerdos proteccionistas elaborados entre la Comunidad Europea y los productores de acero no europeos. Y la adopción de un sistema de precios mínimos por parte de la CEE ha ayudado a contener las pérdidas que la industria austríaca ha mantenido a principios de los 80 [40]. Pero el proteccionismo europeo posee también ciertos costes. La estrecha supervisión y restricción de importaciones de acero provenientes de fuentes no europeas hace a Austria vulnerable a las importaciones ilegales, principalmente de productores italianos, que cuentan con la impotencia austríaca para llevar a cabo sanciones eficaces. Y a principios de los 80, más como espectador que como participante, Austria se ha introducido en los amargos conflictos existentes entre las industrias de acero norteamericanas y europeas.

---

[39] Helmut Krämer, «Österreich und die Dritte Welt: Am Beispiel der österreichischen Entwicklungshilfe», *Österreichische Zeitschrift für Politikwissenschaft* núm. 3, 1972, pp. 328-32, especialmente, p. 330.

[40] *Jahrbuch der österreichischen Wirtschaft,* 1978/1, p. 102; *Die Presse,* 17 noviembre 1977; *Arbeiterzeitung,* 22 noviembre 1977; *Oberösterreichische Nachrichten,* 1 septiembre 1978, y *Die Presse,* 27 octubre 1978.

La industria del acero austríaca busca también la diversificación, aunque la producción exterior no tenga atractivo y, sin embargo, el capital extranjero y los conocimientos tecnológicos extranjeros sí lo tengan. Cuando los directivos de la industria del acero nacionalizada en Austria llegaron a convercerse firmemente a finales de los 70 de que la profunda recesión mundial no era cíclica, sino estructural, comenzaron a diversificarse agresivamente. Su intención era crear nuevas fuentes de crecimiento corporativo y, lo que es más importante, de empleo, especialmente en Styria, introduciendo productores extranjeros para localizar centros de investigación e instalaciones de producción de circuitos integrados en Austria sobre la base de empresas en común. Conscientes de su vulnerabilidad ante los países productores a bajos costes, los funcionarios austríacos llevan cuidado al insistir en el reparto de los conocimientos sobre circuitos integrados. En 1979, Siemens decidió instalar un centro de investigación y desarrollo cerca de sus instalaciones de componentes en Villach; el centro está regido conjuntamente con la ÖIAG. Alrededor del 50 por 100 de los gastos del centro en investigación y desarrollo serán subvencionados por fondos públicos. En 1981 el sector del acero firmó acuerdos de *joint venture* con IBM para la construcción de dos plantas en el norte de Austria y Styria; y firmó un acuerdo con American Microsystems de investigación y desarrollo y la producción de componentes electrónicos para el mercado europeo en una nueva planta que sería construida en Styria, con un coste de 50 millones de dólares. La alta dirección de las industrias nacionalizadas austríacas, incluyendo el acero, se han comprometido actualmente a una diversificación que mira hacia la industria electrónica y los conocimientos extranjeros con vistas a contrarrestar la inevitable contracción de la industria del acero.

La industria nacionalizada del acero es tan amplia que la forma en que ha afrontado las adversas transformaciones ecónomicas no puede ser considerada aparte de la economía política austríaca en su conjunto. La flexibilidad del país en su respuesta al cambio viene derivada de tres hechos principales: fuerte inversión en innovación y modernización tecnológica; confianza del gobierno en la industria del acero para efectuar cambios en la economía austríaca con libertad y sin perseguir una transformación estructural, y una estrecha cooperación entre el gobierno y los sindicatos basada en el uso productivo de la mano de obra y el pleno empleo, sin defender cada puesto de trabajo concreto amenazado por las transformaciones económicas. En suma, la industria ha sido utilizada para compensar los efectos del avance económico considerados como indeseables por la economía austríaca en general. Austria ha inventado su propia receta para afrontar la crisis del acero de los años 70 y 80; como dice Oskar Grünwald, «la estrecha cooperación que existe entre la dirección de las acciones, los representantes de la población trabajadores y el Estado, sigue siendo nuestra mejor esperanza para sobrellevar todas las dificultades que sin duda encontraremos en el camino» [41]. El campeón de *Body-building* con más éxito en los 70, el austríaco Arnold Schwarzenegger, resumía el secreto de este éxito en un libro titulado *Pumping Iron* con una acertada descripción de la fórmula política que hizo triunfar a la industria del acero austríaca en los turbulentos años 70: «Cuanto mejor eres, menos tienes que ir por ahí presumiendo de ser un tipo musculoso» [42].

Empresas en dificultades (3): la VEW

Como filial nacionalizada del Voest-Alpine, con una producción en 1981 de 660 millones de dólares, 16.500 empleados, una organización de ventas mundial y numerosas filiales en el extranjero, la Empresa de Aceros Especializados (VEW) es la segunda mayor sociedad austríaca [43]. Dado que la compañía exporta alrededor de un 80 por 100 de la producción, se vio seriamente afectada por la revalorización del schilling en los años 70 y la crisis del acero mundial que comenzó en 1975, el primer año de funcionamiento de la VEW tras la fusión de tres productores anteriormente independientes. Suponiendo en aquel momento que la crisis del

[41] Grünwald, «Steel and State in Austria», p. 491.

[42] Citado en Charles Gaines, *Pumping Iron: The Art and Sport of Bodybuilding* (Nueva York: Simon & Schuster, 1974), p. 54.

[43] Este episodio puede construirse en los siguientes relatos: Andrlik, «The Organized Society», pp. 289-336; *Kleine Zeitung,* 12 julio 1975; *Neue Zeit,* 7 febrero 1976; *Die Presse,* 26 agosto 1976; *Frankfurter Allgemeine Zeitung,* 27 septiembre 1976; *Neue Zeit,* 26 marzo 1977; *Wiener Börsen-Kurier,* 15 septiembre 1977; *Die Presse,* 23 noviembre 1977; *Handelsbaltatt,* 27 enero 1978; *Die Presse,* 9 marzo 1978; *Frankfurter Allgemeine Zeitung,* 15 abril 1978; *Weg und Ziel,* 5 (mayo 1980); *Die Presse,* 18 mayo 1978; *Die Presse,* 9 junio 1978; *Kleine Zeitung,* 15 julio 1978; *Finanznachrichten,* 21 julio 1978; *Die Presse,* 20 octubre 1978; *Kleine Zeitung,* 24 noviembre 1978; *Kurier,* 1 diciembre 1978; *Volksstimme,* 1 diciembre 1978; *Kleine Zeitung,* 25 enero 1979; *Arbeiterzeitung,* 8 febrero 1979; *Österreichische Monatshefte,* 4 (abril 1979), pp. 12-15; *Wiener Zeitung,* 7 julio 1979; *Finanznachrichten,* 20 julio 1979; *Kleine Zeitung,* 24 octubre 1979; *Wiener Börsen-Kurier,* 24 octubre 1979; *Gemeinwietschaft* 11 (noviembre 1979), pp. 3-5; *Die Presse,* 24 noviembre 1979; *Die Presse,* 28 noviembre 1979; *Oberösterreichische Nachrichten,* 12 julio 1980; *Neue Zeit,* 25 octubre 1980; *News Zeitung,* 10 enero 1981; *Die Presse,* 4 marzo 1981; *Arbeterzeitung,* 7 marzo 1981; *Wiener Zeitung* 15, 17 y 19 marzo 1981; *Neues Volksblatt,* 21 marzo 1981; *Frankfurter Allgemeine Zeitung,* 24 marzo 1981; *Die Presse,* 26 marzo 1981; *Wiener Zeitung,* 1 abril 1981; *Kleine Zeitung,* 10 abril 1981; *Neue Zeit,* 28 abril 1981; *Wiener Zeitung,* 13 mayo 1981; *Kleine Zeitung,* 14 octubre 1981; *Die Presse,* 19 abril y 10 octubre 1982; *Profil,* 8 noviembre 1982; *Die Presse,* 28 y 29 enero 1983; *Volksstime,* 4 febrero 1983, y *Der Österreich-Bericht,* 14 y 30 junio y 8 julio 1983.

acero era cíclica, no estructural, la nueva compañía enfocó sus energías en 1975-77 hacia la consolidación de su administración y organizaciones de venta en el extranjero. Las pérdidas masivas, que totalizaban más de 45 millones de dólares en tres años consecutivos, eran el resultado de una política que intentaba proteger el empleo mediante el mantenimiento de una alta capacidad de utilización mientras vendía con grandes pérdidas.

Teniendo que mantener emplazamientos productivos geográficamente dispersos, superpuestos y a menudo no competitivos distribuidos por toda Styria y el sur de Austria, la dirección de la VEW confiaba en que su empresa hermana, el Voest, o la ÖIAG cubrieran las inevitables pérdidas una vez que sus propias reservas financieras se hubieran agotado, hasta que el «ciclo del acero» comenzara de nuevo a subir. Dado que las pérdidas de la VEW continuaban aumentando, tanto el Voest como la ÖIAG se opusieron cada vez más a la política de la directiva. Pero la directiva consideraba la opción obvia, el cierre de plantas, muy poco atractiva. Es cierto que la Ley austríaca de Sociedades Anónimas (*Aktiengesetz*) garantiza la libertad de gestión en las industrias nacionalizadas para dirigir las empresas sin interferencias políticas. Pero tal libertad no existe en el área de las relaciones laborales; en realidad, la dirección no puede renunciar a su compromiso con el pleno empleo. Además, en el medio y corto plazo, la continuación de las operaciones con grandes pérdidas no era más caro para la empresa que los altos costes de los despidos, especialmente en el área de las compensaciones de las mujeres trabajadoras. Debido a que gran parte de los establecimientos de producción no rentables estaban localizados en áreas en las que no existían fuentes alternativas de empleo, socialmente se consideraba indeseable y, entre 1975 y 1977, económicamente innecesario para reestructurar el funcionamiento de la empresa.

Las crecientes pérdidas forzaron pasos más drásticos en 1978. Considerando el rápido deterioro de la base financiera de la empresa, la directiva decidió que sería inevitable un amplio recorte de los costes. Se expusieron tres planes alternativos al consejo de fábrica: el despido de 2.000 trabajadores; jornada reducida para 5.500, o un recorte salarial. El consejo, habiendo rechazado los tres, acordó, tras largas y arduas negociaciones, un paquete que incluía congelación de salarios, restricciones sobre el pago de horas extras, un descenso en la edad de retiró y diez días de vacaciones no pagadas por trabajador al año; se estimaba que estos pagos hubieran generado un ahorro de unos 17 millones de dólares para la empresa. Un año después, sin mejoras visibles, la directiva propuso un segundo paquete de medidas de recorte de costes que totalizaban 24 millones de dólares, los cuales incluían un recorte muy sustancial (40 por

100) en los generosos beneficios complementarios de la empresa. De nuevo, tras largas y difíciles negociaciones, los trabajadores aceptaron una modificación de su propuesta. Esta vez, sin embargo, y de forma más insistente que antes, la directiva insistió en la cuestión de despedir a 1.000 trabajadores en una de las instalaciones, Judenburg. Pero los trabajadores del consejo de la fábrica se negaron a aceptarlo, y en un lenguaje más cauteloso, el mismo canciller, en los discursos parlamentarios, los debates públicos y las numerosas visitas a la zona, se opuso a los despidos hasta que pudieran crearse nuevos puestos de trabajo adecuados en la región. Judenburg se convirtió en un símbolo de las responsabilidades políticas del socialismo democrático en una sociedad capitalista en la tarea de ofrecer oportunidades de empleo para todos los ciudadanos.

La VEW llevó a cabo tres programas especiales de inversión en 1977, 1978 y 1981, encaminados a asegurar los puestos de trabajo, incrementando la rentabilidad. El «Programa a medio plazo de adaptación estructural» de 1978, por ejemplo, costó alrededor de 275 millones de dólares a lo largo de un período de cinco años y se esperaba que incrementara los ingresos anuales a partir de 1983 a través de 34 millones de dólares. Dado que la empresa había utilizado todas sus reservas financieras entre 1975 y 1977, los fondos necesarios llegaron desde diversas fuentes públicas: 27,5 millones de dólares del Voest, 69 millones del gobierno federal, garantías del gobierno por otros 34,5 millones en créditos bancarios y tipos de interés subvencionados como parte de un programa de subsidios a la inversión por parte del gobierno por valor de 138 millones de dólares en 1978. La directiva de la VEW y los funcionarios del gobierno se habían llegado a convencer de que había llegado el momento de adoptar medidas drásticas. «Conferencias de alto nivel económicas» publicadas en la prensa prepararon el terreno para el anuncio de un caro programa de modernización que sacaría a la empresa de las tinieblas.

Pero las condiciones del mercado en 1978 empujaron a las pérdidas de la empresa a nuevos niveles inesperados. Entre 1978 y 1980 las pérdidas llegaron a 124 millones de dólares, mientras que entre 1975 y 1977 habían sumado 47 millones. Para 1981-83 se esperaba que las pérdidas llegaran a la tercera parte de un billón de dólares. La empresa comenzó a ahogarse bajo el peso de los intereses, sobre los que existía hacia 1981 una deuda acumulada de un billón de dólares. En realidad, los pagos de intereses representaban del 80 al 90 por 100 de las pérdidas totales a finales de los 70. En 1981 se había hecho para la supervivencia de la empresa un infusión de capital a escala masiva, para reducir la proporción relativa de pagos por intereses. El tercer plan de reforma estructural de la VEW en cuatro años fue respaldado por una «gran coalición» de los tres partidos del Parlamento, los cuales aprobaron unánimemente un subsidio de 250 millones de dólares en 1981, aunque nadie sabía si los pagos totales a la empresa podrían limitarse a esta cantidad. El gobierno provincial de Styria, donde estaban localizadas la mayor parte de las instalaciones de producción de la VEW, entregó otros 12,5 millones de dólares. En todas las líneas de partidos y niveles del gobierno existía un consenso básico referente a que en un país tan pequeño como Austria no debía permitirse que una empresa tan grande como la VEW dejara de funcionar.

El reconocimiento de una crisis aguda en 1981 provocó también la decisión de la VEW de implantar la jornada reducida y de considerar los despidos. En octubre de 1980, 2.600 trabajadores pasaron a la jornada reducida; el número se incrementó a unos 4.000 en enero de 1981. En la primavera de 1981, una empresa asesora extranjera, Booz-Allen and Hamilton, a quien el gobierno había encargado una evaluación independiente, recomendó el despido de 4.000 trabajadores a lo largo de varios años en interés del mantenimiento de la viabilidad a largo plazo de la empresa. (La misma compañía asesora, irónicamente, había hecho recomendaciones similares a finales de los 60, como se refirió anteriormente. Pero en aquel momento las condiciones económicas eran demasiado buenas para que se aceptara el informe.) Utilizando el informe de 1981, la directiva decidió recomendar el despido de sólo 1.700 trabajadores; basaba su decisión, en parte, en una evaluación diferente de la estructura y estrategia de la empresa y, en parte, en la política de empleo socialmente responsable, a la que se adherían los funcionarios de la compañía.

El consejo de fábrica luchó a brazo partido contra la decisión. En una serie de encuentros, incluyendo discursos repetidos del «Consejo Económico» (*Wirtschaftskonferenz*), presididos por el canciller y con la asistencia de los actores principales en el sistema de participación social y económica austríaco, el número total de despidos descendió gradualmente de 1.700 a 750. Entre septiembre de 1980 y diciembre de 1981, por supuesto, la directiva podía haber fijado un recorte en el empleo que alcanzara casi los 4.000, justo lo que habían recomendado los expertos extranjeros. Pero los verdaderos despidos fueron escasos; una aplastante mayoría estaba constituida por retiros anticipados, bajas naturales y el traslado de trabajadores al Voest (el cual había recibido un enorme contrato de tuberías de acero proveniente de la Unión Soviética). De hecho, este contrato ayudó a salvar un número considerable de puestos de trabajo en Judenburg e hizo así posible que el consejo de fábrica consintiera en un número reducido de recortes en los puestos de trabajo.

Parece inevitable que los cambios que se producen en los mercados mundiales, sobre los que Austria no posee ningún control, forzaran nuevos descensos en el empleo. La VEW tenía 22.000 empleados a mediados de los 70, 19.000 en 1980 y 15.000 en 1983. A finales de los 80, el empleo puede descender por debajo de 10.000. Un gobierno comprometido con el pleno empleo considera como prerrogativa propia la gestión política de este ahorro económico. Desea, a cualquier precio, evitar las acciones unilaterales, ya sean por parte de la directiva como de los trabajadores; durante el congreso del partido del SPÖ en 1982, el canciller Kreisky reiteró esta prerrogativa en una firme advertencia dirigida a los directivos y a los trabajadores. «La vida no es sencilla para los capitalistas. No pueden decidir sin más cuántos empleados despedirían... Ciertamente, nosotros no les extendimos un cheque por más de 200 millones de dólares para que lo hicieran. Creo que todavía tendrán que venir a negociar con nosotros, el gobierno.» Y el canciller exhortó a los militantes del partido a que «no echaran a los trabajadores de las fábricas... Aquellos que creen que las suspensiones laborales pueden asegurar puestos de trabajo están equivocados. Es muy posible que las fábricas que han sido cerradas no vuelvan a abrir nunca» [44].

Tanto la empresa como el gobierno intentaban contrarrestar el impacto social de la reducción de empleos, que había demostrado ser finalmente inevitable. La VEW, por ejemplo, hizo disponible un fondo de emergencia de un millón de dólares en casos de necesidad especial para las comunidades más directamente afectadas. Los trabajadores en jornadas reducidas tenían derecho a una ayuda especial de la administración austríaca del mercado de trabajo, una ayuda que podía representar como mucho la mitad del nivel salarial estándar. Aquellos trabajadores que se retiraran un año antes de lo establecido legalmente tenían derecho a un pago compensatorio de más del 80 por 100 del salario del último mes durante otros doce meses.

Además, se elaboraron planes para una reorganización básica de aquellos segmentos de la industria ubicados en el norte de Styria. Dado que el efecto sobre el desempleo del cierre de una planta está geográficamente concentrado y a menudo es devastador, el plan concebía créditos a bajo coste y préstamos para la creación de puestos de trabajo y la mejora estructural de plantas seleccionadas cuyos productos fueran potencialmente competitivos. El programa recibiría unos fondos estimados en unos 28 millones de dólares, pero está por ver si este esfuerzo de mejora estructural resultaba en algo mejor que la subvención costosa y finalmente inútil de empresas textiles no competitivas en el este de Austria. El gobierno, enfrentado a una prolongada crisis económica, todavía no se ha desviado

---

[44] *Kurier,* 29 octubre 1982.

(en el caso del acero) de su compromiso con el pleno empleo aun con unos costes crecientes.

La magnitud de las pérdidas en capital y empleo sufridas en este caso deberían medirse, en parte, en comparación con las experimentadas por otros países productores de acero en Europa occidental. Al igual que la República Federal Alemana, Austria sólo siguió la tendencia general hacia la subvención gubernamental en 1981. Comparado con los subsidios masivos de Bélgica, Gran Bretaña, Francia e Italia, el nivel de apoyo en Austria ha sido hasta hoy extremedamente modesto. Además, a diferencia de su vecina Alemania y de todos los demás productores de acero de Europa occidental, Austria se las ha arreglado muy bien para evitar los despidos masivos. En realidad, la tasa de pérdidas de la VEW sobre la rotación laboral fue favorable en base a los niveles internacionales, aunque sus costes personales fueron, en base a esos mismos niveles, extremadamente altos.

Al mismo tiempo, el caso de la VEW ilustra una rigidez distintiva en la toma de decisiones que acompaña la habilidad para alcanzar el consenso en medio de la crisis. La razón descansa en una estructura intrincada y resistente de lazos políticos que vinculan a los trabajadores, los empresarios y miembros como sigue: ocho miembros de la directiva del Voest, la compañía hermana, ocho representantes del consejo de fábrica y ocho políticos provenientes de partidos políticos de los ámbitos federal y provincial. El control de SPÖ sobre la empresa está asegurado: en 1981, todos menos uno de los veinticinco miembros del consejo central de trabajadores fueron elegidos de entre la lista del SPÖ; cuatro de los ocho políticos representaban al SPÖ, y, lo que es atípico en la industria nacionalizada austríaca, la mayoría del equipo de directivos de la VEW podían ser considerados como partidarios del SPÖ. Además, dado que sus representantes ocupan una tercera parte de los asientos en el consejo superior y están representados también en la presidencia del consejo, el consejo de fábrica puede vetar de forma efectiva cualquier decisión de la directiva. Finalmente, la lucha por la cuestión del empleo fue desde sus mismos comienzos un asunto político en la compañía, tanto porque los principales líderes políticos provinciales y locales formaban parte del consejo supervisor como porque los conflictos de alto nivel que se producían en las industrias nacionalizadas (entre el ÖIAG y el Voest por un lado y la VEW por otro) condujeron a la participación del canciller y del ministro de Finanzas. El consejo de fábrica, en combinación con políticos prominentes, acordó que al frente de la VEW hubiera una directiva débil, decisión que contrasta con las directivas existentes en otras empresas nacionalizadas. Esta debilidad ha politizado todas las decisiones importantes de la empresa en cuestiones de empleo e inversión y ha perjudicado a la habilidad de la VEW para realizar su ajuste a las condiciones cambiantes del mercado de forma más rápida. Debido a que, en lo que aquí respecta, el caso de la VEW es una anomalía, puede ilustrar cuán fino debe ser el equilibrio de poder que se necesita conseguir entre las opciones políticas y el cambio económico.

Dentro del más amplio contexto de la política austríaca, se podría esperar que el ya largo intento de salvar a la VEW se centrara en los esfuerzos del gobierno por proteger el empleo a casi cualquier coste. Las condiciones de un mercado en rápido deterioro empujaron a uno de los mayores productores de acero especializado en Europa al borde de la bancarrota. Dos aspectos de este episodio apuntan hacia importantes similitudes con el proceso suizo de ajuste industrial y merecen, por tanto, ser subrayados. Los numerosos intentos realizados para reestructurar la empresa antes de 1981 no se asemejaban a un plan para el medio y largo plazo; por el contrario, parecían acuerdos altamente politizados que incluían al empręsario, los trabajadores y los principales responsables políticos del país.

Además, en un contexto potencialmente explosivo, la dirección del SPÖ y los sindicatos consiguieron implicar a los trabajadores y a las élites políticas en la cima en un proceso continuo de difíciles negociaciones. No es, por tanto, sorprendente que a finales de los 70 el sistema social austríaco de interés social y ecónomico se haya recreado, en efecto, a nivel local en las dos provincias más efectadas por la crisis del acero, Styria y el norte de Austria. La VEW es fundamental como actora y como mediadora en la extensión de los acuerdos corporatistas austríacos del nivel federal al provincial. La racionalización económica se ve limitada (aunque no eliminada) por la necesidad constante de recrear políticamente la base del consenso. En Austria, todos, incluyendo a la oposición parlamentaria y la dirección provincial del ÖVP, saben que una empresa tan grande como la VEW debe ser salvada; su insolvencia podría tener desastrosas consecuencias para Styria y para amplios segmentos de la economía austríaca. Como en Suiza, el ajuste económico sigue la lógica de una negociación colectiva.

Los relojes suizos

Puesto que sólo una décima parte del valor del producto final es importado, los relojes ejemplifican la alquimia moderna de la industria suiza. Realmente, con la excepción de un descenso cíclico modesto en

1957-58, la industria prosperó hasta mediados de los 70. El empleo y la producción se incrementaron y, comparados con la industria textil, los beneficios fueron elevados en un sector que consiguió identificar su producto con la cima de la precisión durante los años 70; sin embargo, la producción suiza disminuyó proporcionalmente en la producción mundial y su proporción de exportaciones mundiales cayó también bruscamente, el empleo en la industria se redujo a la mitad y el número de empresas se redujo en una tercera parte [45]. Sin embargo, a principios de los 80, tras vivir durante media década con una crisis estructural mayor que cualquier otra en su historia, el sector disfrutaba todavía de una posición en los mercados internacionales más dominante que la de cualquier otro sector industrial de un Estado europeo pequeño.

Dado que el sector exporta más del 95 por 100 de su producción, ha estado siempre sujeto a las fluctuaciones extremas. Pero sólo las condiciones de los años 30 fueron lo suficientemente severas como para provocar la codificación legal del sector [46]. Con descensos dramáticos en las exportaciones, en la producción y en el empleo, el gobierno federal intervino para salvar al sector: hizo obligatoria la pertenencia a varios cárteles e influyó en la fusión de los principales productores de componentes. Llegó incluso a asumir la propiedad parcial de la Corporación Gene-

---

[45] *Neue Zürcher Zeitung,* 11 julio 1980, y *Neue Zürcher Zeitung,* 12 junio 1969. En 1981, Hong Kong se convirtió en el mayor productor de relojes mundial. Véanse *World Business Weekly,* 20 julio 1981, p. 23, y *Der Bund,* 14 julio 1980. Fédération Horlogère, «Porjektionsstudie» (Biel: 1977), p. 19, habla de una caída muy por debajo de los 40.000 a mediados de los años 80. Véanse también Bernard Kunz, *L'emploi dans la région horlogére* (Neuchatel: Groupe d'études économiques, Universidad de Neuchâtel, 1978), y Wirtschaftsförderung, *Artikeldienst,* 22 (1 junio 1981), Más en general, véase David S. Landes, *Revolution in Time: Clocks and the Making of the Modern World* (Cambridge, Mass.: The Belknap Press of Harvard University Press, 1983).

[46] Ernst Güggi, *Die Schutzmassanhmen des Staates in der schweizerischen Uhranindustrie und ihre Anwendung* (Solothurn: Buchdruchkerei Vogt-Schild AG, 1951); *Allgemeine Schweizerische Uhrenindustrie AG, ASUAG; Darstellung ihrer Gründung und ihrer Entwicklung während 25 Jahre, 1931-1956* (Biel: Schüler, 1956); Harvard Business School, «Note on the Watch Industries in Switzerland, Japan and the United States» (Boston, 1972); OCDE: Reunión de Trabajo del Comité de Política Científica y Tecnológica y del Comité de Industria sobre tecnología y Adaptación Estructural de la Industria, «Structural Change in the Swiss Watch-making Industry and the Development of Electronic Warch Technology» (París: DSTI, SPR, 77.46, y DSTI, IND, 77.79, noviembre 1977); Walter Steinmann, *Die Entstehung öffentlicher und gemischwirtschaftlicher Unternehmugen in der Schweiz,* (Zurich: Institut für Orts-, Regional-, und Landesplanung, Forschungsprojekt, «Parastaatliche Verwaltung», mayo 1980), pp. 33-39, y Charbel Ackermann y Walter Steinmann, «Private versus State Policy: The Role of Public Policy, Industry and Banks in the Wacht-Making Sector in Switzerland» (artículo preparado para el Seminario del ECPR sobre «Instruments of Public Administration in the Mixed Economy», Aarthus, 29 marzo-3 abril 1982).

ral de Relojes de Suiza (Allgemeine Schweizerische Uhrenindustrie Aktiengosellschaft, ASUAG), la empresa predominante, la cual producía todavía a mediados de los 70 alrededor de las tres cuartas partes de los componentes industriales. En el intento de reducir la competencia entre literalmente miles de fabricantes de relojes, el gobierno prohibió a las empresas el cambiar de uno a otro entre los diferentes segmentos de la industria. Finalmente redujo la extensión de tecnología a la competencia extranjera mediante prohibiciones supervisadas muy de cerca sobre la exportación de conocimientos, maquinaria y componentes [47].

La liberalización de las relaciones comerciales en los años 50 y 60 preparó el terreno para una increíble expansión del sector, así como para las presiones por una retirada final del gobierno. Fueron esenciales rondas sucesivas de reducciones arancelarias del GATT para el crecimiento de las rentas mundiales de la industria, especialmente a finales de los 60. Al finalizar 1966 habían sido eliminados todos los aranceles sobre los productos de relojería entre todos los miembros de la Asociación Europea de Libre Comercio (EFTA) [48]. En 1967, el presidente Johnson redujo finalmente a la mitad la tasa arancelaria de un 65 por 100 sobre los relojes y artículos de relojería que había impuesto Estados Unidos en 1954 [49]. Pero esas reducciones considerables en los aranceles fueron sólo un aspecto de la liberalización internacional. En 1965, la industria relojera estableció un pleito antimonopolio durante diez años con el gobierno de Estados Unidos, terminando con todas las restricciones a la exportación suiza sobre el envío de componentes a los productores de componentes americanos. En el mismo año, los productores suizos de relojes baratos por mutuo acuerdo liberalizaron las restricciones que impedían la exportación de mecanismos de relojería. Además, la creciente liberalización del comercio de componentes animó a algunos productores extranjeros a finales de los 60 a localizar instalaciones de producción en Suiza, donde podían obtener ventajas de una mano de obra cualificada y relativamente barata y de una cultura industrial que había elevado la fabricación de relojes a niveles artísticos de perfección.

---

[47] El contenido del «convenio colectivo» del sector de 1936 está resumido en Douglas F. Greer, «United States», en Naciones Unidas, *Restrictive Business Practices: Studies on the United Kingdom of Great Britain and Northern Ireland, the United States of America and Japan* (Nueva York, TD/B/390, 1973), pp. 68-69.

[48] Henri Rieben, Madeleine Urech y Charles Iffland, *L'horlogirie et l'Europe* (Lausanne: Centre de Recherches Européennes, 1959); Peter Stringelin, *Die schweizer Uhr und die europäische Integration* (Zurich: Schulthess, 1971).

[49] *Neue Zürcher Zeitung,* 13 enero 1967 y 21 abril 1965; Percy W. Bidwell, *What the Tariff Means to American Industries* (Nueva York: Harper, 1956), pp. 88-129.

Esta liberalización estuvo acompañada por la retirada gradual del gobierno de la industria [50]. Bajo el «Estatuto de la Relojería» de 1951, la supervisión gubernamental de este sector cartelizado intentaba evitar la descentralización en un momento de cambio económico. La renovación de un estatuto revisado en 1961 hacía hincapié, en cambio, en fomentar la competitividad a través de la relajación gradual de las regulaciones concernientes a los precios, producción, oferta y demanda. Sólo la exportación de componentes y de conocimientos siguó siendo estrechamente controlada y se introdujo un nuevo sistema de control de calidad. Esta cautelosa y progresiva liberalización dividió profundamente a la industria, tan profundamente que no contribuyó a la elaboración de la Constitución [51]. Sin embargo, hacia 1971 casi todos los segmentos del sector coincidían con el gobierno federal en que, a excepción del control de calidad obligatorio, había llegado el momento de levantar todas las demás regulaciones y restricciones. Para completar su retirada, el gobierno decidió no participar en la reestructuración de la mayor empresa del sector en 1972, la ASUAG, reduciendo, por tanto, sus acciones desde el 30 por 100 en 1971 al 8 por 100 en 1978 [52]. En 1976, el gobierno suizo había llegado a ser imparcial, aunque no indiferente, en el sector [53]. En el crecimiento y decline de productos, empresas o segmentos del sector, las presiones del mercado más que las políticas estatales llegarían a ejercer una influencia decisiva. Así pues, fue lógico que en 1983 fueran los bancos, y no el gobierno federal, los que idearon la fusión *de hecho* de una ASUAG en bancarrota con la empresa número dos del sector.

Al igual que el acero austríaco, los relojes suizos afrontaron la economía internacional de posguerra desde una posición de dominio en el mercado, pero a diferencia del caso del acero, este dominio dependía de la participación en el mercado más que de la innovación tecnológica. Si a algo condujo ese dominio fue al rechazo de los avances tecnológicos con un valor comercial incierto. Por ejemplo, en los años 50, la industria ignoraba los avances revolucionarios que un ingeniero suizo, Max Hetzel, había realizado en el desarrollo de los relojes electrónicos. Como consecuencia de ello, a finales de los 60, una filial de la ASUAG se vio obligada a firmar un acuerdo de intercambio de patentes con el productor nor-

---

[50] *Neue Zürcher Zeitung,* 8 febrero 1961; *Neue Zürcher Zeitung,* 22 noviembre 1961, y *Economist,* 30 diciembre 1961.

[51] Stingelin, *Die schweizer Uhr,* pp. 27-32.

[52] *Vaterland,* 25 enero 1971; *Der Bund,* 30 marzo 1973; *National-Zeitung,* 10 marzo 1975, y *Neue Zürcher Zeitung,* 23 noviembre 1978.

[53] «Die Handelsabteilung im Dienste unserer Volkswirtschaft», *Sysdata und Bürotechnik* (1976), p. 12.

teamericano Bulova, el cual había reconocido las implicaciones comerciales de la nueva tecnología [54]. Se firmaron dos nuevos acuerdos sobre patentes con corporaciones americanas (Eurosil y Hughes) a mediados de los 70, cuando la naciente producción masiva de *chips* electrónicos hizo que fuera importante para la industria suiza de relojería el obtener accesos a los conocimientos, en rápido crecimiento, de producción de *chips* [55].

La imitación de innovaciones extranjeras fue, sin embargo, sólo una de las diversas respuestas, una vez que los grandes industriales reconocieran —con unos diez años de retraso— las repercusiones adversas que tendría el reloj electrónico en su posición dominante en los mercados mundiales. Con un atrevimiento sin precedentes, los principales productores colaboraron en 1962 en la fundación de un «Centro de Relojería Electrónica», el cual al final de la década había gastado 7 millones de dólares en investigación y desarrollo. La inversión anual en investigación y desarrollo aumentó de 700.000 dólares a finales de los años 50 a 7 millones de dólares al final de los 60 y alrededor de 60 millones al finalizar los 70 [56]. Como resultado de esta resuelta reacción, los productores suizos se habían enredado hacia 1970 en la carrera tecnológica con competidores extranjeros en algunas áreas y se hallaban a la cabeza en otras. A un coste que superaría finalmente los 7 millones de dólares, un consorcio de empresas creó un nuevo establecimiento de producción en 1970 para la joven generación de relojes electrónicos [57]. La industria reaccionaba así flexiblemente a sus errores anteriores, así como ante los cambios de las condiciones del mercado.

En los años 70, el sector repitió la experiencia de los 50 y 60. La introducción comercial del primer reloj digital de «estado sólido» en 1972 terminó con la dependencia de la habilidad tradicional de fabricación de relojes y abrió el mercado a las empresas de semiconductores americanas que buscaban nuevas aplicaciones para su tecnología. Durante el *boom* inflacionista de principios de los 70 las empresas suizas perdieron la enorme amenaza competitiva que traería el brusco descenso en el coste en relojes electrónicos a lo largo de los años que siguieron. Tampoco lograron

---

[54] *Neue Zürcher Zeitung,* 14 y 16 febrero 1971.

[55] *Neue Zürcher Zeitung,* 23 febrero 1973, y *Die Zeit,* 28 abril 1978.

[56] *Neue Zürcher Zeitung,* 12 enero 1969, 14 y 16 febrero 1971, y *Luzerner Neuste Nachrichten,* 29 mayo 1978. A mediados de los años 60 la investigación y desarrollo era, a pesar de una multiplicación por diez con respecto a la década anterior, todavía muy pequeña para los niveles suizos. El sector relojero empleó sólo a 86 investigadores a tiempo completo, en comparación con los más de 3.000 empleados en química metalúrgica. Véase *Schweizer Finanz Zeitung,* 15 marzo 1972.

[57] *Neue Zürcher Zeitung,* 14 y 16 febrero 1971, y *Schweizer Finanz Zeitung,* 15 marzo 1972.

reconocer el enorme atractivo que poseía el nuevo producto para el mercado de masas norteamericano.

Un estudio finalizado en 1965 había predicho que los relojes electrónicos no habrían llegado a captar más del 10 por 100 del mercado mundial en 1985 [58]. Los dirigentes industriales no repararon en este dato hasta 1974-75; hacia 1977 el sector estimaba que los relojes electrónicos acapararían entre la mitad y los dos tercios del mercado mundial al comenzar la década de los 80. Debido a su comienzo tardío, los productores suizos perdieron una participación en el mercado que ya no podrían volver a recuperar en los 80; en 1976 menos del 10 por 100 de la producción total de relojes suiza correspondía a los relojes electrónicos [59]. Pero el incansable esfuerzo del sector por dominar la nueva tecnología e introducir nuevos productos que se amortizaran con gran rápidez se desvaneció muy rápidamente. Más importante y arriesgada fue la decisión de producir *chips* electrónicos en Suiza, empresa que recompensó generosamente de las considerables pérdidas. En 1979 los dos mayores productores del sector generaron alrededor del 60 y el 40 por 100, respectivamente, de la rotación de relojes electrónicos [60]. Así, igual que en los 60, la industria reaccionó rápidamente.

La diferencia que existe entre iniciar y reaccionar ante los cambios del mercado es una de las razones fundamentales de por qué la posición dominante de Suiza en los mercados mundiales se desgastó tan rápidamente en los años 70. Como señaló el presidente de la ASUAG, Peter Renggli, en 1978, «el reloj mecánico fue rentable hasta la recesión de mediados de los 70. No había razones para emprender la producción de relojes electrónicos, puesto que ya completábamos con dificultad todos los pedidos de relojes mecánicos. ¿Por qué tendríamos que haber optado por competir contra nosotros mismos con los productos electrónicos?» [61]. Esta escasa disposición para iniciar el cambio ha sido característica de la industria suiza. Allá por los años 60, por ejemplo, los productores de componentes suizos habían creado prototipos y la capacidad necesaria para la producción masiva de relojes con marca de fábrica, pero los fabricantes y los ensambladores no habían mostrado ningún interés. Como resultado de ello, la industria suiza tuvo que ceder sectores considerables del mer-

---

[58] *Neue Zürcher Zeitung,* 12 enero 1969; *Die Zeit,* 28 abril 1978, y *Die Weltwoche,* 4 julio 1979.

[59] *Neue Zürcher Zeitung,* 3 mayo 1977, y *World Business Weekly,* 25 mayo 1981, p. 43.

[60] *Der Bund,* 20 marzo 1980; *Basler Zeitung,* 3 mayo 1980; *Neue Zürcher Zeitung,* 7-8 junio 1980, y Peter Renggli, «Unrenindustrie hat die Herausforderung der Elecktronik bewältigt», *Schwezerische Kreditanstalt Bulletin,* 86 (diciembre 1980), p. 15.

[61] Peter Renggli, citado en *Die Zeit,* 28 abril 1978.

cado a Timex y Seiko, los dos mayores productores del mundo, y nunca llegaron a desarrollar un producto con marca de fábrica suiza [62].

La crisis de los años 70 no lo fue sólo del propio funcionamiento del sector. La industria de la relojería se vio más afectada que cualquier otro setor industrial por la revalorización del franco suizo a lo largo de la década. Igual que el sector textil, la industria relojera culpó de sus serias dificultades económicas a la política monetaria suiza [63]. Igual que el textil, ofreció propuestas detalladas y de amplio alcance para la intervención política en los mercados de capital. Y, al igual que el textil, fue derrotada con gran resonancia: sus propuestas estaban tan en contra del espíritu liberal de la estrategia suiza que ni siquiera se le prestó demasiada atención. En situación de grave crisis, el presidente de la Cámara Relojera Suiza (Schweizerische Uhrenkammer), la asociación de élite del sector, argumentaba en 1978 que «la cuestión real es si las autoridades quieren preservar una industria suiza de considerable tamaño o si están dispuestas a que sufra el mismo destino que, por ejemplo, el sector textil» [64].

Derrotada en su lucha por una política de intercambio exterior, la industria suiza del reloj se mantuvo unida en su oposición al gobierno y a la comunidad financiera suiza. Pero en casi todos los demás asuntos los diferentes segmentos del sector lucharon entre ellos con gran intensidad. Por ejemplo, a principios de los 70, entre el 10 y el 30 por 100 del valor en el mercado de un reloj dependía de la imagen de un alto nivel de artesanía. Por ello, el gobierno hizo obligatorio un sistema de control de calidad para aquellos productos que fueran a ser designados como *Swiss made* [65]. Esta regulación funcionó para desventaja de una parte considerable del sector, la cual producía algo menos de la mitad del volumen total (alrededor del 15 por 100 del valor) de las exportaciones de relojes

---

[62] Rudolf Ecker, «Schweizer Uhrenelektronik: Spät Kommt sie doch sie Kommt», *Wirtschaftsrevue,* 16, 12 (1975), p. 18; *Die Weltwoche,* 4 julio 1979, y *Neue Zürcher Zeitung,* 7 marzo 1971 y 21 enero 1973.

[63] *Neue Zürcher Zeitung,* 24-25 mayo 1975, recoge un encuentro realizado entre representantes de los sectores de relojería y textiles en el que argumentan su caso sin éxito en Berna.

[64] Citado en *Der Bund,* 9 diciembre 1978.

[65] *Neue Zürcher Zeitung,* 1 y 16 diciembre 1970. La definición estipula que el 50 por 100 del valor de todos los componentes debe ser productos suizos. Véase también Eidgenössisches Volkswirtschaftsdepartment, Der Beaufragte für die Unrenindustrie und internationale Industriefragen, *Bericht und Kommentar zum Entwurt eines Bundesgesetzes über die offizielle Qualitätskontrolle in der schweizerischen Uhrenindustrie* (Berna: 19 febrero 1970); *Bostschaft des Bundesrates an die Bundesversammlung über die offizielle Qualitätkontrolle in der schweizerischen Uhrenindustrie und die Ergänzung des Markenschutzgesetszes* (Berna: 2 septiembre 1970).

en 1969. A finales de los 60 estos productores se vieron atraídos hacia el abastecimiento de componentes en el exterior y a la producción exterior; era un intento de enfrentarse a la competencia japonesa y americana en los segmentos de bajos costes del mercado. Pero los controles obligatorios de calidad fortalecieron al principal productor, la ASUAG, así como a los cientos de pequeños fabricantes y ensambladores de relojes de alta calidad. La legalización del control de calidad y la supervisión de la designación *Swiss made* se hicieron necesarias porque el conflicto en el seno del sector se hacía muy profundo —tan profundo que, de hecho, resurgiría diez años después en el debate sobre la extensión de la medida [66].

Los conflictos políticos en torno a las cuestiones más importantes de los años 70 —concentración industrial e inversión extranjera directa— se vieron fortalecidos más que entorpecidos por el complejo sistema de treinta y cinco organizaciones anexas que expresaban intereses de diferentes segmentos de una industria de organización horizontal [67]. Debido a que la asociación de élite, la Cámara Relojera Suiza, representa a los intereses económicos del sector en la política suiza, se ha mantenido neutral en los amargos conflictos industriales. Al mismo tiempo, la retirada gradual del gobierno obligó a la asociación que representaba a todos los pequeños fabricantes y ensambladores de relojes de alta calidad, la Fédération Horlogère (FH), a transformarse de un grupo profesional que daba fuerza a las regulaciones del gobierno, tales como la asignación de permisos de exportación, a una organización de servicios moderna [68]. Esta reorganización permitió la pertenencia directa de empresas individuales por primera vez. En beneficio de las numerosas pequeñas empresas miembros, la FH desarrolló en los años 60 un sistema de información, de for-

[66] *Der Bund,* 19 febrero 1971; *Thurgauer Zeitung,* 5 marzo 1971; *Neue Zürcher Zeitung,* 5 y 7 marzo 1971, y *National-Zeitung,* 25 abril 1971. Debates análogos se producían en el sector textil, los cuales condujeron, en contra de la decidida oposición de los productores de productos de menor calidad, a una identificación obligatoria de los productos textiles suizos. Véanse *Neue Zürcher Zeitung,* 12 noviembre 1963 y 18 febrero 1970; C. M. Wittwer, «Die Zukunft der Qualitätskontrolle in der Schweizer Uhrenindustrie» (Informationsaustausch der Gruppe Industrie und Handel der Bundesversammlung, Bern, 30 septiembre 1980, mimio), p. 3, y *Aargauer Tagblatt,* 14 marzo 1981.

[67] *Neue Zürcher Zeitung,* 10 marzo 1977. El papel de los grupos bajo el «Estatuto de Relojería» se discute en general en Juerg Lanz, «Die Heranziehung der Verbände bei der staatlichen Intervetion auf Grund des Uhrenstatus» (Ph. D. diss., Universidad de Berna, 1964), y en Charles A. Junod, «Le statut légal de l'industrie horlogère suisse» (Ph. D. diss., Universidad de Ginebra, 1962).

[68] *Neue Zürcher Zeitung,* 21 diciembre 1967 y 25 marzo 1968; René Retornaz, «Stand und Probleme der schweizerischen Wirtschaft», *Wirtschaftspolitische Mitteilungen,* 26 (marzo 1970), pp. 6-7, y G. F. Bauer, «Ce que l'organisation professionelle peut apporter à une activité atomisée», *Enterprise,* 22 mayo 1965, pp. 45-50.

mación y de centros de reparación mundiales localizado en treinta mercados estratégicos, especialmente en los mercados del Tercer Mundo, donde, como contribución a la ayuda para el desarrollo suizo, ha formado alrededor de 1.500 reparadores de relojes. La FH ha contemplado como uno de sus principales cometidos la coordinación y concentración de proyectos de investigación en las áreas de investigación y desarrollo, producción y ventas. Al mismo tiempo, ha sido el portavoz más vociferante, aunque sin éxito, de la oposición a la política monetaria del gobierno y a la concentración e inversión extranjera directa de otros sectores de la industria, lo cual constituye la amenaza más seria para los pequeños productores de los años 80.

La descentralización extrema, que se reflejó en más de 10.000 marcas de fábrica y más de 100.000 estilos de relojes, constituía un residuo del fomento legal por parte del gobierno de la segmentación industrial (*compartimentage*) que duró treinta años. Esto ofreció una segunda cuestión que afectó de diversas formas a los numerosos segmentos del sector. Japón producía, como media y bajo cada marca, 6 millones de relojes en los años 70, mientras que en Suiza eran menos de 100.000 [69]. La fragmentación del sector entre relojes caros y baratos, entre fabricantes y montadores y entre productores finales y productores de componentes inhibió a las empresas dinámicas a trasladarse de unos segmentos del mercado a otros y evitó la especialización en productos selectos con largos períodos de producción.

El final de los años 60 y los 70 ofreció algunas evidencias de que la liberalización nacional e internacional estaba trayendo consigo la concentración industrial. Entre 1965 y 1974 las empresas pequeñas con menos de diez empleados desaparecieron en gran parte y se produjeron muchas fusiones [70]. En 1971, la ASUAG decidió pasar de ser un *holding* financiero a serlo de empresas industriales, transformando su terreno tradicional de producción de componentes en producción de relojes. En contra de la decidida oposición de sus propios clientes, cientos de pequeños ensambladores representados por la FH, la ASUAG organizó siete empresas relativamente grandes y muy conocidas en una nueva subdivisión, la Corporación General de Relojería (GWC) [71].

---

[69] *New York Times*, 29 noviembre 1982, p. 31. Estas cifras suizas excluyen a unas 1.800 empresas tan pequeñas que no están cubiertas por la legislación de fábricas que ofrece las bases legales para la recogida de información estadística. Véanse *Der Bund*, 25 abril y 4-5 junio 1966; «Die japanische Herausforderung», *Uhren Rundschau*, 7 y 15 septiembre 1977, y *Neue Zürcher Zeitung*, 21 enero 1973.

[70] «Die schweizerische Uhrenindustrie und ihre Struktur», *Schweizerische Arbeitgeber-Zeitung*, 12 diciembre 1974, pp. 893-95.

[71] *Vaterland*, 25 enero 1971, y *Neue Zürcher Zeitung*, 19 febrero 1971.

Pero todas estas fusiones corporatistas afectaron a los proyectos más que a los plazos de producción. Debido a que los estatutos de la ASUAG, redactados en los años 30, iban dirigidos a mantener y ampliar los intereses del conjunto de la industria más que de segmentos particulares, los beneficios del incremento de la presión del mercado sobre los pequeños fabricantes no pudieron realizarse: las empresas que se habían unido en la GWC no obtuvieron los beneficios de los precios diferenciales y mantuvieron casi toda su autonomía anterior [72].

La crisis económica del sector a partir de 1975, y en particular la revalorización del franco suizo en 1978 y 1979, dio un mayor ímpetu hacia la concentración industrial que la liberalización de principios de los 70. La mayoría de las medidas importantes fueron adoptadas por la ASUAG. En 1978 pasó a asumir la plena propiedad y un control más estrecho sobre su mayor filial [73]. Decidió también preocuparse menos de su mandato estatutario de buscar la prosperidad del conjunto de la industria. Desde ahora, anunciaba, quería ser considerada simplemente como otra gran productora de relojes, con libertad para sacar ventajas de los beneficios de la integración vertical y de la reorganización corporatista en diferentes centros de beneficios [74]. Este cambio en la filosofía corporatista se reflejó en su decisión de trasladar producción al exterior, de exportar tecnología y de vender partes de componentes a productores extranjeros. Además, decidió explotar su situación monopolística en el mercado como abastecedora de las tres cuartas partes de los componentes y asumir el control sobre la estructura de precios, márgenes de beneficios y la comercialización de cientos de pequeños productores. La fuerte oposición de los pequeños fabricantes, incluyendo el veto del representante de la FH en el consejo de dirección de la ASUAG, habían bloqueado el avance inicial de la compañía en esa dirección en 1971. La FH expresó la misma oposición con intensidad similar en 1978, pero no consiguió respaldo [75]. El gobierno federal, entre otros, apareció en público para apoyar el cambio en la estrategia corporatista, lo que equivale a transformar la estructura de la industria de forma fundamental en los años 80 [76].

Las diversas fracturas existentes en el sector hicieron a los relojes únicos entre las principales industrias suizas por su cambio tardío hacia la in-

[72] *Der Bund,* 7 julio 1979.

[73] *Neue Zürcher Zeitung,* 23 noviembre 1978, y *Der Bund,* 23 marzo 1978.

[74] *Neue Zürcher Zeitung,* 10-11 noviembre 1979.

[75] *Basler Zeitung,* 19 junio 1980; *Der Bund,* 22 junio 1979, y *Neue Zürcher Zeitung,* 10-11 noviembre 1979 y 8-9 noviembre 1980.

[76] *Tages-Anzeiger,* 4 diciembre 1979; André Beyner, «Influence de l'évolution technologique sur les structures des entreprises et de l'industrie horlogére», *Revue économique et sociale,* 35, 1 (1977), pp. 30-36.

ternacionalización de la producción [77]. Con el fin de asegurar la producción y los puestos de trabajo suizos se prohibió legalmente la inversión extranjera directa en los años 30. Los esfuerzos mundiales a través de la producción nacional se extendieron a la política de empleo del sector en Suiza. Quizá por temor a fortalecer a los competidores extranjeros, el sector de relojería empleó a una proporción de trabajadores extranjeros que, aunque era considerable, fue menor que la media correspondiente a toda la industria suiza [78].

La liberalización de la economía internacional condujo a un rápido desmantelamiento de las limitaciones suizas a la exportación. Sin embargo, cuando se levantaron las últimas restricciones a la exportación de componentes en 1971, medida a la que se opuso sin éxito la ASUAG, el sector no contempló la iniciativa de trasladarse al exterior a pesar de la pérdida gradual de posiciones en el mercado. Dado que en 1975 la ASUAG poseía sólo una instalación productiva en el Tercer Mundo, intentó encontrar importaciones más baratas a través de una mayor automatización más que mediante la inversión exterior directa. En realidad, la automatización fue una de las razones de por qué en los años 70 Suiza seguía siendo relativamente competitiva en la producción, aunque no en el montaje de los componentes. El segundo mayor fabricante de relojes suizo adquirió una participación minoritaria en dos empresas productoras americanas, la Sheffield Wacht Corporation y la Hamilton [79]. Pero al igual que la ASUAG no consideró seriamente el trasladar la producción de forma permanente al exterior.

Así, el sector no logró iniciar cambios en más condiciones favorables del mercado; pero pasó rápidamente a internacionalizar sus operaciones una vez que hubo absorbido el *shock* de 1975. En 1974-75, las exportaciones de relojes descendieron en más de un 20 por 100, comparado con el 8 por 100 de las exportaciones industriales suizas y sólo un 5 por 100 para las exportaciones de tejidos y confección [80]. Un estudio encargado por el gobierno llegaba a la conclusión de que en 1977 «existe el peligro acechante y de relativa importancia de perder nuevos puestos de trabajo

[77] Hilmar Stetter, *Schweizer Fabriken: Ab in die 3. Welt? Produktionsverlagerung der Schweizer Grossindustrie* (Basilea: Z-Verlag, 1980), pp. 26-43, y René Retornaz, «The Swiss Warch Industry and the International Division of Labour» (Ginebra, Centre for Applied Technology and the International Division of Labour, noviembre 1980).

[78] *Neue Zürcher Zeitung,* 26 enero 1968.

[79] *National-Zeitung,* 1 enero 1972; *Finanz und Wirtschaft,* 4 noviembre 1978, y Cyril Chessex, «L'industrie horlogére suisse au seuil de la multinationalisation», *Revue économique et sociale,* 33 (febrero 1975), pp. 21-35.

[80] Félix Müller, *Krise, Zufall oder Folge des Kapitalismus? Die Schweiz und die aktuelle Wirtschaftskrise. Eine Eunführung aus marxistischer Sicht* (Zurich: Limmat, 1976), p. 53.

en Suiza a través de la creación de instalaciones productivas en el exterior» [81]. La ASUAG reorientó sustancialmente a la producción de componentes de relojería para la exportación, así como a la producción y montaje en países de bajos costes. Algunas de las principales razones de esta reorientación eran la esperanza de contrarrestar los efectos negativos de la política monetaria y de elevados salarios de mercados altamente protegidos en el Tercer Mundo y la extensión de las reducciones arancelarias para los países en desarrollo bajo el sistema generalizado de preferencias del GATT. Además de una planta mexicana ya en funcionamiento, se proyectaron instalaciones productivas en la India, Brasil y Nigeria, así como algunos emplazamientos para la producción en el Lejano Oriente, especialmente en Hong Kong [82]. En 1979, aunque aún se inclinaba fuertemente hacia las ventas en el exterior más que hacia la producción interior, el sector ya tenía a una quinta parte de sus empleados trabajando en el exterior [83]. En el mismo año una tercera parte de los relojes suizos se montaban en el exterior y más de la mitad de los relojes suizos fabricados en el país poseían partes o componentes producidos en el extranjero [84].

Aunque la ASUAG pretende mantener la mayor parte de su producción en Suiza y cultivar su especial relación con los montadores suizos, actualmente opera bajo presiones del mercado que obligan a resultados menos favorables para la industria suiza. Esto se refleja en la composición cambiante de las exportaciones de relojes. A finales de los 70, la proporción de relojes terminados descendió, mientras que el número de componentes para su montaje en el extranjero ascendió considerablemente [85]. Con unos costes que ascendían rápidamente, la ASUAG tenía ante sí escasa elección: necesitaba amplios mercados entre los productores de relojes extranjeros para financiar la investigación y el desarrollo. En unos pocos años, la mayoría de los relojes suizos baratos se estaban produciendo en el Lejano Oriente [86]. La reorientación del sector de relojería en el

---

[81] Quoted in *Neue Zürcher Zeitung,* 3 mayo 1977.

[82] *Der Bund,* 7 julio 1979.

[83] *Ibid.*

[84] Wirchaftsförderung, *Kurzinformation,* 29 septiembre 1980; *Tages-Anzeiger,* 6 mayo 1980, y Georges-Adrien Matthey, «Vor einer stabileren Zukunt für die Uhrenindustrie?» (Schweizerische Uhrenkammer, Berna, 30 septiembre 1980). Sin embargo, sólo el 10 por 100 (8,2 de 96 millones de relojes) fueron montados o producidos totalmente en el extranjero. Véase *World Business Weekly,* 25 mayo 1981, p. 43.

[85] *Neue Zürcher Zeitung,* 12 diciembre 1980. La tendencia continuó en 1981. Véase *Wall Street Journal,* 27 enero 1982, p. 26, y Ackermann y Steinmann, «Private versus State Policy», p. 12.

[86] *Basler Zeitung,* 3 mayo 1980, y Gil Baillod, «Die Zukunft der Schweizerischen Uhrenindustrie», *Bulletin-SKA,* 87 (julio 1981), p. 9.

tema de la producción exterior se produjo en un tiempo récord. Si se produjo de forma suficientemente rápida para la ASUAG es una cuestión que permanece abierta. La empresa registró unas pérdidas de 73 millones de dólares en 1982. En un intento desesperado de salvar a las dos mayores empresas del sector de relojería, los dos mayores bancos suizos forzaron a la ASUAG a unirse con la empresa número dos en la primavera de 1983.

La crisis de finales de los 70, dramática en muchos aspectos, no fue lo suficientemente severa para provocar una intervención gubernamental a gran escala. El gobierno, por el contrario, consideró la oportunidad de desarrollar su embrionaria política regional, adaptándola primeramente a las necesidades del sector de relojería [87]. (El que fueran los relojes y no los tejidos los que animaran este desarrollo político es sólo una medida de la mayor prominencia tradicional del sector relojero en la política suiza.) El programa del gobierno de 1978 referente a la Ayuda Financiera para las Regiones Económicamente Amenazadas iba dirigido principalmente a los «cantones relojeros» del Jura. Bajo ciertas condiciones, las empresas ubicadas en esos cantones se convertían en beneficiarias de subsidios y garantías de préstamos de proyectos de inversión privada que prometían diversificación e innovación [88]. El sector se benefició de su situación en una línea equivocada en un momento de conmoción potencial en la política suiza, el proceso de establecimiento de un cantón independiente de Jura. Pero también se vio beneficiada por la concentración regional de la industria relojera. Desde la situación privilegiada, la ayuda elaborada en términos regionales más que por sectores específicos tenía una triple ventaja: era receptiva al movimiento regional del Jura, hacía que otros sectores como el textil fueran también candidatos para recibir la ayuda y evitó que fueran incluidas de nuevo en un sector del que habían logrado salir en 1971 [89]. Además, el lento proceso suizo de búsqueda de consenso dio un amplio juego a las presiones del mercado. Transcurrieron tres años y medio entre la formación inicial de un grupo de estudio en el invierno de 1975 y la primera selección de regiones con posibilidad de optar a la ayuda especial en mayo de 1979. Aunque la mayoría de las regiones merecedoras de ayuda especial estaban situadas en los «cantones relojeros» de Suiza, muy en consonancia con el carácter del corporatismo suizo, se incluían también tres regiones que dependían fuertemente de los tejidos y los metales [90].

[87] Un resumen del principal estudio que ha encargado el gobierno federal se presenta en *Schweizerische Finanz Zeitung,* 31 agosto 1977.

[88] *Tages-Anzeiger,* 14 mayo 1979.

[89] *Der Bung,* 31 agosto 1977.

[90] *Tages-Anzeiger,* 14 mayo 1979.

El programa gubernamental era modesto. Por la insistencia del sindicato de trabajadores del metal y de fabricantes de relojes, el plan inicial se centraba en la creación de una corporación parapública para la provisión de préstamos con intereses considerablemente bajos y garantías financieras [91]. Esta provisión, que fue recibida críticamente por la asociación de élite de empresarios, dejó paso a unos subsidios con bajos intereses más modestos. Además de esperar una contribución financiera modesta por parte de los aspirantes en apoyo del reajuste estructural, el gobierno federal confiaría en los bancos para proteger a las empresas con un futuro competitivo, y la estrecha colaboración entre los bancos y los gobiernos cantonal y federal establecieron el criterio de elegibilidad y selección (en la primavera de 1983 sería un consorcio de bancos el que presionaría por la fusión de las dos principales empresas del sector, dejando claro que el proceso suizo de ajuste industrial fue organizado por los bancos más que por el gobierno).

Muchas empresas del sector relojero estaban considerando la liquidación en vez de la inversión, y por ello el programa se utilizó con moderación. En los primeros años de operación, el gobierno elaboró cuarenta y seis proyectos que aunaban los criterios de innovación y diversificación. El tamaño medio del proyecto era de dos millones de dólares, y de los aproximadamente mil puestos de trabajo así creados o salvados, alrededor de la mitad eran de la industria de la relojería [92]. Al mismo tiempo, otros programas gubernamentales ofrecían también unos niveles de asistencia modestos. Bajo las provisiones del programa suizo de estabilización del empleo, por ejemplo, 164 empresas del sector de relojería desbloquearon unos 33 millones de dólares de beneficios previos y recibieron un total de unos 10,8 millones de subsidios tributarios federales, cantonales y locales para nuevos proyectos de inversión [93].

Además, el gobierno respondió a la crisis del sector con escasa repercusión pública, estimulando un mayor desarrollo de la ya considerable capacidad tecnológica en el campo de la electrónica para alcanzar la máxima ventaja, tanto para el sector de relojería como para la industria en general. El programa para el Alivio de las Dificultades Económicas contiene un subsidio de 28 millones de dólares para investigación y desarrollo en el campo de componentes electrónicos para relojes; entre 1979 y 1982, el gobierno utilizó una tercera parte de los costes del programa. La

[91] *National-Zeitung,* 26 agosto 1976; *Neue Zürcher Zeitung,* 23-24 octubre 1976, y *Finanz und Wirtschaft,* 20 noviembre 1976.

[92] Entrevista, Berna, julio 1981.

[93] «Arbeitsbeschaffungsaktion der privaten Wirtschaft: Die Arbeitsbeschaffungsaktion 1975/76 im Rückblick», *Mitteilungsblatt für Konjunkturfragen,* 37, 1 (1981), p. 2.

capacidad financiera del programa, la insistencia en la investigación cooperativa y los componentes compatibles y la ausencia de otras restricciones son tan notables como el esperado efecto de ampliación continua de los gastos de *staff* y financieros de los laboratorios de investigación y desarrollo del sector. Esta ayuda refuerza una serie de proyectos de cooperación de amplio alcance en el sector privado, y refleja la creciente separación que existe entre los costes en escalada de investigación y desarrollo y los bienes del sector en franca decaída [94]. A pesar de la tradicional aversión suiza hacia la participación del gobierno en los asuntos económicos, es probable que continúe este tipo de actuación gubernamental.

Además, como en el caso del textil, el gobierno y los bancos intentaron aliviar la difícil situación de la industria relojera mediante diversas medidas financieras: entre ellas, la extensión del Seguro contra los Riesgos de la Exportación para las industrias de bienes de consumo en marzo de 1975; el acuerdo entre el Banco Nacional y los grandes bancos comerciales para ofrecer créditos baratos a la exportación en abril de 1975; el acuerdo alcanzado entre el Banco Nacional y los sectores de relojes y tejidos concernientes a los riesgos del intercambio exterior para los exportadores en octubre de 1976, y el acuerdo entre el Banco Nacional y la Asociación de Banca Suiza (Schweizerische Bankiersvereinigung) de diciembre de 1978, destinado a fortalecer a todos los exportadores suizos. Aunque el sector relojero dispensó una buena acogida a la ayuda que recibía, la mayoría de las empresas se resistían a extraer ventaja de estos beneficios. La provisión de créditos baratos para la exportación de abril de 1975 fue finalmente utilizado por un 20 por 100 de las empresas de relojes y sólo benefició a un 10 por 100 de las ventas de exportación totales del sector entre 1975 y 1980. Aunque el sistema de tipos de cambio garantizados fue mejor recibido, sólo un tercio de las empresas se acogieron a él, cubriendo alrededor de un 20 por 100 de las ventas totales de exportación [95].

Representantes bien informados estiman que el sector perdía alrededor de 560.000 dólares al día entre 1975 y 1980, un total situado entre los 840 millones y los 1,2 billones de dólares [96]. Entre 1975 y 1977 los pagos subvencionados por el Seguro contra los Riesgos de la Exportación al sector relojero llegaron a los cuatro millones de dólares [97]. Mientras

---

[94] *Finanz und Wirtschaft,* 18 noviembre 1978; *Neue Zürcher Zeitung,* 1 septiembre 1976, y *Der Bund,* 9 diciembre 1977.

[95] Entrevista, Biel, julio 1981.

[96] Entrevista, Biel, julio 1981.

[97] *Neue Zürcher Zeitung,* 16 diciembre 1977, y Fédération Horlogère, «Projektionsstudie», p. 3.

que estimar la base de capital de un sector es una cuestión complicada, es plausible aventurar unas pérdidas de alrededor de la mitad de su capital en los años 70. Así, a la vez que la amortiguación para futuras recaídas ha disminuido drásticamente, no había desaparecido por completo en 1980; los activos del sector todavía representaban el triple de los 840 millones de dólares en préstamos bancarios pendientes en aquel año [98]. Considerando estas pérdidas, el sector opina que sin los créditos bancarios masivos no estará en posición de llevar a cabo los enormes programas de inversión que exigen los años 80 [99]. El colapso de los mercados de exportación en 1982 provocaron numerosas bancarrotas e infusiones masivas de capital procedentes de los bancos suizos con la esperanza de salvar a la empresa número uno del sector, la ASUAG. El sector de relojería depende actualmente de los propios defensores de la política de moneda fuerte, que fue la que debilitó su posición en los años 70.

A principios de los 70, ni la industria ni el gobierno estaban preocupados por las consecuencias del cambio tecnológico sobre el empleo [100]. En 1972, *Business Week* predijo que los nuevos relojes digitales y la intensa competencia extranjera provocarían el descenso de la mano de obra por debajo de los 50.000; nadie tomó en serio estas predicciones en Suiza. Cinco años después, tanto el gobierno como la FH coincidían, en informes separados, en que el empleo en el sector estaría por debajo de los 38.000 hacia 1985. El colapso del mercado mundial de relojes en 1982 y el descenso del número de relojes exportados en un tercio redujeron el empleo a ese nivel en 1983. Así pues, las consecuencias para el empleo de la crisis de los años 70 y primeros de los 80 han sido tan serias como las de los años 1873-75, 1920-22 y 1929-34. El legado de los años 30 en los cantones relojeros fueron provisiones para el desempleo, que, en general, eran más extensivas que en las demás zonas de Suiza. Sin embargo, con más de ciento cincuenta programas de empleo difirentes operando en el sector relojero, la cobertura era variable y, en general, inadecuada [101].

El descenso del 5 por 100 en el empleo de los años 70 vino a socavar de forma permanente la prominencia política que había disfrutado tradicionamente el sector en la política suiza. En 1931, por ejemplo, los representantes industriales entregaron al Consejo Federal una petición con 56.000 firmas como protesta por la exportación de componentes de relo-

[98] Entrevista, Biel, julio 1981.

[99] Entrevista, Biel, julio 1981. Véase también Fédération Hologère, «Projektionsstudie», p. 14.

[100] *Schweizer Finanz Zeitung,* 4 mayo 1972.

[101] *National-Zeitung,* 10 marzo 1973.

jería [102]. En 1961, la industria todavía era capaz de convencer al público en general de que era necesario continuar con el sistema de regulación gubernamental; por un margen de dos a uno, el Estatuto de Relojería se aprobó en referéndum. A finales de los 70, el sector se había contraído tanto que ya no podía organizar al electorado nacional.

Como parte del sindicato de trabajadores del metal (SMUV), el sindicato de fabricantes de relojes hizo poco por atraer la cuestión del empleo a una posición prominente. Aunque los trabajadores están mejor organizados en relojería que en el textil, han permanecido al margen en los debates sobre la tremenda reducción de la mano de obra del sector. Esto ha sido la consecuencia lógica de la exclusión general del SMUV de los asuntos relacionados con la política de la mano de obra y la formación profesional para el sector de relojería. Tales cuestiones son, en gran medida, prerrogativas de los institutos (municipales) especializados, en los que no están representados los sindicatos [103]. En la primera mitad de los años 70, el SMUV había logrado asegurar un sistema de notificación de despidos y provisiones limitadas para la ayuda en los procesos de ajuste y reciclaje en el trabajo [104]. Pero después de 1975 el sindicato se concentró en el desarrollo de propuestas para ayudas de emergencia. Como en los años 30, los sindicatos y los empresarios cooperaron de forma estrecha en una atmósfera de crisis. Pero a finales de los 70 el sindicato vio fracasar su poco entusiasta oposición a una fuerte reducción del empleo y a la creciente atracción de producción extranjera [105]. El sindicato esperó hasta finales de 1982 para organizar una demostración pública del dramatismo de las consecuencias sociales de la crisis en la relojería.

La preocupación programática del sindicato hacia la seguridad de los puestos de trabajo ofrece un notable contraste con la drástica reducción de la mano de obra del sector. Al igual que en la gran recesión de 1957-58, cuando 12.000 trabajadores perdieron sus empleos, el sindicato optó por no hacer más que organizar, caso por caso, una tranquila retirada. En 1975 formuló unas pautas de empleo que, con el acuerdo de la comunidad empresarial, establecían una detallada división de las clases de tra-

---

[102] Güggi, *Schutzmassnahmen*, p. 44; *Neue Zürcher Zeitung*, 3 mayo 1977, y *Der Bund*, 4 julio 1977.

[103] Charbel Ackermann y Walter Steinmann, «The Representation of Private Actors in the Policy Implementation Structure» (artículo preparado para la sesión planificadora del ECPR sobre «Implementation Seen from the Bottom Up», Lancaster, 30 marzo-4 abril 1981), pp. 11-12.

[104] Josef Hasler, *Der schweizerische Metall- und Uhrenarbeitnehmer- Verband SMUV* (Berna: SMUV, 1976), pp. 26-27.

[105] *Neue Zürcher Zeitung*, 28 abril 1975, y *Hundelsblatt*, 2 enero 1976.

bajadores —viejos, extranjeros y mujeres— que deberían ser despedidos en primer lugar [106]. A pesar de los despidos masivos, la negociación colectiva funcionó a lo largo de los años 70 sin huelgas y de forma ordenada. Las controversias se resolvían mediante arbitración y, dado que los funcionarios del sindicato concordaban con los empresarios en la estrategia general de la industria, las relaciones entre empresarios y representantes sindicales se mantuvieron «excelentes» [107]. Su acuerdo se fortalece con la participación sindical en las discusiones informales que organiza la FH en beneficio de los diferentes segmentos del sector.

Aunque ha perdido su posición prominente en los mercados mundiales, la industria relojera suiza sigue situándose por delante de sus competidores extranjeros tanto en producción mundial (alrededor de 96 millones de relojes en 1981) como en exportaciones. Sin embargo, el brusco descenso en el volumen de exportación de relojes en 1982 ilustra que los fabricantes de relojes suizos han perdido el mercado de masas en favor de sus competidores asiáticos. Por lo tanto, para el futuro de la industria relojera es más importante una segunda serie de estadísticas. Para los relojes con un coste por encima de los 225 dólares, la participación suiza en el mercado mundial es del 85 por 100, mientras que le corresponde un 5 por 100 en cuanto a los relojes baratos. La posición de Suiza sigue siendo muy fuerte en aquellos segmentos del mercado donde los beneficios son altos y la demanda relativamente inelástica [108]. Entre las tecnologías competidoras de la edad de la electrónica, los fabricantes de relojes suizos han optado por una combinación de tradición y modernidad de fabricación mecánica y electrónica de relojes, adaptada a su tradición inigualable de perfección. En 1979 Suiza produjo una cuarta parte de todos los relojes de cuarzo del mundo, pero sólo el 1 por 100 de todos los relojes digitales, terreno inicial de las empresas de semiconductores norteamericanas [109]. Esta opción refleja el hecho de que las industrias son instituciones sociales y políticas al igual que instrumentos para la creación de beneficio y riqueza. La prominencia suiza en este sector en particular data del siglo XVI, de las políticas del siglo XVI y de la prohibición de Calvino sobre joyería, aunque no relojería, en la ciudad de Ginebra. La fa-

---

[106] Schweizerischer Metall- und Uhrenarbeitnehmerverband, *Geschäftsbericht 1973, 1974, 1975* (n. p.: SMUV, n. d.), p. 133.

[107] *Die Weltwoche,* 1 octubre 1980. El catálogo de demandas que preparó el sindicato en 1982 ha contribuido aparentemente poco a cambiar esta situación. Véase *Neue Zürcher Zeitung,* 27 mayo 1982.

[108] *World Business Weekly,* 25 mayo 1981, p. 43. Las exportaciones aumentaron en un 10 por 100 en 1981. Véanse *Wall Street Journal,* 27 enero 1982, p. 26; *Neue Zürcher Zeitung,* 25 abril 1982, y *Der Spiegel,* 23 mayo 1983, p. 139.

[109] *Die Weltwoche,* 4 julio 1979, y *Neue Zürcher Zeitung,* 18 junio 1980.

bricación de relojes rentable y de alta calidad prospera en una atmósfera europea que pone de relieve los elementos «blandos» indispensables de la tecnología, que incluyen el diseño, la producción y talla de joyas. Los fabricantes de relojes tradicionales en Suiza consideraban los relojes de diez dólares de Texas Instruments con el mismo desdén que la República Popular China tiene hacia Taiwan: pero esto no duraría mucho. Los fabricantes de relojes suizos carecen de la orientación hacia horizontes y beneficios a corto plazo que hace que los norteamericanos abran y cierren empresas o segmentos de sectores industriales con tanta facilidad.

Pero los fabricantes suizos poseen también un agudo instinto comercial. Saben que los relojes de lujo, aunque de alta rentabilidad, no les asegurarán un mercado suficientemente amplio para mantener la fuerza competitiva del sector. Como institución social y política, el sector relojero en Suiza necesita a la vez ser conservado y modificado. En una economía pequeña y abierta, la industria, los sindicatos y el gobierno reconocen que los cambios en los factores de producción no pueden impedirse a medio o largo plazo. En cambio, ellos cultivan una capacidad de reacción rápida ante los cambios económicos. El ajuste industrial puede, por tanto, entenderse, con una frase de David Landes, como un «fenómeno cultural y social a la vez que económico» [110]. Sólo el tiempo dirá si el reloj seguirá marcando las horas en favor de la fama relojera que han disfrutado los suizos durante tanto tiempo.

Empresas en dificultades (4): la SSIH

A pesar de todos los esfuerzos realizados, el segundo productor de relojes, la Sociedad Relojera Suiza (Société Suisse pour L'industrie Horlogère, SSIH), cayó en bancarrota en 1980-81 [111]. La SSIH no es una pequeña empresa fabricante de relojes. Es un *holding* de empresas con veintisiete filiales distribuidas alrededor de las dos empresas insignia de un imperio relojero que cuenta ya con cincuenta años de existencia, Omega y Tissot. Para los suizos estos dos relojes de calidad están tan cerca de su

---

[110] David Landes, «Warchmaking: A Case Study in Enterprise and Change», *Business History Review,* 53 (primavera 1979), p. 37.

[111] Este episodio puede reconstruirse en los siguientes relatos: *Die Weltwoche,* 1 octubre 1980; *Der Bund,* 11 octubre 1980; *Tages-Anzeiger,* 17 octubre 1980; *Neue Zürcher Zeitung,* 15 diciembre 1980; *Finanz und Wirtschaft,* 20 diciembre 1980; *Neue Zürcher Zeitung,* 20 febrero 1981; *Finanz und Wirtschaft,* 21 febrero 1981; *Neue Zürcher Zeitung,* 21 mayo, 5, 6,7, 13,14 y 17 junio; *Frankfurter Allgemeine Zeitung,* 21 mayo 1981; *Der Spiegel,* 25 mayo 1981, y *Die Weltwoche,* 27 mayo 1981.

sentido de identidad nacional y sus valores colectivos como un Cadillac para el norteamericano medio. Sin embargo, la SSIH es tan típica del sector que con su desaparición señalaba el destino de cientos de empresas relojeras en los años 70. Su rescate, al menos en aquellos tiempos, por medio de un consorcio de bancos suizos es, por supuesto, atípico dentro del destino de la empresa media; pero ilustra con particular claridad cómo se organiza el proceso de ajuste industrial en tiempos de crisis.

Las razones del declive económico de la SSIH se asemejaba a las de aquellos que afectaron a toda la industria del reloj. Un franco devaluado y un dólar sobrevalorado crearon las condiciones favorables para lo que llegaría a ser la marcha desafortunada hacia los relojes baratos a finales de los 60. A lo largo de los 70, la empresa experimentó fuertes pérdidas por los productores a bajo coste asiáticos. Al igual que algunos de sus competidores japoneses y norteamericanos con éxito, la SSIH pudo dirigir un sistema de distribución y ventas por todo el mundo, pero su red de ventas aisló a la producción de los cambios que se daban en la demanda de los consumidores y tendió a fomentar la producción para existencias más que para la venta. Aunque las enormes existencias habían de registrarse a unos costes considerables más de una vez en los años 70, el desastre se pospuso hasta 1980; en vez de seguir el cambio del sector hacia una nueva generación de relojes delgados, Omega, en concreto, siguió produciendo relojes alrededor de 2,5 milímetros más gruesos de lo que ya aparecía como la nueva «línea delgada». El resultado fue una fuerte caída en las ventas y existencias cada vez mayores. Aunque ya eran amplias, la SSIH había extendido sus recursos financieros y de gestión ligeramente porque intentaba cubrir todos los segmentos del mercado y todas las fases de producción, mientras que al mismo tiempo intentaba diversificarse más allá de la fabricación de relojes. Finalmente, al igual que el resto de la industria, la SSIH se había visto afectada por las transformaciones de los años 70: la fuerte revalorización del franco suizo, la rápida aparición de los relojes electrónicos y la nueva competencia.

Entre 1974 y 1979 descendió la rotación laboral y el empleo cayó desde 7.300 a 5.500 puestos de trabajo. La situación había llegado a ser bastante precaria ya en 1977 cuando, tras tres años de pérdidas ininterrumpidas que se acercaban a los 40 millones de dólares, los bancos se negaron a dar nuevos créditos. Pero la infusión de capital y gestión nuevos por parte de Silber-Hegner, una empresa comercial de Zurich, dio a la SSIH un nuevo aunque, como luego resultó, corto plazo de vida. En 1980 la rotación y el empleo descendieron en otro 10 por 100 y la SSIH registró en ese año unas pérdidas de 36 millones de dólares, considerablemente mayores que su capital total. La aparición tan repentina de pérdidas masivas señaló que los activos ocultos de la empresa ya habían sido finalmente utilizados.

En este drástico empeoramiento es de destacar la sorpresa total con que fueron acogidas estas noticias. Los rumores habían comenzado a circular en el sector en el verano de 1980. Se intensificaron en octubre de ese mismo año, después de que la SSIH rehusara obedecer una orden para todo el sector del Comité de Arbitración de pagar primas por el coste de vida a los trabajadores, que sumaban 3,6 millones de dólares. Cuando cuatro de los grandes bancos suizos, junto con dos bancos cantonales más pequeños, declararon en diciembre de 1980 su intención de ofrecer nuevas líneas de crédito para superar la última crisis de liquidez de la SSIH, todos cayeron en la cuenta de que la base capital de la empresa debería ser reestructurada totalmente y fortalecida mediante la infusión de nuevo capital.

El plan, que fue finalmente aprobado, incluía las siguientes provisiones: Primero, los *stocks,* valorados previamente en 35 millones de dólares, fueron rebajados a 175.000 dólares, el 5 por 100 de su valor anterior. Segundo, mediante la conversión de 49 millones de dólares de sus créditos en capital a largo plazo, los seis bancos incrementaron la nueva base de capital de la empresa a 51 millones de dólares. Tercero, los bancos y otras instituciones financieras, incluyendo a algunos bancos extranjeros, acordaron extender créditos por un valor total de 51 millones de dólares. Y en cuarto lugar, los seis bancos acordaron abrir nuevas líneas de créditos por valor de más de 51 millones de dólares. En total, en la mayor reestructuración financiera de la historia corporatista suiza de posguerra, los bancos comprometieron 175 millones de dólares.

En la primavera de 1983, el futuro de la SSIH estaría ligado inextricablemente al de la ASUAG, la cual había sufrido unas pérdidas desastrosas en 1982. La Corporación de Banca Suiza y la Unión de Banca Suiza provocaron una fusión con otros seis bancos suizos, con la que esperaban salvar a estos dos gigantes industriales a través de una mayor racionalización de su producción y la infusión de 300 millones de dólares en capital nuevo. El principio de los años 80 dio así crédito al viejo refrán sobre el mercado de valores de que «la primera pérdida es siempre la menor». Es probable que en los próximos años la nueva compañía formada requiera infusiones notables de capital y de facilidades de crédito especiales.

La decisión de los bancos de sacar del apuro a la SSIH estuvo basada sólo en parte en consideraciones comerciales. Puesto que han entrado en amplios compromisos financieros para muchos años, los bancos podían optar entre registrar más de 100 millones de dólares como pérdidas permanentes (afrontando probablemente el proceso de pleitos legales por negligencia en el control financiero) y ofrecer nuevos fondos con la esperanza de salvar a la compañía. Pero aún más importantes son las consideraciones sociales y políticas que pesaron fuertemente sobre la decisión de los bancos. Con más de 2.000 subcontratistas y 5.000 trabajadores amenazados directamente por la falta de pago de la SSIH, el mantener a flote la empresa era una cuestión de una importancia política primordial. Los rumores sobre una posible adquisición de la SSIH por parte de los competidores japoneses de Suiza apuntaban en la misma dirección. De hecho, el gobierno no hizo ningún llamamiento público. Las consultas privadas bastaron para reforzar el simple hecho, respaldado por un sentido de obligación, de que sólo la comunidad financiera suiza controlaba los recursos necesarios para abordar tan amplia tarea.

Habiéndose desviado ya una vez del estrecho camino de la racionalidad del mercado en defensa del orden social y del interés económico a largo plazo del sector, los bancos continuarán afrontando opciones incómodas en la difusa área que se extiende entre la lógica del mercado y la lógica del Estado. Las decisiones iniciales de los bancos favorecían previsiblemente una mayor racionalización y concentración de las operaciones y, en 1983, una fusión completa con el ASUAG, en la cual los bancos ejercían también cierta influencia. Pero el futuro exigirá una elección continua entre dos opciones. Una es un intento de estrategia financiera de maximizar los beneficios bancarios (o minimizar las pérdidas) sin tener en cuenta las consecuencias para el empleo, el desarrollo regional y el crecimiento a largo plazo de la industria. La otra es una estrategia industrial que busca fortalecer la fuerza tecnológica y de mercado de la empresa y adopta una actitud a largo plazo que incluye una preocupación sobre la industria en su conjunto y, de forma inevitable, nuevas y considerables infusiones de capital. La posición suiza en los mercados internacionales y la lógica de la política suiza empujaron a los bancos y a los principales accionistas a asumir casi la totalidad de las pérdidas masivas de la SSIH antes que arriesgarse a una reacción en cadena de bancarrotas. Y continúa existiendo una fuerte resistencia contra una estrategia industrial más amplia, quizá con cierta ayuda política por parte de los gobiernos cantonales y federales. En tiempos de crisis, los bancos suizos, más que el gobierno, son los encargados del desarrollo de una política de ajuste industrial.

Dos rasgos de este episodio merecen ser subrayados porque señalan importantes características del proceso de ajuste tanto en Suiza como en Austria. Los cambios económicos desfavorables se afrontaron simplemente con una política de avances y retrocesos. Los ajustes circunstanciales, como aquellos de 1977 y 1981, predominaron sobre cualquier esfuerzo claro de planificación a largo plazo que implicara a la SSIH en relación a otros productores y segmentos del sector de relojería y en relación a su marco económico regional. Además, al igual que la crisis del sector relojero en general, la crisis de la SSIH no ha provocado un debate o inquietud política de importancia destacable. Al principio, los considerables activos ocultos de la SSIH permitieron absorber gran cantidad de pérdidas durante varios años. Más tarde, todos los suizos aceptaron sin debate alguno que no debía permitirse el hundimiento de la SSIH, porque daría lugar a cientos de bancarrotas y miles de despidos. Como en el caso de la Empresa de Hilado y Tejido de Glattfelden, este episodio ilustra la naturaleza predominantemente privada del ajuste suizo; pero en contraste con ella, el pequeño tamaño de la SSIH facilitó una movilización a gran escala de los recursos que era impensable para las empresas más pequeñas situadas en sectores industriales y sectores menos importantes para la prosperidad económica general de Suiza. Suiza afrontó el impacto de los ineludibles cambios en el mercado de forma *ad hoc,* lo cual ha demostrado hasta hoy ser eficaz para absorber los grandes cambios económicos sin tensiones políticas aparentes.

Comparaciones

Estos dos ejemplos confirman lo que los casos del sector textil ya habían sugerido: Austria y Suiza convergen en las tres características que definen el corporatismo democrático. La ideología del interés social es predominante en el proceso de ajuste tanto del acero como de la relojería; se encuentra en la compatibilidad de los puntos de vista de sindicatos y gobierno en Austria; en las amistosas relaciones entre sindicatos y empresarios en Suiza, y en la conformidad de la comunidad empresarial suiza con las consecuencias de una política que persigue la reducción del ritmo del cambio económico. Segundo, como en el textil, las instituciones centralizadas son también importantes. La asociación de élite de los empresarios suizos defendió la política de una moneda fuerte contra la total oposición del sector relojero. En todas las demás cuestiones, la fragmentación extrema del sector relojero intensificó los conflictos entre los diferentes segmentos del sector y permitió así al gobierno federal y a otros sectores de la empresa suiza el lujo de no tener que enfrentarse a una industria que demandara el cambio político a través de una sola voz. En Austria, el sindicato centralizado fue tan eficaz con su insistencia en el pleno empleo que otras voces no fueron ni escuchadas por el gobierno ni debatidas por la comunidad empresarial. Finalmente, en sus políticas de ajuste, tanto Austria como Suiza intentaron compensar a las industrias con fuertes presiones en términos económicos y políticos por algunas de la pérdidas que se vieron obligadas a obsorber. Por ejemplo, los cálculos tanto económicos como políticos provocaron la defensa del empleo en el sector del acero austríaco y del limitado programa de subsidios que había desarrollado el gobierno suizo, en respuesta, inicialmente, a la crisis del sector de relojería.

Estos dos casos ilustran también las diferencias en la forma que puede adoptar el corporatismo democrático. En el caso suizo, el papel que desempeña el gobierno federal está subordinado al de la comunidad empresarial y al del mercado. Además, la adaptación entre sindicatos y empresarios no requiere una coordinación central, sino que se produce a nivel del sector. Ambos rasgos revelan la despolitización y descentralización que caracteriza al corporatismo liberal suizo. En el caso austríaco, la implicación política en la industria es mucho mayor y el ajuste a los avances del mercado se construye explícitamente en términos políticos. Además, las relaciones consensuales entre el gobierno y los sindicatos se producen en el centro político. Estas dos características apuntan hacia la politización y descentralización que distingue al corporatismo social austríaco. Pero a pesar de estas diferencias en la forma institucional, el corporatismo liberal y el corporatismo social convergen en la provisión de compensaciones económicas y políticas en tiempos de cambios económicos rápidos y desfavorables.

Los cuatro sectores en los que he centrado mi atención —los textiles suizos y austríacos, el acero austríaco y los relojes suizos— permiten ciertas reflexiones sobre lo que supone el corporatismo en cada una de sus variantes. Los cuatro sectores fueron elegidos deliberadamente por sus grandes diferencias en cuanto a algunas dimensiones, entre ellas el origen del cambio económico, el proceso de diferenciación interna, el carácter del actor político típico y la organización política del sector, así como su conexión política con otros sectores. Así pues, podemos estar razonablemente seguros de que la convergencia en cuanto a estrategia y estructura no son artificios del método de selección.

Los cuatro casos representan el ajuste flexible que se deriva del corporatismo democrático más que la lógica bien del mercado o bien del Estado. Es de destacar la fuerte orientación hacia el libre comercio a pesar de los limitados subsidios de Suiza, y la escasa habilidad o disposición a elaborar políticas sectoriales de transformación a pesar de los amplios subsidios de Austria. Aunque orientada hacia el libre comercio, Suiza no aceptó sin más los cambios económicos desfavorables. Los bancos suizos protegieron hasta cierto punto a los exportadores de relojes y tejidos contra la revalorización del franco; el gobierno elaboró un modesto programa de ayuda para el sector de relojería, encaminado especialmente a fomentar la capacidad nacional para producir componentes electrónicos, y los bancos intervinieron masivamente para adelantarse al colapso de la SSIH y de la ASUAG. A pesar de la intervención en los textiles y el acero, el gobierno austríaco no transformó los sectores industriales. Las pequeñas empresas textiles de Austria occidental prosperaban, a la vez que la gran mayoría del este austríaco recibía subsidios de forma masiva. En textiles, tras un costoso e inútil esfuerzo de intervención, fue posible, sin grandes ramificaciones, la retirada política. Pero esa retirada del centro mismo de las industrias nacionalizadas austríacas y del baluarte socialista en la economía austríaca, la industria del acero, con una crisis estructural en los mercados mundiales, sería mucho más difícil. La prueba crucial para la tolerancia política del país ante las consecuencias de los cambios económicos adversos probablemente está aún por llegar. Reconociendo esta posible excepción, podemos, sin embargo, concluir que el declive económico de estas cuatro industrias en los años 70 no fue quien produjo ni las medidas de protección ni las de transformación estructural.

Al igual que los de Estados Unidos y Gran Bretaña, el gobierno suizo carece de los instrumentos para intervenir selectivamente en la economía; pero, en cambio, evita exportar los costes del cambio a otros países mediante la protección. Aunque el gobierno austríaco controla los instrumentos de intervención económica, incluso más que los de Japón y Suiza, no intenta apropiarse de los costes del cambio a través de una política de transformación estructural. Al reducir el ritmo del cambio mediante una política de déficit del gasto, Austria se endeuda en contra de su propio futuro; Suiza, por otro lado, se veía presionada con más dureza sin la salvaguarda que le ofrece su mano de obra extranjera. Suiza y Austria han elegido vivir con los costes del cambio.

El ajuste de Austria y Suiza al cambio económico absorbe el conflicto político. Las instituciones de ambos países revelan en el área de la política industrial múltiples vínculos entre la industria, los bancos, el gobierno y los sindicatos. La diferencia entre los dos países descansa en el hecho de que Suiza tiende hacia la despolitización, la descentralización y las conexiones institucionales en el sector privado, organizadas alrededor de la especial posición de los grandes bancos; mientras que Austria tiende hacia la politización, la centralización y los vínculos institucionales en el sector público, organizados en torno a los principales grupos de interés y el gobierno. Estos vínculos institucionales son garantías esenciales de la capacidad política para soportar altos ritmos de cambio, ayudan a organizar los debates políticos y dirigir a los diferentes grupos en una estrategia de ajuste industrial que en ambos países es reactiva y continua más que activa y esporádica y que intenta contener las realineaciones políticas en respuesta a la posición cambiante de sectores particulares en los mercados mundiales. Dado que este rasgo del proceso de ajuste es fácilmente observable, las consecuencias políticas del cambio económico que podrían ser imaginables, aunque no observadas en la práctica, merecen ser analizadas con mayor detalle.

Podría pensarse en los sectores del textil, del acero y de los relojes como arenas diferentes para la formación de coaliciones políticas entre los diferentes sectores industriales, coaliciones que presionan por determinadas políticas de ajuste industrial. Sus demandas pueden apuntar a formas mediante las que afrontar los costes del cambio que pueden ser o no consonantes con la estrategia política y la estructura doméstica austríacas [112]. El cambio tecnológico y los cambios en la posición competitiva en los mercados internacionales crean y recrean continuamente los ciclos de innovación, maduración e imitación en diferentes sectores. En la división internacional del trabajo, cada ciclo productivo industrial tiene su correlato político. La característica política central del crecimiento y el declive económicos en ciertos sectores determinados, tales como textiles, acero o relojería, es la redefinición del interés de ese sector, articulado normalmente en términos políticos por sus empresas dominantes y asociaciones comerciales. En ciertos casos, unas cuantas grandes empresas en sectores de crucial importancia pueden lograr la creación de una coalición política que imponga su definición de interés sobre la de interés nacional. Lo que es bueno para la Sociedad Relojera Suiza o para la Empresa de Aceros puede serlo, sin duda, para Suiza o Austria. Bajo diferentes circunstancias, en el intento de crear barreras políticas al cambio económico, las principales empresas o asociaciones comerciales pueden querer incrementar su fuerza mediante alineaciones políticas con los sindicatos, cuya existencia está amenazada por el amplio desempleo. Entre estos dos polos de «liberalismo internacional» y de «socialismo nacional» existe una gran variedad de posibles coaliciones políticas que abogan por diferentes estrategias de ajuste. Una alianza política entre grandes empresas en sectores de la mayor importancia constituye a menudo una fuerza política dominante en el país, la cual define los objetivos a largo plazo de la estrategia política. Una coalición política entre muchas em-

---

[112] Peter A. Gourevitch, «The Second Image Reversed: The International Sources of Domestic Politics», *International Organization,* 32 (otoño 1978) pp. 881-912, y James R. Kurth, «The Political Consequences of the Product Cycle: Industrial History and Political Outcomes», *International Organization,* 33 (invierno 1979), pp. 1-34.

presas débiles y sindicatos en sectores marginales pueden sólo obtener ayuda económica a corto plazo para segmentos concretos de un sector. Así pues, las coaliciones políticas que resultan de los cambios económicos conducen a resultados que pueden ser tan amplios como las características de un régimen político y tan reducidos como una serie determinada de políticas de ajuste.

La alineación política entre los sectores industriales tiene su corolario, a un nivel menor de abstracción, en la alineación política que se da en el seno de los sectores. Layra Tyson y John Zysman han argumentado de forma convincente que los sectores industriales son artificios estadísticos con su propia realidad política [113]. Dentro de este amplio abanico de actividades económicas y productos que nosotros presentamos bajo los tres ejemplos de textiles, acero o relojes se recogen una serie de experiencias desconcertantes de la vida real: de la producción artesanal de vestidos por mujeres que trabajan en casa a las fábricas textiles totalmente automatizadas que producen tejidos industriales; de antiguos hornos de hogar abiertos a las fábricas de acero integrado; de la artesanía que contiene la producción de relojes mecánicos de alta calidad en una pequeña casa de montaña al montaje de los componentes de relojes elctrónicos en una moderna factoría en el fondo del valle. Como resultado de estas variaciones, las cambiantes coaliciones políticas, que crean las condiciones para preconizar una estrategia de ajuste industrial determinada, se producen en el interior de los sectores industriales, así como entre diversos sectores. Por su preferencia de dejar que sea el mercado y no las instituciones quien determine los resultados económicos y de soportar más que rechazar los costes del cambio, las empresas competitivas no difieren fundamentalmente en sus alineaciones y preferencias políticas con respecto a los sectores competitivos. Algunos sectores o segmentos de ellos generan presiones políticas y crean capacidades políticas para absorber el cambio económico; otros resisten ante él.

Si analizamos la formación de coaliciones entre sectores o dentro de ellos, podemos esperar que esas coaliciones y opciones políticas reflejen los cambios que se producen en la división internacional del trabajo. Pero las políticas suiza y austríaca son destacables porque limitan muy severamente la construcción de coaliciones políticas alternativas para desafiar a las instituciones y políticas existentes. En Austria, la industria textil no se agrupó políticamente, sino que se inclinó por una gestión colaborado-

---

[113] Laura Tyson y John Zysman, «American Industry in International Competition», en Zysman y Tyson, eds., *American Industry in International Competition: Government Policies and Corporate Strategies* (Ithaca: Cornell University Press, 1983), pp. 15-59.

ra del cambio. Esta colaboración fue suficientemente fuerte para unir las distintas preferencias de los productores textiles en las partes occidental y oriental del país. En Suiza, el sector se agrupó políticamente en respuesta a la crisis. En interés de una representación política más eficaz en la política federal, el sector impuso un mayor grado de centralización y reforzó aún más sus acuerdos colaboradores con los sindicatos textiles a nivel sectorial. La respuesta política fue esencialmente recrear a nivel sectorial aquellos acuerdos políticos que caracterizan en gran medida a Suiza.

Esta habilidad para limitar la formación de coaliciones políticas alternativas se encuentra también en los sectores del acero austríaco y de la relojería suiza. Aquí las alineaciones adoptan la forma de una reagrupación económica; en los años 70 se produjo algo más tempranamente en el acero que en la relojería. Dado que la industria del acero ocupa una posición central en el sector nacionalizado austríaco y en su estructura doméstica más general, las alineaciones políticas que implican la formación de coaliciones entre o dentro de los sectores debían haber transformado por definición la política austríaca. Pero el sector nacionalizado del acero fue el principal instrumento por el que el gobierno austríaco quería mantener el pleno empleo; no surgieron conflictos políticos serios. Los conflictos entre diferentes empresas en el sector nacionalizado —la VEW, Voest-Alpine y la ÖIAG— sobre los subsidios y las inversiones se articularon y resolvieron al más alto nivel político, el gabinete y la cancillería. En cambio, la reagrupación que se produjo en el sector suizo de relojería implicó intensos conflictos políticos. Cuando la concentración y la inversión extranjera directa fueron consideradas seriamente como opciones estratégicas a finales de los 70, la organización institucional de todas las fases de producción de la profundamente segmentada industria relojera posibilitó que los conflictos del sector predominaran sobre la búsqueda de aliados políticos en el exterior. Como consecuencia, la reestructuración fundamental de la industria que hoy está en marcha ha permanecido políticamente paralizada. En este sector, como en el del textil, no se realizaron intentos de crear nuevas coaliciones políticas entre segmentos del sector o de buscar nuevos aliados políticos en otros sectores industriales. Además, la formación de tales coaliciones es bastante improbable en un futuro previsible. El sector relojero dependerá cada vez más de las buenas relaciones con los bancos suizos, aunque la defensa de los bancos de la revalorización del franco contribuyó en gran medida al declive del sector. En este punto, las relaciones entre el gobierno austríaco y su sector del acero ofrecen un paralelismo. A través de su política de establecimiento de precios por debajo del mercado en los años 60, el sector se hizo finalmente más dependiente del gobierno en los años 70 y 80.

Ambos países aceptan, dentro de amplios límites, la fuerza de las presiones del mercado y reaccionan ante ellas de forma flexible. Ninguno de ellos intenta seriamente trasladar los costes del cambio a otros países a través de medidas proteccionistas. Y ninguno trata de apropiarse los costes del cambio mediante una deliberada transformación estructural y a largo plazo. Además, ambos países han sido políticamente capaces de absorber cambios económicos verdaderamente amplios sin demasiada controversia y sin un cuestionamiento fundamental de las instituciones y prácticas políticas existentes. Los grupos que podían haberse beneficiado con otro tipo de políticas fueron contenidos políticamente y acomodados en las estructuras existentes. Esta acomodación requiere intercambios entre la eficacia económica y la compensación política. En este ajuste industrial Suiza exhibe más de lo primero y Austria más de lo último. Por esta razón, como sello del corporatismo democrático, las concesiones políticas a los actores en desventaja que se realizaron en la Suiza «capitalista» son tan notables como la sensibilidad a las condiciones cambiantes del mercado en la Austria «socialista».

7. CONCLUSION

Austria y Suiza constituyen dos ejemplos de éxito notables. Han compaginado la prosperidad económica y la estabilidad política, que contribuyen a una autosatisfacción generalizada entre sus ciudadanos y a una mezcla de asombro y admiración entre los extranjeros. A pesar de sus expuestas situaciones ante la economía internacional, Austria y Suiza pueden señalar importantes logros en las crisis de los años 70. Suiza era uno de los países más ricos del mundo, y Austria podía volver la vista atrás hacia una década de crecimiento económico sólo sobrepasado por Japón. Los estadounidenses, fascinados por Japón como el número uno y quizá por Alemania Federal como el número dos, no se habían dado cuenta de que las diminutas Austria y Suiza habían evitado también los problemas que acosan al Gulliver americano.

Comparaciones

Quizá es comprensible que los suizos y los austríacos hayan sido más conscientes de los logros respectivos que otros países que no conozcan tan de cerca a este rincón particular del mundo. En un momento parecen estar unidos por la historia y divididos por la geografía, y al momento siguiente están unidos por la geografía y divididos por la historia. Estas imágenes confusas desconciertan no sólo a los extranjeros, sino también a los mismos suizos y austríacos. Sin embargo, las comparaciones más obvias se encuentran al otro lado de su frontera común.

Suiza posee su parte «austríaca» localizada en gran medida en los sectores de la izquierda y Austria tiene sus sentimientos suizos mayormente en la derecha. La proximidad geográfica y una confusa mezcla de similitudes y diferencias han hecho que estos dos países se tengan presentes el uno al otro de forma muy profunda. Como señalaba un reportero del *Economist,* «incluso los austríacos más educados muestran cierto enojo cuando se les compara con sus vecinos suizos. Los dos países son demasiado similares en tamaño... y en sus posiciones internacionales y demasiado diferentes en su historia y su complejidad política interna como para que ocurra de otra forma» [1]. Por otro lado, para los suizos es muy molesto el hecho de que Austria sea la número dos, la cual, ante los ojos suizos, no realiza, para merecerlo, tanto esfuerzo como ellos. Económicamente, Suiza y Austria personifican la diferencia entre los primos pobres y ricos. Pero a través de su estrategia política, Austria ha reforzado el potencial para conseguir mayores tasas de crecimiento económico derivadas de su posición de atraso económico relativo. Como predice el *Economist,* «económicamente Austria nunca llegará a ser otra Suiza, pero si pudiera contener la inflación, no quedaría muy rezagada con respecto a ella» [2].

A su manera, los suizos mantienen una curiosidad oculta sobre Austria. El director de las operaciones de alto secreto del servicio de inteligencia suizo fue suspendido de su cargo a finales de 1974 tras haber sido detenido por la policía austríaca un subordinado suyo enviado para espiar las maniobras del ejército austríaco. Esta búsqueda infructuosa de información por parte de suizos y otros observadores extranjeros conllevó un cómico interludio en las relaciones austríaco-suizas; pero las comedias están ligadas a la realidad. Los suizos se hallan algo confundidos, secretamente, por el éxito de sus vecinos, y se sienten ofendidos por la imitación descarada que hacen los austríacos de su estrategia —la combinación de la neutralidad política con la rentabilidad económica mediante la atracción de organizaciones internacionales y capital extranjero. El nuevo complejo de las Naciones Unidas en Viena es un símbolo de la «virtuosa competencia» austríaca con Suiza, y la reciente legislación bancaria de Austria supera en muchos aspectos los seguros por anonimato y mejora el nivel de imposición que el capital extranjero ha disfrutado tradicionalmente en Suiza.

En términos generales, sin embargo, Austria considera a Suiza más como un modelo que como una forma más de política. Esta fijación puede ser atribuida al importante papel que ha jugado la permanente neutralidad en la postura suiza como garantía de la soberanía de la Segunda República [3]. El Memorándum de Moscú del 15 de abril de 1955, el Tra-

[1] Sarah Hogg, «A Small House in Order», *Economist,* 15 marzo 1980, Informe, p. 8.
[2] Chris Cviic, «Their Own Kind of Miracle», *Economist,* 28 julio 1973, Informe, p. 20.
[3] Antón Pelinka, «Defense Policy and Permanent Neutrality: The Cases of Switzerland and Austria» (artículo preparado para la Conferencia anual del Committee on Atlantic Studies, Wingspread, Racine, Wisconsin, septiembre 1979), pp. 2-3, 8-9, 14. Este aspec-

tado del Estado austríaco del 15 de mayo de 1955 y la Declaración de Neutralidad Permanente del Parlamento austríaco del 26 de octubre de 1955 ofrecen la piedra angular de la estatalidad austríaca. En Austria, como en Suiza, la neutralidad permanente significa neutralidad armada. Ambos países están localizados entre los sectores norte y sur de la OTAN; ambos tienen buenas relaciones con el Este y el Oeste; ambos son miembros del grupo de Estados no alineados, y, por razones de su permanente neutralidad, ninguno es miembro de pleno derecho de la Comunidad Europea.

Pero el hecho mismo de que Austria haya construido su neutralidad después que Suiza nos señala importantes diferencias. Como ha escrito Antón Pelinka, «la neutralidad suiza es ya antigua y está basada en un tratado internacional y en un consenso multilateral expresado en un acuerdo formal entre los grandes poderes» [4]. A causa de estas diferencias, la interpretación política del concepto de neutralidad es más amplia y menos belicosa en Suiza que en Austria. Suiza gasta considerablemente más en defensa nacional que Austria —con respecto al presupuesto nacional para los años 70, era casi cinco veces mayor [5]. Y dado que las fuerzas armadas suizas están organizadas en forma de milicias, la fuerza del ejército suizo movilizado, en relación a la población total, es cuatro veces mayor que la de Austria [6]. ¿Cómo podría ser de otra forma? En Suiza existe sólo un ejército desde principios del siglo XIX; la paz y la neutralidad han ido paralelas. Austria, por otro lado, ha sido vencida en dos guerras, y el ejército republicano, que existe desde 1955, es el quinto objeto de devoción austríaco en el siglo XX. La idea de que Austria gasta tan poco en una defensa que imita el modelo suizo es cierta, tanto histórica como psicológicamente, pero contribuye a la percepción suiza de la irresponsabilidad austríaca. En general, no obstante, tales actitudes críticas se asemejan a riñas familiares privadas. Las relaciones políticas entre los dos países están libres de tensión y el desprecio hacia la vida política del otro lado de la frontera está equilibrado por un reconocimiento de los logros reales de sus vecinos durante la pasada generación.

---

to de la política suiza y austríaca ha recibido una atención repetida y amplia por parte de los estudiosos.

[4] *Ibid.*, p. 3.

[5] *Ibid.*, p. 8.

[6] *Ibid.*, p. 14.

Implicaciones

Las comparaciones entre países son un asunto delicado. Como otros pueblos, los suizos y austríacos son escépticos ante las habilidades de los extranjeros para descubrir cosas acerca de sus sociedades que son importantes y ciertas. Para ellos, sus propias instituciones e ideologías permanecen necesariamente envueltas en el misterio. Peter Bettschart ha captado esta actitud: «Un sindicalista austríaco caracterizó una vez a la Comisión Mixta como una institución que no es necesario explicar a un austríaco y que es imposible explicar a un extranjero. Lo mismo sucede con el federalismo suizo» [7]. Las comparaciones, además, deben hacer con los países lo mismo que las caricaturas con las personas. Corren el riesgo de sobreenfatizar o de representar erróneamente rasgos que aparecen con igual prominencia para los no especialistas. Al ofrecer este análisis, por tanto, acepto el riesgo de incurrir en esta mezcla de desaprobación general y estudiada indiferencia que dedican los suizos y austríacos a los extranjeros que no les entienden plenamente.

Sin duda, el riesgo es máximo en este caso, porque algunos de mis argumentos atraviesan el núcleo mismo de nociones profundamente arraigadas, y no sólo en estos dos países. En sus variantes locales de corporatismo, Suiza y Austria ofrecen un terreno fértil para el capitalismo y la democracia. Por tanto, ambos países desafían a las críticas reaccionarias y radicales de la sociedad moderna. Como muestra Suiza, una estrategia que descansa en las iniciativas del sector privado y que favorezca la estabilidad social no conduce necesariamente a una dependencia y empobrecimiento estructurales. Pero Suiza también contradice un concepto de la izquierda, el cual sostiene que el capitalismo y la democracia son antitéticos; y Austria invalida el concepto de la derecha que estipula que la democracia y el socialismo se hallan en una tensión implacable. Las restricciones que impone el corporatismo liberal sobre el ejercicio unilateral del poder limita la extensión de la hegemonía capitalista en Suiza —a pesar de la fuerte influencia electoral de los cantones alpinos conservadores. Restricciones similares en el corporatismo social austríaco han impedido los éxitos electorales del SPÖ en los años 70, de un movimiento sindical poderoso y centralizado, y a pesar de los vastos *holdings* industriales del gobierno. Lo que es válido para Austria lo es también para Suiza: desde que la crisis ha sido redefinida como normalidad, ya no cambia

---

[7] Peter C. Bettschart, «Exportförderung in der Schweiz», en *Exportförderung in der Bundesrepublik Deutschland, in der Schweiz und in Österreich: Ergebnisse eines Symposiums vom 9. Oktober 1979* (Viena: Zentralsparkasse und Kommerzialbank, 1979), p. 30.

nada. «El viejo carácter y comportamiento bajo la trinidad impía [de los sindicatos, los empresarios y la burocracia gubernamental] sigue siendo el mismo» [8].

Aunque el corporatismo limita el ejercicio del poder en ambos países, Suiza y Austria difieren en sus estrategias políticas —cómo se adaptan y cómo compensan el cambio. Suiza se adhiere a una amplia estrategia de adaptación global marcada por una búsqueda constante de objetivos liberales; por ejemplo, en las áreas del comercio, de inversión exterior y de las relaciones con los países en desarrollo. Suiza ha invertido una mayor proporción de capital productivo en el extranjero que cualquier otro Estado industrial. Al mismo tiempo utiliza más que cualquier otro país a su mano de obra extranjera como un regulador contra los cambios que se producen en los mercados mundiales. Suiza impone también numerosas restricciones sobre los modestos esfuerzos del gobierno por realizar la compensación. Limita los gastos públicos y ha resistido duramente a la tentación de crear un Estado de bienestar social de base pública. Austria, por el contrario, ha sido más reacia y limitada en cuanto a la liberalización internacional y ha otorgado al gobierno una mayor prominencia. Carece de instalaciones de producción importantes en el extranjero e importa menos trabajadores extranjeros que Suiza. En cambio, favorece la compensación pública y la adaptación nacional. Subvenciona ampliamente la inversión interior y persigue una activa política del mercado de trabajo destinada a asegurar el pleno empleo. Austria tiene un gran gasto público y un generoso sistema de bienestar social que está basado firmemente en los fondos públicos, y representa la política de rentas más amplia y estable de todo el mundo industrializado actualmente.

Los economistas han ofrecido dos grandes remedios para las enfermedades económicas de nuestros tiempos. Suiza ejemplifica la prescripción neoliberal: fortalecer el capitalismo a través de una competencia de mercado sin límites. Austria es el modelo mismo del remedio neokeynesiano: modificar políticamente la lógica de los mercados para adecuarla a las necesidades sociales de la expansión capitalista. Aplicadas a la situación económica de los Estados industriales avanzados, estas dos respuestas equivalen a una reducción o una reestructuración del papel que juega el gobierno en los mercados internos. Estas dos respuestas, además, se contemplan a menudo como dirigidas al tópico del libre comercio internacional; el neoliberalismo parece apoyarlo, el neokeynesianismo se opone a él. De acuerdo con esta idea, la adaptación global de Suiza sugiere que el neoliberalismo es incompatible con el pasado mercantil del capi-

[8] Cviic, «Their Own Kind of Miracle», Informe, p. 10.

talismo. La adaptación nacional austríaca, por otro lado, sugiere que el neokeynesianismo mantiene sus lazos con los instintos autárquicos del socialismo.

Pero esta inferencia podría ser prematura. La política suiza en los años 70 consistía en una frugalidad fiscal y una deflación deliberada desarrolladas en nombre de la racionalización económica y la competitividad exportadora. Si la hubieran adoptado otros países, esta política habría conducido a una carrera internacional para pagar el caro petróleo a través de la acumulación de los excedentes en las cuentas corrientes y la balanza de pagos. Dado que una proporción de comercio internacional cada vez mayor se produce entre los Estados industriales avanzados, en esta forma contemporánea de darwinismo social los excedentes de un país agraban el déficit de otro. La historia reciente de las relaciones comerciales entre Japón y Estados Unidos sugiere que la competencia de mercado incrementa sustancialmente el conflicto en la economía mundial y tiende a minar sus fundamentos liberales.

En cambio, Austria financió el crecimiento económico a través del endeudamiento en mercados internacionales altamente solventes; compró la prosperidad con crédito. Cuando los países de la OPEP consiguieron altos excedentes en sus balanzas de pagos y los países de la OCDE déficits considerables, tal política, adoptada por otros Estados, ofrecía la perspectiva de una cooperación internacional dentro de los límites de lo que los acreedores consideraban como niveles prudentes de endeudamiento. En la medida en que el crecimiento económico es lo suficientemente alto para contener la deuda relativa, los límites financieros impuestos por las demandas de los acreedores no son rigurosos. Pero cuando el crecimiento económico se quiebra y la deuda relativa aumenta rápidamente, la amenaza de impago y el cierre de mercados de capital imponen duros límites. En los años 70 Austria ejemplificó la primera posibilidad, Polonia la segunda. Hasta principios de los 80, el temor de que Austria se estuviera endeudando demasiado para financiar su prosperidad resultó ser infundado. Los déficits del presupuesto y la deuda nacional se incrementaron bruscamente en los años 70, ya que el gobierno austríaco fue inflexible en la defensa del pleno empleo, pero la vinculación del schilling austríaco al marco alemán limitó la extensión de la financiación del déficit. Desde finales de los 70, el liderazgo político en Austria ha reconocido estos límites de forma explícita. De año en año, a lo largo de los 70 y primeros 80, la OCDE declaraba que los déficits y la deuda gubernamentales en Austria eran relativamente bajos para los niveles internacionales. Visto desde esta perspectiva, la experiencia de la Suiza capitalista y la Austria socialista sugiere que los remedios neoliberales pueden favorecer el neomercantilismo nacional y el conflicto internacional, mientras que, dentro de ciertos límites, las prescripciones neokeynesianas fomentan el liberalismo global y la cooperación internacional [9].

Las diferencias que existen entre las estrategias de Suiza y Austria reflejan las diferencias que se dan en las estructuras internas de los dos países: las coaliciones sociales, las redes políticas y el proceso político. En Suiza, la comunidad empresarial de orientación internacional, y que incluye a la industria y las finanzas, disfruta de considerables ventajas políticas sobre otra comunidad empresarial de orientación nacional y una izquierda dividida. En Austria, la izquierda unida y con gran fuerza política tiene mucha más influencia sobre la política; se halla en una competencia parcial con una comunidad empresarial nacionalizada y orientada al interior del país más que a los mercados internacionales. En ambos países estas coaliciones sociales están organizadas en grupos de interés concentrados que interactúan ininterrumpidamente en un proceso político que envuelve también a la burocracia gubernamental y a los partidos políticos. Ambas estructuras políticas reafirman y modifican continuamente la estructura consensual del país que fusiona a los grupos de interés, los partidos políticos y la burocracia del gobierno en un sistema político corporatista. La diferencia entre las variantes suiza y austríaca del corporatismo es la diferencia que existe entre un corporatismo liberal, despolitizado, privado y descentralizado, por un lado, y un corporatismo social politizado público y centralizado, por otro.

Las similitudes y diferencias en cuanto a estrategia y estructura se han expuesto con detalle en los cuatro casos de adaptación política al cambio industrial. En el caso de los textiles, la política suiza estuvo marcada por una inclinación a asumir los costes del cambio. El apoyo temporal se extendió a la financiación de las exportaciones y se adoptaron medidas de ayuda financiera muy selectivas y limitadas en lo más alto de la crisis industrial. La política de ajuste en Austria, por el contrario, insistía en una protección limitada, un apoyo menos extensivo para las exportaciones y subsidios nacionales masivos y temporales para proteger el empleo. En el caso de los relojes suizos, la salida política del gobierno del sector, se produjo sin interrupción durante la crisis industrial de los años 70. La ayuda gubernamental, muy limitada y tardía, dejó que la industria se las arreglara sola (igual que libertad para la intervención de los bancos suizos). Austria, finalmente, consiguió el ajuste no en, sino a través del sector nacionalizado del acero, que cobra tanta importancia en su economía. En los años 70 esto facilitó la defensa del pleno empleo, una estrategia que

[9] Este es el principal tema de Wilhelm Hankel's, *Prosperity amidst Crisis: Austria's Economic Policy and the Energy Crunch* (Boulder, Colo.: Westview, 1981).

se vio reforzada a finales de los 70 por la adopción por parte de Austria de las políticas proteccionistas de la Comunidad Europea, de cuyos mercados depende su sector del acero.

Estos cuatro casos nos muestran cómo el corporatismo se enfrenta con el cambio. Mientras que las industrias de ambos países experimentaban cambios económicos adversos, las políticas adoptadas no impidieron que se produjeran cambios en los factores de producción o si lo hicieron fue de manera que contribuyó políticamente a crear medidas flexibles de ajuste. Aunque los sectores suizos del textil y la relojería se vieron forzados en un primer momento de realizar el ajuste a través de la institución del mercado, fueron también ayudados por un esfuerzo especial de los bancos suizos y del gobierno federal por apoyar a los productores de forma limitada. En los sectores austríacos del textil y el acero, por otro lado, los ajustes al cambio económico dependieron fuertemente de las acciones del gobierno más que de los bancos. Pero en el caso de los textiles el gobierno aprendió muy rápidamente que carecía de los recursos necesarios para dominar a las fuerzas del mercado. Y en el sector del acero el gobierno optó por una considerable reducción de la capacidad y de la modernización a la vez que intentaba minimizar el impacto sobre el empleo. En los cuatro ejemplos la conciencia de la necesidad de ser competitivos y de la fuerza de los desarrollos del mercado fue realmente prominente. De esta forma, Austria y Suiza son distintas en cuanto que equilibran las exigencias de la flexibilidad económica con las de la estabilidad política. Suiza favorece la flexibilidad económica mientras realiza ciertas concesiones políticas. Austria organiza la política en torno a concesiones políticas sin descuidar las exigencias de flexibilidad. Para ligar la flexibilidad y estabilidad, ambos países han optado por vivir con los costes del cambio.

El capitalismo liberal y socialismo democrático constituyen estructuras enraizadas históricamente que ofrecen distintas estrategias para los problemas económicos de nuestro tiempo. Es una ironía notable que liberales y marxistas tiendan a aceptar fundamentalmente que la industrialización y la modernización son grandes niveladores de diferencias entre las sociedades industriales avanzadas. Mientras los liberales se centran en la lógica del mercado y los marxistas en la lógica de la explotación capitalista, ambos argumentan que la sociedad moderna está determinada por la tecnología y las relaciones sociales que ésta engendra. En cambio, el punto de vista de este libro sobre Austria y Suiza emerge de otro conjunto de investigaciones, el cual sostiene que la viabilidad económica y la legitimidad política pueden asegurarse de muchas formas, y que esas formas vienen determinadas fundamentalmente por la historia y la política. Al mismo tiempo, sin embargo, este libro argumenta también que la apertura económica y la vulnerabilidad internacional han forzado una importante convergencia en cuanto a estrategia y estructura. Me atrevería a decir, como he señalado ya contra el liberalismo, que en su búsqueda de ajustes políticos al cambio económico se podría distinguir entre un proceso de cambio dirigido por el mercado y el cambio del mercado. Los mercados se hallan inmersos en contextos políticos que deben ser analizados por derecho propio, ya que influyen en el éxito o fracaso de las estrategias particulares de ajuste. Contra el marxismo también he señalado que en el caso de Austria y Suiza la vulnerabilidad internacional y la apertura económica han conducido a una redefinición parcial de la división de intereses de clases en términos de un interés nacional más globalizador. Y contra el estatismo, ya he mostrado que el interés nacional no puede ser estipulado de forma abstracta, sino que surge de las distintas estructuras corporatistas.

Pero este libro desafía también los paradigmas liberal, estatista y marxista en su aplicación a la política internacional. El éxito económico y la autonomía política que han disfrutado Suiza y Austria desde la segunda guerra mundial ofrecen, a la vez, una confirmación parcial y un enigma no resuelto a los tres paradigmas. La fuerza del análisis liberal descansa en su confirmación por parte de la consciente estrategia liberal que persiguen los pequeños Estados europeos en la economía internacional y los favorables efectos económicos que concuerdan con las predicciones liberales. Los estatistas apuntan a una constelación favorable en el sistema de Estados internacional desde 1945 que ha permitido a los pequeños Estados europeos mantener su soberanía y autonomía políticas. Combinando ambas ideas, los marxistas arguyen que una era de paz y prosperidad ha ofrecido a los pequeños Estados europeos un contexto internacional permisivo. Común a las tres interpretaciones es la suposición de que los mercados internacionales, el sistema de Estados internacionales y el capitalismo mundial son los principales determinantes de las estrategias políticas. Los tres juegan, por tanto, con el determinismo, contemplando a las fuerzas internacionales como decisivas a la hora de elaborar una opción nacional. Los tres suponen bien la pérdida de autonomía política en el área de la interdependencia internacional o la irrelevancia de las necesidades nacionales. Tienden, por lo tanto, a cortocircuitar el examen de las estructuras internas. Sin embargo, como ya he señalado, estas estructuras son de crucial importancia en la mediación entre el contexto internacional y la respuesta nacional de hacer compatibles los requerimientos del primero con los de la segunda. En realidad, la penetración del corporatismo en Austria y en Suiza y su permanencia durante las cuatro últimas décadas han estado determinadas por esta interacción de las fuerzas nacionales e internacionales.

Conflicto y cambio

El capitalismo liberal suizo y el socialismo democrático austríaco abrazan unas políticas corporatistas que, a pesar de la prosperidad y el consenso anteriores, deben convivir con el conflicto y el cambio. Los austríacos son cada vez más conscientes de que una caída prolongada de la economía en la República Federal Alemana o en la economía internacional en general amenazaría su capacidad para consolidar el pleno empleo y generaría así presiones políticas desconocidas desde 1945 [10]. La pérdida de la mayoría absoluta en el Parlamento, así como la dimisión del canciller Kreisky en abril de 1983, significó para todos que la política austríaca no es inmune a la crisis. Y al otro lado de la frontera la consistente política suiza de deflación y tasas descendentes de la movilidad social ascendente están generando, por primera vez en varias décadas, tensiones sociales que muchos suizos se resisten a reconocer porque se entrecruzan de formas imprevisibles con la ya difícil yuxtaposición de las políticas plebiscitarias, la negociación entre grupos de interés y el gobierno mediante decretos de emergencia. Hasta un punto que sólo percibimos cuando ya es demasiado tarde, la crisis económica, como he apuntado en este libro, no hace sino reforzar los acuerdos corporatistas de Austria y Suiza. Como en todas las formas políticas, el corporatismo contiene también sus propias contradicciones políticas. En el capitalismo liberal suizo y en el socialismo democrático austríaco estas contradicciones políticas implican a la política tanto nacional como internacional.

La red política interior austríaca incorpora a todas las fuentes potenciales de oposición, asegurando así al proceso político un alto grado de continuidad y consenso. Pero a diferencia de la experiencia suiza, la amplia transformación producida en la estructura económica austríaca se consiguió de forma muy centralizada. La diferencia entre los pocos que construyen el consenso y los muchos que simplemente lo aceptan es probablemente, y no sólo en Austria, la mayor fuente de tensión y cambio a largo plazo [11]. La insignificancia, hasta la fecha, de las huelgas salvajes y la aceptación por parte de los miembros sindicales de la elección indi-

---

[10] Bernd Marin, ed., *Wachstumskrisen in Österreich,* 2 vols. (Viena: Braumüller, 1979). Véanse también «Modell Österreich-Abgewirtschaftet», *Der Spiegel,* 18 enero 1982, pp. 92-94; «The Strains on Consensus», *World Business Weekly,* 9 marzo 1981, p. 27, y Antón Pelinka, *Modellfall Österreich? Möglichkeiten und Grenzen der Sozialpartnerschaft* (Viena: Braumüller, 1981), pp. 60-61, 114.

[11] Egon Matzner, «Sozialpartnerschaft», en Heinz Fischer, ed., *Das politische System Österreichs* (Viena: Europa Verlag, 1974), pp. 429-51; Raimund Loew, «The Politics of the Austrian "Miracle"», *New Left Review* núm. 123 (septiembre-octubre 1980), pp. 69-79.

recta de los representantes son sólo signos de una posible desmovilización de las bases sindicales y una deslegitimación de su liderazgo [12]. Aunque no es nada inminente, si el carácter del movimiento obrero austríaco cambiara como reacción a una mayor concentración del poder político en tiempos de crisis económica, tendría profundas consecuencias para la comunidad económica y social. Por parte de los empresarios, las posibilidades de cambio son menos remotas y a la vez menos amplias. Las pequeñas empresas privadas, en particular, insisten en que el descenso sustancial en las inversiones y beneficios durante los años 70 ha puesto en peligro su viabilidad y, por tanto, al sector más dinámico de la economía austríaca. La cuestión de si la política austríaca de moneda fuerte y de altos costes de trabajo indirectos perjudica a la competitividad de los empresarios austríacos ha constituido una fuente de animado debate político, desarrollado en gran parte en el lenguaje de las estadísticas económicas. Las condiciones económicas desfavorables pudieron intensificar fácilmente las modestas previsiones políticas que ejercen hoy miles de pequeñas empresas en la Cámara Económica Federal.

Las transformaciones a gran escala dentro de las asociaciones de élite de trabajadores y empresarios son menos probables que una convergencia gradual de los intereses. Los sindicatos austríacos de trabajadores de cuello blanco, hoy tan importantes, han adoptado una postura más agresiva que los de trabajadores de cuello azul en cuestiones de negociación colectiva, política social y redistribución económica. Además, las implicaciones políticas de formas de trabajo más descentralizadas, que han llegado a ser tecnológicamente posibles sólo en los últimos años, pueden plantear serios problemas al sindicato central. También la Cámara Económica Federal se encuentra hoy con la oposición de un segmento de la comunidad empresarial más liberal, estridente y con mayor confianza en sí mismo, localizado principalmente en Austria occidental. Y las tensiones sobre la construcción centralizada del consenso se hacen más aparentes cuando afrontan por la división política del país en torno a la cuestión de la energía nuclear. Pero estas fuentes potenciales de descontento desde el milagro económico austríaco no deben ser exageradas. El potente sistema austríaco de instituciones políticas refuerza la participación en realidad, un amplio estudio comparativo concluye que «Austria podría encontrarse en cualquier otro lugar» [13]. No es exagerado decir que existen

---

[12] Antón Pelinka, *Gewerkschaften im Parteienstaat: Ein Vergleich zwischen den Deutschen und dem Österreichischen Gewerkschaftsbund* (Berlín: Duncker & Humbolt, 1980), pp. 86, 172, 198; Michael Pollak, «Vom Konflikt- zum Kompromissverhalten. Die Sozialpartnerschaft als Sozialisationsmittel politischen Handelns», *Austriaca: Cahiers universitaires d'information sur l'Autriche* (noviembre 1979), pp. 369-88.

[13] Sidney Verba, Norman H. Nie y Jae-on Kim, *Participation and Political Equality:*

pocas indicaciones de cambios importantes en la relación entre la omnipotencia de las organizaciones austríacas y la impotencia de los organizados.

Al igual que Austria, Suiza está sujeta a un cambio generado por sus contradicciones políticas internas en cuestiones de economía política importantes, asegurando así el proceso político continuidad y consenso. Para la negociación política pragmática tan distintiva de la política suiza, la institución de la democracia directa ofrece a la vez refuerzo y ayuda. Las negociaciones centralizadas se ven reforzadas por las amenazas estratégicamente elaboradas por los principales actores de abandonar la mesa y resolver la cuestión en elecciones. Pero estas negociaciones han sido desafiadas en la pasada década y con mayor frecuencia por coaliciones para cuestiones específicas. Dado que ofrece una participación ciudadana eficaz, la estructura interna de Suiza aparece menos frágil que la de Austria cuando se enfrenta a retos tales como el del movimiento antinuclear. Y con una comunidad empresarial de orientación nacional y debilitada frecuentemente por la larga tradición de política económica liberal y una izquierda desprovista de una visión socialista, Suiza es probablemente menos vulnerable a los cambios políticos a gran escala que Austria con su mayor centralismo.

La debilidad de una amenaza potencial al duradero gobierno suizo a través del consenso no descansa en su transformación por parte de unos ciudadanos impotentes e indispuestos, ni en una reestructutación radical de sus asociaciones de élite. La debilidad y amenaza se encuentran más en la tolerancia extremadamente baja de Suiza ante el desorden, la protesta y el cambio político. La ola de protestas juveniles espontáneas que se extendió en 1980 de la escena familiar desde Frankfurt, Berlín y Amsterdam a Zurich, así como a otras ciudades suizas, trajo a la superficie una corriente de intolerancia en la política del país [14]. Un segmento pequeño y descontento de la juventud suiza, contrario a articular demandas específicas, se manifestaba con una violencia creciente contra los contornos paralizados del escenario político suizo con el eslogan «¡Derrite al blo-

---

A Seven-Nation Comparison (Cambridge: Cambridge University Press, 1978), p. 107. Véanse también pp. 75, 79, 110-11, 115, 118, 164-68, 172-82, 297-98. Resultados similares se recogen en Samuel H. Barnes, Max Kaase *et al., Political Action: Mass Participation in Five Western Democracies* (Berverly Hills, California: Sage, 1979).

[14] Son artículos interesantes Frank J. Prial, «Unruly Youths Shatter Swiss Image», *New York Times,* 7 octubre 1980, pp. A1, A10; Paul Hofmann, «The Swiss Malaise», *New York Times Sunday Magazine,* 8 febrero 1981, sec. 6, pp. 35-39, 57-62, y Peter Bichsel, «Das Ende der schweizer Unsculd», *Der Spiegel,* 5 enero 1981, pp. 108-9. Véanse también *New York Times,* 10 mayo 1981, p. 13, y *World Business Weekly,* 29 diciembre 1980, pp. 23-24.

que de hielo!». Las estrechas relaciones entre el Estado y la sociedad suiza y el delicado equilibrio existente entre los intereses en conflicto no acoge fácilmente el disentimiento. Esto ocurre particularmente cuando la disensión mina la leyenda suiza de una tranquila sensatez en un mundo turbulento, leyenda crucial en su ventaja relativa con respecto a la economía internacional. «Cuando la ciudad tiembla, los bancos se estremecen.» Interrogando sobre la importancia de unas cuantas ventanas rotas, un banquero que no se divertía con tales manifestaciones dio una respuesta que pensaba compartirían la mayoría de sus compatriotas: «En Suiza», decía, «unas cuantas ventanas rotas tienen sin duda una gran importancia» [15].

Pero para Suiza, igual que para Austria, la principal fuente de cambio no reside ni en las contradicciones entre sectores sociales ni en las tensiones inherentes a las instituciones políticas y sociales. Actualmente, la marcha de la economía internacional está provocando cambios en Suiza. Todos los Estados industriales avanzados, grandes y pequeños, reaccionaron inicialmente a la crisis de los años 70, en gran parte en términos congruentes con sus estructuras internas de poder y estrategias ya experimentadas. Suiza no fue una excepción. A lo largo de los turbulentos años 70 protegió su estabilidad principalmente a través de una estrategia de adaptación global. Pero en cuestiones de empleo, en particular, Suiza tiene hoy una protección menor para absorber futuros *shocks* económicos que a principios de los 70. Los escasos estudios sistemáticos que tratan del futuro de Suiza contemplan el desempleo estructural como uno de los principales problemas para las dos próximas décadas, y las políticas de divisas en apoyo de las exportaciones como un gran estímulo potencial para la generación de puestos de trabajo. Suiza está condenada a exportar [16]. La aceleración de la apertura suiza a la economía internacional en los años 70 ha hecho a la nación más sensible y vulnerable a la marcha de la economía mundial sin un incremento correspondiente en la coordinación internacional de políticas. Esto reforzará probablemente la tendencia a completar las iniciativas privadas con acciones de emergencia por parte del gobierno suizo.

---

[15] Citado en Prial, «Unruly Youths», p. A10.

[16] Francesco Kneschaurek, «Neue Probleme der Stabilitätspolitik im Zeichem der Kommenden Entwicklung», *Schweizerische Zeitschrift für Volkswirtschaft und Statistik,* núm. 3, 1979, pp. 253-71. Igual que en Austria, sólo unos cuantos estudios suizos señalan los problemas del futuro. Entre otros, son: *Entxicklungsperspektiven und -probleme der schweizerischen Volkswirtschaft: Zusammenfassung der Perspektivstudien über die Entwichklung der schweizerischen Volkswirtschaft dis zum Jahre 2000* (St. Gallen y Berna: Eidgenössiche Drucksachen- und Materialzentrale, 1974); Walter Wittman, *Wohin geht die Schweiz? Strategien des Überlebens* (Munich: Ehrenwirth-Athena, 1973), y Richard Schwertfeger, «Zukunftsperspektiven der schweizer Wirtschaft», *Civitas,* 24, 5 (1969), pp. 363-78.

Las tensiones nacionales e internacionales que puede prever Suiza a mediados y finales de los 80 despiertan algunas cuestiones sobre la permanencia de las instituciones corporatistas y prácticas políticas que perpetúan la política consensual en Suiza. ¿Serán estas instituciones y prácticas la consecuencia o la condición previa para la prosperidad económica y la estabilidad social? Los suizos prefieren no pensar en las contingencias del futuro que surjan de su gran dependencia con respecto a los imprevisibles mercados mundiales. Los problemas que afrontó Suiza en la economía internacional en la década de los 70 eran los problemas del éxito: la gestión de la estabilidad monetaria en un mundo de inflación y la viabilidad de una industria de exportación minada por la revalorización del franco. Pero las consecuencias económicas del segundo gran incremento en los precios del petróleo en 1979 sugieren que incluso Suiza puede no ser totalmente inmune a los problemas que han acosado a la mayoría de los Estados industriales desde la primera crisis del petróleo, en 1973-74: las condiciones adversas del mercado, los déficits comerciales en rápido ascenso, una moneda débil y crecientes presiones inflacionistas. Pero es fácil olvidar que en los años 70 Suiza vivió una crisis cuyas proporciones económicas excedían las de 1930. Desplazando los costes del desempleo en gran parte a una mano de obra extranjera, mejoró las consecuencias políticas de la adversidad económica. Las condiciones de crisis y la aparición de la normalidad están más estrechamente entrelazadas en los pequeños Estados industriales que en los grandes. No es exagerado decir que en el último medio siglo los suizos no podrán apretarse ya más en el centro de su pequeño barco cuando las aguas en las que navegan vuelvan a revolverse.

Para Austria, como para Suiza, la principal fuente de cambio reside en la marcha de la economía internacional. Austria podrá mantener su política de alta inversión y alto crecimiento en los años 80 sólo si desarrolla una amplia ofensiva de exportación en los mercados mundiales. A diferencia de los años 70, la política keynesiana de déficit del gasto en los años 80 generará probablemente un menor crecimiento económico. El contenido de las importaciones de demanda para el consumo aumentó marcadamente en los años 70. Proyectada a medio plazo, esta tendencia pone en peligro la política orientada al empleo y la inversión en Austria; como señalaba un agudo periodista, «son demasiados ingresos extra obtenidos a través de un mayor déficit presupuestario los que desembocan en el pago de importaciones» [17]. La creciente internacionalización de

[17] *World Business Weekly,* 18 febrero 1980, p. 16. Hogg, «A Small House in Order», *Survey,* p. 21; *Austrian Information,* 34, 2-3 (1981), p. 10. Desde 1975, la proporción marginal a importar se había incrementado a 0,6, mientras que el multiplicador ha descendido

Austria impondrá nuevas cargas a la estrategia de adaptación nacional que el país fomentó en los años 60 y 70. La búsqueda de respuestas a estas cargas adicionales ya ha dividido al partido socialista en el gobierno [18]. La mayoría contempla los problemas actuales de la balanza de pagos como el resultado de un crecimiento cíclico de la demanda de consumo de bienes extranjeros y de las crecientes facturas de importación de carburantes, que sólo pueden pagarse mediante una decidida ofensiva exportadora. Una minoría ve en la crisis actual un paso secular hacia la dependencia de las importaciones tanto en los sectores de bienes de consumo como de inversión, un cambio que se ve favorecido por los crecientes costes de la energía, que podrían finalmente exigir controles selectivos de la exportación.

Dado que la realidad apoya estas y otras interpretaciones, la apariencia de compromiso político del SPÖ no ha disminuido todavía todo lo que podría esperarse bajo unas duras condiciones económicas. Pero si Austria fuera a actuar sobre esas dos interpretaciones en los próximos años, las consecuencias para su estructura interna serían importantes. La estrategia liberal empujaría a Austria hacia un capitalismo de Estado más decisivo basado en la intervención selectiva de la burocracia en sectores industriales específicos. La estrategia neomercantilista llevaría a Austria hacia un rejuvenecimiento de su participación económica y social, así como hacia una mejora de la base de capital y del clima inversor para las pequeñas y medianas empresas. Aunque el debate general se originó dentro del Partido Socialista, el movimiento hacia una de esas dos direcciones tendría profundas consecuencias para el ÖVP y sus tradicionales grupos de interés. Los representantes políticos de los grandes negocios se muestran más favorables hacia la estrategia liberal (y el apoyo a los grandes negocios que lleva consigo) que la Cámara Económica Federal, la cual, como portavoz de la pequeña y mediana empresa, favorece unas barreras no arancelarias más agresivas. La fuerza de las corrientes liberales y proteccionistas en los grandes Estados industriales confiere cierto crédito a las demandas de ambas partes. Pero las posibilidades y límites políticos del cambio están programadas ya en gran medida por la lógica de las estructuras internas austríacas.

---

a 1,1. En otras palabras, un schilling adicional. Helmut Frisch, «Macroeconomic Adjustment in Small Open Economies», en Sven W. Arndt, ed., *The Political Economy of Austria* (Washington, D. C.: American Enterprise Institute for Public Policy Research, 1982), p. 51.

[18] H. Androsch, «Die Rolle der österreischischen Wirtschaft», *Oberösterreichische Nachrischten,* 26 marzo 1977. El conflicto lanzó entonces al vicecanciller y al ministro de Finanzas, Androsch, contra uno de los directores del Banco Nacional, Heinz Kienzl; el canciller Kreisky permaneció en silencio sobre el asunto.

Las tensiones nacionales e internacionales que afronta Austria en los años 80 ponen en cuestión la permanencia de las instituciones y prácticas políticas que ha perpetuado el amplio consenso austríaco. El director del Instituto Austríaco de Investigaciones Económicas, por ejemplo, observaba en 1981 que «el consenso social austríaco va a ser seriamente puesto a prueba en los próximos años» [19]. ¿Es una política estable la consecuencia o la condición previa del crecimiento económico? Los austríacos se hallan profundamente divididos en esta cuestión [20]. Admitiendo que es imposible ofrecer un respuesta clara y segura, la interpretación de la política austríaca que desarrollo en este libro apunta a la importancia de las condiciones políticas previas del crecimiento económico y la formación del consenso [21]. Esto sucedió especialmente a finales de los años 40, como señala Andrew Schonfield: «La necesidad de alguna fórmula que permitiera a los partidos colaborar activamente por el interés nacional llegó a hacerse urgente cuando el país afrontó serias presiones internacionales inmediatamente después de la guerra» [22]. Un fortalecimiento similar del consenso nacional en tiempos de adversidad económica se produjo en los años 50. Y la adopción de una política monetaria dura, asociada a limitaciones salariales y a un generoso bienestar social en los años 70, comenzó en un momento «en el que la sensación de soledad del pequeño país austríaco en un mundo difícil podría retornar enérgicamente» [23]. Si se intensifica la prolongada recesión actual de la economía mundial, Austria sería uno de los pocos países industrializados con una solución que aportar: se combatiría el creciente desempleo con semanas laborales más cortas y un recorte de los salarios reales. Porque, como señala el *Financial Times,* «el espectro de la recesión... está destinado a fortalecer las presiones para la cooperación» [24]. La OCDE observaba con admiración en 1981 que, «en general, la actividad económica de Austria no es inferior

---

[19] Citado en Paul Lewis, «The Austrian Economy Is a Strauss Waltz», *New York Times,* 22 marzo 1981, p. 9.

[20] Véanse en particular los artículos de Marin, Klose y Pelinka en Marin, *Wachstumskrisen in Österreich,* vol. 2.

[21] Diferentes interpretaciones vienen avanzadas en Robert Flanagan y sus colaboradores específicamente para Austria y Leo Panitch, en general, para los Estados capitalistas modernos. Véanse Robert J. Flanagan, David W. Soskice y Lloyd Ulman, *Unionism, Economic Stabilization, and Incomes Polices: European Experience* (Washington, D. C.: Brookings, 1983), cap. 2, y Panitch, «The Development of Corporatism in Liberal Democracies», en Philippe C. Schmitter y Gerhard Lehmbruch, eds., *Trends toward Corporatist Intermediation* (Beverly Hills, California: Sage, 1979), pp. 119-46.

[22] Andrew Shonfield, *Modern Capitalism: The Canging Balance of Public and Private Power* (Londres: Oxford University Press, 1965), p. 193.

[23] Hogg, «A Small House in Order», Informe, p. 4.

[24] «Austrian Industrial Development», *Financial Times,* 29 agosto 1975, pp. 9-11.

a la de la mayoría de los demás países. El factor más importante para ello ha sido el continuo diálogo entre agentes sociales y el gobierno en cuanto a la determinación de la renta en el contexto de una gestión económica más amplia y de progreso social» [25].

Austria busca con ahínco el equilibrio adecuado entre la autonomía nacional y la interdependencia mundial. Bajo la cancillería de Bruno Kreisky, Austria persiguió una política de neutralidad activa que duró toda una década. En estrecha cooperación con países semejantes, Austria intentó consolidar la distensión manteniendo buenas relaciones con Estados Unidos y la Unión Soviética; desarrollar buenas relaciones con Italia y Yugoslavia en cuestiones problemáticas como el sur del Tirol y la Slovenia en Corintia; facilitar la paz internacinal permaneciento en las Naciones Unidas, apoyando al secretario general austríaco y la contribución austríaca a las fuerzas de emergencia de las Naciones Unidas, y mediar en los conflictos políticos, especialmente en el Oriente Medio. Esta lista nos muestra que, a diferencia de Suiza, Austria inclina fuertemente el equilibrio entre la interdependencia y la autonomía hacia el primero. Las actitudes de ambos países hacia la defensa militar y las instituciones internacionales señalan la diferencia. Convencida de la ineficacia de una fuerza militar ligada a la OTAN o al Pacto de Varsovia, Austria gasta solamente lo mínimo en defensa nacional. Y las controversias públicas sobre la postura defensiva austríaca en los años 70 reveló una amplia incertidumbre sobre la necesidad de un ejército fuerte. Esta incertidumbre no existe en Suiza.

Austria trata, por el contrario, y mucho más que Suiza, de atraer a instituciones internacionales con fuerzas diplomáticas disuasorias para las amenazas externas. La interdepencia política es, pues, un ingrediente esencial de la autonomía nacional austríaca. Los escépticos no cesan de preguntar si las Naciones Unidas controlan un mayor número de divisiones diferentes que el papa; pero, a un precio de 700 millones de dólares, Viena se ha convertido en la tercera ciudad de las Naciones Unidas, después de Nueva York y Ginebra. Desde 1979 un complejo de edificios de oficinas en los bancos del Danubio ha alojado a 3.500 empleados de varias agencias internacionales por el pago simbólico de un schilling al año. Además, Viena alberga a la sede central de la OPEP; sirve como conducto para los emigrantes de Europa oriental y soviéticos, y construye una cámara de compensación para la mayoría de los tratos de negocios privados entre el Este y el Oeste. Acoge alrededor de 250 empresas y aún más oficinas de representación relacionadas con el comercio entre el

[25] OCDE, *Economic Surveys: Austria* (París, 1981), p. 53.

Este y el Oeste, así como 35 agencias de empresas de Europa oriental [26]. Y dado que prepara a diplomáticos de 49 países, incluyendo cinco comunistas, la Academia Diplomática de Viena es única entre todos los centros de servicio exterior patrocinados por los gobiernos [27]. El hecho de que un austríaco fuera elegido dos veces secretario general de Naciones Unidas, organización a la que todavía no pertenece Suiza, ilustra los diferentes equilibrios entre la interdependencia y la autonomía que han conseguido Viena y Berna.

«Neutralidad y universalidad» es la máxima oficial que conforma la estrategia política de Suiza hacia el exterior. Expresa la profunda ambivalencia del país hacia el mundo externo. A diferencia de Austria, Suiza valora la autonomía nacional mucho más que la interdependencia internacional. La neutralidad armada de Suiza está basada en percepciones profundamente compartidas de lo que constituye el interés nacional del país y, sin duda, la prosperidad actual de Suiza deriva en parte de su habilidad para evitar el conflicto armado desde 1815. El sistema de milicias suizo la convierte literalmente en una nación de armas, que no cuestiona la necesidad o el valor de una constante preparación nacional. «En medio del huracán», entre 1939 y 1945, Suiza poseía 77.000 soldados fijos y sufrió 6.500 violaciones de su espacio soberano [28]. En los años 70 la frugal Suiza gastó dos veces más de PNB que Austria en defensa militar. La defensa nacional se ve favorecida por la geografía del país —incluso el turista casual queda impresionado por la preparación militar constante y visible de su pacífica fortaleza alpina. Y la defensa nacional descansa en una idustria de armamento propia que asegura al país una considerable independencia con respecto a los productos extranjeros y que, además, gana unos ingresos por exportación considerables. Los suizos creen, como decía Jane Kramer a los lectores del *New Yorker,* que «su ejército y sus Alpes, y no la conveniencia de una Suiza abierta, son los que les protegen» [29].

---

[26] Hogg, «A Small House in Order», Informe, p. 9.

[27] *Austrian Information,* 32, 6 (1979), 2.

[28] Este es el título de un libro reciente de Urs Schwarz, *The Eye of the Hurricane Switzerland in World War Two* (Boulder, Colo.: Westiview, 1980); los datos se han tomado de Pelinka, «Defense Policy and Permanent Neutrality», pp. 2, 11-12, 14. Véanse en general Karl Haltiner y Ruth Meyer, «Aspects of the Relationship between Military and Society in Swirzerland», *Armed Forces and Society,* 6 (1979), pp. 49-81; Dietrich Fischer, «Invulnerability without Threat: The Swiss Concept of General Defense», *Journal of Reace Research,* 19, 3 (1982-1983), pp. 205-26, y John McPhee, «A Reporter at Large: La Place de la Concorde Suisse I and II», *New Yorker,* 31 octubre 1983, pp. 50-117, y 17 noviembre 1983, pp. 55-112.

[29] Jane Kramer, «A Reporter in Europe: Zurich», *New Yorker,* 15 diciembre 1980, p. 119.

Pero el deseo de autonomía política que expresa Suiza actualmente está muy por detrás de sus implicaciones militares. Proporciona, por ejemplo, un fundamento para mantener las armas a distancia de las organizaciones internacionales [30]. Todavía hoy Suiza no pertenece a las Naciones Unidas, porque aún está ocupada en los preliminares de la formación del consenso interno. Por diversas razones, todas ellas basadas en el interés económico, ha rechazado pertenecer al Fondo Monetario Internacional, al Banco Mundial y al Grupo de los Diez como miembro de pleno derecho. La pertenencia plena en el GATT sólo se hizo efectiva en 1966, después de que Suiza, bajo la insistencia del grupo de presión de agricultura, hubiera ganado una exención permanente de libre comercio en agricultura. El presidente del Banco Nacional, Leo Schürmann, señaló que «estamos dispuestos a afrontar el riesgo político y económico de permanecer solos; pero también estamos dispuestos a explotar las oportunidades que ello ofrece» [31]. Esto exagera quizá los riesgos. Un periodista suizo escribía más recientemente que «nosotros todavía jugamos a ser honestos como si de estúpidos granjeros se tratase, como fachada detrás de la cual poder entablar nuestros astutos tratos financieros. Vivimos del hecho de que la gente olvida a menudo incluir a Suiza entre los grandes Estados industriales» [32]. Por ejemplo, la aplicación legal en Suiza de las limitaciones a la exportación negociadas de forma internacional sobre la sensible tecnología nuclear indica una enérgica estrategia de exportación. Suiza, podría decirse, por tanto, sigue la estrategia oportunista de un *free rider* no estando dispuesta a pagar los costes políticos totales de la infraestructura institucional por una economía internacional segura y liberal [33].

Pero ésta es sólo una parte del libro. La otra parte recoge el inevitable y profundo embrollo que mantiene Suiza con el mundo exterior, especialmente en los asuntos económicos. De hecho, la política exterior suiza parece haberse acercado mucho a su política exterior [34]. Suiza no pue-

---

[30] Véanse Richard Senti, ed., *Die Schweiz und internationale Wirtschaftsorganisationen* (Zurich: Schultness, 1975), y Jacques Freymond y Nadine Galvani, eds., *La Suisse et la diplomatie multilaterale,* 2.ª ed. (Ginebra: Institut universitaire de hautes études internacionales, 1978).

[31] *Der Spiegel,* 26 septiembre 1977, p. 163. Véase también Michael M. Günter, «Switzerland and the United Nations», *International Organization,* 30 (invierno, 1976), pp. 129-52.

[32] Bichsel, «Das Ende der schweizer Unschuld», p. 109. Véase también *New York Times,* 21 diciembre 1980, p. 15.

[33] *World Business Weekly,* 20 abril 1981, pp. 24-25.

[34] Albert Weitenauer, «Aussenpolitik und Aussenwirtschaft: Ausblick auf ein gemeinsames Ziel», *Schweizer Monatshefte,* 57 (1977), pp. 713-26; Heide Dechmann y Daniel Frei, «Der Platz de Schweiz im internationalen System: Eine deskriptive Studie», *Kleine Studien*

de permitirse el mantenerse apartada de la comunidad internacional. Coopera con todas la agencias técnicas de las Naciones Unidas. En el Banco Mundial, en el FMI y en el Grupo de los Diez mantiene un estatus plenamente reconocido como observadora, y, por ejemplo, desde 1978-79 ha estado envuelta activamente en la estabilización del valor del dólar y del tipo de cambio entre el franco y el marco alemán. Suiza ha pertenecido en años recientes a organizaciones como la Agencia Internacional para la Energía y avanza hacia la pertenencia a las Naciones Unidas.

Al igual que los demás Estados industriales avanzados, tanto grandes como pequeños, Suiza y Austria afrontan el dilema de cómo equilibrar su búsqueda de autonomía con el hecho de la interdependencia. El énfasis del socialismo democrático de Austria en la adaptación interior y el del capitalismo liberal suizo en la adaptación internacional está en básica contradicción con el equilibrio que han conseguido estos dos Estados entre la autonomía y la interdependencia. Austria financia su sistema de apoyo a la exportación en el exterior y aceptó a regañadientes el acuerdo internacional que regulaba las condiciones de los créditos al comercio de exportación en 1978. Suiza financia su ofensiva exportadora desde el país y se niega a firmar este acuerdo internacional. El gobierno no escatima gastos para atraer empresas hacia Austria. En Suiza, la comunidad empresarial ha erigido barreras privadas contra las absorciones por parte de extranjeros. Austria importa innovaciones tecnológicas, como sucede con el acero. Suiza produce sus innovaciones en el país y controla su salida, a veces de forma estricta, como en el caso de los relojes. Suiza deja fluctuar libremente a su moneda. En términos generales, pues, las interpretaciones profundamente aceptadas de alabanza a los mercados en la Suiza liberal y a la búsqueda de intervención estatal en la Austria socialista no logran captar las opciones políticas que han realizado estos dos países para equilibrar la autonomía y la interdependencia. Lo que se ha dicho de Austria sirve igual para Suiza: ambos países han «conseguido seguir una política que ha tenido un éxito evidente y ha sido notablemente independiente» [35]. Las consecuencias de esta política para las políticas internas de Suiza y Austria son potencialmente amplias. ¿Continuará Suiza confiando en una mezcla de improvisación política y de gobierno mediante decretos de emergencia y optará por una reforma interna de sus insti-

---

zir Politischen Wissenschaft, núms. 27-28 (Zurich: Forschungsstelle für Politische Wissenschaft, 1974) pp. 13-14, 40; Alois Riklin, *Gundlegungen der schweizerischen Aussepolitik* (Berna: Haupt, 1975), p. 24, y Gottfried Berweger, *Investition und Legitimation: Privatinvestitionen in Entwitcklungsländern als Teil der schweizerischen Legitimationsproblematik* (Diessenhofen: Rüegger, 1977), p. 66.

[35] Hogg, «A Small House in Order», Informe, p. 3.

tuciones? ¿Continuará Austria descansando en un sistema de participación económica y social o elegirá una intervención estatal más adecuada? En ambos casos el argumento de este libro apunta hacia la segunda, la del cambio. Suiza vive contenta con las contradicciones que surgen de su insistente búsqueda de autonomía política y recogida laboriosa de los frutos de la interdependencia económica. Y Austria acepta las tensiones que derivan de la combinación de su creciente implicación política en el mundo con los vestigios de la insularidad económica.

Estas tensiones y contradicciones se ven reflejadas en las metáforas con las que austríacos y suizos interpretan la realidad que experimentan. Si los austríacos poseen una característica nacional, ésta es el cinismo hacia la prosperidad y la alegría ante la adversidad. De ahí el dicho austríaco: «La situación es desesperanzadora, pero no seria.» En sus intentos de compaginar una estabilidad y prosperidad internas continuas con la creciente turbulencia y adversidad internacionales, los austríacos comienzan a preguntarse si su país es lo que el papa denominó en 1971, «una isla de santos», o si es, como señala la Nueva Izquierda, un sistema de capitalismo periférico. Dos de las tres respuestas que se escuchan más frecuentemente en Austria —«algo tiene que suceder» y «nada puede hacerse»— compendian la contradicción que experimenta el país en la economía internacional actual. La resolución de esta contradicción descansa en la tercera respuesta —«tendremos que arreglárnoslas como sea» *(man wird sich durchwursteln)*.

Igual que los austríacos, los suizos también son bastante conscientes de las tensiones con las que viven. Herbert Lüthy lo expresa de la siguiente forma: «Parece que estamos en un Estado de autocontradicción. Nuestro deseo de mantener nuestra posición en la carrera económica está constantemente en desacuerdo con nuestro vivo deseo político de seguir como estamos, o mejor como estábamos» [36]. Una metáfora que se repite en los debates sobre la estrategia suiza en la economía internacional subraya la necesidad de luchar con las mismas armas que los competidores extranjeros *(mit gleich Langen Spiessen fechten)*. La referencia es a un tipo de arma especial, la alabarda, una pieza del equipo militar que hace siglos hizo a los mercenarios suizos temibles en toda Europa. Desarrollada para el ataque, hacía con la cabeza de un oponente bien armado lo que un abrelatas moderno haría con una lata, y ello desde una distancia segura. Utilizada para la defensa, la alabarda permitía a las tropas suizas moverse hombro con hombro, formando una barrera inatacable que de-

---

[36] Herbert Lüthy, «Has Switzerland a Future? The Dilemma of the Small Nation», *Encounter,* 19 (diciembre 1962), p. 30.

pendía del movimiento colectivo. Actualmente, los suizos afrontan un mundo en el que, a cada golpe que dan, el filo del arma parece acortarse cada vez más. La resolución de esta contradicción está en la confianza con la que los suizos utilizan su independencia política como cobertura bajo la cual recogen los beneficios de la interdependencia económica [37].

El éxito económico y político de Austria y Suiza deriva de su capacidad para combinar la flexibilidad económica con la estabilidad política. Un artículo reciente concluía que «Suiza ha conseguido combinar la dependencia mundial con una medida aceptable de estabilidad interna» [38]. De forma similar, debido a sus estructuras corporatistas, se ha dicho que «la pequeña y abierta economía austríaca ha sido capaz de mostrar gran flexibilidad en el ajuste a unas condiciones del mercado mundial cambiantes. Sin embargo, esta flexibilidad comparativamente mayor hacia el cambio externo sólo es posible por la rigidez interna del sistema.» [39]. El corporatismo democrático ofrece una vía política para movilizar el consenso en las respuestas al cambio económico en sociedades dominadas por los negocios internacionales en Suiza y por un fuerte movimiento obrero en Austria. En ambos países tal consenso es esencial para las estrategias flexibles de ajuste en que derivan las exigencias económicas de apertura y las exigencias políticas del corporatismo.

El corporatismo democrático construye fuertes vínculos entre los que proponen la eficacia y los que proponen la igualdad; en realidad, la fórmula corporatista para el éxito es limitar el ejercicio unilateral del poder. Esta restricción se expresa en la reducción de las desigualdades políticas que se da tanto en Suiza como en Austria. Su convergencia en bastantes terrenos es resultado no sólo de las presiones económicas de los mercados internacionales, sino de los requerimientos políticos de las estructuras corporatistas. En sus políticas, Austria y Suiza no siguen estrictamente las lógicas del Estado o del mercado. Los suizos por el cambio descansan en la fórmula corporatista de alimentar el capitalismo en un país, mientras que los austríacos siguen el cambio corporatista para construir el socialismo en su solo mundo.

---

[37] Max Pfister, *Die Sonderstellung der Schweiz in der internationalen Wirtschaftspolitik: Aussenwirtschaftspolitik 1945-1959* (Winterthur: Keller, 1971), p. 88.

[38] Jean-Christian Lambelet, «Switzerland's Economy: World Dependence vs. Domestic Stability» (n. p., n. d., mimeo), p. 12.

[39] Erich Andrlik, «Labor-Management Relations in Austria's Steel Industry» (San Francisco, 1982, mimeo), p. 37.

INDICE ANALITICO

Se terminó de imprimir esta obra:
Corporatismo y cambio,
el día 12 de mayo de 1987,
en los talleres de
Closas-Orcoyen, S. L.
Polígono Igarsa.
Paracuellos de Jarama. Madrid.